U0217175

『十三五』国家重点出版物出版规划项目

国家出版基金项目
NATIONAL PUBLICATION FOUNDATION

中国中药资源大典

宁夏卷

④

黄璐琦 / 总主编

王英华　余建强　梁文裕 / 主　编

北京科学技术出版社

图书在版编目（CIP）数据

中国中药资源大典 . 宁夏卷 . 4 / 王英华，余建强，梁文裕主编 . — 北京：北京科学技术出版社，2022.1
ISBN 978-7-5714-1969-1

Ⅰ . ①中… Ⅱ . ①王… ②余… ③梁… Ⅲ . ①中药资源—资源调查—宁夏 Ⅳ . ①R281.4

中国版本图书馆 CIP 数据核字（2021）第 254321 号

责任编辑：侍　伟　李兆弟　王治华
责任校对：贾　荣
图文制作：樊润琴
责任印制：李　茗
出 版 人：曾庆宇
出版发行：北京科学技术出版社
社　　址：北京西直门南大街16号
邮政编码：100035
电　　话：0086-10-66135495（总编室）　0086-10-66113227（发行部）
网　　址：www.bkydw.cn
印　　刷：北京捷迅佳彩印刷有限公司
开　　本：889 mm × 1 194 mm　　1/16
字　　数：1 048千字
印　　张：47.25
版　　次：2022年1月第1版
印　　次：2022年1月第1次印刷
审 图 号：GS（2021）8727号
ISBN 978-7-5714-1969-1

定　　价：490.00元

目 录
Contents

附 篇

宁夏回族自治区动物药、矿物药资源

被子植物

忍冬科 Caprifoliaceae 忍冬属 Lonicera

金花忍冬
Lonicera chrysantha Turcz.

| 药 材 名 | 黄花忍冬（药用部位：花蕾）。

| 形 态 特 征 | 落叶灌木，高达 4 m。幼枝、叶柄和总花梗常被开展的直糙毛、微糙毛和腺。冬芽卵状披针形，鳞片 5 ~ 6 对，外面疏生柔毛，有白色长睫毛。叶纸质，菱状卵形、菱状披针形、倒卵形或卵状披针形，长 4 ~ 8（~ 12）cm，先端渐尖或急尾尖，基部楔形至圆形，两面脉上被直或稍弯的糙伏毛，中脉毛较密，有直缘毛；叶柄长 4 ~ 7 mm。总花梗细，长 1.5 ~ 3（~ 4）cm；苞片条形或狭条状披针形，长 2.5 ~ 8 mm，常高出萼筒，小苞片分离，卵状矩圆形、宽卵形、倒卵形至近圆形，长约 1 mm，为萼筒长的 1/3 ~ 2/3；相邻两萼筒

金花忍冬

分离，长 2 ～ 2.5 mm，常无毛而具腺，萼齿圆卵形、半圆形或卵形，先端圆或钝；花冠先白色后变黄色，长（0.8 ～）1 ～ 1.5（～ 2）cm，外面疏生短糙毛，唇形，唇瓣较筒长 2 ～ 3 倍，筒内有短柔毛，基部有 1 深囊或有时囊不明显；雄蕊和花柱短于花冠，花丝中部以下有密毛，药隔上半部有短伏柔毛；花柱全被短柔毛。果实红色，圆形，直径约 5 mm。花期 5 ～ 6 月，果熟期 7 ～ 9 月。

| **生境分布** | 生于海拔 1 200 ～ 2 500 m 的山谷或沟谷灌丛中。分布于宁夏六盘山（泾源、隆德、原州）及金凤等，隆德其他地区也有分布。

| **资源情况** | 野生资源较丰富。

| **采收加工** | 5 ～ 6 月间于露水刚干时摘取花蕾，鲜用、晾晒或阴干。

| **药材性状** | 本品花蕾呈小棒锤状，下端较细，长 0.7 ～ 1.2 cm，上部直径 2 ～ 3 mm，浅黄色，毛极少。花萼筒绿色。气微香，味微苦。

| **功能主治** | 苦，凉。归肝经。清热解毒，消肿。用于疔疮痈肿。

| **用法用量** | 内服煎汤，6 ～ 12 g；或鲜品捣汁。外用适量，捣敷。

| **附 注** | 本种的嫩枝和叶也可作药用。

忍冬科 Caprifoliaceae 忍冬属 Lonicera

葱皮忍冬 *Lonicera ferdinandii* Franch.

| 药 材 名 | 葱皮忍冬（药用部位：花蕾）。

| 形态特征 | 灌木，高 1 ~ 1.5 m。幼枝灰绿色，密生粗毛，老枝黑褐色，条状剥落，壮枝叶柄间具圆形托叶。叶对生，卵形或卵状矩圆形，长 2 ~ 8.5 cm，宽 1 ~ 4.5 cm，先端渐尖或长渐尖，基部圆形或微心形，上面绿色，被平伏柔毛，下面浅绿色，被硬毛，沿脉较密，边缘具缘毛；叶柄长 2 ~ 5 mm，密被硬毛。花对生于幼枝上部叶腋，总花梗短，长约 2 mm，密被硬毛；苞片卵形，长约 1 cm，宽 6 ~ 7 mm，具缘毛，小苞片合生成坛状壳斗，完全包围子房，厚革质，外面被毛，内面无毛；相邻两花萼分离，萼齿小，三角形，被毛；花冠黄色，长约 2 cm，外面疏被柔毛及少数硬长毛，二唇形，唇片与花冠筒近等长，

葱皮忍冬

花冠筒基部膨大成囊状，上唇 4 裂，裂片椭圆形，长约 2 mm，先端圆；雄蕊 5，与花冠近等长；花柱被毛，伸出花冠。浆果红色，外包开裂的壳斗。花期 6 月，果期 7 ~ 8 月。

| **生境分布** | 生于海拔 1 700 ~ 2 000 m 的山谷杂木林中。分布于宁夏六盘山（泾源、隆德、原州）、罗山（同心、红寺堡）及西吉、西夏等，泾源、原州、同心其他地区也有分布。

| **资源情况** | 野生资源较丰富。

| **采收加工** | 5 ~ 6 月间于露水刚干时摘取初开花蕾，鲜用、晾晒或阴干。

| **功能主治** | 甘，寒。归肺、心、胃经。清热解毒，抗炎，补虚疗风。用于胀满下痢，温病发热，热毒痈疡，肿瘤等。

| **用法用量** | 内服煎汤，6 ~ 12 g；或鲜品捣汁。外用适量，捣敷。

忍冬科 Caprifoliaceae 忍冬属 Lonicera

刚毛忍冬
Lonicera hispida Pall. ex Roem. et Schult.

| 药 材 名 | 刚毛忍冬（药用部位：花蕾、嫩枝、叶、果实）。

| 形态特征 | 落叶灌木，高1～2.5 m。幼枝绿棕色，被开展或倒向的硬毛，老枝灰褐色，条状剥落。叶对生，长椭圆形、卵状长椭圆形或椭圆状披针形，长4～6 cm，宽1～2.5 cm，先端渐尖，基部宽楔形至近圆形，稀微心形，上面绿色，被平伏硬毛，下面灰绿色，沿脉被硬毛，边缘具缘毛；叶柄长2～5 mm，密被硬毛。花对生于当年生枝的最下1对叶的叶腋中；总花梗长5～12 mm，被硬毛；苞片宽卵形，长2～3 cm，宽12～15 mm，先端渐尖，脉纹明显或不甚明显，被硬毛；相邻两花萼离生，被腺毛及刚毛，萼檐环状，无萼齿；花冠黄白色，长2～2.5 cm，外面疏被腺毛及刚毛，基部膨大成囊，先端

刚毛忍冬

5裂，裂片长椭圆形，长7~8mm，先端圆，边缘具短缘毛；雄蕊5，与花冠裂片等长；花柱被毛，伸出花冠。果实由橘黄色变为红色，具刺毛和腺毛；种子扁平，淡褐色。花期5~7月，果期7~9月。

| 生境分布 | 生于海拔1700~2800m的山坡灌丛中或林缘。分布于宁夏六盘山（泾源、隆德、原州）等，泾源、隆德其他地区也有分布。

| 资源情况 | 野生资源较丰富。

| 采收加工 | 5~6月间于露水刚干时摘取初开花蕾或嫩枝，鲜用、晾晒或阴干；全年均可采收叶，秋季采收成熟果实，除去杂质，晒干。

| 功能主治 | 花蕾，甘，寒。归肺、肝经。清热解毒。嫩枝、叶，甘，寒。归肺、肝经。清热解毒，舒筋通络。果实，甘、酸，寒。清肝明目，止咳平喘。

| 用法用量 | 内服煎汤，9~15g；或鲜品捣汁。外用适量，捣敷。

金银忍冬
Lonicera maackii (Rupr.) Maxim.

| 药 材 名 | 金银忍冬（药用部位：茎叶、花。别名：金银木、树金银）。

| 形态特征 | 落叶灌木，高达 6 m。茎干直径达 10 cm，幼枝、叶两面脉上、叶柄、苞片、小苞片及萼檐外面均被短柔毛和微腺毛。冬芽小，卵圆形，有 5 ~ 6 对或更多鳞片。叶纸质，形状变化较大，通常卵状椭圆形至卵状披针形，稀矩圆状披针形或倒卵状矩圆形，更少菱状矩圆形或圆卵形，长 5 ~ 8 cm，先端渐尖或长渐尖，基部宽楔形至圆形；叶柄长 2 ~ 5（~ 8）mm。花芳香，生长于幼枝叶腋；总花梗长 1 ~ 2 mm，短于叶柄；苞片条形，有时条状倒披针形而呈叶状，长 3 ~ 6 mm，小苞片多少联合成对，长为萼筒的 1/2 至几相等，先端截形；相邻两萼筒分离，长约 2 mm，无毛或疏生微腺毛，萼檐钟

金银忍冬

状，长为萼筒的 2/3 至相等，干膜质，萼齿宽三角形或披针形，不相等，顶尖，裂隙约达萼檐之半；花冠先白色后变黄色，长 1 ~ 2 cm，外面被短伏毛或无毛，唇形，筒长约为唇瓣的 1/2，内面被柔毛；雄蕊与花柱长约达花冠的 2/3，花丝中部以下和花柱均有向上的柔毛。果实暗红色，圆形，直径 5 ~ 6 mm；种子具蜂窝状微小浅凹点。花期 5 ~ 6 月，果熟期 8 ~ 10 月。

| 生境分布 |　生于林下、林缘、山坡、河岸及路旁。分布于宁夏泾源、贺兰、惠农、平罗、西夏、永宁、青铜峡、盐池等。

| 资源情况 |　野生资源较少。

| 采收加工 |　夏、秋季采收茎叶，5 ~ 6 月采摘花，鲜用或切段晒干。

| 功能主治 |　甘，寒。祛风，清热，解毒。用于感冒，咳嗽，咽喉肿痛，目赤肿痛，肺痈，乳痈，湿疮。

| 用法用量 |　内服煎汤，9 ~ 15 g。外用适量，捣敷；或煎汤洗。

忍冬科 Caprifoliaceae 忍冬属 Lonicera

小叶忍冬 *Lonicera microphylla* Willd. ex Roem. et Schult.

| 药 材 名 | 小叶忍冬（药用部位：花蕾、枝叶）。

| 形态特征 | 灌木，高 1 ~ 1.5 m。幼枝浅棕色，无毛，老枝灰白色，条状剥落。叶对生，倒卵形或倒卵状椭圆形，长 1 ~ 2 cm，宽 0.6 ~ 1 cm，先端圆形或急尖，基部楔形，上面绿色，无毛或几无毛，下面灰绿色，被短柔毛，后渐脱落，边缘具疏缘毛；叶柄长 2 ~ 5 mm，无毛。花对生，总花梗长约 1.5 cm，无毛；苞片线形，长约 5 mm，较花萼长，被短柔毛或无毛；花萼长约 2.5 mm，无毛，相邻两花萼大部至几全部合生，萼檐环状；花冠淡黄色，长 12 ~ 13 mm，外面无毛，基部膨大成囊状，二唇形，上唇 4 裂，裂片矩圆形，长 2.5 ~ 3 mm，先端圆，花冠筒内疏被柔毛；雄蕊 5，稍伸出花冠；花柱被柔毛，伸

小叶忍冬

出花冠。浆果近球形，红色，直径约 6 mm。花期 6 月，果期 7 ～ 8 月。

| **生境分布** | 生于山坡、沟谷边。分布于宁夏海原、同心、贺兰、西夏、沙坡头等。

| **资源情况** | 野生资源较丰富。

| **采收加工** | 5 ～ 6 月间于露水刚干时摘取初开花蕾，鲜用、晾晒或阴干；全年均可采收枝叶，除去杂质，晒干。

| **功能主治** | 甘，寒。归肺、心、胃经。清热解毒，强心消肿，固齿。

| **用法用量** | 内服煎汤，9 ～ 15 g；或鲜品捣汁。外用适量，捣敷。

忍冬科 Caprifoliaceae 忍冬属 Lonicera

岩生忍冬

Lonicera rupicola Hook. f. et Thoms.

| 药 材 名 | 岩生忍冬（药用部位：花蕾、枝叶、果实、种子）。

| 形态特征 | 落叶灌木，高达2 m。老枝灰黑色，小枝棕褐色，被短绒毛。叶对生或3叶轮生，长椭圆形，长1.5～2.5 cm，宽5～10 mm，先端圆钝，稀急尖，基部近圆形或微凹，表面绿色，无毛或疏被短绒毛，网脉明显，背面密生灰白色绒毛。花对生，总花梗长3～4 mm，被短绒毛；苞片披针形，与花萼近等长；花长5～7 mm，子房离生，萼齿披针形，长为花萼的一半或稍短，边缘疏具缘毛；花冠粉红色或淡紫色，先端近5等裂，裂片椭圆形；雄蕊5，内藏；花柱与雄蕊近等长。果实近球形，红色。花期5～8月，果期8～10月。

| 生境分布 | 生于山坡灌丛。分布于宁夏泾源、隆德等。

岩生忍冬

| **资源情况** | 野生资源较少。 |

| **采收加工** | 5～6月于露水刚干时摘取花蕾，鲜用、晒干或阴干；全年均可采收枝叶；秋季采收成熟果实，除去杂质，晒干。 |

| **功能主治** | 甘，寒。归肺、肝、胃经。花蕾，温中止痛。用于胃痛。枝叶，解热抗菌。用于肺炎，痢疾，疔疮肿毒。果实、种子，用于肺病，眼病。 |

忍冬科 Caprifoliaceae 忍冬属 Lonicera

毛药忍冬

Lonicera serreana Hand.-Mazz.

毛药忍冬

| 药 材 名 |

毛药忍冬（药用部位：花蕾）。

| 形态特征 |

落叶灌木，高 1.5 ~ 2 m。小枝褐色，疏被短柔毛，老枝灰白色。叶对生，倒卵形、狭倒卵形至倒卵状披针形，长 1 ~ 3.5 cm，宽 7 ~ 15 mm，先端急尖或圆钝，基部楔形，上面深绿色，下面灰绿色，两面被柔毛，下面毛较密；具极短的叶柄或近无柄。花对生，总花梗长，下垂，被柔毛；苞片卵形，先端尖，具缘毛；花萼萼齿小，三角形，被毛，子房大部至全部合生；花冠淡黄色或粉白色，外面无毛，内面被长柔毛，基部具稍膨大的浅囊，边缘近 5 等裂，裂片宽卵形或近圆形，先端圆；雄蕊 5，与花冠等长或较之稍长，花药被柔毛；花柱被柔毛，伸出花冠。果实红色；种子淡褐色，有 4 纵棱。花期 6 ~ 8 月，果期 8 ~ 9 月。

| 生境分布 |

生于山坡林缘或山谷河滩地。分布于宁夏泾源等。

资源情况	野生资源较少。
采收加工	5～6月于露水刚干时摘取初开花蕾，鲜用、晒干或阴干。
功能主治	甘，寒。归肺、肝经。清热解毒，截疟。用于疮疡肿毒，疟疾。

忍冬科 Caprifoliaceae 忍冬属 Lonicera

唐古特忍冬
Lonicera tangutica Maxim.

| **药 材 名** | 唐古特忍冬（药用部位：花蕾、根或根皮）。

| **形态特征** | 落叶小灌木，高 1 ~ 3 m。幼枝棕褐色，无毛，老枝灰白色，被棕褐色短毛或无毛。叶倒披针形或长椭圆形，长 1 ~ 5 cm，宽 0.6 ~ 2 cm，先端钝或急尖，基部楔形，上面绿色，被柔毛，下面浅绿色，无毛或沿中脉被柔毛，边缘具缘毛；叶柄腹面具槽，边缘被柔毛。花对生，总花梗细长，下垂，无毛；苞片披针形，与花萼等长或较之稍长，无毛；花萼无毛，萼齿小，宽三角形，相邻两子房大部至全部合生；花冠黄白色带红晕，外面无毛，基部稍膨大，具浅囊，边缘近 5 等裂，裂片卵形，长约 2 mm，先端尖；雄蕊 5，伸至裂片基部；花柱伸出花冠之外，无毛。浆果红色。花期 5 ~ 6 月，果期 7 ~ 8 月。

唐古特忍冬

| **生境分布** | 生于林下或山坡灌丛中。分布于宁夏泾源、隆德等。 |

| **资源情况** | 野生资源较少。 |

| **采收加工** | 5～6月于露水刚干时摘取花蕾，鲜用、晒干或阴干。 |

| **功能主治** | 甘，寒。归肺、肝经。清热解毒，截疟。用于疮疡肿毒，疟疾。 |

忍冬科 Caprifoliaceae 忍冬属 Lonicera

新疆忍冬
Lonicera tatarica L.

| 药 材 名 | 新疆忍冬（药用部位：花蕾）。

| 形态特征 | 落叶灌木，高达 3 m，全体近无毛。叶纸质，卵形或卵状矩圆形，先端尖，稀渐尖或钝，基部圆形或近心形，稀阔楔形，两侧常稍不对称，边缘有短糙毛。总花梗纤细；苞片条状披针形或条状倒披针形，小苞片分离，近圆形至卵状矩圆形，长为萼筒的 1/3 ～ 1/2；相邻两萼筒分离，萼檐具三角形或卵形小齿；花冠粉红色或白色，唇形，筒短于唇瓣，基部常有浅囊，上唇两侧深裂达唇瓣基部，开展，中裂较浅；雄蕊和花柱稍短于花冠；花柱被短柔毛。果实红色，圆形，双果之一常不发育。花期 5 ～ 6 月，果熟期 7 ～ 8 月。

| 生境分布 | 栽培种。宁夏金凤、兴庆、西夏、灵武、永宁、贺兰、大武口、惠农、平罗、盐池等有栽培。

新疆忍冬

| 资源情况 | 栽培资源较少。

| 采收加工 | 5～6月于露水刚干时摘取花蕾，鲜用、晒干或阴干。

| 功能主治 | 甘，寒。归心、肝经。清热解毒，活血通络。用于痈肿疮毒，风湿痹痛。

忍冬科 Caprifoliaceae 忍冬属 Lonicera

盘叶忍冬 *Lonicera tragophylla* Hemsl.

| 药 材 名 | 盘叶忍冬（药用部位：花蕾。别名：金银花）。

| 形态特征 | 落叶藤本。小枝黄绿色，光滑无毛。叶对生；叶片椭圆形或卵状椭圆形，先端急尖或钝，基部楔形，全缘，上面绿色，下面灰蓝绿色，两面无毛或下面中脉两侧被短毛；下部叶具短柄，上部叶无柄或基部合生，花序下的 1 对合生成盘状，呈扁圆形或近圆形。头状花序顶生，具花 4 ~ 12；萼齿三角形；花冠黄色或橙黄色，长 5 ~ 7 cm，二唇形，裂片长约为花冠全长的 1/3，上唇 4 裂，下唇稍短于上唇；雄蕊 5，与花冠等长或较之稍长，花丝无毛；花柱较雄蕊稍长，柱头头状。浆果红色，近球形。花期 6 ~ 7 月，果期 9 ~ 10 月。

| 生境分布 | 生于林下、灌丛或河滩旁岩缝中。分布于宁夏泾源、隆德等。

盘叶忍冬

| 资源情况 | 野生资源较少。

| 采收加工 | 6～7 月花开前采收，除去杂质，摊开，晾干。不得水洗，不宜多翻动，防止花色变黑。

| 药材性状 | 本品呈棒状，上端较粗，下端较细，长 3～6 cm，上部直径约 5 mm，下部直径约 2 mm；表面淡黄色至黄色，具细脉纹。开放者呈筒状，先端二唇形，上唇4 裂；雄蕊 5，与花冠等长或较之稍长；花柱细长，柱头头状，伸出花冠之外。气清香，味淡、微苦。以开放花少、色淡、气清香者为佳。

| 功能主治 | 甘，寒。归肺、心、肝经。清热解毒，活血通络，消炎止痛。用于感冒，痈肿疮毒，风湿痹痛。

| 用法用量 | 内服煎汤，9～15 g；或鲜品捣汁。外用适量，捣敷。

忍冬科 Caprifoliaceae | 接骨木属 Sambucus

血满草 *Sambucus adnata* Wall.

| **药 材 名** | 血满草（药用部位：全草或根皮。别名：接骨草、臭老汉、大血草）。

| **形态特征** | 多年生草本，高 0.5 ~ 1 m。根茎横走，圆柱形，外皮黄褐色，折断后多有红色汁液流出。茎有纵棱槽，节明显。奇数羽状复叶，对生；小叶 5 ~ 9，无柄或近无柄，长圆状椭圆形至窄长圆形，长 6 ~ 12 cm，宽 2.5 ~ 3 cm，先端渐尖，基部偏斜，最上 1 对小叶片基部合生，有时还与顶生小叶相连，边缘有锯齿。大型复伞形花序顶生，花小，白色，萼片、花瓣、雄蕊均为 5，花间无黄色杯状腺体，苞片极小或无。浆果状核果球形，红色，核表面较平滑，仅稍有皱纹。花期 6 ~ 7 月，果期 8 ~ 9 月。

| **生境分布** | 生于路旁、沟边、林缘及疏林下。分布于宁夏隆德、彭阳、泾源、原州等。

血满草

| 资源情况 | 野生资源较丰富。

| 采收加工 | 夏、秋季采收,鲜用或晒干。

| 药材性状 | 本品根茎呈圆柱形,略扁,长而扭曲,直径 3 ~ 8 mm;表面灰褐色,有明显纵皱纹,节部膨大,节上生须根。茎呈圆柱形,有分枝,直径约 1 cm;表面褐紫色或灰褐色,有纵棱。叶对生,奇数羽状复叶,绿褐色,多皱缩破碎,完整叶片呈长椭圆状披针形,边缘有粗锯齿,先端渐尖,基部不对称。根茎质坚脆,易折断,具髓。茎质坚韧,不易折断,断面黄白色,纤维性,具髓。气微,味微苦、微咸。

| 功能主治 | 淡、微苦,微温。归脾、肾经。祛风,利水,活血,通络。用于风湿痹痛,风疹瘙痒,腰腿疼痛,跌打损伤,骨折,急、慢性肾小球肾炎。

| 用法用量 | 内服煎汤,9 ~ 15 g。外用适量,鲜品捣敷。

| 附　注 | 《宁夏中药志》记载本种以地上全草入药。本种的根茎也可药用。秋季采收全草,除去泥土,地上部分与根茎分开,鲜用或分别晒干。

忍冬科 Caprifoliaceae 接骨木属 Sambucus

接骨木

Sambucus williamsii Hance

| 药 材 名 | 接骨木（药用部位：茎枝。别名：续骨木、公道老）、接骨木叶（药用部位：叶）、接骨木花（药用部位：花）、接骨木根（药用部位：根或根皮）。

| 形态特征 | 落叶灌木或小乔木，高5～6 m。叶为羽状复叶，有小叶2～3对，有时仅1对或多达5对，侧生小叶片卵圆形、狭椭圆形至倒矩圆状披针形，长5～15 cm，宽1.2～7 cm，先端尖、渐尖至尾尖，边缘具不整齐锯齿。花与叶同出；圆锥形聚伞花序顶生，具总花梗，花序分枝多呈直角开展，有时被稀疏短柔毛，随即光滑无毛；花小而密；萼筒杯状，萼齿三角状披针形，稍短于萼筒；花冠蕾时带粉红色，开后为白色或淡黄色，筒短，裂片矩圆形或长卵圆形；雄蕊与花冠裂片等长，开展；子房3室，花柱短，柱头3裂。果实红色，

接骨木

卵圆形或近圆形；分核 2 ~ 3，卵圆形至椭圆形，略有皱纹。花期 3 ~ 5 月，果熟期 4 ~ 5 月。

| **生境分布** | 生于山坡、灌丛、沟边、路旁、宅边等。分布于宁夏泾源等。

| **资源情况** | 野生资源较少。

| **采收加工** | 接骨木：全年均可采收，鲜用或切段晒干。

接骨木叶：春、夏季采收，鲜用或晒干。

接骨木花：4 ~ 5 月采收整个花序，加热使花脱落，除去花中杂质，晒干。

接骨木根：9 ~ 10 月采挖，洗净，切片，鲜用或晒干。

| **药材性状** | 接骨木：本品呈圆柱形，长短不等，直径 5 ~ 12 mm。表面绿褐色，有纵条纹及棕黑色点状凸起的皮孔，有的皮孔呈纵长椭圆形，长约 1 cm。皮部剥离后呈浅绿色至浅黄棕色。体轻，质硬。加工后的药材为斜向横切片，呈长椭圆形，厚约 3 mm，切面皮部褐色，木部浅黄白色至浅黄褐色，有环状年轮和细密放射状的白色纹理。髓部疏松，海绵状。体轻。气无，味微苦。以片完整、色黄白、无杂质者为佳。

| 功能主治 | 接骨木：甘、苦，平。归肝经。祛风利湿，活血，止血。用于风湿痹痛，痛风，大骨节病，急、慢性肾小球肾炎，风疹，跌打损伤，骨折肿痛，外伤出血。

接骨木叶：辛、苦，平。活血，舒筋，止痛，利湿。用于跌打骨折，筋骨疼痛，风湿痹痛，痛风，脚气病，烫火伤。

接骨木花：辛，温。发汗利尿。用于感冒，小便不利。

接骨木根：苦、甘，平。祛风除湿，活血舒筋，利尿消肿。用于风湿痹痛，痰饮，黄疸，跌打瘀痛，骨折肿痛，急、慢性肾小球肾炎，烫伤。

| 用法用量 | 接骨木：内服煎汤，15～30 g；或入丸、散剂。外用适量，捣敷；或煎汤熏洗；或研末撒。

接骨木叶：内服煎汤，6～9 g；或浸酒。外用适量，捣敷；或煎汤熏洗；或研末调敷。

接骨木花：内服煎汤，4.5～9 g。

接骨木根：内服煎汤，15～30 g。外用适量，捣敷；或研末撒；或研末调敷。

忍冬科 Caprifoliaceae 莛子藨属 Triosteum

莛子藨
Triosteum pinnatifidum Maxim.

| 药 材 名 | 鸡爪七（药用部位：根、成熟果实。别名：白葡萄）。

| 形态特征 | 多年生草本，高 30 ~ 60 cm，全体被白色刺刚毛和腺毛。茎直立，单一。叶对生，3 ~ 4 对，近无柄；叶片倒卵形或倒卵状椭圆形，羽状深裂，裂片多为 5，卵状椭圆形，全缘，渐尖，下部 1 对叶较小，茎顶 4 叶最大，近轮生状，基部楔形。穗状花序顶生，3 ~ 4 轮，每轮具 6 花，由 2 对生、无总梗的聚伞花序组成；苞片条形，较花长 1 倍；萼筒卵形，萼齿 5 裂，微小，宿存；花冠管状，黄绿色，筒基部一侧具囊，先端 5 裂，二唇形，上 4 下 1，大小不等，裂片内面带紫色斑点；雄蕊 5，与花柱均短于花冠；子房下位，近球形，乳白色，成熟后黄褐色，具腺毛。核果浆果状。花期 5 ~ 6 月，果期 6 ~ 7 月。

莛子藨

| **生境分布** | 生于林缘、林下或灌丛中。分布于宁夏泾源、隆德等。

| **资源情况** | 野生资源较丰富。

| **采收加工** | 秋末或早春挖取根部，除去残茎及须根，洗净，晒干；7～8月采集成熟果实，洗净，晒干。

| **药材性状** | 本品根呈鸡爪状，2～5并生或不规则簇生。主根长2～5 cm，直径0.5～1 cm，偶见更粗长者。表面黄棕色至棕褐色，栓皮剥裂或剥离，具纵皱纹。质硬，折断面白色，具坚硬的木心。气微，味微苦。

| **功能主治** | 苦，平。归心、脾、胃经。祛风活血，健脾胃，调经，止痛。用于风湿痹痛，跌扑损伤，消化不良，月经不调，带下。

| **用法用量** | 内服煎汤，6～10 g。外用适量，捣敷。

忍冬科 Caprifoliaceae 荚蒾属 Viburnum

桦叶荚蒾

Viburnum betulifolium Batal.

| 药 材 名 | 桦叶荚蒾（药用部位：根、果实。别名：红对节子、卵叶荚蒾）。

| 形态特征 | 灌木，高 1 ～ 2 m。小枝暗紫褐色，无毛或疏被星状毛。叶片卵形、宽卵形或近圆形，长 2.5 ～ 7 cm，宽 2 ～ 5.5 cm，先端突尖，少渐尖，基部圆形，边缘具浅波状牙齿，上面绿色，疏被平伏短毛和叉状毛，下面浅绿色，被星状毛，近基部两侧有少数黑褐色腺体；叶柄密生星状毛。复伞形聚伞花序顶生，总花梗及花梗密生星状毛；花萼管状，裂片 5，三角形或卵状三角形；花冠白色，辐状，裂片 5，近圆形；雄蕊 5，与花冠近等长。果实近圆形，棕褐色；核扁，有 1 浅腹沟和 2 浅背沟。花期 6 月，果期 7 月。

| 生境分布 | 生于海拔 1 500 ～ 2 500 m 的山坡灌丛中。分布于宁夏隆德、泾源等。

桦叶荚蒾

| **资源情况** | 野生资源较少。

| **采收加工** | 秋季采挖根，洗净，切段或片，晒干。

| **功能主治** | 涩，平。调经，利湿。用于月经不调，遗精，滑精，白浊，带下，口臭。

| **用法用量** | 内服煎汤，30 ~ 60 g；或炖肉。

忍冬科 Caprifoliaceae 荚蒾属 Viburnum

聚花荚蒾 *Viburnum glomeratum* Maxim.

药 材 名	聚花荚蒾（药用部位：根、果实、叶）。

形态特征	落叶灌木或小乔木，高 3 ~ 5 m。叶纸质，卵状椭圆形、卵形或宽卵形，先端钝圆、尖或短渐尖，基部圆或多少带微斜心形，边缘有牙齿，上面疏被簇状短毛，下面初时被由簇状毛组成的绒毛，后毛渐稀，侧脉 5 ~ 11 对，与其分枝均直达齿端。聚伞花序；萼筒被白色簇状毛，萼齿卵形，与花冠筒等长或为其 2 倍；花冠白色，辐状，裂片卵圆形，长等于或略超过筒；雄蕊稍高出花冠裂片，花药近圆形。果实红色，后变黑色；核椭圆形，扁，有 2 浅背沟和 3 浅腹沟。花期 4 ~ 6 月，果熟期 7 ~ 9 月。

生境分布	生于山谷林中、灌丛中或草坡的阴湿处。分布于宁夏泾源、隆德等。

聚花荚蒾

| **资源情况** | 野生资源较少。

| **功能主治** | 苦，平。归心、脾、胃经。祛风活血，健脾胃，调经，止痛。用于风湿痹痛，跌扑损伤，消化不良，月经不调，带下。

| **用法用量** | 内服煎汤，6 ~ 10 g。外用适量，捣敷。

忍冬科 Caprifoliaceae 荚蒾属 Viburnum

蒙古荚蒾
Viburnum mongolicum (Pall.) Rehd.

| 药 材 名 | 蒙古荚蒾（药用部位：根、叶、果实）。

| 形态特征 | 落叶灌木，高达 2 m。叶纸质，宽卵形至椭圆形，稀近圆形，长 2.5 ~ 5（~ 6）cm，先端尖或钝，基部圆形或圆楔形，边缘有波状浅齿，齿顶具小突尖，上面被簇状或叉状毛，下面灰绿色，侧脉 4 ~ 5 对，近叶缘前分枝而互相网结，连同中脉在上面略凹陷或不明显，在下面凸起。聚伞花序具少数花；萼筒矩圆筒形，无毛，萼齿波状；花冠筒状钟形，淡黄白色，无毛；雄蕊约与花冠等长，花药矩圆形。果实红色而后变黑色，椭圆形；核扁，有 2 浅背沟和 3 浅腹沟。花期 5 月，果熟期 9 月。

| 生境分布 | 生于山坡疏林下或河滩地。分布于宁夏原州、西吉、隆德、泾源、彭阳、红寺堡、西夏、贺兰、平罗等。

蒙古荚蒾

| **资源情况** | 野生资源较少。 |

| **采收加工** | 秋季采收根或成熟果实，除去须根、泥土及杂质，晒干；春、夏季采收嫩叶，鲜用、晒干或阴干。 |

| **功能主治** | 苦，凉。归肝、脾经。根、叶，祛风除湿，活血通经。用于风湿痹痛，跌打损伤。果实，清热解毒，破瘀通经，健脾。 |

| **用法用量** | 内服煎汤，9 ~ 30 g。外用适量，鲜品捣敷；或煎汤洗。 |

忍冬科 Caprifoliaceae 荚蒾属 Viburnum

鸡树条

Viburnum opulus L. subsp. *calvescens* (Rehder) Sugimoto

| 药 材 名 | 鸡树条（药用部位：枝、叶、果实。别名：山竹子、鸡树条子）。

| 形态特征 | 灌木，高 2 ~ 3 m；树皮灰褐色，纵条状开裂。单叶对生，具长柄，上部具凸起的盘状腺体；叶片宽卵形至卵圆形，长、宽均为 5 ~ 13 cm，先端 3 裂，中央裂片较大，裂片边缘具不整齐牙齿，基部宽楔形、圆形或截形，具掌状三出脉。聚伞花序顶生，由 6 ~ 8 小聚伞花序组成；外围有不育性辐射花，能育花在中央；花萼 5，浅裂；花冠辐状，喉部具毛，裂片 5，乳白色；雄蕊 5，着生于花冠筒上，超出花冠，花药紫色。果实近球形，红色；种子扁圆形。花期 6 月，果熟期 9 月。

| 生境分布 | 生于林缘、灌丛。分布于宁夏泾源等。

鸡树条

资源情况	野生资源较少。
采收加工	夏季采集嫩枝及叶，鲜用或切段晒干。
功能主治	甘、苦，平。通经活络，解毒止痒。用于腰腿疼痛，急性腰扭伤，急性胸胁痛，疮疖，疥癣，皮肤瘙痒。
用法用量	内服煎汤，9 ~ 15 g，鲜品加倍；或研末。外用适量，捣敷；或煎汤洗。

忍冬科 Caprifoliaceae 锦带花属 Weigela

锦带花
Weigela florida (Bunge) A. DC.

锦带花

药材名

锦带花（药用部位：花蕾）。

形态特征

落叶灌木，高 1 ~ 3 m。叶矩圆形、椭圆形至倒卵状椭圆形，长 5 ~ 10 cm，先端渐尖，基部阔楔形至圆形，边缘有锯齿，上面疏生短柔毛，下面密生短柔毛或绒毛；具短柄至无柄。花单生或成聚伞花序生长于侧生短枝的叶腋或枝顶；萼筒长圆柱形，萼齿不等，深达萼檐中部；花冠紫红色或玫瑰红色，裂片不整齐，开展，内面浅红色；花丝短于花冠，花药黄色；花柱细长，柱头 2 裂。果实顶有短柄状喙，疏生柔毛；种子无翅。花期 4 ~ 6 月。

生境分布

栽培种。宁夏各地均有栽培。

资源情况

栽培资源较少。

采收加工

夏季露水刚干时摘取，鲜用、晒干或阴干。

| **功能主治** | 甘、淡，平。归肝经。活血止痛。用于瘀血肿痛。

忍冬科 Caprifoliaceae 败酱属 Patrinia

墓头回 *Patrinia heterophylla* Bunge

墓头回

| 药 材 名 |

墓头回（药用部位：根及根茎。别名：地花菜、墓头灰）。

| 形态特征 |

多年生草本，高 30 ~ 60 cm。茎少分枝，稍被短毛。基生叶有长柄，边缘圆齿状；茎生叶互生，茎基叶常 2 ~ 3 对羽状深裂，中央裂片较两侧裂片稍大或与之近等大；中部叶 1 ~ 2 对，中央裂片最大，卵形、卵状披针形或近菱形，先端长渐尖，边缘圆齿状浅裂或具大圆齿，被疏短毛。花黄色，呈顶生及腋生、密花的聚伞花序，总花梗下苞片条状 3 裂，分枝下者不裂，与花序等长或较之稍长；花长 5 ~ 7 mm，直径 5 ~ 6 mm；花萼不明显；花冠筒状，筒内有白色毛，5 裂片稍短于筒；雄蕊 4，稍伸出；子房下位，花柱先端稍弯。瘦果长方形或倒卵形，先端平；苞片矩圆形至宽椭圆形。花期 7 ~ 9 月，果期 8 ~ 10 月。

| 生境分布 |

生于山地岩缝、草丛、路边、砂质坡或土坡上。分布于宁夏泾源、隆德、彭阳、红寺堡等。

资源情况	野生资源较丰富。

采收加工	秋季采挖，除去茎叶、杂质，洗净，鲜用或晒干。

药材性状	本品根呈细圆柱形，有分枝。表面黄褐色，有细纵纹及点状支根痕，有的具瘤状突起。质硬，断面黄白色，呈破裂状。

功能主治	苦、微酸、涩，凉。归心、肝经。燥湿止带，收敛止血，清热解毒。用于崩漏，赤白带下，泄泻，痢疾，黄疸，肠痈，跌打损伤。民间用其治疗子宫内膜癌和宫颈癌。

用法用量	内服煎汤，9 ~ 15 g。外用适量，捣敷。

附　注	《宁夏中药志》记载墓头回来源于败酱科植物糙叶败酱 *Patrinia scabra* Bge. 的根及根茎；《中华本草》记载墓头回来源于败酱科植物糙叶败酱 *Patrinia rupestris* (Pall.) Juss. subsp. *scabra* (Bunge) H. J. Wang 或异叶败酱 *Patrinia heterophylla* Bunge 的根。本种的拉丁学名与异叶败酱的拉丁学名相同，二者为同一植物。

忍冬科 Caprifoliaceae 败酱属 Patrinia

岩败酱 *Patrinia rupestris* (Pall.) Juss.

岩败酱

药 材 名

岩败酱（药用部位：根及根茎）。

形态特征

多年生草本，高 20 ～ 50 cm。具根茎。基生叶卵形，羽状深裂，花期枯萎；茎生叶对生，狭卵形至卵状披针形，长 3 ～ 7.5 cm，宽 1.5 ～ 3.5 cm，3 ～ 6 对羽状深裂至全裂，顶生裂片较侧裂片大，先端渐尖，边缘具圆钝齿裂，侧裂片矩圆状披针形，全缘或具少数牙齿，两面无毛或上面疏被短硬毛，叶柄短或上部叶无柄。聚伞花序 3 ～ 7 枝在枝端排成伞房状；花萼不明显；花冠黄色，漏斗形，花冠筒基部一侧具偏突，檐部 5 裂，裂片卵圆形；雄蕊 4，花丝线形，花药椭圆形；花柱柱头头状。果实倒卵状圆柱形，背部具贴生的翅状膜质苞片。花期 7 ～ 8 月，果期 8 ～ 9 月。

生境分布

生于山坡、草甸及林缘。分布于宁夏红寺堡、海原、西吉、盐池、隆德、彭阳、泾源等。

| **资源情况** | 野生资源较少。

| **采收加工** | 秋季采挖，洗净，晒干。

| **功能主治** | 苦、微酸、涩，凉。归肝、胃、大肠经。清热解毒，祛痰排脓。用于肠痈，肺痈，痢疾，产后瘀血腹痛，痈肿疔疮等。

| **用法用量** | 内服煎汤，9 ～ 15 g。

忍冬科 Caprifoliaceae 败酱属 Patrinia

糙叶败酱
Patrinia scabra Bunge

| 药 材 名 | 墓头回（药用部位：根及根茎。别名：败酱草）。

| 形态特征 | 多年生草本。基生叶丌花期枯萎；茎生叶对生，狭卵形至披针形，长 2.5 ~ 6（~ 10）cm，宽 1 ~ 3.5 cm，羽状深裂至全裂，裂片 2 ~ 3（~ 5）对，先端略呈镰形，中央裂片较大，侧裂片较小，全缘或再羽状齿裂，两面粗糙；叶柄短或近无柄。多歧聚伞花序在枝顶集成伞房状，花轴及花梗均被细硬毛及腺毛；花黄色；花萼不明显；花冠筒状钟形，先端 4 裂，基部一侧稍膨大成短的囊距；雄蕊 4，外露；子房下位。果实倒卵圆形，背部贴生 1 膜质苞片，苞片直径 4 ~ 7 mm，类圆形，常带紫色。花期 7 ~ 8 月，果期 8 ~ 9 月。

| 生境分布 | 生于较干旱的草原、丘陵及石质山坡。分布于宁夏海原、泾源、彭阳、隆德、红寺堡、盐池等。

糙叶败酱

| 资源情况 | 野生资源较丰富。 |

| 采收加工 | 秋季采挖，洗净，晒干。 |

| 药材性状 | 本品根茎呈圆柱形，单一或数条丛生，多向一侧弯曲，长超过 10 cm，直径 2 ~ 5 mm。表面棕褐色，具节，节上生须根。质硬脆，易折断，断面灰白色或灰褐色，皮部薄，呈棕褐色。气特异，味微苦。 |

| 功能主治 | 苦、微酸、涩，凉。归心、脾经。清热燥湿，止血，止带，截疟。用于带下，崩漏，疟疾，宫颈柱状上皮异位，早期宫颈癌。 |

| 用法用量 | 内服煎汤，9 ~ 15 g。 |

缬草

忍冬科 Caprifoliaceae 缬草属 Valeriana

缬草
Valeriana officinalis L.

| 药 材 名 |

缬草（药用部位：根及根茎。别名：抓地虎、满山香）。

| 形态特征 |

多年生草本，高 60 ~ 100 cm。根茎短粗，根细长，多簇生，有特异香气。茎直立，中空，有纵棱，节间长，被粗白毛，基部和节处较密。基生叶丛生，早落或残留；茎生叶对生，羽状全裂成复叶状，裂片 5 ~ 15，卵状披针形或披针形，中央裂片与两侧裂片同形、等大或较之稍宽大，先端钝或尖，基部渐狭，全缘或具疏锯齿，茎下部叶较大，向上渐小，叶柄也渐变短至抱茎。伞房花序顶生；总苞片羽状，小苞片条形，先端及边缘常具睫毛；花小，淡粉红色，开后渐变白色；花萼内卷；花冠狭筒状或筒状钟形，5裂；雄蕊 3，较花筒稍长；子房下位。瘦果狭卵形，基部平截，先端有羽状冠毛。花期6 ~ 8 月，果期 7 ~ 9 月。

| 生境分布 |

生于林下、林缘、灌丛及山沟湿地。分布于宁夏泾源、隆德、彭阳、西吉、海原、原州、红寺堡等。

| 资源情况 | 野生资源较少。

| 采收加工 | 秋季采挖，除去杂质，洗净，晒干。

| 药材性状 | 本品根茎短粗，先端残存茎基及少数基生叶纤维；根多数，圆柱形，弯曲，直径2～3mm。表面灰棕色或灰褐色，有细纵皱纹。质坚脆，易折断，断面白色或灰黄色，中央有淡褐色木心。具特异香气，味辛、辣而苦。

| 功能主治 | 辛、微甘，温。归心、肝经。安神，祛风湿，理气，止痛。用于心悸，失眠，脘腹胀痛，月经不调，腰膝疼痛，跌扑损伤，癔症，癫痫。

| 用法用量 | 内服煎汤，4.5～9g。

忍冬科 Caprifoliaceae 缬草属 Valeriana

小缬草 *Valeriana tangutica* Bat.

| **药 材 名** | 小缬草（药用部位：全草。别名：香草仔、小香草、香毛草）。

| **形态特征** | 多年生细弱小草本。基生叶薄纸质，矩圆形或卵形，长 4 ~ 7 cm，羽状全裂，顶裂片远较侧裂片大，卵形、菱状卵形、倒卵形至椭圆形，先端钝或急尖，全缘，侧裂片 1 ~ 2 对，疏离或上部 1 对与顶裂片靠近，椭圆形、卵状披针形或披针形，先端钝或尖，两面无毛，全缘；茎生叶 2 对，疏离，较小，5 深裂，顶裂片大，披针形或倒披针形，侧裂片小，线形或线状矩圆形，先端尖或钝，全缘，无柄。伞房状聚伞花序顶生；花萼内卷；花冠漏斗状，白色，檐部 5 裂，裂片卵形，先端圆；雄蕊 3，着生于花冠筒中部，花药稍伸出。瘦果卵状披针形，扁，一面具 1 脉，一面具 3 脉，先端具多数羽状宿存萼。花期 6 ~ 7 月，果期 7 ~ 8 月。

小缬草

| **生境分布** | 生于阴湿处或阴坡岩石缝隙中。分布于宁夏西夏、贺兰、平罗等。

| **资源情况** | 野生资源较少。

| **采收加工** | 秋季采收，除去泥土及杂质，晒干。

| **药材性状** | 本品根茎短粗，生多数细根，根直径不足 1 mm；表面棕黄色，具纵皱纹；质脆，易折断，断面黄白色。茎细。叶基生，具长柄；叶片多皱缩破碎，完整者展平后 3～5 全裂，顶裂片较大，先端微凹，全缘，侧裂片较小，疏离；质薄而脆。聚伞花序顶生，花白色或棕黄色。瘦果长圆形，扁平。气芳香，味微苦。以叶多且色绿、根粗壮且色黄、香气浓者为佳。

| **功能主治** | 甘、微辛，平。归肺、胃、肝经。止咳，止血，散瘀，止痛。用于咳嗽，咯血，吐血，衄血，崩漏下血，风湿痹痛，骨折。

| **用法用量** | 内服煎汤，2～5 g。

| **附　　注** | 《宁夏中药志》记载小缬草来源于败酱科植物西北缬草 *Valeriana tangutica* Bat. 的带根全草；《中华本草》记载小缬草 *Valeriana tangutica* Bat. 的根或全草作香毛草药用。西北缬草与小缬草的拉丁学名相同，二者为同一植物。

忍冬科 Caprifoliaceae 川续断属 *Dipsacus*

日本续断 *Dipsacus japonicus* Miq.

| **药材名** | 日本续断（药用部位：根）。

| **形态特征** | 多年生草本。基生叶具长柄，长椭圆形，分裂或不裂；茎生叶对生，椭圆状卵形至长椭圆形，先端渐尖，基部楔形，长 8 ~ 20 cm，宽 3 ~ 8 cm，常 3 ~ 5 裂，顶裂片最大，两侧裂片较小，裂片基部下延成窄翅，边缘具粗齿，或近全缘。头状花序顶生，圆球形；总苞片线形，具白色刺毛，小苞片倒卵形，两侧具长刺毛；花萼盘状，4 裂，被白色柔毛；花冠管基部细管明显，4 裂，裂片不相等，外面被白色柔毛；雄蕊 4，着生在花冠管上，稍伸出花冠外；子房下位，包于囊状小总苞内，小总苞具 4 棱，被白色短毛，先端具 8 齿。瘦果长圆楔形。花期 8 ~ 9 月，果期 9 ~ 11 月。

| **生境分布** | 生于山坡、路旁和草坡。分布于宁夏泾源、隆德、海原等。

日本续断

| **资源情况** | 野生资源较少。 |

| **采收加工** | 秋季采挖，除去根茎及须根，洗净泥土，鲜用或晒干。 |

| **功能主治** | 苦、辛，微温。补肝肾，续筋骨，调血脉。用于腰背酸痛，足膝无力，崩漏，带下，遗精，金疮，跌打损伤，痈疽疮肿。 |

| **附　注** | 本种为《中华人民共和国药典》（1963年版）收载的续断的基原之一，药用部位为其干燥根，但在市场调查中未发现其根被作为药材使用，因此，以后各版《中华人民共和国药典》不再将本种作为续断的基原。 |

川续断科 Dipsacaceae 蓝盆花属 Scabiosa

华北蓝盆花 *Scabiosa tschiliensis* Grun.

| 药 材 名 | 蓝盆花（药用部位：花序。别名：山萝卜）。

| 形态特征 | 多年生草本。基生叶丛生，椭圆形、矩圆形、卵状披针形至窄卵形，先端略尖或钝，边缘具缺刻状锐齿或大头状羽裂，上面几无毛，下面疏被毛或仅脉上被短毛；茎生叶羽状分裂，裂片 2 ~ 3 裂或再羽裂，最上部叶的羽裂片呈条状披针形。头状花序在茎顶呈三出聚伞排列；总苞片 14 ~ 16，条状披针形；边缘花较大，呈放射状排列；花萼 5 齿裂，刺毛状；花冠蓝紫色，筒状，先端 5 裂，裂片 3 大 2 小；雄蕊 4；子房包于杯状小总苞内。果序近圆形，小总苞略呈方柱状，每面有不甚明显的中棱 1，被白毛；瘦果包藏于小总苞内，其先端具宿存的刺毛状萼针。花期 6 ~ 8 月，果期 8 ~ 10 月。

| 生境分布 | 生于山坡草地或砂质山坡上。分布于宁夏泾源、海原、隆德、彭阳、

华北蓝盆花

西吉、原州等。

| **资源情况** | 野生资源较少。

| **采收加工** | 夏季花欲开时分批采摘，阴干。

| **药材性状** | 本品呈类球形，直径 1～1.5 cm，花梗长 1～4 cm。总苞片 10 余，条状披针形，长 1～1.6 cm，绿色，两面被毛；小苞片多数，披针形，长约 1 mm，灰绿色，被毛。花萼长约 2 mm，5 齿裂，裂片芒状。花冠灰蓝色或灰紫蓝色；边缘花较大，花冠唇形；中央花花冠较小，5 裂。雄蕊 4。子房包于杯状小总苞内，小总苞具明显 4 棱，檐部膜质。花冠常脱落，有的已形成果序，果序椭圆形。气微，味微苦。

| **功能主治** | 甘、微苦，凉。归肺、肝经。清热泻火。用于肝火头痛，发热，目赤，黄疸，肺热咳嗽，气喘。

| **用法用量** | 内服研末，1.5～3 g。

葫芦科 Cucurbitaceae 假贝母属 Bolbostemma

假贝母
Bolbostemma paniculatum (Maxim.) Franquet

| 药 材 名 | 土贝母（药用部位：鳞茎。别名：黄要子、假贝母）。

| 形态特征 | 多年生攀缘草本。鳞茎近球形，由数个至十数个肥厚鳞叶聚生而成。茎细弱，卷须单一或分叉。叶片心形或卵圆形，长 5 ~ 10 cm，宽 4 ~ 9 cm，掌状 5 深裂，裂片再 3 ~ 5 浅裂。花单性，雌雄异株，组成疏散的腋生圆锥花序或单生，花序轴及花梗丝状；花黄绿色；花萼裂片 5；花冠基部合生，上部 5 深裂，裂片窄长，先端尾尖；雄花雄蕊 5，离生；雌花子房下位，3 室，花柱 3，柱头 2 裂。果实圆柱形，平滑，成熟时由先端盖裂；种子 6，斜方形。花期 6 ~ 8 月，果期 8 ~ 9 月。

| 生境分布 | 生于山地阴坡林下、草甸、田埂及村庄附近。分布于宁夏原州、隆德、泾源等。

假贝母

| 资源情况 | 野生资源较少。

| 采收加工 | 除去杂质，筛去灰屑，用时捣碎。

| 药材性状 | 本品鳞叶呈不规则块状，长 0.5 ~ 1.5 cm，宽 0.7 ~ 2（~ 3）cm，常中部较宽阔。表面暗棕色或浅红棕色，煮透者呈半透明样，凹凸不平，有皱纹。腹面有 1 纵沟，基部有浅色的芽痕；背面多隆起。质坚硬，不易折断，断面角质样，较平坦。微有焦糊气，味微甜而后苦、辛，稍带黏性。

| 功能主治 | 苦，微寒。归肺、脾经。散结，消肿，解毒。用于乳痈，瘰疬，肥厚性鼻炎。

| 用法用量 | 内服煎汤，4.5 ~ 9 g。

| 附　　注 | （1）《宁夏中药志》记载土贝母来源于土贝母 *Bolbostemma paniculatum* (Maxim.) Franquet 的鳞茎，《中国植物志》收载的假贝母 *Bolbostemma paniculatum* (Maxim.) Franquet 的拉丁学名与土贝母的相同，二者为同一植物。

（2）《宁夏中药志》记载土贝母一名始载于《本草从新》的"贝母"条下。陆玑《诗疏》载："叶如栝楼而细小，其子在根下，如芋子，正白。"土贝母与贝母迥然不同，现已将土贝母作为一味独立药物。

葫芦科 Cucurbitaceae 西瓜属 Citrullus

西瓜 *Citrullus lanatus* (Thunb.) Matsum. et Nakai

| 药 材 名 | 西瓜皮（药用部位：外果皮。别名：西瓜翠、西瓜翠衣）。

| 形态特征 | 一年生蔓生草木。叶互生，叶柄有长柔毛；叶片广卵形或三角状卵形，长 8 ~ 20 cm，宽 5 ~ 15 cm，羽状分裂或 3 深裂，各裂片又作不规则的羽状浅裂或深裂，小裂片卵形，先端圆钝，两面有短毛。花单性，雌雄同株，单生；雄花花萼 5 深裂，裂片线状披针形，具长柔毛，花冠漏斗状，淡黄色，先端 5 裂，裂片卵状长圆形，雄蕊 3，花药呈"S"形折曲；雌花子房下位，卵形，花柱短，圆柱形，柱头 3，肾形。果实圆形或椭圆形，果皮平滑，绿色、淡绿色或绿白色，具深绿色条纹，果肉厚而多汁，红色或黄色，味甜；种子多数，卵形，黑色或红色，扁平。花期 5 ~ 6 月，果期 7 ~ 8 月。

| 生境分布 | 栽培种。宁夏各地均有栽培。

西瓜

| **资源情况** | 栽培资源丰富。

| **采收加工** | 夏、秋季食西瓜后，用刀削取西瓜外层的绿色果皮（愈薄愈好），洗净，晒干。

| **药材性状** | 本品常卷成管状、纺锤状或呈不规则的片块状，大小不一，厚 0.5 ~ 1 mm。外表面黄绿色或棕褐色，有的有深绿色条纹；内表面淡棕色，有网状筋脉（维管束）。质脆，易折断。气微，味淡。

| **功能主治** | 甘、淡，凉。归心、肺、脾、胃、膀胱经。清热解暑，利尿。用于暑热烦渴，小便不利，水肿，黄疸。

| **用法用量** | 内服煎汤，12 ~ 30 g。

葫芦科 Cucurbitaceae 黄瓜属 Cucumis

甜瓜
Cucumis melo L.

| 药 材 名 | 甜瓜蒂（药用部位：果柄。别名：瓜蒂、苦丁香、甜瓜把）、甜瓜（药用部位：果实。别名：甘瓜、香瓜、果瓜）、甜瓜皮（药用部位：果皮）、甜瓜子（药用部位：种子。别名：甘瓜子、甜瓜仁、甜瓜瓣）、甜瓜花（药用部位：花）、甜瓜叶（药用部位：叶）、甜瓜茎（药用部位：藤茎。别名：甜瓜蔓、香瓜藤）、甜瓜根（药用部位：根）、穿肠草（药用部位：全草）。

| 形态特征 | 一年生匍匐或攀缘草本。卷须单一，叶柄长 8 ～ 12 cm；叶近圆形或肾形，长、宽均为 8 ～ 15 cm，上面被白色糙硬毛，下面沿脉密被糙硬毛，不裂或 3 ～ 7 浅裂。花单性，雌雄同株。雄花数朵簇生于叶腋；萼筒窄钟形，裂片近钻形，比筒部短；花冠黄色，裂片卵状长圆形；雄蕊 3，花丝极短，药室折曲，药隔先端伸长。雌花单

甜瓜

生；花梗粗糙，被柔毛；子房密被长柔毛和长糙硬毛。果形、颜色因品种而异，
通常呈长圆形或长椭圆形，果皮平滑，有纵沟纹或斑纹，无刺状突起，果肉白色、
黄色或绿色，有香甜味；种子污白色或黄白色，卵形或长圆形。花期 6 ~ 7 月，
果期 7 ~ 8 月。

| **生境分布** | 栽培种。宁夏各地均有栽培。

| **资源情况** | 栽培资源丰富。

| **采收加工** | 甜瓜蒂：夏季采收成熟果实，在食用果实时将果柄切下并收集，阴干或晒干。
甜瓜：7 ~ 8 月果实成熟时采收，鲜用。
甜瓜皮：采摘成熟的果实，刨取果皮，鲜用或晒干。
甜瓜子：夏、秋季采收，阴干。
甜瓜花：夏季花开时采收，鲜用或晒干。
甜瓜叶：夏季采收，鲜用或晒干。
甜瓜茎：夏季采收，鲜用或晒干。
甜瓜根：夏季采挖，洗净，晒干。

| **药材性状** | 甜瓜蒂：本品呈细圆柱形，常扭曲，长 3 ~ 6 cm，直径 2 ~ 4 mm，连接瓜的
一端略膨大，直径约 8 mm，有纵沟纹；外表面灰黄色，有稀疏短毛茸。带果皮

的果柄较短，长 0.3 ~ 2.6 cm，略弯曲或扭曲，有纵沟纹；果皮部分近圆盘形，直径约 2 cm，外表面暗黄色至棕黄色，皱缩，边缘薄而内卷，内表面黄白色至棕色。果柄质轻而韧，不易折断，断面纤维性，中空。气微，味苦。以色棕黄、味苦者为佳。

甜瓜子：本品呈长卵形，扁平，长 6 ~ 8 mm，宽 3 ~ 4 mm，厚约 1 mm。一端稍狭，先端平截，有不明显的种脐，另一端圆钝。表面黄白色至淡棕色，平滑，稍具光泽，放大镜下可见细密纵纹理。质较硬而脆，除去种皮后，有白色膜质的胚乳，包于子叶之外；子叶白色，富油性。气微，味淡。以颗粒饱满、色黄白者为佳。

| 功能主治 | 甜瓜蒂：苦，寒；有毒。归脾、胃、肝经。涌吐痰食，除湿退黄。用于中风，癫痫，喉痹，痰涎壅盛，呼吸不利，宿食不化，胸脘胀痛，湿热黄疸。

甜瓜：甘，寒。归心、胃经。清暑热，解烦渴，利小便。用于暑热烦渴，小便不利，暑热下痢腹痛。

甜瓜皮：甘、微苦，寒。清暑热，解烦渴。用于暑热烦渴，牙痛。

甜瓜子：甘，寒。归肺、胃、大肠经。清肺，润肠，散结，消瘀。用于肺热咳嗽，口渴，大便燥结，肠痈，肺痈。

甜瓜花：甘、苦，寒。理气，降逆，解毒。用于心痛，咳逆上气，疮毒。

甜瓜叶：甘，寒。祛瘀，消积，生发。用于跌打损伤，小儿疳积，湿疹疥癞，脱发。

甜瓜茎：苦、甘，寒。归肺、肝经。宣鼻窍，通经。用于鼻息肉，鼻塞不通，经闭。

甜瓜根：甘、苦，寒。祛风止痒。用于风热湿疹。

穿肠草：祛风败毒。外用于痔疮肿毒，漏疮生管，脏毒滞热，流水刺痒。

|用法用量| 甜瓜蒂：内服煎汤，3～6 g；或入丸、散剂，0.3～1.5 g。外用适量，研末吹鼻。

甜瓜：内服适量，生食；或煎汤；或研末。

甜瓜皮：内服煎汤，3～9 g。外用适量，泡水漱口。

甜瓜子：内服煎汤，10～15 g；或研末，3～6 g。

甜瓜花：内服煎汤，3～9 g。外用适量，捣敷。

甜瓜叶：内服煎汤，9～15 g。外用适量，捣敷；或捣汁涂。

甜瓜茎：内服煎汤，9～15 g。外用适量，研末嗅鼻；或熬膏涂搽。

甜瓜根：外用适量，煎汤洗。

葫芦科 Cucurbitaceae 黄瓜属 Cucumis

黄瓜

Cucumis sativus L.

黄瓜

药 材 名

黄瓜（药用部位：果实、叶、根、藤）。

形态特征

一年生蔓生或攀缘草本。叶片宽卵状心形，膜质，长、宽均为 7 ~ 20 cm，两面甚粗糙，被糙硬毛，具 3 ~ 5 角或浅裂，裂片三角形，有齿，有时边缘有缘毛，先端急尖或渐尖，基部弯缺成半圆形。雌雄同株。雄花常数朵在叶腋簇生；花萼筒狭钟状或近圆筒状，密被白色长柔毛，花萼裂片钻形，开展，与花萼筒近等长；花冠黄白色，花冠裂片长圆状披针形，急尖；雄蕊 3。雌花单生，稀簇生；子房纺锤形，粗糙，有小刺状突起。果实长圆形或圆柱形，成熟时黄绿色，表面粗糙，有具刺尖的瘤状突起；种子小，狭卵形，白色，无边缘，两端近急尖。花果期夏季。

生境分布

栽培种。宁夏各地均有栽培。

资源情况

栽培资源丰富。

|功能主治| 果实，甘、苦，凉。归肺、脾、大肠经。清热解毒，利水消肿。用于烦渴，咽喉肿痛，火眼赤痛，烫火伤，痈疽肿毒，水肿，小儿热痢。叶，苦，平；有小毒。归大肠经。消积止泻。用于小儿食积，腹泻，痢疾。根，甘、苦，凉。归膀胱、大肠经。清热止痢，利水通淋。用于湿热痢，噤口痢，小便热痛。藤，苦、淡，平。归膀胱、大肠经。利水通淋，祛痰镇痉，燥湿疗疮。用于尿赤涩痛，黄水疮，流注，癫痫。

|用法用量| 果实，内服煎汤，10 ～ 60 g。外用适量，浸汁；或制霜；或研末调敷。叶，内服煎汤，小儿 1 岁 1 叶；或捣汁服。根，内服煎汤，30 ～ 60 g。外用适量，捣敷。藤，内服煎汤，30 ～ 60 g。外用适量，煎汤洗；或研末撒敷。

葫芦科 Cucurbitaceae 南瓜属 Cucurbita

南瓜

Cucurbita moschata (Duch. ex Lam.) Duch. ex Poiret

| 药 材 名 | 南瓜（药用部位：成熟果实。别名：麦瓜、癞瓜、番瓜）、南瓜瓤（药用部位：果瓤）、南瓜蒂（药用部位：瓜蒂）、南瓜子（药用部位：种子。别名：南瓜仁、白瓜子、金瓜米）、盘肠草（药用部位：成熟果实内种子萌发的幼苗）、南瓜花（药用部位：花）、南瓜须（药用部位：卷须）、南瓜叶（药用部位：叶）、南瓜藤（药用部位：茎）、南瓜根（药用部位：根）。

| 形态特征 | 一年生蔓生草本。叶片宽卵形或卵圆形，质稍柔软，有 5 角或 5 浅裂，长 15 ~ 30 cm，宽 20 ~ 30 cm，侧裂片较小，中裂片较大，三角形。雌雄同株。雄花单生；花萼筒钟形，裂片条形，上部扩大成叶状；花冠黄色，钟状，5 中裂，裂片边缘反卷，具折皱，先端急尖；雄蕊 3，花丝腺体状，花药靠合，药室折曲。雌花单生；子房 1

南瓜

室，花柱短，柱头 3，膨大，先端 2 裂。果柄粗壮，有棱和槽，瓜蒂扩大成喇叭状；瓠果形状多样，因品种而异，外面常有数条纵沟或无；种子多数，长卵形或长圆形，灰白色或黄白色，边缘粗糙且稍厚。花期 5 ~ 7 月，果期 8 ~ 9 月。

| 生境分布 |　栽培种。宁夏各地均有栽培。

| 资源情况 |　栽培资源丰富。

| 采收加工 |　南瓜：夏、秋季采收，鲜用。

南瓜瓤：秋季将成熟的南瓜刨开，取出瓜瓤，除去种子，鲜用。

南瓜蒂：秋季采收成熟的果实，切取瓜蒂，晒干。

南瓜子：夏、秋季食用南瓜时，收集成熟种子，除去瓤膜，洗净，晒干。

盘肠草：秋后收集，鲜用或晒干。

南瓜花：6 ~ 7 月花开时采收，鲜用或晒干。

南瓜须：夏、秋季采收，鲜用。

南瓜叶：夏、秋季采收，鲜用或晒干。

南瓜藤：夏、秋季采收，鲜用或晒干。

南瓜根：夏、秋季采挖，洗净，鲜用或晒干。

| 药材性状 |　南瓜蒂：本品呈五角形或六角形的盘状，直径 2.5 ~ 5.5 cm，上附残存的柱状果柄。外表面淡黄色，微有光泽，具稀疏刺状短毛及凸起的小圆点。果柄略弯曲，直径 1 ~ 2 cm，有隆起的棱脊 5 ~ 6，纵向延伸至蒂端。质坚硬，断面黄白色，常有空隙可见。以蒂大、色黄、坚实者为佳。

南瓜子：本品呈扁圆形，长 1.2 ~ 1.8 cm，宽 0.7 ~ 1 cm。表面淡黄白色至淡黄色，两面平坦而微隆起，边缘稍有棱，一端略尖，先端有珠孔，种脐稍凸起或不明显。除去种皮，有黄绿色薄膜状胚乳，子叶 2，黄色，肥厚，有油性。气微香，味微甘。以颗粒饱满、色黄白者为佳。

| 功能主治 |　南瓜：甘，平。归肺、脾、胃经。解毒消肿。用于肺痈，哮病，痈肿，烫伤，毒蜂蜇伤。

南瓜瓤：甘，凉。解毒，敛疮。用于痈肿疮毒，烫伤，创伤。

南瓜蒂：苦、微甘，平。解毒，利尿，安胎。用于痈疽肿毒，疔疮，烫伤，疮溃不敛，水肿，腹水，胎动不安。

南瓜子：甘，平。归大肠经。杀虫，下乳，利水消肿。用于绦虫病，蛔虫病，血吸虫病，钩虫病，蛲虫病，产后乳少，产后手足浮肿，百日咳，痔疮。

盘肠草：甘、淡，温。归肝、胃经。祛风，止痛。用于小儿盘肠气痛，惊风，感冒，风湿热。

南瓜花：甘，凉。清湿热，消肿毒。用于黄疸，痢疾，咳嗽，痈疽肿毒。

南瓜须：用于妇人乳缩疼痛。

南瓜叶：甘、微苦，凉。清热，解暑，止血。用于暑热口渴，热痢，外伤出血。

南瓜藤：甘、苦，凉。入肝、胃、肺经。清肺，平肝，和胃，通络。用于肺痨低热，肝胃气痛，月经不调，火眼赤痛，烫火伤。

南瓜根：甘、淡，平。归肝、膀胱经。利湿热，通乳汁。用于湿热淋证，黄疸，痢疾，乳汁不通。

| 用法用量 | 南瓜：内服适量，蒸；或煮；或生捣汁。外用适量，捣敷。

南瓜瓤：内服适量，捣汁。外用适量，捣敷。

南瓜蒂：内服煎汤，15 ~ 30 g；或研末。外用适量，研末调敷。

南瓜子：内服煎汤，30 ~ 60 g；或研末；或制成乳剂。外用适量，煎汤熏洗。

盘肠草：内服煎汤，3 ~ 10 g。外用适量，捣敷；或炒热熨。

南瓜花：内服煎汤，9 ~ 15 g。外用适量，捣敷；或研末调敷。

南瓜叶：内服煎汤，10 ~ 15 g，鲜品加倍；或入散剂。外用适量，研末敷。

南瓜藤：内服煎汤，15 ~ 30 g；或切断取汁。外用适量，捣汁涂；或研末调敷。

南瓜根：内服煎汤，15 ~ 30 g，鲜品加倍。外用适量，磨汁涂；或研末调敷。

| 附　注 | 《宁夏中药志》记载本种始载于《滇南本草》。《本草纲目》将其列入菜部，并云："南瓜种出南番，转入闽、浙，今燕京诸处亦有之矣……引蔓甚繁，一蔓可延十余丈，节节有根，近地即着。其茎中空。其叶状如蜀葵而大如荷叶……结瓜正圆，大如西瓜。"该书所述植物形态与现今之南瓜形态一致。

葫芦科 Cucurbitaceae 葫芦属 Lagenaria

葫芦
Lagenaria siceraria (Molina) Standl.

药 材 名	壶卢（药用部位：果实。别名：甜瓠、瓠匏、葫芦瓜）、壶卢子（药用部位：种子。别名：葫芦子）、陈壶卢瓢（药用部位：老熟果实或果壳。别名：旧壶卢瓢、破瓢）、壶卢秧（药用部位：茎、叶、花、须）。
形态特征	一年生攀缘草本。叶卵状心形或肾状卵形，长、宽均为 10 ~ 35 cm，不裂或 3 ~ 5 裂，两面均被微柔毛。雌、雄花均单生。雄花花梗比叶柄稍长；萼筒漏斗状，裂片披针形；花冠黄色，裂片皱波状。雌花花梗比叶柄稍短或与之近等长；子房中间缢缩，密生黏质长柔毛，花柱粗短，柱头 3，膨大，2 裂。果实初时绿色，后白色至带黄色，中间缢缩，下部和上部膨大，上部大于下部，长数十厘米；种子白色，倒卵形或三角形，先端平截或 2 齿裂。花期 6 ~ 7 月，果期 8 ~ 10 月。

葫芦

| 生境分布 | 栽培种。宁夏各地均有栽培。

| 资源情况 | 栽培资源较少。

| 采收加工 | 壶卢：秋季采摘已成熟但外皮尚未木质化的果实，去皮。
壶卢子：秋季采收成熟果实，切开，取出种子，洗净，晒干。
陈壶卢瓢：秋末冬初采收老熟果实，切开，除去瓢心、种子，打碎，晒干。
壶卢秧：夏、秋季采收，晒干。

| 药材性状 | 陈壶卢瓢：本品多为破碎的果壳块片，形状不规则，大小不一。外表面黄棕色，较光滑；内表面黄白色或灰黄色。质坚硬。气微，味淡。

| 功能主治 | 壶卢：甘、淡，平。归肺、脾、肾经。利水，消肿，通淋，散结。用于水肿，腹水，黄疸，消渴，淋病，痈肿。
壶卢子：甘，平。清热解毒，消肿止痛。用于肺炎，肠痈，牙痛。
陈壶卢瓢：甘、苦，平。利水，消肿。用于水肿，臌胀。

壶卢秧：甘，平。解毒，散结。用于食物、药物中毒，牙痛，鼠瘘，痢疾。

| 用法用量 | 壶卢：内服煎汤，9 ~ 30 g；或煅存性，研末。

壶卢子：内服煎汤，9 ~ 15 g。

陈壶卢瓢：内服煎汤，10 ~ 30 g；或烧存性，研末。外用适量，烧存性，研末，调敷。

壶卢秧：内服煎汤，6 ~ 30 g；或煅存性，研末。

| 附　　注 | 壶卢、壶卢子、壶卢秧和陈壶卢瓢是多基原药材，前三者来源于本种及其变种瓠瓜 *Lagenaria siceraria* (Molina) Standl. var. *depressa* (Ser.) Hara 的果实、种子及茎、叶、花、须，陈壶卢瓢则来源于本种及其变种瓠瓜和小葫芦 *Lagenaria siceraria* (Molina) Standl. var. *microcarpa* (Naud.) Hara 的老熟果实或果壳。宁夏当地将小葫芦作葫芦药用。

葫芦科 Cucurbitaceae 丝瓜属 *Luffa*

丝瓜 *Luffa aegyptiaca* Miller

| 药 材 名 | 丝瓜（药用部位：鲜嫩果实或霜后干枯的老熟果实。别名：天丝瓜、天罗）、丝瓜络（药用部位：成熟果实的维管束。别名：天萝筋、丝瓜网）、丝瓜子（药用部位：种子。别名：乌牛子）、丝瓜皮（药用部位：果皮）、丝瓜蒂（药用部位：瓜蒂。别名：甜丝瓜蒂）、丝瓜花（药用部位：花）、丝瓜叶（药用部位：叶。别名：虞刺叶）、丝瓜藤（药用部位：茎）、天罗水（药用部位：茎汁。别名：丝瓜水）、丝瓜根（药用部位：根）。

| 形态特征 | 一年生攀缘藤本。叶片三角形或近圆形，长、宽均为 10 ~ 25 cm，通常掌状 5 ~ 7 裂，裂片三角形，中间的较长。雌雄同株。雄花通常 15 ~ 20 花，生长于总状花序上部；花萼筒宽钟形，裂片卵状披针形或近三角形，上端向外反折，内面密被短柔毛，边缘尤为明显，

丝瓜

外面毛较少，先端渐尖，具 3 脉；花冠黄色，辐状，裂片长圆形，外面具 3 ~ 5 凸起的脉，先端钝圆，基部狭窄；雄蕊 5，花丝基部有白色短柔毛，花初开时稍靠合，最后完全分离，药室多回折曲。雌花单生；子房圆柱状，有柔毛，柱头 3，膨大。果实圆柱状，表面平滑，通常有深色纵条纹，未熟时肉质，成熟后干燥，里面具网状纤维，由先端盖裂；种子多数，黑色，卵形，扁，平滑，边缘狭翼状。花期 7 ~ 9 月，果期 8 ~ 10 月。

| **生境分布** | 栽培种。宁夏各地均有栽培。

| **资源情况** | 栽培资源较少。

| **采收加工** | 丝瓜：夏、秋季采摘鲜嫩果实，鲜用；秋后采收霜后干枯的老熟果实，晒干。
丝瓜络：秋季果皮变黄、内部干枯时采摘成熟果实，搓去外皮及果肉，除去种子，晒干；或用水浸泡至果皮和果肉软烂时，将果实取出，洗净，除去种子，晒干。
丝瓜子：秋季果实老熟后，在采收丝瓜络时收集种子，晒干。
丝瓜皮：夏、秋季间在用丝瓜时，收集刨下的果皮，鲜用或晒干。
丝瓜蒂：夏、秋季间在用丝瓜时，收集瓜蒂，鲜用或晒干。
丝瓜花：夏季花开时采收，鲜用或晒干。
丝瓜叶：夏、秋季采收，鲜用或晒干。

丝瓜藤：夏、秋季采收，洗净，晒干或鲜用。

天罗水：夏、秋季采收地上茎，切段，收集茎汁。

丝瓜根：夏、秋季采挖，洗净，鲜用或晒干。

| **药材性状** | 丝瓜：本品呈长圆柱形，长 20 ～ 60 cm，肉质，绿色带粉白色或黄绿色，有不明显的纵向浅沟或条纹，成熟后内有坚韧的网状瓜络。

丝瓜络：本品全体由丝状维管束交织而成，多呈长菱形或长圆筒形，略弯曲，长 30 ～ 70 cm，直径 7 ～ 10 cm。表面黄白色。体轻，质韧，有弹性，不能折断；横切面可见子房 3 室，呈空洞状。气微，味淡。以个大、完整、筋络清晰、质韧、色淡黄白、无种子者为佳。

丝瓜子：本品呈长卵形，扁压，长 8 ～ 20 mm，直径 5 ～ 11 mm，厚约 2 mm，种皮黑色，边缘有狭翅，翅的一端有种脊，上方有叉状突起。种皮硬，剥开后可见膜状灰绿色的肉种皮包于子叶之外。子叶 2，黄白色。气微，味微香。

| **功能主治** | 丝瓜：甘，凉。归肺、肝、胃、大肠经。清热化痰，凉血解毒。用于身热烦渴，咳嗽痰喘，肠风下血，痔疮出血，血淋，崩漏，痈疽疮疡，乳汁不通，无名肿毒，水肿。

丝瓜络：甘，凉。归肺、胃、肝经。祛风，通络，活血，下乳。用于痹痛拘挛，胸胁胀痛，乳汁不通，乳痈肿痛。

丝瓜子：苦，寒。清热，利水，通便，驱虫。用于水肿，石淋，肺热咳嗽，肠风下血，痔漏，便秘，蛔虫病。

丝瓜皮：甘，凉。清热解毒。用于金疮，痈肿，疔疮，坐板疮。

丝瓜蒂：苦，微寒。清热解毒，化痰定惊。用于痘疮不起，咽喉肿痛，癫狂，痫证。

丝瓜花：甘、微苦，寒。清热解毒，化痰止咳。用于肺热咳嗽，咽痛，鼻窦炎，疔疮肿毒，痔疮。

丝瓜叶：苦，微寒。清热解毒，止血，祛暑。用于痈疽，疔肿，疮癣，蛇咬伤，烫火伤，咽喉肿痛，创伤出血，暑热烦渴。

丝瓜藤：苦，微寒。归心、脾、肾经。舒筋活血，止咳化痰，解毒杀虫。用于腰膝酸痛，肢体麻木，月经不调，咳嗽痰多，鼻渊，牙宣，龋齿。

天罗水：甘、微苦，微寒。清热解毒，止咳化痰。用于肺痈，肺痿，咳喘，肺痨，夏令皮肤起疮疹，痤疮，烫火伤。

丝瓜根：甘、微苦，寒。活血通络，清热解毒。用于偏头痛，腰痛，痹证，乳腺炎，鼻炎，鼻窦炎，喉风肿痛，肠风下血，痔漏。

| **用法用量** | 丝瓜：内服煎汤，9～15 g，鲜品60～120 g；或烧存性，研末，3～9 g。外用适量，捣汁涂；或捣敷；或研末调敷。

丝瓜络：内服煎汤，5～12 g；或烧存性，研末，1.5～3 g。外用适量，煅存性，研末调敷。

丝瓜子：内服煎汤，6～9 g；或炒焦研末。外用适量，研末调敷。

丝瓜皮：内服煎汤，9～15 g；或入散剂。外用适量，研末调敷；或捣敷。

丝瓜蒂：内服煎汤，1～3 g；或入散剂。外用适量，研细粉，吹喉或搐鼻。

丝瓜花：内服煎汤，6～9 g。外用适量，捣敷。

丝瓜叶：内服煎汤，6～15 g，鲜品15～60 g；或捣汁；或研末。外用适量，煎汤洗；或捣敷；或研末调敷。

丝瓜藤：内服煎汤，30～60 g；或烧存性，研末，3～6 g。外用适量，煅存性，研末调敷。

天罗水：内服，50～100 ml。外用适量，涂搽或洗患处。

丝瓜根：内服煎汤，3～9 g，鲜品30～60 g；或烧存性，研末。外用适量，煎汤洗；或捣汁涂。

葫芦科 Cucurbitaceae 苦瓜属 Momordica

苦瓜 *Momordica charantia* L.

| 药 材 名 | 苦瓜（药用部位：果实）。

| 形态特征 | 一年生攀缘草本，多分枝，有细柔毛。卷须不分枝。叶大，肾状圆形，长、宽均为 5 ~ 12 cm，通常 5 ~ 7 深裂，裂片卵状椭圆形，基部收缩，边缘具波状齿。花雌雄同株。雄花单生；花萼钟形，5 裂，裂片卵状披针形，先端短尖；花冠黄色，5 裂，裂片卵状椭圆形，先端钝圆或微凹；雄蕊 3，贴生于萼筒喉部。雌花单生；子房纺锤形，具刺瘤，先端有喙，花柱细长，柱头 3，胚珠多数。果实长椭圆形、卵形或两端均狭窄，全体具钝圆、不整齐的瘤状突起，成熟时橘黄色；种子椭圆形，扁平，两端均具角状齿，两面均有凹凸不平的条纹，包于红色肉质的假种皮内。花期 6 ~ 7 月，果期 9 ~ 10 月。

| 生境分布 | 栽培种。宁夏引黄灌区有少量栽培。

苦瓜

| **资源情况** | 栽培资源较丰富。

| **采收加工** | 秋季采收，鲜用或切片晒干。

| **药材性状** | 本品呈椭圆形或矩圆形，厚 2 ~ 8 mm，长 3 ~ 15 cm，宽 0.4 ~ 2 cm，全体皱缩，弯曲，果皮浅灰棕色，粗糙，有纵皱或瘤状突起。中间有时夹有种子或有种子脱落后留下的孔洞。质脆，易断。气微，味苦。

| **功能主治** | 苦，寒。归心、脾、胃经。清暑涤热，明目，解毒。用于热病烦渴，痢疾，赤眼肿痛，痈肿丹毒，恶疮。

葫芦科 Cucurbitaceae 赤瓟属 Thladiantha

赤瓟
Thladiantha dubia Bunge

赤瓟

药材名

赤瓟（约用部位：果实、块根。别名：王瓜、赤瓟子）。

形态特征

多年生攀缘草本，全株密被粗毛。块根黄褐色或黄棕色。茎蔓生，常不分枝，有纵棱槽。卷须与叶对生，不分枝。叶片宽卵状心形，长 5 ~ 10 cm，宽 4 ~ 8 cm，先端锐尖，基部深心形，边缘有大小不等的齿，基部 1 对叶脉沿叶基弯缺的边缘开展。花单性，雌雄异株，均单生于叶腋。雄花花萼 5 深裂，裂片披针形，向外反曲；花冠黄色，5 深裂，裂片宽卵形，上部反曲；雄蕊 5，花丝有长柔毛，退化子房半球形。雌花具 5 退化雄蕊，子房宽卵形，有长柔毛。果实浆果状，卵状矩圆形，成熟时红色，有纵棱；种子卵形，黑色。花期 7 ~ 8 月，果期 9 月。

生境分布

生于山地田边、沟谷、林缘及村庄附近。分布于宁夏泾源、隆德等。

资源情况

野生资源较少。

| 采收加工 | 秋季采摘成熟果实，晒干；秋季采挖块根，除去泥土及杂质，晒干或切片后晒干。

| 药材性状 | 本品果实呈卵圆形、椭圆形或长圆形，常压扁，长 3～5 cm，宽 1.5～3 cm。表面橙黄色、橙红色、红棕色至红褐色，皱缩，具极稀的白色茸毛及纵沟纹，先端有残留柱基，基部有细而弯曲的果柄或果柄脱落，果皮厚约 1 mm，内表面粘连多数细小、不发育的种子，中心有多数成熟种子，扁卵形，浅黄棕色。气微，味酸、微甜。

| 功能主治 | 酸、苦、甘，平。归胃、肝、肺、肾经。降逆止呕，活血理气，祛痰止咳。用于反胃吐酸，湿热黄疸，泻痢，肺痨咯血，气滞胁痛，急性腰扭伤，急性胸胁痛。

| 附　　注 | 《宁夏中药志》记载本品始载于《神农本草经》，原名王瓜，列为中品。李时珍曰："土瓜其根作土气，其实似瓜也。或云根味如瓜，故名土瓜。王字不知何义？瓜似雹子，熟则色赤，鸦喜食之，故俗名赤雹、老鸦瓜。"由上述记载可知，本品除名称上有变化外，药材形色与现药用赤瓟基本相符。

桔梗科 Campanulaceae 沙参属 Adenophora

多歧沙参

Adenophora potaninii Korsh. subsp. *wawreana* (Zahlbruckner) S. Ge & D. Y. Hong

| 药 材 名 | 多歧沙参（药用部位：根）。

| 形态特征 | 多年生草本。根有时很粗大，直径可达 7 cm。茎通常单一，少多枝发自同一茎基上，常被倒生短硬毛或糙毛，少近无毛，偶茎上部被白色柔毛，高可超过 1 m。基生叶心形；茎生叶具柄，柄长者长可达 2.5 cm，亦有柄短者（叶为条形时，叶柄常不明显），叶片卵形、卵状披针形，少数为宽条形，基部浅心形、圆钝或楔状，先端急尖至渐尖，长 2.5 ～ 10 cm，宽（0.5 ～）1 ～ 3.5 cm，边缘具多枚整齐或不整齐的尖锯齿，上面疏被粒状毛，下面完全无毛或仅叶脉上疏生短硬毛，偶有相当密地被短硬毛的。大圆锥花序分枝长而多，几乎横向伸展，常有次级分枝甚至三级分枝，仅少数分枝短者组成狭圆锥花序，花序无分枝而为假总状花序者极少；花梗短，细或粗，

多歧沙参

长不及 1.5 cm；花萼无毛，筒部球状倒卵形、倒卵状或倒卵状圆锥形，裂片狭小，条形或钻形，长 3 ～ 6（～ 10）mm，边缘有 1 ～ 2 对瘤状小齿或狭长齿；花冠宽钟状，蓝紫色或淡紫色，长 12 ～ 17（～ 22）mm，裂片短；花盘梯状或筒状，长 1.5 ～ 2 mm，有或无毛；花柱伸出花冠，最长可伸出 4 mm。蒴果宽椭圆状，长约 8 mm，直径约 4 mm；种子棕黄色，矩圆状，有 1 宽棱，长 0.8 mm。花期 7 ～ 9 月。

| 生境分布 |　生于林缘、草甸。分布于宁夏西吉、隆德等。

| 资源情况 |　野生资源较少。

| 功能主治 |　甘、微苦，凉。清热养阴，祛痰止咳。用于肺热燥咳，虚劳久咳，咽喉痛。

桔梗科 Campanulaceae 沙参属 Adenophora

柳叶沙参 *Adenophora gmelinii* (Spring.) Fisch. var. *cornopifolia* (Fisch.) Y. Z. Zhao

柳叶沙参

| **药 材 名** |

柳叶沙参（药用部位：根）。

| **形态特征** |

多年生草本，高 30 ~ 60 cm。茎单一或由基部抽出数枝。叶线形至线状披针形，边缘具不整齐、稍内曲的粗牙齿，两面无毛或疏被短硬毛；无柄。花单生或成总状花序；花萼 5 裂，裂片披针形或三角状披针形，长4 ~ 6 mm，全缘；花冠蓝紫色，宽钟形，长 1.5 ~ 2.3 cm，无毛；花丝下部加宽，密被白色柔毛；花盘短筒状，长 2 ~ 3 mm；花柱短于花冠。蒴果椭圆形，长 8 ~ 13 mm。花期 7 ~ 8 月，果期 9 月。

| **生境分布** |

生于山坡草甸。分布于宁夏贺兰山（西夏、贺兰）等。

| **资源情况** |

野生资源较少。

| **功能主治** | 甘、微苦，凉。清热养阴，祛痰止咳。用于肺热燥咳，虚劳久咳，咽喉痛。

桔梗科 Campanulaceae 沙参属 Adenophora

喜马拉雅沙参

Adenophora himalayana Feer

喜马拉雅沙参

| 药 材 名 |

喜马拉雅沙参（药用部位：根）。

| 形态特征 |

多年生草本。根细，最粗者直径仅达近 1 cm。茎常数枝发自同一茎基上，或不分枝，通常无毛，少数有倒生短毛，极个别有倒生长毛，高 15 ~ 60 cm。基生叶心形或近三角状卵形；茎生叶卵状披针形、狭椭圆形至条形，无柄或有时茎下部的叶具短柄，全缘至疏生不规则尖锯齿，无毛或极少数有毛，长 3 ~ 12 cm，宽 0.1 ~ 1.5 cm。单花顶生或数花排成假总状花序，不为圆锥花序；花萼无毛，筒部倒圆锥状或倒卵状圆锥形，裂片钻形，长 5 ~ 10 mm，宽 1 ~ 1.5（~ 2）mm；花冠蓝色或蓝紫色，钟状，长 17 ~ 22 mm，裂片长 4 ~ 7 mm，卵状三角形；花盘粗筒状，长 3 ~ 8 mm，直径可达 3 mm；花柱与花冠近等长或略伸出花冠。蒴果卵状矩圆形。花期 7 ~ 9 月。

| 生境分布 |

生于石质山坡。分布于宁夏罗山（红寺堡）等。

| **资源情况** | 野生资源较少。

| **功能主治** | 甘、微苦，凉。清热养阴，祛痰止咳。用于肺热燥咳，虚劳久咳，咽喉痛。

桔梗科 Campanulaceae 沙参属 Adenophora

宁夏沙参
Adenophora ningxianica Hong

宁夏沙参

| 药 材 名 |

宁夏沙参（药用部位：根）。

| 形态特征 |

多年生草本。根粗壮，木质。茎直立，多数丛生，不分枝，无毛或疏被短硬毛。茎生叶互生，狭卵状披针形、披针形或狭披针形，长 1.5 ~ 4.5 cm，宽 4 ~ 12 mm，先端渐尖，基部楔形，边缘具不规则的疏锯齿，两面无毛或近无毛；无柄或具极短的柄。总状花序顶生，或具分枝而成圆锥花序；花梗细；花萼无毛，裂片钻形或钻状披针形，边缘常有 1 对瘤状小齿，个别裂片全缘；花冠筒状钟形，蓝色或蓝紫色，5 浅裂，裂片卵状三角形；花盘短筒状，无毛；花柱稍伸出花冠。蒴果长椭圆形。花期 7 ~ 8 月，果期 9 月。

| 生境分布 |

生于山谷石质河滩地、干旱山坡或阴坡岩石缝隙中。分布宁夏贺兰山（西夏、贺兰、平罗）等。

| 资源情况 |

野生资源较丰富。

| **采收加工** | 秋季采挖，除去茎叶、须根和泥土，刮去表面粗皮，晒干。

| **功能主治** | 清热养阴，祛痰止咳。

桔梗科 Campanulaceae 沙参属 Adenophora

细叶沙参 *Adenophora capillaris* subsp. *paniculata* (Nannfeldt) D. Y. Hong & S. Ge

| 药 材 名 | 细叶沙参（药用部位：根）。

| 形态特征 | 多年生草本。根肉质，圆锥形。茎直立。茎下部叶椭圆形或菱状椭圆形，无柄或有时具柄，花开时枯萎，茎中部叶及上部叶卵状披针形或披针形，长 4 ~ 13 cm，宽 1.5 ~ 2.5 cm，先端渐尖，基部楔形，边缘具疏浅锯齿，有时叶呈狭披针形或线状披针形，全缘，上面绿色，下面浅绿色，两面被短毛；无柄。圆锥状花序顶生，多分枝，无毛；花萼无毛，裂片 5，丝状或丝状钻形；花冠钟形，口部稍收缢，蓝色，无毛，5 浅裂；雄蕊 5，与花冠等长或稍露出，花丝基部加宽，密被柔毛；花盘圆筒状；柱头 2 裂。蒴果卵形或卵状圆形。花期 7 ~ 9 月，果期 9 月。

| 生境分布 | 生于山坡草地或沟谷草甸。分布于宁夏泾源、彭阳、隆德等。

细叶沙参

| **资源情况** | 野生资源丰富。

| **采收加工** | 秋季采挖，除去茎叶、须根和泥土，刮去表面粗皮，晒干。

| **功能主治** | 清热养阴，祛痰止咳。

桔梗科 Campanulaceae 沙参属 Adenophora

石沙参

Adenophora polyantha Nakai

石沙参

| 药 材 名 |

石沙参（药用部位：根）。

| 形态特征 |

多年生草本，高 20 ~ 50 cm。茎直立，丛生，通常不分枝，被短硬毛。茎生叶互生，披针形至狭披针形，长 1.5 ~ 3.5 cm，宽 3 ~ 8 mm，边缘具尖锯齿，无毛或两面疏生短毛；无柄。花序不分枝，总状，有时下部有分枝而成圆锥花序；花萼裂片 5，狭三角状披针形，长 3 ~ 5 mm，外面粗糙，常疏被短毛；花冠蓝紫色，钟形，长 1.5 ~ 2 cm，5 浅裂，无毛；雄蕊 5，花丝下部加宽，被白色柔毛；花盘短圆筒状，长约 2.5 mm，顶部有疏毛；花柱稍伸出花冠或与花冠近等长。蒴果卵状椭圆形，长约 8 mm，直径约 5 mm。花期 7 ~ 8 月，果期 9 月。

| 生境分布 |

生于向阳山坡。分布于宁夏罗山（红寺堡）、南华山（海原）等。

| 资源情况 |

野生资源丰富。

| **采收加工** | 秋季采挖，除去茎叶、须根和泥土，刮去表面粗皮，晒干。

| **功能主治** | 甘、微苦，凉。清热养阴，祛痰止咳。用于肺热燥咳，虚劳久咳，咽喉痛。

桔梗科 Campanulaceae 沙参属 Adenophora

泡沙参 *Adenophora potaninii* Korsh.

| **药 材 名** | 南沙参（药用部位：根。别名：泡参、沙参）。

| **形态特征** | 多年生草本，高 70 ~ 100 cm。根粗壮，肉质，圆柱形。茎直立，单
一，不分枝，无毛。茎生叶互生，叶片卵状椭圆形、长椭圆形或线
状长椭圆形，先端渐尖或急尖，基部楔形至圆形，边缘具少数不规
则的粗锯齿，上面疏被短糙毛，下面沿脉被短糙毛；无柄。圆锥花
序顶生；花梗短；花萼 5 裂，裂片三角状披针形，每侧具 1 ~ 2 狭
长的齿；花冠钟形，蓝紫色，无毛，5 浅裂，裂片卵状三角形，先端
尖；雄蕊 5，花丝下部加宽；花盘筒状，先端疏被毛；花柱较花被短。
蒴果椭圆形。花期 7 ~ 9 月，果期 9 ~ 10 月。

| **生境分布** | 生于山坡草地、灌丛或林下。分布于宁夏六盘山（泾源、海原、隆德、
彭阳、原州）、罗山（红寺堡）等。

泡沙参

| 资源情况 | 野生资源丰富。

| 采收加工 | 秋季采挖，除去茎叶、须根和泥土，刮去表面粗皮，晒干。

| 药材性状 | 本品呈圆锥形或圆柱形，稍弯曲或扭曲，偶有分枝，长 6 ~ 15 cm，上部直径 1 ~ 2.5 cm。表面黄白色，凹陷处常残留黄棕色粗皮，先端有芦头，上部有断续 的环状横纹，下部有纵沟纹和皱纹，可见黄色的横向皮孔及褐色的须根痕。体轻， 质泡，易折断，断面不平坦，白色，多裂隙。无臭，味甘、微苦。

| 功能主治 | 养阴清肺，化痰，益气。用于肺热燥咳，阴虚劳嗽，干咳痰黏，气阴不足，烦热口渴。

| 用法用量 | 内服煎汤，9 ~ 15 g。

| 附　注 | （1）《宁夏中药志》记载宁夏还分布有同属植物紫沙参 *Adenophora paniculata* Nannf.、长 柱 沙 参 *Adenophora stenanthina* (Ledeb.) Kitag.、石 沙 参 *Adenophora polyantha* Nakai 和宁夏沙参 *Adenophora ningxianica* Hong。其区别见分种检索表。

1. 花柱明显伸出花冠；雄蕊与花冠近等长或稍伸出。

　2. 萼裂片丝状；花盘筒状·····················紫沙参 *Adenophora paniculata* Nannf.

　2. 萼裂片钻形；花盘长筒状···

　··长柱沙参 *Adenophora stenanthina* (Ledeb.) Kitag.

1. 花柱短于花冠，近等长或稍伸出；雄蕊明显短于花冠。

　3. 萼裂片全缘；花柱稍伸出花冠··········石沙参 *Adenophora polyantha* (Nakai)

　3. 萼裂片多少有齿。

　　4. 植株丛生；总状花序；花萼裂片钻形，边缘常有 1 对瘤状小齿············

　　·······························宁夏沙参 *Adenophora ningxianica* Hong

　　4. 植株单一；圆锥花序；花萼裂片三角状披针形，每侧具 1 ~ 2 狭长齿······

　　··································泡沙参 *Adenophora potaninii* Korsh.

（2）《宁夏中药志》记载南沙参原名沙参，始载于《神农本草经》，被列为下品。

《本草纲目》载："沙参处处山原有之。二月生苗，叶如初生小葵叶，而团扁不光……茎上之叶，则尖长如枸杞叶，而小有细齿。秋月叶间开小紫花，长二、三分，状如铃铎……根茎皆有白汁。"其描述与现今之桔梗科沙参基本相符。

桔梗科 Campanulaceae 沙参属 Adenophora

长柱沙参
Adenophora stenanthina (Ledeb.) Kitagawa

长柱沙参

药材名

长柱沙参（药用部位：根）。

形态特征

多年生草本，高 15 ~ 60 cm。根肉质，圆锥状长圆柱形，长达 15 cm。茎直立，基部多分枝，密生极短的柔毛。茎生叶互生，多集中于中部以下，线形或线状披针形，长 2 ~ 6 cm，宽 2 ~ 4 mm，全缘或具不规则的细锯齿，边缘常反卷，两面被短柔毛；无柄。总状花序或圆锥花序顶生，花下垂；花萼无毛或被极短的柔毛，裂片 5，狭长三角形；花冠蓝紫色，口部稍收缢，5 浅裂，无毛；雄蕊 5，与花冠近等长或较之稍短；花盘长筒状；花柱明显伸出花冠，上部密生短柔毛。花期 7 ~ 8 月，果期 8 ~ 9 月。

生境分布

生于山谷边和田边。分布于宁夏沙坡头、海原、盐池、泾源、彭阳、西吉、原州、同心、红寺堡等。

资源情况

野生资源丰富。

| 采收加工 | 秋季采挖，除去茎叶、须根和泥土，刮去表面粗皮，晒干。

| 功能主治 | 养阴清肺，化痰，益气。用于肺热燥咳，阴虚劳嗽，干咳痰黏，气阴不足，烦热口渴。

桔梗科 Campanulaceae 风铃草属 *Campanula*

紫斑风铃草 *Campanula punctata* Lam.

| 药 材 名 | 风铃草（药用部位：全草。别名：铃铛花）。 |

| 形态特征 | 多年生草本。茎直立。基生叶具长柄，卵圆形，基部心形，边缘有不规则的浅锯齿；茎生叶有叶片下延的翼状柄或无柄，卵形或卵状披针形，长 4 ~ 5 cm，宽 1.5 ~ 2.5 cm，先端渐尖，基部圆形或楔形，边缘有不整齐的浅齿，两面被柔毛。单花顶生或腋生，下垂，具长柄，柄上被毛；萼筒裂片 5，披针形；花冠白色，具多数紫黑色斑点，钟状，微具柔毛；雄蕊 5，花药狭，花丝具疏毛；子房下位，花柱无毛，柱头 3 裂。蒴果 3 瓣裂。花期 7 ~ 8 月，果期 8 ~ 9 月。 |

| 生境分布 | 生于山地林缘、灌丛及路旁。分布于宁夏泾源、隆德、原州等。 |

| 资源情况 | 野生资源较少。 |

紫斑风铃草

| 采收加工 | 7~8月采收，除去杂质，洗净泥土，晒干。

| 药材性状 | 本品茎呈圆柱形，直径1.5~3mm；表面呈绿色或紫褐色，被灰白色短柔毛；质硬脆，断面黄白色。单叶互生，具柄；叶片皱缩破碎，完整者展平后呈卵形或卵状披针形，叶片下延成翼状柄，上部叶无柄，叶片两面被柔毛。单花顶生或数花生长于茎上部叶腋，花大，钟形，黄绿色或黄棕色，具紫黑色斑点。

| 功能主治 | 清热解毒，止痛。用于咽喉肿痛，头痛。

| 用法用量 | 内服煎汤，6~9g。

桔梗科 Campanulaceae 党参属 Codonopsis

党参

Codonopsis pilosula (Franch.) Nannf.

| 药 材 名 | 党参（药用部位：根）。

| 形态特征 | 多年生草质藤本，具浓臭。根常肥大，肉质，呈长纺锤状圆柱形，表面灰黄色至灰棕色，上部有密环纹。茎缠绕，多分枝。叶互生，在小枝上的叶近对生，叶片卵形或狭卵形，先端钝或微尖，基部近心形，边缘具波状钝锯齿，侧枝上的叶较狭窄，基部圆形或楔形。花单生于枝顶，与叶互生或近对生；花萼贴生至子房中部，呈筒状半球形，裂片5，宽披针形或狭长圆形；花冠钟形，黄绿色，内面有紫斑，先端5裂，裂片正三角形；雄蕊5，花丝基部稍扩大；子房半下位，花柱短，柱头有白色刺毛。蒴果圆锥形；种子多数，卵形，细小，棕黄色。花期7～8月，果期9～10月。

| 生境分布 | 生于海拔1600～2500 m的山地林缘及灌丛中。分布于宁夏泾源、

党参

隆德、彭阳、原州、西吉、海原等。

| **资源情况** | 野生资源较少。

| **采收加工** | 秋季采挖，除去残茎和泥土，按大小分别用麻绳穿起，晒干；或搓揉后晒干，捆把。

| **药材性状** | 本品呈长圆柱形，稍弯曲，长 10 ~ 35 cm，直径 0.4 ~ 2 cm。表面灰黄色、黄棕色或灰棕色，根头部有多数疣状凸起的茎痕及芽，茎痕的先端呈凹下的圆点状；根头下有致密的环状横纹，向下渐稀疏，有的长达全长的一半，栽培品环状横纹少或无；全体有纵皱纹和散在的横长皮孔样突起，支根断落处常有黑褐色胶状物。质稍柔软或稍硬而略带韧性，断面稍平坦，有裂隙或放射状纹理，皮部淡棕黄色至黄棕色，木部淡黄色至黄色。有特殊香气，味微甜。

| **功能主治** | 健脾益肺，养血生津。用于脾肺气虚，食少倦怠，咳嗽虚喘，气血不足，面色萎黄，心悸气短，津伤口渴，内热消渴。

| **用法用量** | 内服煎汤，9 ~ 30 g。

秦岭党参 *Codonopsis tsinlingensis* Pax & K. Hoffmann

| **药 材 名** | 秦岭党参（药用部位：根）。

| **形态特征** | 多年生草本，含白色乳汁。根肉质，圆锥状长圆柱形，不分枝或分枝。茎下部的叶对生或假对生，茎上部的叶互生，分枝上的叶对生；叶片宽卵形、卵形或狭卵形，长 1.5 ~ 5 cm，宽 1 ~ 3.5 cm，先端渐尖或钝，基部浅心形或近圆形，边缘呈不明显的浅波状，或全缘。花单生于茎顶或分枝的先端；花萼被毛，裂片 5，三角状披针形或卵状披针形，两面疏被白色短毛或近无毛，边缘具短缘毛；花冠钟形，蓝色，先端 5 裂，裂片卵状三角形，先端尖，内面被柔毛。花期 7 ~ 8 月，果期 9 ~ 10 月。

| **生境分布** | 生于高山草丛中或灌丛中。分布于宁夏泾源等。

秦岭党参

| **资源情况** | 野生资源较少。

| **采收加工** | 秋季采挖，除去残茎和泥土，按大小分别用麻绳穿起，晒干；或搓揉后晒干，捆把。

| **功能主治** | 甘，平。补中益气，生津止渴。用于脾胃虚弱，食欲不振，气虚体弱，慢性泄泻，贫血。

桔梗科 Campanulaceae 桔梗属 Platycodon

桔梗

Platycodon grandiflorus (Jacq.) A. DC.

| 药 材 名 | 桔梗（药用部位：根）。

| 形态特征 | 多年生草本。根粗壮，长倒圆锥形，表皮黄褐色。茎直立，单一或分枝。叶3轮生，有时对生或互生，卵形或卵状披针形，长2.5 ~ 4 cm，宽2 ~ 3 cm，先端锐尖，基部宽楔形，边缘有尖锯齿，上面绿色，无毛，下面灰蓝绿色，沿脉被短糙毛。花1至数朵生长于茎及分枝先端；萼筒钟状，裂片5，三角形至狭三角形；花冠蓝紫色，宽钟形，5浅裂，裂片宽三角形；雄蕊5，花药黄色，条形，花丝短，基部加宽；柱头5裂，裂片条形，反卷，被短毛。蒴果倒卵形，先端5瓣裂；种子卵形，扁平，有3棱，黑褐色，有光泽。花期7 ~ 9月，果期8 ~ 10月。

| 生境分布 | 栽培种。宁夏固原有栽培。

桔梗

| 资源情况 | 栽培资源较少。

| 采收加工 | 春、秋季采挖，洗净，除去须根，趁鲜剥去外皮或不去外皮，干燥。

| 药材性状 | 本品呈圆柱形或略呈纺锤形，下部渐细，有的有分枝，略扭曲，长 7 ~ 20 cm，直径 0.7 ~ 2 cm。表面淡黄白色至黄色，不去外皮者表面黄棕色至灰棕色，具纵扭皱沟，并有横长的皮孔样斑痕及支根痕，上部有横纹。有的先端有较短的根茎或根茎不明显，其上有数个半月形茎痕。质脆，断面不平坦，形成层环棕色，皮部黄白色，有裂隙，木部淡黄色。气微，味微甜而后苦。

| 功能主治 | 宣肺，利咽，祛痰，排脓。用于咳嗽痰多，胸闷不畅，咽痛喑哑，肺痈吐脓。

| 用法用量 | 内服煎汤，3 ~ 10 g。

菊科 Compositae 蓍属 Achillea

齿叶蓍
Achillea acuminata (Ledeb.) Sch.-Bip.

齿叶蓍

| 药 材 名 |

齿叶蓍（药用部位：全草。别名：一枝蒿）。

| 形态特征 |

多年生草本。叶互生，线状披针形，长4～8 cm，宽4～7 mm，先端渐尖，基部抱茎，边缘具整齐的细小重锯齿，齿端具软骨质小尖，两面疏被短柔毛或仅下面被短柔毛。头状花序多数，集成疏散的伞房花序；总苞半球形，总苞片3层，卵状矩圆形，具隆起的中肋，边缘膜质，淡黄色，密被长柔毛；边缘舌状花14，舌片白色，矩圆状宽椭圆形，先端具3圆齿；管状花白色。瘦果宽倒披针形，具白色边肋，无冠毛。花期7月，果期8月。

| 生境分布 |

生于山坡草地、山谷溪边灌丛中或林缘。分布于宁夏泾源、隆德、彭阳等。

| 资源情况 |

野生资源较少。

| **功能主治** | 活血祛风，止痛解毒，止血消肿。

菊科 Compositae 蓍属 Achillea

高山蓍
Achillea alpina L.

| 药 材 名 | 长虫草（药用部位：全草。别名：蓍草、锯草、一枝蒿）、蓍实（药用部位：果实）。

| 形态特征 | 多年生草本，高 50 ~ 70 cm。根茎短粗，直伸或斜伸，具多数须根。茎直立，单生或 2 ~ 3 丛生，不分枝或仅上部分枝，具纵条棱，疏被细柔毛。叶互生，线状披针形，篦齿状羽状深裂，裂片线形，边缘具不规则的浅裂片或锯齿，裂片先端或齿尖具软骨质小刺尖，两面被长柔毛；无叶柄，基部裂片抱茎。头状花序多数，集成伞房状；总苞宽椭圆形或近球形，总苞片 3 层，卵状椭圆形，中肋隆起，草质，边缘膜质，棕色，疏被长柔毛；边缘舌状花 6 ~ 8，舌片白色或粉红色，宽椭圆形，先端具 3 小齿；管状花白色，先端 5 裂。瘦果宽倒披针形，具翅，无冠毛。花期 7 ~ 9 月，果期 8 ~ 10 月。

高山蓍

| **生境分布** | 生于山坡草地。分布于宁夏泾源、隆德、原州等。

| **资源情况** | 野生资源较丰富。

| **采收加工** | 长虫草：夏、秋季花未开或初开时采收，除去杂质，鲜用或晒干。
著实：秋季果实成熟时采收，晒干。

| **药材性状** | 长虫草：本品长 30 ~ 70 cm。茎呈圆柱形，上部分枝，直径 2 ~ 3 mm；表面黄绿色，具纵条棱，疏被白色长柔毛；质脆，易折断，中空。叶互生，无柄；叶片皱缩，多破碎，完整者展平后呈条状披针形，2 回羽状深裂，长 4 ~ 8 cm，宽 5 ~ 10 mm，暗绿色，两面均被柔毛，叶基半抱茎。有时可见复伞房花序，头状花密集，花冠白色。气微，味微辛。

| **功能主治** | 长虫草：解毒，活血，祛风，止痛。用于咽喉肿痛，泄泻，痢疾，肠痈，淋证，风湿痹痛，胃痛，痛经，跌打损伤，痈疽肿毒，蛇虫咬伤，腹中痞块。
著实：益气，明目。用于气虚体弱，视物昏花。

| **用法用量** | 长虫草：内服煎汤，15 ~ 45 g。外用适量，鲜品捣敷；或研末醋调敷。
著实：内服煎汤，5 ~ 10 g；或入丸、散剂。

| **附　　注** | 《宁夏中药志》记载著始载于《神农本草经》，原名著实，被列为上品。据《新华本草纲要》考证，上述应为本品的著实。长虫草现为宁夏泾源等地的民间草药，用以治疗蛇虫咬伤，故名"长虫草"。

菊科 Compositae 漏芦属 Rhaponticum

顶羽菊
Rhaponticum repens (Linnaeus) Hidalgo

| 药 材 名 | 顶羽菊（药用部位：地上部分。别名：苦蒿）。

| 形态特征 | 多年生草本。叶披针形至条形，长 2 ~ 10 cm，宽 0.2 ~ 1.5 cm，先端锐尖或渐尖，全缘，疏具锯齿或羽状深裂，两面被短硬毛或蛛丝状毛和腺点，无柄；上部叶短小。头状花序单生于枝端；总苞片 4 ~ 5 层，外层者宽卵形，上半部透明膜质，被长柔毛，下半部绿色，质厚，内层者披针形或宽披针形，先端渐尖，密被长柔毛；花冠紫红色，管部与檐部近等长。瘦果矩圆形。花期 6 ~ 8 月，果期 7 ~ 9 月。

| 生境分布 | 生于荒漠草原和灌区农田的田埂、荒地。分布于宁夏同心、海原、中宁、沙坡头、西夏、永宁、贺兰、平罗、大武口等。

顶羽菊

| 资源情况 | 野生资源丰富。

| 采收加工 | 夏、秋季植株生长茂盛时采割，晒干。

| 药材性状 | 本品茎呈圆柱形，多分枝，直径 2.5 ～ 4.5 mm；表面淡棕黄色或黄绿色，近根处常带黑色，具纵沟棱，密被蛛丝状毛；质硬脆，易折断，断面黄绿色或黄白色，具髓。单叶互生，无柄；叶片皱缩或破碎，完整者展平后呈窄披针形，全缘，疏具锯齿或羽状深裂。头状花序单生于枝端，总苞半透明膜质，花冠紫红色或棕色。气微，味微咸、涩。

| 功能主治 | 清热解毒，活血消肿。用于痈疽疮疖，无名肿毒，风湿痹痛。

| 用法用量 | 外用适量，煎汤洗；或熬膏贴敷。

菊科 Compositae 藿香蓟属 Ageratum

藿香蓟
Ageratum conyzoides L.

| 药 材 名 | 胜红蓟（药用部位：地上部分。别名：藿香蓟）。

| 形态特征 | 一年生草本，高 50 ～ 100 cm，有时不足 10 cm。茎直立，多分枝，较粗壮；茎枝淡红色，通常上部绿色，具白色尘状短柔毛或长绒毛。叶对生，上部互生；叶柄长 1 ～ 3 cm，生白色短柔毛及黄色腺点；叶片卵形，长 5 ～ 13 cm，宽 2 ～ 5 cm，先端急尖，基部钝或宽楔形，边缘有钝齿，上部叶片向上及下部叶片向下渐小，多为卵形或长圆形。头状花序小，于茎顶排成伞房状花序；花梗长 0.5 ～ 1.5 cm，具尘状短柔毛；总苞钟状或半球形，突尖，总苞片 2 层，长圆形或披针状长圆形，长 3 ～ 4 mm，边缘撕裂；花冠淡紫色，长 1.5 ～ 2.5 cm，全部管状，先端 5 裂。瘦果黑褐色，5 棱，冠毛膜片 5 或 6，长 1.5 ～ 3 mm，通常先端急狭或渐狭成长或短芒状。花果期全年。

藿香蓟

| **生境分布** | 栽培种。宁夏兴庆有栽培。

| **资源情况** | 栽培资源较少。

| **采收加工** | 夏、秋季采收，除去根部，鲜用或切段晒干。

| **功能主治** | 清热解毒，止血，止痛。用于感冒发热，咽喉肿痛，口舌生疮，咯血，衄血，崩漏，脘腹疼痛，风湿痹痛，跌打损伤，外伤出血，痈肿疮毒，湿疹瘙痒。

菊科 Compositae 亚菊属 Ajania

柳叶亚菊

Ajania salicifolia (Mattf.) Poljak.

| 药 材 名 | 柳叶亚菊蒿（药用部位：全株）。

| 形态特征 | 小半灌木。叶线形或狭披针形，全缘，长 3 ~ 10 cm，宽 2 ~ 7 mm，先端渐尖，基部渐狭，上面绿色，无毛或被稀疏的"丁"字毛，下面白色，密被厚毡毛。头状花序多数在茎顶排列成密集的伞房花序；总苞钟形，总苞片 4 层，边缘棕褐色，膜质，外层总苞片卵形，中、内层的卵形、卵状椭圆形至倒卵形，仅外层总苞片背面被稀疏绢毛；边花雌性，6 ~ 7，花冠细管状，先端 3 齿裂；盘花两性。瘦果椭圆形，具脉纹。花果期 6 ~ 9 月。

| 生境分布 | 生于干旱山坡或石质河滩地。分布于宁夏泾源、隆德等。

| 资源情况 | 野生资源较少。

柳叶亚菊

| 采收加工 | 夏季采收，阴干或晒干。

| 功能主治 | 苦、辛，平。清肺热，止咳。

菊科 Compositae 香青属 Anaphalis

黄腺香青
Anaphalis aureopunctata Lingelsheim et Borza

| 药材名 | 黄腺香青（药用部位：全草）。

| 形态特征 | 多年生草本。茎直立或斜升，单生或少数疏散丛生。基生叶莲座状，匙形，长 2 ~ 2.5 cm，宽约 8 mm，先端圆或急尖，基部渐狭成长柄，两面被灰白色绵毛；茎生叶互生，椭圆形、卵状椭圆形或长椭圆形，先端急尖或渐尖，具小尖头，基部渐狭成长柄，且沿茎下延形成宽翅或狭翅，具离基三出脉。头状花序多数，密集，排列成复伞房花序；总苞钟形，总苞片约 5 层，外层总苞片卵形，棕褐色，被长绵毛，内层总苞片椭圆形或倒卵状椭圆形，先端圆，白色或黄白色，最内层总苞片长椭圆形或倒披针状长椭圆形，先端圆，基部近 1/2 收缩成爪；雌株头状花序具多数雌花，中央具 2 ~ 3 两性花，冠毛较花冠稍长，两性花冠毛上部稍粗，有微齿。花期 7 ~ 8 月，果期

黄腺香青

8 ～ 9 月。

| **生境分布** | 生于林缘草地。分布于宁夏泾源、隆德、彭阳、原州、西吉、海原等。

| **资源情况** | 野生资源较少。

| **功能主治** | 甘、淡，凉。清热解毒，解表祛风，利湿消肿。用于口腔炎，小儿惊风，疮毒，赤白痢疾，水肿，毒蛇咬伤。

菊科 Compositae 香青属 Anaphalis

乳白香青
Anaphalis lactea Maxim.

| 药 材 名 | 乳白香青（药用部位：全草）。

| 形态特征 | 根茎粗壮，灌木状，多分枝，直立或斜升，上端被枯叶残片，有顶生的莲座状叶丛或花茎。茎直立，高 10 ~ 40 cm，稍粗壮，不分枝，草质，被白色或灰白色绵毛，下部有较密的叶。莲座状叶披针状或匙状长圆形，长 6 ~ 13 cm，宽 0.5 ~ 2 cm，下部渐狭成具翅而基部呈鞘状的长柄；茎下部叶较莲座状叶常稍小，边缘平，先端尖或急尖，有或无小尖头；茎中部叶及上部叶直立或依附于茎，长椭圆形、线状披针形或线形，长 2 ~ 10 cm，宽 0.8 ~ 1.3 cm，基部稍狭，沿茎下延成狭翅，先端渐尖，有枯焦状长尖头；全部叶被白色或灰白色密绵毛，有离基三出脉或 1 脉。头状花序多数，在茎和枝端密集成复伞房状，花序梗长 2 ~ 4 mm；总苞钟状，长 6 mm，稀

乳白香青

5 mm 或 7 mm，直径 5 ～ 7 mm，总苞片 4 ～ 5 层，外层卵圆形，长约 3 mm，浅或深褐色，被蛛丝状毛，内层卵状长圆形，长约 6 mm，宽 2 ～ 2.5 mm，乳白色，先端圆形，最内层狭长圆形，长 5 mm，有长约为全长 2/3 的爪部；花托有繸状短毛；雌株头状花序有多层雌花，中央有 2 ～ 3 雄花，雄株头状花序全部为雄花；花冠长 3 ～ 4 mm，冠毛较花冠稍长，雄花冠毛上部宽扁，有锯齿。瘦果圆柱形，长约 1 mm，近无毛。花果期 7 ～ 9 月。

| 生境分布 | 生于山坡、草地及灌丛中。分布于宁夏泾源、隆德、彭阳、原州、西吉、海原等。

| 资源情况 | 野生资源较丰富。

| 采收加工 | 夏季花未开时采收，晒干。

| 功能主治 | 辛、苦，寒。活血散瘀，平肝潜阳，止咳，止血，祛痰。用于瘀血包块，肺热咳嗽，创伤出血。

菊科 Compositae 香青属 Anaphalis

香青
Anaphalis sinica Hance

香青

|药材名|

香青（药用部位：全草。别名：毛香）。

|形态特征|

多年生草本。茎直立，疏散或丛生。茎下部叶花期枯萎；茎中部叶长圆形、倒披针形或线形，长 2.5 ~ 8 cm，宽 0.2 ~ 1.5 cm，先端渐尖或急尖，具小尖头，基部渐狭，沿茎下延成翅，全缘，叶上面被蛛丝状绵毛，下面被黄白色厚绵毛；茎上部叶较小，披针状线形。头状花序密集成伞房状或多次复伞房状；总苞钟状或倒圆锥状，总苞片 6 ~ 7 层，外层卵圆形，浅褐色，被蛛丝状毛，内层舌状长圆形，乳白色或污白色，先端钝或圆形，最内层较狭；雄株头状花托有缝状短毛，花序全部为雄花；雌株头状花序有多层雌花，中央有 1 ~ 4 雄花。瘦果被小腺点。花期 6 ~ 9 月，果期 8 ~ 10 月。

|生境分布|

生于山地灌丛、草地和溪边。分布于宁夏泾源、隆德、彭阳、原州、西吉、海原等。

|资源情况|

野生资源较丰富。

| **采收加工** | 夏、秋季花未开时采收，晒干。

| **药材性状** | 本品被白色蛛丝状绵毛，长 20 ～ 30 cm。茎圆柱形，通常不分枝或花后上部分枝，直径 1.5 ～ 3.5 mm，除去白色绵毛呈棕褐色；易折断，髓腔大，白色。叶多破碎或卷缩，密被灰白色绵毛，展平后呈长圆形、倒披针状长圆形或线形，完整者长 2.5 ～ 8 cm，宽 0.2 ～ 1.2 cm，先端渐尖或急尖，基部渐狭；无柄。头状花序多数，密集；总苞 6 ～ 7 层，外层浅褐色，内层乳白色或污白色。气微，味淡、微涩。

| **功能主治** | 辛、苦，温。归肺、胃、大肠经。解表祛风，镇咳平喘，温中散寒，止痛。用于感冒所致的头痛咳嗽，慢性支气管炎，急性胃肠炎，痢疾。

| **用法用量** | 内服煎汤，3 ～ 9 g。

菊科 Compositae 牛蒡属 Arctium

牛蒡
Arctium lappa L.

| 药 材 名 | 牛蒡子（药用部位：果实。别名：大力子、鼠黏子、牛子）。

| 形态特征 | 二年生草本。根肉质，粗壮，圆锥形。茎粗壮，直立，高 1 ～ 2 m，带紫褐色，有纵条棱，被微毛，上部多分枝。基生叶大型，丛生，有长柄；茎生叶互生，长卵形或宽卵形，长 20 ～ 50 cm，宽 15 ～ 40 cm，先端钝，具刺尖，基部常为心形，全缘或具不整齐的波状微齿，上面绿色，有疏毛，下面密被灰白色短绒毛，有柄。头状花序簇生于枝顶或排列成伞房状，直径 2 ～ 4 cm，有梗；总苞球形，总苞片多层，披针形，长 1 ～ 2 cm，先端钩状内弯；花小，红紫色，两性，均为管状花，先端 5 齿裂；聚药雄蕊 5；花柱细长，柱头 2 裂。瘦果长倒卵形，灰棕色，具纵棱，冠毛短刺状，淡黄棕色。花期 6 ～ 8 月，果期 8 ～ 10 月。

牛蒡

| 生境分布 | 生于山野路旁、田边、村落宅旁。分布于宁夏六盘山（泾源、隆德、彭阳、原州）等。

| 资源情况 | 野生资源丰富。

| 采收加工 | 秋季果实成熟时采收果序，晒干，打下果实，除去杂质，再晒干。

| 药材性状 | 本品呈长倒卵形，略扁，微弯曲，长 5 ~ 7 mm，宽 2 ~ 3 mm。表面灰褐色，带紫黑色斑点，有数条纵棱，通常中间 1 ~ 2 较明显。先端钝圆，稍宽，顶面有圆环，中间具点状花柱残迹；基部略窄，着生面色较淡。果皮较硬，子叶 2，淡黄白色，富油性。气微，味苦后微辛而稍麻舌。

| 功能主治 | 辛、苦，寒。归肺、胃经。疏散风热，宣肺透疹，解毒利咽。用于风热感冒，咳嗽痰多，麻疹，风疹，咽喉肿痛，痄腮，丹毒，痈肿疮毒。

| 用法用量 | 内服煎汤，6 ~ 12 g。

菊科 Compositae 蒿属 Artemisia

碱蒿

Artemisia anethifolia Web. ex Stechm.

| 药 材 名 | 碱蒿（药用部位：幼苗的地上部分）。

| 形态特征 | 一年生或二年生草本。基生叶椭圆形或长卵形，长 3 ~ 4.5 cm，宽 1.5 ~ 3 cm，2 ~ 3 回羽状全裂，每侧裂片 3 ~ 4，裂片再羽状全裂，小裂片狭线形，两面密被短柔毛，具长柄；茎中部叶卵形、宽卵形或椭圆状卵形，2 回羽状全裂，每侧裂片 3 ~ 4，中部裂片再羽状全裂，小裂片狭线形，开展，无叶柄或具短柄；茎上部叶与苞片无柄，3 ~ 5 全裂或不裂。头状花序半球形或宽卵形，在枝上排列成穗状总状花序，在茎顶组成疏散宽展的圆锥花序；总苞片 3 ~ 4 层，外、中层椭圆形或披针形，背面被灰白色蛛丝状毛，内层卵形，边缘宽膜质，无毛；边花 3 ~ 6，雌性，花冠狭管状，黄色；盘花 18 ~ 26，两性，花冠管状，先端 5 齿裂。瘦果椭圆状倒卵形。花果

碱蒿

期 7 ~ 9 月。

| **生境分布** | 生于砂质地、荒地、路边。分布于宁夏西夏、贺兰、平罗、同心、海原等。

| **资源情况** | 野生资源较丰富。

| **功能主治** | 清热利湿，清肝利胆，发汗，解热，驱虫。用于黄疸及胆道诸病，病毒性肝炎。

菊科 Compositae 蒿属 Artemisia

莳萝蒿
Artemisia anethoides Mattf.

| **药 材 名** | 莳萝蒿（药用部位：幼苗的地上部分）。

| **形态特征** | 一年生或二年生草本。基生叶和茎下部叶长卵形或卵形，长 3 ~ 4 cm，宽 2 ~ 4 cm，3 ~ 4 回羽状全裂，小裂片狭线形或狭线状披针形，两面密被白色柔毛，叶柄长；茎中部叶宽卵形或卵形，2 ~ 3 回羽状全裂，每侧裂片 2 ~ 3，中部裂片常再羽状分裂，小裂片细线形，基部裂片半抱茎；茎上部叶与苞片无柄，3 全裂或不裂，狭线形。头状花序近球形，在分枝上排列成复总状花序或穗状总状花序，在茎先端再组成宽展的圆锥花序；总苞片 3 ~ 4 层，外、中层椭圆形或披针形，背面密被白色短柔毛，中肋绿色，边缘膜质，内层长卵形，近膜质，无毛；边花 3 ~ 6，雌性，花冠狭管状，黄色；盘花 8 ~ 16，两性，花冠管状。瘦果倒卵形。花期 7 ~ 9 月。

莳萝蒿

生境分布	生于山坡、荒地、砂质地、路边。分布于宁夏贺兰山（西夏、贺兰、平罗、大武口）、香山（沙坡头）等。
资源情况	野生资源较丰富。
采收加工	春季幼苗高 6 ~ 10 cm 时采收，除去根及杂质，晾干或晒干。
功能主治	苦、辛，凉。清热利湿，利胆退黄。

菊科 Compositae 蒿属 Artemisia

黄花蒿 *Artemisia annua* L.

| **药 材 名** | 青蒿（药用部位：地上部分。别名：黄花蒿、臭蒿）。

| **形态特征** | 一年生草本。茎直立，上部多分枝，具纵条棱，无毛。茎中部叶卵形，长 3 ~ 7 cm，宽 2 ~ 6 cm，3 ~ 4 回羽状分裂，叶轴两侧具狭翅，裂片及小裂片长圆形或卵形，两面被短柔毛；茎上部叶小，通常 1 回羽状细裂。头状花序多数，通常具 1 线形苞叶；总苞半球形，无毛，总苞片 2 ~ 3 层，外层狭小，绿色，内层长椭圆形，边缘宽膜质；花序托无毛；花黄色，边花 4 ~ 8，雌性；中央花 26 ~ 30，两性。瘦果椭圆形，无毛。花果期 8 ~ 10 月。

| **生境分布** | 生于山坡、路边、荒地等。宁夏各地均有分布。

| **资源情况** | 野生资源丰富。

黄花蒿

采收加工	秋季花盛开时采割,除去老枝及杂质,阴干。

采收加工 秋季花盛开时采割,除去老枝及杂质,阴干。

药材性状 本品茎呈圆柱形,上部多分枝,长 30 ~ 80 cm,直径 0.2 ~ 0.6 cm;表面黄绿色或棕黄色,具纵棱线;质略硬,易折断,断面中部有髓。叶互生,暗绿色或棕绿色,卷缩易碎,完整者展平后为 3 回羽状深裂,裂片和小裂片矩圆形或长椭圆形,两面被短毛。气香特异,味微苦。

功能主治 清虚热,除骨蒸,解暑热,截疟,退黄。用于温邪伤阴,夜热早凉,阴虚发热,骨蒸劳热,暑邪发热,疟疾寒热,湿热黄疸。

用法用量 内服煎汤,6 ~ 12 g,后下。

附 注 《宁夏中药志》记载青蒿始载于《神农本草经》,被列为下品。东晋葛洪的《肘后备急方》记载青蒿治疟疾,李时珍的《本草纲目》中亦记载青蒿治"疟疾寒热"。近年来的研究表明,本种含有抗疟成分——青蒿素。上述表明本种药材的古今用药经验一致。

菊科 Compositae 蒿属 Artemisia

艾
Artemisia argyi Lévl. et Van.

| 药 材 名 | 艾叶（药用部位：叶）。

| 形态特征 | 多年生草本。茎直立，单一，具纵条棱，常带紫褐色，密被灰白色蛛丝状毛。茎中部叶 1 ~ 2 回羽状深裂或全裂，侧裂片 2 ~ 3 对，裂片椭圆形或披针形，边缘具粗锯齿或小裂片；茎上部叶渐变小，3 ~ 5 全裂或不裂，裂片披针形或条状披针形，无柄。头状花序钟形或矩圆状钟形，多数在枝端排列成紧密而稍扩展的圆锥状；总苞片 4 ~ 5 层，密被灰白色或灰黄色蛛丝状毛；边缘小花 8 ~ 13，雌性，花冠狭管状锥形；中央小花 9 ~ 11，两性，花冠管状钟形；红紫色。瘦果矩圆形。花期 8 ~ 9 月，果期 9 ~ 10 月。

| 生境分布 | 生于山野、路旁、荒地及林缘。宁夏各地均有分布。

艾

| **资源情况** | 野生资源丰富。

| **采收加工** | 夏季花未开时采摘，除去杂质，晒干。

| **药材性状** | 本品多皱缩、破碎，有短柄。完整叶片展平后呈卵状椭圆形，羽状深裂，裂片椭圆状披针形，边缘有不规则的粗锯齿；上表面灰绿色或深黄绿色，有稀疏的柔毛和腺点；下表面密生灰白色绒毛。质柔软。气清香，味苦。

| **功能主治** | 温经止血，散寒止痛，祛湿止痒。用于吐血，衄血，崩漏，月经过多，胎漏下血，少腹冷痛，经寒不调，宫冷不孕；外用于皮肤瘙痒。

| **用法用量** | 内服煎汤，3～9g。外用适量，灸治；或煎汤熏洗。

| **附　　注** | （1）《宁夏中药志》记载宁夏还分布有野艾蒿 *Artemisia lavandulaefolia* DC.，其叶也可作艾叶药用。野艾蒿与本种的区别见下述分种检索表。

1.叶1回羽状深裂，头状花序在茎顶排列成窄尖塔形圆锥花序⋯⋯⋯⋯⋯⋯⋯⋯⋯⋯
⋯⋯⋯⋯⋯⋯⋯⋯⋯⋯⋯⋯⋯⋯⋯⋯⋯艾 *Artemisia argyi* Lévl. et Van.

1.叶2回羽状分裂，头状花序在茎顶排列成狭窄或中等宽展的圆锥花序⋯⋯⋯⋯
⋯⋯⋯⋯⋯⋯⋯⋯⋯⋯⋯⋯⋯⋯野艾蒿 *Artemisia lavandulaefolia* DC.

（2）《宁夏中药志》记载本品载于《名医别录》，被列为中品。《本草纲目》载："此草多生山原。二月宿根生苗成丛，其茎直立，白色⋯⋯（叶）面青背白，有茸而柔厚⋯⋯五月五日连茎刈取，暴干收叶引火点灸炷，滋润灸疮，至愈不疼。"据此描述及用法，本种药材的古今用药一致。

菊科 Compositae 蒿属 *Artemisia*

白沙蒿
Artemisia blepharolepis Bge.

| 药 材 名 | 白莎蒿（药用部位：种子）。

| 形态特征 | 一年生或二年生草本。茎单生，分枝多。叶两面密被灰白色柔毛；茎下部叶与中部叶卵形或长圆形，2回栉齿状羽状分裂，第1回全裂，每侧裂片5~8，裂片长卵形或近倒卵形，边缘稍反卷，第2回栉齿状深裂，每侧裂片有5~8栉齿，栉齿基部有小形或栉齿状分裂的假托叶；茎上部叶与苞片叶栉齿状羽状深裂、浅裂或不裂。头状花序椭圆形或长椭圆形，具短梗及小苞叶，排成穗状短总状花序，在茎上组成开展的圆锥花序；总苞片疏被灰白色柔毛；雌花2~3；两性花3~6。瘦果椭圆形。花果期7~10月。

| 生境分布 | 生于荒漠草原。分布于宁夏盐池、灵武、同心等。

白沙蒿

资源情况	野生资源较丰富。

采收加工	秋季采收成熟果实,打下种子,除去杂质,晒干。

功能主治	辛,温。归肝、脾、肺经。理气,通便,解毒。用于大便不通,腹胀腹痛,腮腺炎,扁桃体炎,痈肿疮疖。

用法用量	内服研末,5 ~ 10 g。外用适量,研末调敷。

菊科 Compositae 蒿属 Artemisia

山蒿
Artemisia brachyloba Franch.

| **药 材 名** | 山蒿（药用部位：全株）。 |

| **形态特征** | 亚灌木状草本或为小灌木状。茎丛生，高达 60 cm。叶上面无毛，下面被白色绒毛；基生叶卵形或宽卵形，2 或 3 回羽状全裂；茎下部叶与中部叶宽卵形或卵形，长 2 ~ 4 cm，2 回羽状全裂，每侧裂片 3 ~ 4，裂片羽状全裂，每侧小裂片 2 ~ 5，小裂片窄线形或窄线状披针形；茎上部叶羽状全裂；苞片叶 3 裂或不裂。头状花序卵圆形或卵状钟形，排成短总状花序或穗状花序，在茎上组成稍窄圆锥花序；总苞片背面被灰白色绒毛；雌花 10 ~ 15；两性花 20 ~ 25。瘦果卵圆形。花果期 7 ~ 10 月。 |

| **生境分布** | 生于干旱山坡及砾石滩地。分布于宁夏大武口、惠农、盐池等。 |

山蒿

| 资源情况 |　野生资源较少。

| 采收加工 |　夏、秋季采收，除去泥土，晒干。

| 功能主治 |　苦、辛，平。清热燥湿，消炎，杀虫。用于偏头痛，咽喉痛，风湿关节痛。

菊科 Compositae 蒿属 Artemisia

茵陈蒿 *Artemisia capillaris* Thunb.

茵陈蒿

药 材 名

茵陈（药用部位：地上部分。别名：茵陈蒿、滨蒿）。

形态特征

亚灌木状草本，植株有浓香。茎、枝初时密被灰白色或灰黄色绢质柔毛。枝端有密集叶丛，基生叶常呈莲座状；基生叶、茎下部叶与营养枝叶两面均被棕黄色或灰黄色绢质柔毛，卵圆形或卵状椭圆形，长 2 ~ 4（~ 5）cm，2 回羽状全裂，每侧裂片 2 ~ 3（~ 4），裂片 3 ~ 5 全裂，小裂片线形或线状披针形，细直，不弧曲；茎中部叶宽卵形、近圆形或卵圆形，1 ~ 2 回羽状全裂，小裂片线形或丝线形，细直，近无毛，基部裂片常半抱茎；茎上部叶与苞片叶羽状 5 全裂或 3 全裂。头状花序卵圆形，稀近球形，有短梗及线形小苞片，在分枝的上端或小枝端偏向外侧生长，排成复总状花序，在茎上端组成大型、开展的圆锥花序；总苞片淡黄色，无毛；雌花 6 ~ 10；两性花 3 ~ 7。瘦果长圆形或长卵圆形。花果期 7 ~ 10 月。

| 生境分布 | 生于沟边、山坡、田边、砂砾地及盐碱地。分布于宁夏泾源等。

| 资源情况 | 野生资源丰富。

| 采收加工 | 春季幼苗高 6 ~ 10 cm 时或秋季花蕾长成至花初开时采割，除去杂质和老茎，晒干。春季采割的习称"绵茵陈"，秋季采割的习称"花茵陈"。

| 药材性状 | 本品绵茵陈多卷曲成团状，灰白色或灰绿色，全体密被白色茸毛，绵软如绒。茎细小，长 1.5 ~ 2.5 cm，直径 0.1 ~ 0.2 cm，除去表面白色茸毛后可见明显的纵条纹；质脆，易折断。叶具柄；展平后叶片 1 ~ 3 回羽状分裂，叶片长 1 ~ 3 cm，宽约 1 cm，小裂片呈卵形或稍呈倒披针形、条形，先端锐尖。气清香，味微苦。花茵陈的茎呈圆柱形，多分枝，长 30 ~ 100 cm，直径 2 ~ 8 mm；表面淡紫色或紫色，有纵条纹，被短柔毛；体轻，质脆，断面类白色。叶密集或多脱落；下部叶 2 ~ 3 回羽状深裂，裂片条形或细条形，两面密被白色柔毛；茎生叶 1 ~ 2 回羽状全裂，基部抱茎，裂片细丝状。头状花序卵形，多数集成圆锥状，长 1.2 ~ 1.5 mm，直径 1 ~ 1.2 mm，有短梗；总苞片 3 ~ 4 层，卵形，苞片 3 裂；外层雌花 6 ~ 10，可多达 15，内层两性花 3 ~ 7。瘦果长圆形，黄

棕色。气芳香，味微苦。

| 功能主治 | 苦、辛，微寒。归脾、胃、肝、胆经。清利湿热，利胆退黄。用于黄疸尿少，湿温暑湿，湿疮瘙痒。

| 用法用量 | 内服煎汤，6 ~ 15 g。外用适量，煎汤熏洗。

| 附　　注 | （1）《名医别录》记载"茵陈蒿，五月及立秋采"，《中华人民共和国药典》延用这一采收时间，春季采收的称"绵茵陈"，秋季采收的称"花茵陈"。而历史上一直认为茵陈的质量与其采收季节有关，民谚云"三月茵陈四月蒿，五月当柴烧"。现代文献比较了绵茵陈和花茵陈的化学成分、药理作用和临床应用，认为二者性味大体相同，药理作用和临床应用存在一定的差异。

（2）蒿属植物我国分布约 190 种，遍布各地，以西北、华北、东北及西南地区最多，药用者约 23 种。

菊科 Compositae 蒿属 Artemisia

牛尾蒿 Artemisia dubia Wall. ex Bess.

牛尾蒿

药材名

牛尾蒿（药用部位：地上部分。别名：茶绒、指叶蒿）。

形态特征

多年生草本，高达 1 m。根茎粗，柱状或团块状，具多数细根。茎直立，基部木质，粗壮，淡紫色，上部分枝，初时被灰白色短柔毛，后无毛。基生叶花期枯萎；茎生叶互生，无柄，近指状或羽状分裂，基部楔形，常有假托叶状裂片，侧裂片 1 ~ 2 对，裂片卵状披针形或条状披针形，长 2 ~ 4 cm，宽 5 ~ 8 mm，先端渐尖，全缘，上部叶 3 深裂或不裂，叶背面初时被灰白色短柔毛，后无毛。头状花序半球形或卵形，直径约 2 mm，无梗或有短梗；苞叶条形，叶状；总苞片 3 ~ 4 层，卵形，外层先端稍尖，背面绿色，边缘稍膜质，内层先端圆形，边缘宽膜质；边缘小花 6 ~ 9，雌性；中央小花 2 ~ 8，两性。瘦果卵状椭圆形，细小，紫褐色。花期 8 ~ 9 月，果期 9 ~ 10 月。

生境分布

生于山沟、河滩沙石地。分布于宁夏泾源等。

| **资源情况** | 野生资源丰富。

| **采收加工** | 秋季采割，鲜用或扎把晾干。

| **功能主治** | 辛，温。归肺经。止咳，化痰，平喘。用于咳嗽痰喘，跌扑损伤，无名肿毒，慢性支气管炎。

| **用法用量** | 内服煎汤，9 ～ 15 g；或熬膏；或入丸、散剂。外用适量，煎汤洗；或熬膏涂。

| **附　注** | 本品为藏医常用药，以"茶绒"之名收载于《晶珠本草》。

菊科 Compositae 蒿属 Artemisia

无毛牛尾蒿

Artemisia dubia Wall. ex Bess. var. *subdigitata* (Mattf.) Y. R. Ling

无毛牛尾蒿

| 药 材 名 |

无毛牛尾蒿（药用部位：全草）。

| 形态特征 |

本种与牛尾蒿的区别在于：茎、枝、叶背面初时被灰白色短柔毛，后脱落无毛。

| 生境分布 |

生于山坡灌丛、林缘、沟谷。分布于宁夏贺兰山（西夏、贺兰、平罗）、罗山（红寺堡）及泾源等。

| 资源情况 |

野生资源丰富。

| 采收加工 |

秋季采收，鲜用或扎把晾干。

| 功能主治 |

辛，温。止咳，化痰，平喘。用于慢性咳嗽痰喘。

菊科 Compositae 蒿属 Artemisia

南牡蒿 *Artemisia eriopoda* Bge.

| 药 材 名 | 南牡蒿（药用部位：全草或根）。

| 形态特征 | 多年生草本，高 30 ～ 70 cm。茎直立，单生或丛生，紫红色，具细纵棱，基部被长柔毛，中上部无毛。基生叶与茎下部叶圆形、倒卵形或椭圆形，长 3 ～ 7 cm，宽 2 ～ 5 cm，羽状深裂或全裂，裂片宽倒卵形，先端掌状分裂，边缘具不规则的缺刻状浅裂片或深裂片；茎中部叶近圆形或椭圆形，羽状全裂，裂片线状披针形，具 1 ～ 3 裂齿，两面无毛；茎上部叶披针形，3 ～ 5 裂或不裂。头状花序多数，在茎枝端排列成扩展的圆锥状；总苞片 3 ～ 4 层，卵形，无毛，有光泽；花黄色，雌花管状锥形，两性花管状钟形。瘦果褐色。花果期 7 ～ 10 月。

| 生境分布 | 生于山地灌丛或疏林。分布于宁夏西夏、贺兰、平罗等。

南牡蒿

| **资源情况** | 野生资源较少。

| **采收加工** | 夏季采收全草，鲜用或晒干；秋季采挖根，洗净，晒干。

| **功能主治** | 苦、微辛，凉。疏风清热，除湿止痛。用于风热头痛，风湿性关节炎，蛇咬伤。

| **用法用量** | 内服煎汤，10 ～ 15 g，鲜品加倍。外用适量，捣敷。

| **附　　注** | 《中国植物志》和《中国中药资源志要》记载，南牡蒿作黄花蒿或牡蒿的代用品。

菊科 Compositae 蒿属 Artemisia

冷蒿 *Artemisia frigida* Willd.

| 药 材 名 | 小白蒿（药用部位：带花全株。别名：冷蒿、白蒿、茵陈）。

| 形态特征 | 矮小半灌木。茎丛生。叶互生，具短柄或无柄；叶片长 1 ~ 1.5 cm，宽 0.7 ~ 1.5 cm，2 ~ 3 回羽状全裂，小裂片条形或披针状条形，先端稍尖，全缘，两面密被灰白色绢毛，基部裂片抱茎成托叶状，上部的叶小，花序枝上的叶不裂，条形。头状花序半球形，具短梗，下垂，在茎上部排列成狭窄的总状或圆锥状，条形苞片数个；总苞片约 3 层，卵形；花管状，边缘小花雌性，中央小花两性，多数，黄色；花托凸起，有白色托毛。瘦果长圆形，细小，褐色。花期 8 ~ 9 月，果期 9 ~ 10 月。

| 生境分布 | 生于山坡草地。分布于宁夏金凤、兴庆、西夏、永宁、贺兰、沙坡头、中宁、盐池、灵武、同心、海原、彭阳、西吉、原州、红寺堡等。

冷蒿

| **资源情况** | 野生资源丰富。

| **采收加工** | 8 ~ 9 月采收，除去杂质，晒干。

| **药材性状** | 本品茎呈圆柱形，长 10 ~ 30 cm，直径 1 ~ 3 mm；表面灰白色，被灰白色绢毛，基部稍木质化；质硬脆。叶互生，无柄；叶片皱缩卷曲，展开后多回羽状全裂，小裂片条形，两面密被灰白色绢毛。头状花序多数，呈半球形，总苞灰白色，花冠黄色或黄棕色。气特异，味淡。

| **功能主治** | 辛，温。归肝、胆经。燥湿，杀虫。用于胆囊炎，蛔虫病，蛲虫病。

菊科 Compositae 蒿属 *Artemisia*

细裂叶莲蒿 *Artemisia gmelinii* Web. ex Stechm.

细裂叶莲蒿

| 药 材 名 |

细裂叶莲蒿（药用部位：全草）。

| 形 态 特 征 |

多年生草本，高 5 ~ 100 cm。茎直立，基部木质，暗紫红色，无毛或上部被短柔毛。茎中部叶卵形或矩圆状卵形，长 3 ~ 14 cm，宽 3 ~ 6 cm，2 回羽状全裂，侧裂片长椭圆形，羽状全裂或具缺刻状锯齿，小裂片全缘或有锯齿，羽轴有栉齿状小裂片，疏被毛或无毛，有腺点。头状花序球形或半球形，下垂，多数在茎枝上排列成狭窄或稍开展的圆锥状；总苞片 3 层，外层卵状矩圆形，内层宽椭圆形，边缘宽膜质，近无毛；雌花狭管状，两性花管状，具腺毛。瘦果卵状矩圆形。花果期 8 ~ 10 月。

| 生 境 分 布 |

生于向阳干旱山坡或山麓草地。分布于宁夏沙坡头、海原、西吉等。

| 资 源 情 况 |

野生资源较少。

| **采收加工** | 夏季采收，晒干。

| **功能主治** | 清热解毒，消炎，除湿，凉血止血。用于泄泻，肠痈，小儿惊风，阴虚潮热，
创伤出血。

菊科 Compositae 蒿属 Artemisia

臭蒿

Artemisia hedinii Ostenf. et Pauls.

臭蒿

药材名

臭蒿（药用部位：全草。别名：牛尾蒿、海定蒿）。

形态特征

一年生草本。叶绿色，背面微被腺毛状短柔毛；茎下部叶和中部叶长圆形，长 4 ~ 7 cm，宽 2 ~ 3 cm，2 回羽状分裂，侧裂片 5 ~ 9 对，线状披针形，小裂片 4 ~ 7，钻形，全缘或具 1 ~ 3 尖锯齿。头状花序多数密集于腋生的花序枝上，排列成总状或复总状；总苞半球形，总苞片 2 ~ 3 层，无毛，边缘宽膜质，深褐色或黑色；花序托裸露；花红紫色，雌花细管状，有腺体，先端 2 齿裂；两性花管状钟形，有腺体。瘦果褐色，纵纹稍明显。花果期 7 ~ 10 月。

生境分布

生于山谷、河边、路旁。分布于宁夏西夏、贺兰、平罗等。

资源情况

野生资源较少。

| **采收加工** | 8 ～ 9 月采收，阴干。

| **药材性状** | 本品茎呈圆柱形，长 1 ～ 5 cm，直径 0.2 ～ 1 cm，中空或有髓；表面绿黄色至浅黄棕色，具多条纵棱，有残留叶柄和花序的枝。叶卷曲皱缩，暗绿色至棕绿色，完整的叶为 2 回羽状深裂，小裂片线状披针形。花序半球状，直径 3 ～ 4 mm，密集成复总状；总苞片 2 ～ 3 层，外层船形，膜质较宽，边缘褐色；花小，管状，紫红色或浅黄棕色。瘦果长圆形，长约 1 mm，棕褐色。体轻，质软。气特异，味苦、辣，微有清凉感。以色暗绿、叶多、花多、香气浓者为佳。

| **功能主治** | 苦，寒。清湿热，消肿毒。用于湿热黄疸，胆囊炎，痈肿疮毒，湿疹疥癣，毒蛇咬伤。

| **用法用量** | 内服煎汤，2 ～ 6 g。外用适量，捣敷；或绞汁涂。

菊科 Compositae 蒿属 Artemisia

牡蒿
Artemisia japonica Thunb.

| **药 材 名** | 牡蒿（药用部位：全草。别名：齐头蒿、永辣菜、土柴胡）、牡蒿根（药用部位：根。别名：齐头蒿根）。 |

| **形态特征** | 多年生草本。茎单生或少数。叶两面无毛或初时微被柔毛；基生叶与茎下部叶倒卵形或宽匙形，长 4 ~ 6（~ 7）cm，羽状深裂或半裂，具短柄；茎中部叶匙形，长 2.5 ~ 3.5（~ 4.5）cm，上端有 3 ~ 5 斜向浅裂片或深裂片，每裂片上端有 2 ~ 3 小齿或无齿，无柄；茎上部叶上端 3 浅裂或不裂；苞片叶长椭圆形、椭圆形、披针形或线状披针形。头状花序卵圆形或近球形，基部具线形小苞叶，排成穗状或穗状总状花序，在茎上组成窄或中等开展的圆锥花序；总苞片无毛；雌花 3 ~ 8；两性花 5 ~ 10。瘦果倒卵圆形。花果期 7 ~ 10 月。 |

| **生境分布** | 生于山坡林下、林缘、草地。分布于宁夏原州、泾源、隆德、彭阳、 |

牡蒿

西吉等。

| **资源情况** | 野生资源较少。

| **采收加工** | 牡蒿：夏、秋季间采收，晒干或鲜用。

牡蒿根：秋季采挖，除去泥土，洗净，晒干。

| **药材性状** | 牡蒿：本品茎呈圆柱形，直径 0.1 ～ 0.3 cm；表面黑棕色或棕色；质坚硬，折断面纤维状，黄白色，中央有白色疏松的髓。残留叶片黄绿色或棕黑色，多破碎不全，皱缩卷曲，质脆易脱。花序黄绿色，片内可见长椭圆形、褐色的种子数枚。气香，味微苦。

| **功能主治** | 牡蒿：苦、微甘，凉。清热，凉血，解毒。用于夏季感冒，肺结核潮热，咯血，小儿疳热，衄血，便血，崩漏，带下，黄疸性肝炎，丹毒，毒蛇咬伤。

牡蒿根：苦、微甘，平。祛风，补虚，杀虫截疟。用于产后伤风感冒，风湿痹痛，劳伤乏力，虚肿，疟疾。

| **用法用量** | 牡蒿：内服煎汤，10 ～ 15 g，鲜品加倍。外用适量，煎汤洗；或鲜品捣敷。

牡蒿根：内服煎汤，15 ～ 30 g。

| **附　　注** | 《中国植物志》记载牡蒿的全草可作青蒿（黄花蒿）的代用品。

菊科 Compositae 蒿属 *Artemisia*

野艾蒿

Artemisia lavandulifolia DC.

野艾蒿

药材名

艾叶（药用部位：叶）。

形态特征

多年生草本。茎丛生。基生叶与茎下部叶宽卵形或近圆形，长 8 ~ 13 cm，宽 7 ~ 8 cm，2 回羽状分裂，第 1 回全裂，第 2 回深裂，表面疏被蛛丝状毛，具小凹点，背面密被灰白色蛛丝状绵毛；茎中部叶卵形或长圆形，2 回羽状全裂或第 2 回为深裂，每侧裂片 2 ~ 3，裂片椭圆形或长卵形，每侧具 2 ~ 3 小裂片或深裂齿，小裂片线状披针形或披针形，先端尖；茎上部叶羽状全裂，具短柄或近无柄。头状花序椭圆形，在分枝上半部排列成密穗状或复穗状花序，在茎顶再组成狭长或中等宽展的圆锥花序；总苞片 3 ~ 4 层，外层卵形或狭卵形，背面被蛛丝状毛，边缘膜质，中层长卵形，背面被丝状毛，内层长圆形或椭圆形，近无毛；边花 4 ~ 9，雌性，花冠狭管状，紫红色，先端 2 齿裂；盘花 10 ~ 20，两性，花冠管状。瘦果长椭圆形。花期 8 ~ 10 月。

| **生境分布** | 生于路旁、田边、草地。分布于宁夏泾源、原州、同心等。

| **资源情况** | 野生资源丰富。

| **采收加工** | 夏季花未开时采摘，除去杂质，晒干。

| **功能主治** | 温经止血，散寒止痛，祛湿止痒。用于吐血，衄血，崩漏，月经过多，胎漏下血，少腹冷痛，经寒不调，宫冷不孕；外用于皮肤瘙痒。

| **用法用量** | 内服煎汤，3 ~ 9 g。外用适量，灸治；或煎汤熏洗。

| **附　注** | 《宁夏中药志》记载宁夏分布的本种的叶也可作艾叶药用。

菊科 Compositae 蒿属 *Artemisia*

蒙古蒿
Artemisia mongolica (Fisch. ex Bess.) Nakai

蒙古蒿

| 药 材 名 |

蒙古蒿（药用部位：茎叶）。

| 形态特征 |

多年生草本。茎多分枝。叶上面初时被蛛丝状柔毛，下面密被灰白色蛛丝状绒毛；茎下部叶卵形或宽卵形，2 回羽状全裂或深裂，第 1 回全裂，每侧裂片 2 ~ 3，羽状深裂或具浅裂齿，叶柄长；茎中部叶卵形、近圆形或椭圆状卵形，长（3 ~ ）5 ~ 9 cm，1 或 2 回羽状分裂，第 1 回全裂，每侧裂片 2 ~ 3，裂片椭圆形、椭圆状披针形或披针形，羽状全裂，稀深裂或 3 裂，小裂片披针形、线形或线状披针形；茎上部叶与苞片叶卵形或长卵形，羽状全裂、3 全裂或 5 全裂，无裂齿或具 1 ~ 3 浅裂齿，无柄。头状花序多数，椭圆形，排成穗状花序，在茎上组成窄或中等开展的圆锥花序；总苞片背面密被灰白色蛛丝状毛；雌花 5 ~ 10；两性花 8 ~ 15，檐部紫红色。瘦果长圆状倒卵圆形。花果期 8 ~ 10 月。

| 生境分布 |

生于山坡草地、河边、路旁、田边。宁夏各地均有分布。

| **资源情况** | 野生资源丰富。

| **功能主治** | 辛、苦，温。归肺、心、肝经。祛风散寒，散瘀消肿，理气安胎。用于感冒咳嗽，皮肤湿疮，疥癣，痛经，胎动不安，功能失调性子宫出血。

菊科 Compositae 蒿属 Artemisia

黑沙蒿 *Artemisia ordosica* Krasch

药 材 名	黑沙蒿（药用部位：全株或根、茎、叶、花蕾、种子。别名：油蒿）。
形态特征	小灌木。茎高达 1 m，分枝多，茎、枝组成密丛。叶初时两面微被柔毛，稍肉质；茎下部叶宽卵形或卵形，1 ~ 2 回羽状全裂，每侧裂片 3 ~ 4，基部裂片长，有时 2 ~ 3 全裂，小裂片线形，叶柄短；茎中部叶卵形或宽卵形，1 回羽状全裂，每侧裂片 2 ~ 3，裂片线形；茎上部叶 3 或 5 全裂，裂片线形；苞片叶 3 全裂或不裂。头状花序卵圆形，有短梗及小苞叶，排成总状或复总状花序，在茎上组成圆锥花序；总苞片黄绿色，无毛；雌花 10 ~ 14；两性花 5 ~ 7。瘦果倒卵圆形，果壁具细纵纹及胶质。花果期 7 ~ 10 月。
生境分布	生于荒漠草原。分布于宁夏沙坡头、贺兰、平罗、同心、盐池、红寺堡、灵武等。

黑沙蒿

| **资源情况** | 野生资源丰富。

| **采收加工** | 夏、秋季采收全株或根、茎、叶、花蕾，果实成熟时采收种子，除去杂质，鲜用或晒干。

| **功能主治** | 全株，辛、苦，微温。归脾、胃、膀胱经。祛风除湿，清热排脓。用于风湿痹痛，感冒头痛，痈肿疮疖。根，甘、涩，平。归肺、胃、肝经。止血。用于吐血，衄血，崩漏。茎、叶、花蕾，祛风湿。用于风湿性关节炎。种子，甘、淡，平。归膀胱经。利水消肿。用于浮肿，尿闭。

| **用法用量** | 全株，内服煎汤，9 ~ 15 g。外用适量，捣敷。根，外用适量，研末嗅鼻。茎、叶、花蕾，外用适量，捣敷。种子，内服煎汤，9 ~ 15 g。

菊科 Compositae 蒿属 *Artemisia*

白莲蒿
Artemisia stechmanniana Bess.

| **药 材 名** | 白莲蒿（药用部位：幼苗）。

| **形态特征** | 亚灌木状草本。茎常成丛。叶下面初时密被灰白色平贴柔毛；茎下部叶与中部叶长卵形、三角状卵形或长椭圆状卵形，长 2 ～ 10 cm，2 ～ 3 回栉齿状羽状分裂，第 1 回全裂，每侧裂片 3 ～ 5，小裂片栉齿状披针形或线状披针形，中轴两侧具 4 ～ 7 栉齿，基部有小型、栉齿状分裂的假托叶；茎上部叶 1 ～ 2 回栉齿状羽状分裂；苞片叶羽状分裂或不裂。头状花序近球形，下垂，排成穗状总状花序，在茎上组成密集或稍开展的圆锥花序；总苞片背面初时密被灰白色柔毛；雌花 10 ～ 12；两性花 20 ～ 40。瘦果窄椭圆状卵圆形或窄圆锥形。花果期 8 ～ 10 月。

| **生境分布** | 生于山坡或砾石滩地。分布于宁夏沙坡头、惠农、大武口、平罗、

白莲蒿

贺兰、西夏、盐池、西吉、海原等。

| **资源情况** | 野生资源丰富。

| **采收加工** | 春季幼苗高 6 ～ 10 cm 时，挖出全草，除去根及杂质，晾干或晒干；或秋季花蕾长成至花初开时采割地上部分。

| **功能主治** | 苦、辛，平。清热解毒，凉血止血。用于肝炎，肠痈，小儿惊风，阴虚潮热，创伤出血。

| **附　注** | 《中国中药资源志要》记载本种在部分东北地区作茵陈的代用品。《中药大辞典》记载本种的幼苗在黑龙江作茵陈蒿药用。

菊科 Compositae 蒿属 *Artemisia*

猪毛蒿
Artemisia scoparia Waldst. et Kit.

| 药 材 名 | 茵陈（药用部位：地上部分。别名：绵茵陈、滨蒿）。

| 形态特征 | 一年生、二年生或多年生草本，植株有浓香。茎单生，稀2～3，高达1.3 m，中部以上分枝，茎、枝幼时被灰白色或灰黄色绢质柔毛。基生叶与营养枝叶两面被灰白色绢质柔毛，近圆形或长卵形，2～3回羽状全裂，具长柄；茎下部叶初时两面密被灰白色或灰黄色绢质柔毛，长卵形或椭圆形，2～3回羽状全裂，每侧裂片3～4，裂片羽状全裂，每侧小裂片1～2，小裂片线形；茎中部叶初时两面被柔毛，长圆形或长卵形，1～2回羽状全裂，每侧裂片2～3，裂片不裂或3全裂，小裂片丝线形或毛发状；茎上部叶、分枝叶及苞片叶3～5全裂、不裂。头状花序近球形，基部有线形小苞叶，排成复总状或复穗状花序，在茎上组成开展的圆锥花序；总苞片

猪毛蒿

无毛；雌花 5 ~ 7；两性花 4 ~ 10。瘦果倒卵圆形或长圆形。

| **生境分布** | 生于沟边、山坡、田边、砂砾地及盐碱地。分布于宁夏隆德、西吉、原州、彭阳、贺兰、沙坡头、红寺堡、同心、灵武、兴庆、大武口等。

| **资源情况** | 野生资源丰富。

| **采收加工** | 春季幼苗高 6 ~ 10 cm 或秋季花蕾长成至花初开时采割，除去杂质和老茎，晒干。春季采割的习称"绵茵陈"，秋季采割的习称"花茵陈"。

| **药材性状** | 本品绵茵陈多卷曲成团状，灰白色或灰绿色，全体密被白色茸毛，绵软如绒。茎细小，长 1.5 ~ 2.5 cm，直径 0.1 ~ 0.2 cm，除去表面白色茸毛后可见明显的纵条纹；质脆，易折断。叶具柄；展平后叶片 1 ~ 3 回羽状分裂，叶片长 1 ~ 3 cm，宽约 1 cm，小裂片呈卵形或稍呈倒披针形、条形，先端锐尖。气清香，味微苦。花茵陈的茎呈圆柱形，多分枝，长 30 ~ 100 cm，直径 2 ~ 8 mm；表面淡紫色或紫色，有纵条纹，被短柔毛；体轻，质脆，断面类白色。叶密集或多脱落；茎下部叶 2 ~ 3 回羽状深裂，裂片条形或细条形，两面密被白色柔毛；茎生叶 1 ~ 2 回羽状全裂，基部抱茎，裂片细丝状。头状花序卵形，多数集成圆锥状，长 1.2 ~ 1.5 mm，直径 1 ~ 1.2 mm，有短梗；总苞片 3 ~ 4 层，卵形，苞片 3 裂；外层雌花 5 ~ 7，可多达 15，内层两性花 4 ~ 10。瘦果长圆形，黄棕色。气芳香，味微苦。

| **功能主治** | 苦、辛，微寒。归脾、胃、肝、胆经。清利湿热，利胆退黄。用于黄疸尿少，湿温暑湿，湿疮瘙痒。

| **用法用量** | 内服煎汤，6 ~ 15 g。外用适量，煎汤熏洗。

| **附　注** | 《中华人民共和国药典》（2020 年版）收载的茵陈来源于菊科植物滨蒿 *Artemisia scoparia* Waldst. et Kit. 或茵陈蒿 *Artemisia capillaris* Thunb. 的干燥地上部分。《中国植物志》记载的猪毛蒿 *Artemisia scoparia* Waldst. et Kit. 与滨蒿 *Artemisia scoparia* Waldst. et Kit. 为同一植物。

菊科 Compositae 蒿属 Artemisia

大籽蒿
Artemisia sieversiana Ehrhart ex Willd.

大籽蒿

药材名

大籽蒿（药用部位：全草或花蕾。别名：白蒿）。

形态特征

一年生或二年生草本。基生叶花期枯萎；茎下部叶与中部叶具长柄，基部具假托叶或无，叶片宽卵形，长4～10 cm，宽3～8 cm，2～3回羽状深裂，裂片呈宽线形或狭线形，羽轴具狭翅，上面具稀疏伏柔毛，下面密被伏柔毛，两面密布腺点；茎上部叶渐小，羽状全裂或条形不裂。头状花序多数，下垂，排列成复总状花序；苞叶条形，总苞片3～4层，近等长，外层条形，具微毛，中脉绿色，内层倒卵形，干膜质；花黄色，极多数，外层为雌花，内层为两性花。瘦果长1～1.2 mm，褐色，无冠毛。花期7～8月，果期8～9月。

生境分布

生于山沟、路旁、田埂及撂荒地。宁夏各地均有分布。

资源情况

野生资源丰富。

| **采收加工** | 7 ~ 8 月花期采收全草，除去残根、老梗，切段，晒干；花期剪取头状花序，晒干。 |

| **功能主治** | 全草，清热解毒，祛风除湿，补中益气。用于热痢，淋证，心悬，少食常饥，风寒湿痹。花蕾，解毒，止痛。用于痈肿疔疮，黄水疮，湿疹，宫颈柱状上皮异位。 |

| **用法用量** | 全草，内服煎汤，10 ~ 30 g。花蕾，内服煎汤，6 ~ 15 g。 |

菊科 Compositae 蒿属 Artemisia

毛莲蒿
Artemisia vestita Wall. ex Bess.

| **药 材 名** | 毛莲蒿（药用部位：茎叶。别名：万年蒿、结血蒿、老羊蒿）。

| **形态特征** | 亚灌木状草本或小灌木状。茎多数，高达 1.2 m，茎、枝被蛛丝状微柔毛。叶两面被灰白色密绒毛或上面毛稍少、下面毛密；茎下部叶与中部叶卵形、椭圆状卵形或近圆形，长（2 ~ ）3.5 ~ 7.5 cm，2 或 3 回栉齿状羽状分裂，每侧裂片 4 ~ 6，小裂片常具数枚栉齿状假托叶；茎上部叶栉齿状；苞片叶分裂或不裂。头状花序多数，球形或半球形，排成总状、复总状或近穗状花序，常在茎上组成圆锥花序；总苞片背面被灰白色柔毛；雌花 6 ~ 10；两性花 13 ~ 20。瘦果长圆形或倒卵状椭圆形。花果期 8 ~ 11 月。

| **生境分布** | 生于山坡草甸。分布于宁夏贺兰山（西夏、贺兰、平罗）及海原、

毛莲蒿

盐池等。

| **资源情况** | 野生资源较少。

| **采收加工** | 7 ~ 9 月采收，切段，阴干。

| **功能主治** | 苦，寒。清虚热，健胃，祛风止痒。用于瘟疫内热，四肢酸痛，骨蒸劳热。

| **用法用量** | 内服煎汤，3 ~ 9 g。

| **附　　注** | 毛莲蒿的地上部分也作藏药使用，名为普尔那，具有清热解毒、杀虫利湿的功效，主治虫病、疫疖、皮肤病、咽喉病等。

菊科 Compositae 栉叶蒿属 Neopallasia

栉叶蒿
Neopallasia pectinata (Pallas) Poljakov

| 药 材 名 | 篦齿蒿（药用部位：地上部分。别名：恶臭蒿、粘蒿、籽蒿）。

| 形态特征 | 一年生草本。叶长圆状椭圆形，栉齿状羽状全裂，裂片线状钻形，单一或有 1 ~ 2 线状钻形小齿，无毛，无柄，羽轴向基部渐膨大，下部和中部茎生叶长 1.5 ~ 3 cm。头状花序卵圆形，排成穗状或窄圆锥状花序；总苞片卵形，边缘宽膜质；花托窄圆锥形，无托毛；边花 3 ~ 4，雌性，能育，花冠窄管状，全缘；盘花 9 ~ 16，两性，花托下部 4 ~ 8 能育，花冠筒状，具 5 齿，花药窄披针形，先端具圆菱形附片，花柱分枝线形，先端具缘毛。瘦果椭圆形，稍扁，黑褐色，具细条纹，无冠毛。花果期 7 ~ 9 月。

| 生境分布 | 生于山坡、砾石滩地、砂质地或沟渠坝上。分布于宁夏沙坡头、利通、贺兰、平罗、盐池、同心、原州等。

栉叶蒿

| **资源情况** | 野生资源丰富。

| **采收加工** | 夏、秋季采割，洗净，晾干。

| **功能主治** | 苦，寒。归肝、胆经。清利肝胆，解毒止痛。用于急性黄疸性肝炎，头痛，头晕。

| **用法用量** | 内服煎汤，3 ~ 5 g；或研末。

菊科 Compositae 紫菀属 Aster

三脉紫菀

Aster trinervius subsp. *ageratoides* (Turczaninow) Grierson

三脉紫菀

| 药 材 名 |

山白菊（药用部位：全草或根。别名：野白菊、红管药）。

| 形态特征 |

多年生草本。茎下部叶宽卵圆形，骤窄成长柄；茎中部叶窄披针形或长圆状披针形，长5~15 cm，基部骤窄成楔形、具宽翅的柄，边缘有3~7对锯齿；茎上部叶有浅齿或全缘；叶纸质，上面被糙毛，下面被柔毛，常有腺点，或两面被茸毛、下面沿脉有粗毛，离基三出脉，侧脉3~4对。头状花序排成伞房状或圆锥伞房状；总苞倒锥状或半球状，总苞片3层，覆瓦状排列，线状长圆形，上部绿色或紫褐色，有缘毛；舌状花舌片线状长圆形，紫色、浅红色或白色；管状花黄色；冠毛1层，浅红褐色或污白色。瘦果倒卵状长圆形，灰褐色，有边肋，一面常有肋，被粗毛。花果期7~12月。

| 生境分布 |

生于林下或林缘草地。分布于宁夏泾源、隆德、原州、彭阳、西吉、海原、红寺堡等。

| **资源情况** | 野生资源较少。

| **采收加工** | 夏、秋季采收，洗净，鲜用或扎把晾干。

| **药材性状** | 本品根茎较粗壮，有多数棕黄色须根。茎圆柱形，直径 1～4 mm，基部光滑或略有毛，有时稍带淡褐色，下部茎呈暗紫色，上部茎呈暗绿色，多分枝；质脆，易折断，断面不整齐，中央有髓，黄白色。单叶互生，叶片多皱缩或破碎，完整叶展平后呈长椭圆状披针形，长 2～12 cm，宽 2～5 mm，灰绿色，边缘具疏锯齿，具明显的离基三出脉，表面粗糙，背面网脉显著。头状花序顶生，排列成伞房状或圆锥状，舌状花白色、青紫色或淡红色，管状花黄色。瘦果椭圆形，冠毛污白色或褐色。气微香，味稍苦。

| **功能主治** | 清热解毒，祛痰镇咳，凉血止血。用于感冒发热，扁桃体炎，支气管炎，肝炎，肠炎，痢疾，热淋，血热吐衄，痈肿疔毒，蛇虫咬伤。

| **用法用量** | 内服煎汤，15～60 g。外用适量，鲜品捣敷。

菊科 Compositae 紫菀属 Aster

狭苞紫菀
Aster farreri W. W. Sm. et J. F. Jeffr.

| **药 材 名** | 狭苞紫菀（药用部位：全草或根）。

| **形态特征** | 多年生草本。茎下部叶及莲座状叶窄匙形，长 5 ~ 22 cm，宽 1.2 ~ 2.2 cm，下部渐窄成长柄，全缘或有小尖头状疏齿；茎中部叶 线状披针形，基部半抱茎；茎上部叶线形；叶上面被疏长伏毛，下 面沿脉和边缘被长毛。头状花序单生于茎端；总苞半球形，总苞片 约 2 层，近等长，线形，先端渐细尖，外层被长毛，草质，内层几 无毛，边缘常窄膜质；舌状花约 100，舌片紫蓝色；管状花上部黄色， 被疏毛；冠毛 2 层，外层极短，膜片状，内层白色或污白色，有与 管状花花冠等长的微糙毛。瘦果长圆形，被粗毛。花期 7 ~ 8 月， 果期 8 ~ 9 月。

| **生境分布** | 生于山坡草地。分布于宁夏海原等。

狭苞紫菀

| **资源情况** | 野生资源较少。 |

| **功能主治** | 苦、辛，凉。清热解毒，排脓，利尿，止血。 |

菊科 Compositae 紫菀属 Aster

荷兰菊
Aster novi-belgii L.

| 药 材 名 | 荷兰菊（药用部位：根及根茎）。

| 形态特征 | 多年生草本，高 50 ～ 100 cm。须根较多，具地下走茎。茎直立，丛生，多分枝。茎下部和中部的叶狭长椭圆形，长 5 ～ 15 cm，宽 1 ～ 2 cm，先端渐尖或长渐尖，基部渐狭，抱茎，全缘，两面无毛或近无毛，边缘具白色短缘毛；茎上部叶渐小，线状长椭圆形或长椭圆状披针形，基部宽楔形或近圆形，抱茎。头状花序单生于枝端或排列成圆锥状伞房花序，直径 2 ～ 2.5 cm；总苞半球形，长约 5 mm，直径 8 ～ 10 mm；总苞片 2 层，近等长，线形或线状披针形，先端尖，上半部草质，下半部革质，无毛或疏被柔毛；舌状花蓝紫色，长 12 ～ 15 mm，管状花黄色，常带紫红色，长约 6 mm，先端 5 裂。瘦果长椭圆形，长约 2 mm，褐色，疏被白色短毛；冠毛 1 层，污白

荷兰菊

色，糙毛状，与管状花花冠等长。花期 8 ~ 9 月。

| **生境分布** | 栽培种。宁夏兴庆、金凤、西夏、贺兰、永宁、大武口有栽培。

| **资源情况** | 栽培资源较丰富。

| **功能主治** | 用于妇女卒不得小便。

| **用法用量** | 内服研末，3g，井水送服。

菊科 Compositae 紫菀属 Aster

紫菀 *Aster tataricus* L.

紫菀

药材名

紫菀（药用部位：根及根茎。别名：小辫儿）。

形态特征

多年生草本。叶疏生；基生叶长圆形或椭圆状匙形，基部渐窄成长柄，连柄长 20 ~ 50 cm，边缘有具小尖头的圆齿或浅齿；茎下部叶匙状长圆形，基部渐窄或骤窄成具宽翅的柄，除顶部外，余部有密齿；茎中部叶长圆形或长圆状披针形，无柄，全缘或有浅齿；茎上部叶窄小；叶厚纸质，上面被糙毛，下面疏被粗毛，沿脉较密，侧脉 6 ~ 10 对。头状花序多数在茎枝先端排成复伞房状；总苞半球形，总苞片 3 层，覆瓦状排列，线形或线状披针形，先端尖或圆，被密毛，边缘宽膜质，带红紫色；舌状花约 20，舌片蓝紫色。瘦果倒卵状长圆形，紫褐色，上部被疏粗毛，冠毛 1 层，污白色或带红色，有多数糙毛。花期 7 ~ 9 月，果期 8 ~ 10 月。

生境分布

生于山坡草地及河沟边等。分布于宁夏原州、泾源、隆德、彭阳等。

| 资源情况 | 野生资源较丰富。 |

| 采收加工 | 春、秋季采挖，除去有节的根茎和泥沙，编成辫状晒干或直接晒干。 |

| 药材性状 | 本品根茎呈不规则块状，大小不一，先端有茎、叶的残基；质稍硬。根茎簇生多数细根，细根长 3 ~ 15 cm，直径 0.1 ~ 0.3 cm，多编成辫状；表面紫红色或灰红色，有纵皱纹；质较柔韧。气微香，味甜、微苦。 |

| 功能主治 | 润肺下气，消痰止咳。用于痰多喘咳，新久咳嗽，劳嗽咯血。 |

| 用法用量 | 内服煎汤，5 ~ 10 g。 |

| 附　　注 | 《宁夏中药志》记载紫菀始载于《神农本草经》，被列为上品。历代本草记载的紫菀不止一种，至少有紫菀属 *Aster* 和橐吾属 *Ligularia* 两类。现今将前者称为紫菀（《中华人民共和国药典》收载品），后者称为山紫菀。宁夏曾有将山紫菀作紫菀药用的历史，但现均使用紫菀，药材商品中已无山紫菀。 |

菊科 Compositae 紫菀木属 Asterothamnus

中亚紫菀木
Asterothamnus centraliasiaticus Novopokr.

| 药 材 名 | 中亚紫菀木（药用部位：花序）。

| 形态特征 | 多分枝亚灌木。叶较密集，长圆状线形或近线形，长（0.8 ~）1.2 ~ 1.5 cm。头状花序长 0.8 ~ 1 cm，直径约 1 cm，在茎枝先端排成疏散的伞房状，花序梗较粗；总苞宽倒卵形，总苞片 3 ~ 4 层，外层卵圆形或披针形，内层长圆形，先端渐尖或稍钝，紫红色，背面中脉紫红色或褐色，具白色宽膜质边缘；外围有舌状花，舌片淡紫色；中央两性花花冠管状，黄色，檐部钟状，有披针形裂片。瘦果长圆形，稍扁，被白色长伏毛；冠毛白色，糙毛状。花果期 7 ~ 9 月。

| 生境分布 | 生于砾石荒滩或河谷沟渠。分布于宁夏惠农、大武口、平罗、西夏、永宁、贺兰、盐池、灵武、沙坡头、中宁、红寺堡、海原、同心、原

中亚紫菀木

州、西吉等。

| **资源情况** | 野生资源丰富。

| **功能主治** | 用于外感疮毒。

菊科 Compositae 苍术属 *Atractylodes*

苍术

Atractylodes lancea (Thunb.) DC.

苍术

| 药材名 |

苍术（药用部位：根茎）。

| 形态特征 |

多年生草本。根茎平卧或斜升，粗长或通常呈疙瘩状，生多数等粗等长或近等长的不定根。茎丛生。叶质厚；茎下部叶与中部叶倒卵形、倒卵状椭圆形或宽椭圆形，长2～8 cm，宽1.5～4 cm，不分裂或大头羽状3～5浅裂至深裂，先端钝圆或稍尖，基部楔形至近圆形，边缘有具刺尖的锯齿，有具狭翅的短柄；茎上部叶变小，长椭圆形或披针形，不分裂或羽状分裂，无柄。头状花序单生于茎枝先端，基部叶状苞片倒披针形，羽状裂片刺状；总苞杯状，总苞片6～8层，先端尖，被微毛，外层长卵形，中层长圆形，内层椭圆状披针形；管状花白色。瘦果圆柱形，被稠密的顺向贴伏的白色长直毛，有时变稀毛；冠毛刚毛褐色或污白色，羽状。花果期7～10月。

| 生境分布 |

生于山坡草地、林下。分布于宁夏原州等。

| **资源情况** | 野生资源较少。

| **采收加工** | 春、秋季采挖，除去泥沙，晒干，撞去须根。

| **药材性状** | 本品呈疙瘩块状或结节状圆柱形，长 4 ~ 9 cm，直径 1 ~ 4 cm。表面黑棕色，除去外皮者黄棕色。质较疏松，断面散有黄棕色油室。香气较淡，味辛、苦。

| **功能主治** | 辛、苦，温。归脾、胃、肝经。燥湿健脾，祛风散寒，明目。用于湿阻中焦，脘腹胀满，泄泻，水肿，脚气痿躄，风湿痹痛，风寒感冒，夜盲，眼目昏涩。

| **用法用量** | 内服煎汤，3 ~ 9 g；或入丸、散剂。

| **附　注** | （1）《中华人民共和国药典》中收载的苍术药材来源于茅苍术 *Atractylodes lancea* (Thunb.) DC. 和北苍术 *Atractylodes chinensis* (Bunge) Koidz. 的干燥根茎。19 世纪 80 年代初，《中国植物志》将两个植物归并为一个物种，即苍术 *Atractylodes lancea* (Thunb.) DC.。茅苍术是苍术的商品名，因产于江苏句容茅山而得名，该地也是苍术的道地产地。最早将茅苍术与拉丁学名相联系的是《中国药用植物志》，历版《中华人民共和国药典》均延用了这一命名方式。

（2）根据《中国植物志》《中华本草》《中药大辞典》和《当代药用植物典》记载，苍术的诸多商品名可大致分为两类：南方产的南苍术和北方产的北苍术。南苍术以茅苍术为代表，而北苍术不仅包括苍术本种，也包括北方产的同属植物关苍术 *Atractylodes japonica* Koidz. ex Kitam.。

菊科 Compositae 苍术属 Atractylodes

白术 Atractylodes macrocephala Koidz.

| **药 材 名** | 白术（药用部位：根茎。别名：山连、山姜）。

| **形态特征** | 多年生草本。茎无毛。中下部茎生叶 3 ~ 5 羽状全裂，侧裂片 1 ~ 2 对，倒披针形、长椭圆形或椭圆形；中部茎生叶椭圆形或长椭圆形，无柄；或大部茎生叶不裂；叶纸质，两面绿色。头状花序单生于茎枝先端；苞叶绿色，长 3 ~ 4 cm，针刺状羽状全裂；总苞宽钟状，总苞片 9 ~ 10 层，外层及中外层长卵形或三角形，中层披针形或椭圆状披针形，最内层宽线形；苞片先端钝；小花紫红色。瘦果倒圆锥状，密被白色长直毛；冠毛刚毛羽状，污白色。花果期 8 ~ 10 月。

| **生境分布** | 栽培种。宁夏隆德有栽培。

| **资源情况** | 栽培资源较少。

白术

| 采收加工 | 冬季下部叶枯黄、上部叶变脆时采挖，除去泥沙，烘干或晒干，再除去须根。

| 药材性状 | 本品为不规则的肥厚团块，长 3 ~ 13 cm，直径 1.5 ~ 7 cm。表面灰黄色或灰棕色，有瘤状突起及断续的纵皱纹和沟纹，并有须根痕，先端有残留茎基和芽痕。质坚硬，不易折断，断面不平坦，黄白色至淡棕色，散布棕黄色的点状油室；烘干者断面角质样，色较深或有裂隙。气清香，味甘、微辛，嚼之略带黏性。

| 功能主治 | 健脾益气，燥湿利水，止汗，安胎。用于脾虚食少，腹胀泄泻，痰饮眩悸，水肿，自汗，胎动不安。

| 用法用量 | 内服煎汤，6 ~ 12 g。

菊科 Compositae 鬼针草属 Bidens

小花鬼针草

Bidens parviflora Willd.

小花鬼针草

药材名

鬼针草（药用部位：全草）。

形态特征

一年生草本。叶对生或上部叶互生，2 ～ 3 回羽状分裂，第 1 回羽状全裂，裂片再次羽状深裂，小裂片具 1 ～ 2 粗齿或再作第 3 次分裂，最终裂片线形或线状披针形，上面无毛，下面沿脉被短硬毛；叶柄腹面及边缘被短柔毛。头状花序单生于茎顶或分枝先端；总苞筒形，基部被长柔毛，外层总苞片线形或线状披针形，边缘疏具短缘毛，内层总苞片长椭圆形或披针形，先端尖，背部黄褐色，边缘膜质；花全为管状花，两性，先端 4 裂。瘦果线形，略具 4 棱，被短毛，先端具 2 生倒刺毛的芒。花期 6 ～ 8 月，果期 8 ～ 9 月。

生境分布

生于荒地、路边、田埂、沟渠边。分布于宁夏西夏、贺兰、平罗、大武口、惠农、沙坡头、中宁、灵武、原州等。

资源情况

野生资源较丰富。

| 采收加工 | 夏、秋季植株生长茂盛时采收，洗净，晒干或鲜用。

| 药材性状 | 本品长 30 ~ 50 cm。茎圆柱形，分枝；表面黄绿色，具纵棱；质脆，易折断，断面有白色髓部。叶对生或上部叶互生，多皱缩或破碎，完整者展平后 2 ~ 3 回羽状分裂，小裂片具 1 ~ 2 粗齿或再作第 3 次分裂，最终裂片线形或线状披针形，宽 2 ~ 4 mm，全缘。头状花序单生于茎顶或枝端，具长梗；总苞筒状；花全为管状，黄色。瘦果扁平，边缘有倒生刺，先端有 2 倒生刺毛状刚毛。气微，味苦。

| 功能主治 | 清热解毒，散瘀消肿。用于感冒发热，咽喉肿痛，泄泻，肠痈，噎膈反胃，疟疾，黄疸，痔疮，跌扑损伤，冻疮，毒蛇咬伤。

| 用法用量 | 内服煎汤，9 ~ 15 g。外用适量，鲜品捣敷。

菊科 Compositae 鬼针草属 Bidens

婆婆针
Bidens bipinnata L.

| 药 材 名 | 婆婆针（药用部位：全草）。

| 形态特征 | 一年生草本。叶对生，长 5 ~ 14 cm，2 回羽状分裂，顶生裂片窄，先端渐尖，边缘疏生不规则粗齿，两面疏被柔毛。头状花序直径 0.6 ~ 1 cm，花序梗长 1 ~ 5 cm；总苞杯形，外层总苞片 5 ~ 7，线形，草质，被稍密柔毛，内层总苞片膜质，椭圆形，背面褐色，被柔毛；舌状花 1 ~ 3，不育，舌片黄色，椭圆形或倒卵状披针形；盘花筒状，黄色，冠檐 5 齿裂。瘦果线形，有 3 ~ 4 棱，具瘤突及小刚毛，先端芒刺 3 ~ 4，稀 2，具倒刺毛。

| 生境分布 | 生于路边、荒野或住宅附近。分布于宁夏金凤、贺兰等。

| 资源情况 | 野生资源较少。

婆婆针

| **功能主治** | 苦，平。清热解毒，活血祛风。用于咽喉痛，肠痛，病毒性肝炎，吐泻，消化不良，风湿关节痛，疟疾，疮疖，毒蛇咬伤，跌打肿痛。 |

| **附　注** | 孕妇忌服。 |

菊科 Compositae 鬼针草属 Bidens

狼杷草 *Bidens tripartita* L.

| **药 材 名** | 狼杷草（药用部位：全草。别名：鬼针）。

| **形态特征** | 一年生草本。叶对生，不裂、基部深裂成1对小裂片或3深裂，中裂片卵状披针形或长椭圆状披针形，较大，侧裂片披针形或长椭圆形，与中裂片边缘均具不规则的粗锯齿，上面绿色，无毛，下面淡绿色，无毛或沿脉疏被短硬毛，边缘具短缘毛；叶柄两侧具下延的翅。头状花序单生于茎顶和分枝先端；总苞盘状，总苞片2层，外层长椭圆形或倒卵状长椭圆形，先端急尖或圆钝而具小尖头，背面疏被短硬毛，边缘具软骨质短刺毛，内层椭圆形，先端急尖，与瘦果近等长。瘦果扁平，楔形或倒卵状楔形，边缘具倒刺毛，先端通常具2有倒刺的芒。花期6～8月，果期8～10月。

| **生境分布** | 生于荒地、路边及沟渠旁。分布于宁夏西夏、贺兰、平罗、大武口、

狼杷草

惠农、沙坡头、泾源、彭阳、金凤、中宁等。

| 资源情况 | 野生资源较丰富。

| 采收加工 | 夏、秋季花期采收，除去泥土及杂质，晒干或鲜用。

| 药材性状 | 本品全长 30 ~ 60 cm。根呈圆锥形，灰黄色，具支根和须根。茎圆柱形，分枝；表面暗绿色或暗紫色，有纵纹；质脆，易折断。叶对生，多皱缩或破碎，完整者展平后，茎下部叶较小，不裂，茎中、上部叶常 3 裂，侧生裂片披针形，长 3 ~ 6 cm，宽 0.8 ~ 1.2 cm，顶生裂片较大，绿色，边缘有锯齿；叶柄具窄翅。头状花序生于茎顶或分枝先端，花序梗长；总苞盘状，苞片多数，外层叶状，有毛，内层膜质；管状花黄色，无舌状花。瘦果扁平，两侧边缘各有 1 列倒钩刺；冠毛芒状，多为 2。气微，味苦。

| 功能主治 | 清热解毒，养阴宣肺，利湿。用于感冒发热，咽喉肿痛，泻痢，血淋，咳嗽，盗汗，疖肿，湿疹，癣。

| 用法用量 | 内服煎汤，6 ~ 15 g。外用适量，鲜品捣敷；或绞汁搽。

菊科 Compositae 金盏花属 Calendula

金盏花 *Calendula officinalis* L.

金盏花

药材名

金盏花（药用部位：全草。别名：金盏菊）、金盏菊花（药用部位：花）、金盏菊根（药用部位：根）。

形态特征

一年生或越年生草本。茎直立，有纵棱。单叶互生；茎下部叶匙形，全缘；茎上部叶长椭圆形至长椭圆状倒卵形，长5～9 cm，宽1～2 cm，先端钝或尖，基部略带心形，稍抱茎，全缘或具稀疏的细齿。头状花序单生于枝端，有梗；总苞片1～2层，苞片线形，先端渐尖，边缘膜质；舌状花黄色或橘黄色，雌性，1～2层，孕育，舌片全缘或先端3齿裂；管状花两性，不孕育，裂片5，花柱不裂。瘦果较苞片长，向内钩曲，背部具鳞片状横折皱，两侧具窄翼；无冠毛。花期4～9月，果期6～10月。

生境分布

栽培种。宁夏金凤、西夏、兴庆、泾源有栽培。

资源情况

栽培资源较少。

| 采收加工 | 金盏花：春、夏季采收，鲜用或切段晒干。
金盏菊花：春、夏季采收，鲜用或阴干。
金盏菊根：夏季开花期采挖，烘干或置通风处干燥，亦可鲜用。

| 药材性状 | 金盏菊花：本品呈扁球形或不规则球形，直径 1.5 ～ 4 cm。总苞由 1 ～ 2 层苞片组成，苞片长卵形，边缘膜质。舌状花 1 ～ 2 列，类白色或黄色；花瓣紧缩或松散，有的离散。体轻，质柔润，有的松软。气清香，味甘、微苦。
金盏菊根：本品簇生于根茎，表面棕褐色，有纵皱纹。质较柔韧。气微香，味微苦。

| 功能主治 | 金盏花：清热解毒，活血调经。用于中耳炎，月经不调。
金盏菊花：凉血止血，清热泻火。用于肠风下血，目赤肿痛。
金盏菊根：活血散瘀，行气止痛。用于癥瘕，疝气，胃寒疼痛。

| 用法用量 | 金盏花：内服煎汤，5 ～ 15 g。外用适量，鲜品取汁滴耳。
金盏菊花：内服煎汤，5 ～ 10 朵。外用适量，捣敷；或煎汤洗。
金盏菊根：内服煎汤，30 ～ 60 g，鲜品可用至 120 g。

菊科 Compositae 翠菊属 Callistephus

翠菊
Callistephus chinensis (L.) Nees

| 药 材 名 | 翠菊（药用部位：花序、叶）。

| 形态特征 | 一年生或二年生草本。茎中部叶卵形、菱状卵形、匙形或近圆形，长 3 ~ 6 cm，宽 2 ~ 4 cm，先端渐尖、锐尖或稍钝，基部楔形、宽楔形或近截形，边缘具不规则的粗钝锯齿，叶柄有狭翅，疏被硬糙毛；茎上部叶渐小，倒披针形或菱状倒披针形，基部渐狭，无柄。头状花序大，单生于枝端；总苞半球形，总苞片 3 层，外层和中层较长，草质，长椭圆状倒披针形或倒披针形，先端钝尖，两面无毛，边缘具硬糙毛，内层较短，长椭圆形，膜质，先端圆，边缘带紫红色；舌状花雌性，紫红色或红色；管状花两性，黄色，先端 5 裂，裂片卵形。瘦果狭倒卵形，褐色，密被短柔毛；冠毛 2 层，外层短，膜片状，易脱落，内层长，羽状，白色。花果期 5 ~ 10 月。

翠菊

| **生境分布** | 栽培种。宁夏各地均有栽培。 |

| **资源情况** | 栽培资源较丰富。 |

| **功能主治** | 花序，清热凉血。叶，外用于疔疮，烂疮。 |

菊科 Compositae 飞廉属 Carduus

丝毛飞廉 *Carduus crispus* L.

| 药 材 名 | 飞廉（药用部位：全草或根。别名：刺甲盖、刺蓟）。

| 形态特征 | 二年生草本。茎直立，具绿色、纵向的翅，翅有齿刺。叶互生；茎
下部叶椭圆状披针形，先端尖或钝，基部渐狭，羽状浅裂或深裂，
裂片边缘具刻状牙齿，齿端及叶缘具不等长的细刺，上面无毛或疏
被柔毛，沿中脉较密；茎中部叶与上部叶渐变小，羽状深裂，边缘
具刺齿。头状花序 2 ~ 3 聚生于枝端；总苞钟形，总苞片 7 ~ 8 层，
外层披针形，中层线状披针形，内层线形，背面微被毛，边缘具小
刺状缘毛；管状花花冠紫红色，檐部 5 裂，裂片线形，与花冠管近
等长。瘦果长椭圆形，褐色。花果期 6 ~ 8 月。

| 生境分布 | 生于山坡、荒地、路边。分布于宁夏红寺堡、海原、泾源、彭阳、
隆德、西吉、原州等。

丝毛飞廉

| **资源情况** | 野生资源丰富。

| **采收加工** | 夏、秋季花盛开时采收全草，晒干；春、秋季采挖根，除去泥土及杂质，晒干或鲜用。

| **药材性状** | 本品茎呈圆柱形，长 30 ~ 70 cm，直径 3 ~ 5 mm；表面灰绿色或黄绿色，具纵棱，生有淡绿色的叶状翅，翅上有针刺；质脆，易折断，断面类白色。叶互生，皱缩破碎，完整叶片展平后羽状深裂，边缘具不等长的针刺，上表面黄绿色，下表面色较淡，有的有蛛丝状毛。头状花序圆球形，顶生；总苞片黄绿色，中层总苞片条状披针形，先端长尖成刺状，向外反卷；管状花淡紫色。冠毛黄白色。气微，味微涩。

| **功能主治** | 散瘀止血，清热利湿。用于吐血，鼻衄，尿血，崩漏，带下，外伤出血，热淋，痈疖，疔疮。

| **用法用量** | 内服煎汤，9 ~ 15 g。外用适量，鲜品捣敷。

菊科 Compositae 天名精属 Carpesium

天名精 *Carpesium abrotanoides* L.

天名精

药材名

鹤虱（药用部位：果实。别名：北鹤虱）。

形态特征

多年生草本。叶互生；基生叶于开花前枯萎；茎下部叶宽椭圆形或长椭圆形，先端尖或钝，基部渐狭成具翅的叶柄，边缘具不规则的锯齿，或近全缘；茎上部叶渐小，椭圆形、狭长椭圆形或线状披针形，无叶柄。头状花序多数，呈穗状或总状排列；总苞钟形或成熟时扁球形，总苞片3层，外层短，卵圆形，先端圆钝或尖，中、内层矩圆形，先端圆钝；边花雌性，花冠黄色，细管状，冠檐通常3裂；盘花两性，花冠筒状，冠檐5裂，外面具头状腺体。瘦果线形，具细纵肋，先端具短喙。花果期6～9月。

生境分布

生于山坡草地、林缘和路边。分布于宁夏泾源、彭阳、隆德、原州等。

资源情况

野生资源较少。

| **采收加工** | 秋季采收，晒干，除去杂质。

| **药材性状** | 本品呈圆柱状，细小，长 3 ~ 4 mm，直径不及 1 mm。表面黄褐色或暗褐色，具多数纵棱。一端收缩成细喙状，先端扩展成灰白色圆环；基部稍尖，有着生痕迹。果皮薄，纤维性，种皮菲薄透明，子叶 2，类白色，稍有油性。气特异，味微苦。

| **功能主治** | 杀虫消积。用于蛔虫病，蛲虫病，绦虫病，虫积腹痛，小儿疳积。

| **用法用量** | 内服煎汤，3 ~ 9 g。

菊科 Compositae 天名精属 Carpesium

烟管头草 *Carpesium cernuum* L.

烟管头草

药材名

烟管头草（药用部位：全草。别名：杓儿菜、烟袋草、挖耳草）。

形态特征

多年生草本，高 50 ～ 100 cm。茎直立，分枝，被白色长柔毛，上部毛较密。茎下部叶匙状长圆形，长 9 ～ 20（～ 25）cm，宽 4 ～ 6 cm，先端锐尖或钝尖，基部楔状收缩成具翅的叶柄，边缘有不规则的锯齿，两面有白色长柔毛和腺点；茎中部叶向上渐小，长圆形或长圆状披针形，叶柄短。头状花序在茎和枝的先端单生，直径 15 ～ 18 mm，下垂，基部有数个条状披针形、不等长的苞片；总苞杯状，长 7 ～ 8 mm，总苞片 4 层，外层卵状长圆形，有长柔毛，中层和内层干膜质，长圆形，钝尖，无毛；花黄色，外围的雌花筒状，3 ～ 5 齿裂，结实；中央的两性花有 5 裂片。瘦果条形，长约 5 mm，有细纵条纹，先端有短喙和腺点；无冠毛。花期秋季。

生境分布

生于路边、山坡草地及林缘。分布于宁夏泾源、彭阳、隆德、原州等。

| **资源情况** | 野生资源较丰富。

| **采收加工** | 秋季花初开时采收，鲜用或切段晒干。

| **药材性状** | 本品茎具细纵纹；表面绿色或黑棕色，被白色茸毛；折断面粗糙，皮部纤维性强，髓部疏松，最外层表皮易剥落。叶多破碎不全，两面均被茸毛。头状花序着生于分枝的先端，花梗向下弯曲，近倒悬状；花黄棕色。气香，味苦、微辣。

| **功能主治** | 苦、辛，寒；有小毒。归肺经。清热解毒，消肿止痛。用于感冒发热，高热惊风，咽喉肿痛，痄腮，牙痛，尿路感染，淋巴结结核，疮疡疖肿，乳腺炎。

| **用法用量** | 内服煎汤，6 ~ 15 g，鲜品 15 ~ 30 g；或鲜品捣汁。外用适量，鲜品捣敷；煎汤含漱；或煎汤洗。

| **附   注** | 《宁夏中药志》记载本种的根亦可药用。

菊科 Compositae 天名精属 Carpesium

金挖耳

Carpesium divaricatum Sieb. et Zucc.

金挖耳

| 药 材 名 |

金挖耳（药用部位：全草。别名：挖耳草、铁抓子草）。

| 形态特征 |

多年生草本。单叶互生；全部叶两面有贴生的短毛和腺点；茎下部叶卵形或卵状长圆形，长 7 ~ 15 cm，宽 3 ~ 5 cm，基部圆形、截形或微心形，边缘有不规则的锯齿；茎上部叶渐小，卵状长圆形或长圆状披针形，基部楔形，有不明显的细锯齿或全缘。头状花序较小，下垂，在茎和枝顶单生，少有近总状，基部有 2 ~ 4 长圆状披针形的苞片；总苞卵状球形，总苞片 4 层，外层宽卵形，先端急尖，中层和内层长圆形或条状长圆形；花黄色，外围的雌花圆柱形；中央两性花筒状，有 5 裂片。瘦果条形，先端有短喙和腺点。花期秋季。

| 生境分布 |

生于山坡路旁和草丛中。分布于宁夏泾源、彭阳、隆德、原州等。

| 资源情况 |

野生资源较丰富。

| **采收加工** | 8 ～ 9 月花期采收，鲜用或切段晒干。

| **药材性状** | 本品茎细而长，通体被丝状毛，幼嫩处尤为浓密；表面灰绿色至暗棕色。叶多皱缩破碎，卵状长圆形，灰绿色至棕绿色。茎基丛生细根，长 5 ～ 10 cm，暗棕色。有时带有头状花序，呈枯黄色。有青草气，味涩。

| **功能主治** | 苦、辛，凉。归肺、心、膀胱、大肠经。清热解毒，消肿止痛。用于感冒发热，头风，风火赤眼，咽喉肿痛，疟腮，牙痛，乳痈，疮疖肿毒，痔疾出血，腹痛泄泻，急惊风。

| **用法用量** | 内服煎汤，6 ～ 15 g；或捣汁。外用适量，鲜品捣敷；或煎汤洗。

菊科 Compositae 茼蒿属 Glebionis

茼蒿
Glebionis coronaria (Linnaeus) Cassini ex Spach

| 药 材 名 | 茼蒿（药用部位：茎叶。别名：蒿子秆、同蒿菜、茼蒿菊）。

| 形态特征 | 一年生草本，高 40 ～ 60 cm。茎直立，单生，不分枝或上部分枝，具纵条棱，无毛。叶互生，长椭圆形或长椭圆状倒卵形，长 2 ～ 5 cm，宽 1 ～ 3 cm，2 回羽状分裂，一回为深裂或几全裂，侧裂片 4 ～ 7 对，椭圆形或卵状椭圆形，二回为半裂或深裂，两面被极稀疏的长柔毛；无柄。头状花序单生茎顶，或少数集生于茎顶形成不规则的伞房花序；总苞碟形，总苞片 4 层，外层三角状卵形，中肋隆起，边缘膜质，中内层椭圆形或倒卵状椭圆形，上部边缘及先端宽膜质，无毛；舌片黄色，长椭圆形或倒卵状长椭圆形，先端凹。边

茼蒿

花瘦果具 3 狭翅肋和 1 ～ 2 明显的间肋。花期 7 月，果期 8 月。

| **生境分布** | 栽培种。宁夏部分地区有栽培，主要分布于宁夏金凤、兴庆等。

| **资源情况** | 栽培资源较丰富。

| **采收加工** | 春、夏季采收，鲜用。

| **功能主治** | 辛、甘，平。归脾、胃经。健脾和胃，消痰化饮。用于脾胃不和，膈中臭气，偏坠气疼。

| **用法用量** | 内服煎汤，鲜品 60 ～ 90 g。

菊科 Compositae 蓟属 Cirsium

蓟

Cirsium japonicum Fisch. ex DC.

蓟

| 药 材 名 |

大蓟（药用部位：地上部分。别名：虎蓟、刺蓟）。

| 形态特征 |

多年生草本。块根纺锤状或萝卜状，直径达7 mm。茎被长毛，茎端头状花序下部灰白色，被绒毛及长毛。基生叶卵形、长倒卵形、椭圆形或长椭圆形，长 8 ～ 20 cm，羽状深裂或几全裂，基部渐窄成翼柄，柄翼边缘有针刺及刺齿，侧裂片 6 ～ 12 对，卵状披针形、半椭圆形、斜三角形、长三角形或三角状披针形，有小锯齿或呈 2 回状分裂；基部向上的茎生叶渐小，与基生叶同形并等样分裂，两面绿色，基部半抱茎。头状花序直立，顶生；总苞钟状，直径 3 cm，总苞片约6 层，覆瓦状排列，向内渐长，背面有微糙毛，沿中肋有黑色粘腺，外层与中层卵状三角形或长三角形，内层披针形或线状披针形；小花红色或紫色。瘦果扁，偏斜楔状倒披针形；冠毛浅褐色。

| 生境分布 |

生于山坡林中、林缘、灌丛中、草地、荒地、田间、路旁或溪旁。分布于宁夏原州、红寺堡等。

| 资源情况 | 野生资源较少。

| 采收加工 | 夏、秋季花开时采割，除去杂质，晒干。

| 药材性状 | 本品茎呈圆柱形，基部直径可达 1.2 cm；表面绿褐色或棕褐色，有数条纵棱，被丝状毛；断面灰白色，髓部疏松或中空。叶皱缩，多破碎，完整叶片展平后呈倒披针形或倒卵状椭圆形，羽状深裂，边缘具不等长的针刺；上表面灰绿色或黄棕色，下表面色较浅，两面均具灰白色丝状毛。头状花序顶生，球形或椭圆形；总苞黄褐色，羽状冠毛灰白色。气微，味淡。

| 功能主治 | 甘、苦，凉。归心、肝经。凉血止血，散瘀，解毒消痈。用于衄血，吐血，尿血，便血，崩漏，外伤出血，痈肿疮毒。

| 用法用量 | 内服煎汤，9 ～ 15 g。外用适量。

菊科 Compositae 蓟属 Cirsium

魁蓟
Cirsium leo Nakai et Kitag.

| 药 材 名 | 魁蓟（药用部位：全草）。

| 形态特征 | 多年生草本，高 40 ~ 100 cm。根直伸，粗壮，直径可达 1.5 cm。茎枝被长毛。基部和下部茎生叶长椭圆形或倒披针状长椭圆形，羽状深裂，侧裂片 8 ~ 12 对，有三角形刺齿，叶柄长达 5 cm 或无柄；向上的叶渐小，与基部和下部茎生叶同形或呈长披针形并等样分裂，无柄或基部半抱茎；叶片两面绿色，被长节毛。头状花序排成伞房花序；总苞钟状，直径达 4 cm，总苞片 8 层，镊合状排列，近等长，边缘或上部边缘有针刺，外层与中层钻状长三角形或钻状披针形，背面疏被蛛丝毛，内层硬膜质，披针形或线形；小花紫色或红色，檐部长 1.4 cm，细管部长 1 cm。瘦果灰黑色，偏斜椭圆形；冠毛污白色。花果期 5 ~ 9 月。

魁蓟

生境分布	生于山谷、山坡草地、林缘或溪旁。分布于宁夏泾源、隆德等。
资源情况	野生资源较少。
功能主治	凉血，止血，祛瘀，消肿。

菊科 Compositae 蓟属 Cirsium

刺儿菜
Cirsium arvense var. integrifolium C. Wimm. et Grabowski

刺儿菜

| 药 材 名 |

小蓟（药用部位：地上部分。别名：刺蓟盖、青刺蓟、刺儿菜）。

| 形态特征 |

多年生草本，高 20 ~ 50 cm。根茎长。茎直立，具纵沟棱，微紫色，无毛或被蛛丝状毛，不分枝或上部分枝。基生叶花期枯萎；茎生叶长圆状披针形，长 5 ~ 10 cm，宽 1.5 ~ 2.5 cm，先端钝，有刺尖，基部渐狭、楔形或圆钝，无柄，全缘或疏具波状齿，边缘有小刺，两面被疏或密的蛛丝状毛。雌雄异株；头状花序通常单生茎顶或枝端；总苞钟形，总苞片约 8 层，外层短，内层较长，披针状条形，渐尖，干膜质。雄头状花序较小，总苞长约 18 mm，花冠红色，长 17 ~ 25 cm；雌头状花序较大，总苞长约 23 mm，花冠呈紫红色，长 26 ~ 28 mm。瘦果椭圆形或长卵形，略扁平；冠毛羽状。花期 6 ~ 7 月，果期 7 ~ 9 月。

| 生境分布 |

生于田间、荒地、路旁等，为常见杂草。宁夏各地均有分布。

| **资源情况** | 野生资源丰富。

| **采收加工** | 夏、秋季花开时采割，除去杂质，晒干。

| **药材性状** | 本品茎呈圆柱形，有的上部分枝，长 5 ~ 30 cm，直径 0.2 ~ 0.5 cm；表面灰绿色或带紫色，具纵棱及白色柔毛；质脆，易折断，断面中空。叶互生，无柄或有短柄；叶片皱缩或破碎，完整者展平后呈长椭圆形或长圆状披针形，长 3 ~ 10 cm，宽 0.5 ~ 2.5 cm；全缘或微齿裂至羽状深裂，齿尖具针刺；上表面绿褐色，下表面灰绿色，两面均具白色柔毛。头状花序单个或数个顶生；总苞钟状，总苞片 5 ~ 8 层，黄绿色；花紫红色。气微，味微苦。

| **功能主治** | 甘、苦，凉。归心、肝经。凉血止血，散瘀，解毒消痈。用于衄血，吐血，尿血，血淋，便血，崩漏，外伤出血，痈肿疮毒。

| **用法用量** | 内服煎汤，5 ~ 12 g。外用适量。

菊科 Compositae 秋英属 Cosmos

秋英
Cosmos bipinnatus Cavanilles

| 药 材 名 | 秋英（药用部位：全草或花序、种子）。

| 形态特征 | 一年生或多年生草本，高 1 ~ 2 m。根纺锤状，多须根，或近茎基部有不定根。茎无毛或稍被柔毛。叶 2 回羽状深裂，裂片线形或丝状线形。头状花序单生，直径 3 ~ 6 cm，花序梗长 6 ~ 18 cm；外层总苞片披针形或线状披针形，近革质，淡绿色，具深紫色条纹，上端长狭尖，与内层总苞片等长，长 10 ~ 15 mm，内层总苞片椭圆状卵形，膜质；托片平展，上端呈丝状，与瘦果近等长；舌状花紫红色、粉红色或白色，舌片椭圆状倒卵形，有 3 ~ 5 钝齿；管状花黄色，长 6 ~ 8 mm，管部短，上部圆柱形，有披针状裂片；花柱具短突尖的附器。瘦果黑紫色，长 8 ~ 12 mm，无毛，上端具长喙，有 2 ~ 3 尖刺。花期 6 ~ 8 月，果期 9 ~ 10 月。

秋英

| **生境分布** | 栽培种。宁夏部分地区有栽培，主要分布于宁夏隆德、贺兰、灵武、金凤、大武口等。

| **资源情况** | 栽培资源较丰富。

| **采收加工** | 春、夏季采收。

| **功能主治** | 清热解毒，明目化湿。用于急、慢性痢疾，目赤肿痛；外用于痈疮肿毒。

| **用法用量** | 内服煎汤，全草 50 ～ 100 g。外用适量，鲜全草加红糖捣敷。

菊科 Compositae 还阳参属 Crepis

北方还阳参 *Crepis crocea* (Lam.) Babcock

| 药 材 名 | 还阳参（药用部位：全草。别名：驴打滚草）。

| 形态特征 | 多年生草本，高 8 ～ 30 cm。根垂直直伸或偏斜，根颈粗厚。茎单生或 2 ～ 4 呈簇生，基部被褐色或黑褐色的残存叶柄，茎被蛛丝状毛。基生叶倒披针形或倒披针状长椭圆形，连叶柄长 2.5 ～ 10 cm，基部收窄成短翼柄，羽状浅裂或半裂，顶裂片三角形、长三角形或三角状披针形，侧裂片多对，三角形、宽三角形或窄线状披针形，全缘或一侧有 1 单锯齿；无茎生叶或茎生叶 1 ～ 3，与基生叶同形，线状披针形或线状钻形，同等分裂或不裂，全缘，无叶柄；叶两面被蛛丝状毛或无毛。头状花序直立，单生茎端或枝端；总苞钟状，总苞片 4 层，果期绿色，背面被蛛丝状柔毛，沿中脉被黄绿色刚毛及腺毛，外层线状披针形，内层长椭圆状披针形，内面无毛；舌状

北方还阳参

小花黄色。瘦果纺锤状，黑色或暗紫色，长 5 ～ 6 mm，有 10 ～ 12 等粗纵肋；冠毛白色。花果期 5 ～ 8 月。

| **生境分布** | 生于山坡、农田撂荒地、黄土丘陵。分布于宁夏泾源、隆德等。

| **资源情况** | 野生资源较少。

| **采收加工** | 夏季采收，除去杂质，晒干。

| **功能主治** | 苦，凉。归肺、心经。止咳平喘，清热解毒。用于咳喘，肺痨，无名肿毒。

| **用法用量** | 内服煎汤，15 ～ 30 g；或入膏、丸剂。外用适量，熬膏涂敷。

| **附　　注** | 《中华本草》记载还阳参药材来源于驴打滚儿草 *Crepis crocea* (Lam.) Babcock、滇川还阳参 *Crepis rigescens* Diels 及长茎还阳参 *Crepis elongata* Babcock 的全草或根。驴打滚儿草（又名"还羊参"）*Crepis crocea* (Lam.) Babcock 与北方还阳参 *Crepis crocea* (Lam.) Babcock 的拉丁学名相同，两者为同一植物。

菊科 Compositae 还阳参属 Crepis

还阳参 *Crepis rigescens* Diels

还阳参

| 药 材 名 |

还阳参（药用部位：全草或根）。

| 形 态 特 征 |

多年生草本，高 20 ～ 60 cm。根木质，粗或细，不分枝或分枝。茎上部或中部以上分枝。基部茎生叶鳞片状或线状钻形；中部茎生叶线形，长 3 ～ 8 cm，坚硬，全缘，反卷，两面无毛，无柄。头状花序直立，排成伞房状花序；总苞圆柱状或钟状，长 8 ～ 9 mm，总苞片 4 层，背面被白色蛛丝状毛或无毛，外层线形或披针形，长达 3 mm，内层披针形或椭圆状披针形，长 7 ～ 9 mm，边缘白色，膜质，内面无毛；舌状小花黄色，花冠管外面无毛。瘦果纺锤形，长 4 mm，黑褐色，无喙，有 10 ～ 16 纵肋，肋上疏被刺毛；冠毛白色。花果期 5 ～ 7 月。

| 生 境 分 布 |

生于山坡、草丛及路旁。分布于宁夏贺兰、沙坡头、同心等。

| 资 源 情 况 |

野生资源较少。

| 采收加工 | 夏、秋季采收全草，秋季采挖根，洗净，鲜用或晒干。 |

| 功能主治 | 苦、甘，凉。止咳平喘，健脾消食，下乳。用于支气管炎，肺结核等。 |

| 用法用量 | 内服煎汤，15 ~ 30 g；或入膏、丸剂。外用适量，熬膏涂敷。 |

| 附　　注 | 《中华本草》记载还阳参药材来源于驴打滚儿草 Crepis crocea (Lam.) Babcock、滇川还阳参 Crepis rigescens Diels 及长茎还阳参 Crepis elongata Babcock 的全草或根。还阳参 Crepis rigescens Diels 与滇川还阳参 Crepis rigescens Diels 的拉丁学名相同，两者为同一植物。 |

菊科 Compositae 菊属 Chrysanthemum

小红菊

Chrysanthemum chanetii H. Léveillé

| 药 材 名 | 小红菊（药用部位：花序）。

| 形态特征 | 多年生草本，高 15 ～ 60 cm，有地下匍匐根茎。茎直立或基部弯曲，自基部或中部分枝，茎枝疏被毛。中部茎生叶肾形、半圆形、近圆形或宽卵形，掌状或掌式羽状浅裂或半裂，稀深裂，侧裂片椭圆形，顶裂片较大，裂片具钝齿、尖齿或芒状尖齿；上部茎生叶椭圆形或长椭圆形，接花序下部的叶长椭圆形或宽线形，羽裂、齿裂或不裂；中下部茎生叶基部稍心形或平截。头状花序排成疏散伞房花序，稀单生茎端；总苞碟形，总苞片 4 ～ 5 层，边缘白色或褐色，膜质，外层宽线形，先端膜质或膜质圆形扩大，边缘穗状撕裂，背面疏生长柔毛，中内层渐短，宽倒披针形、三角状卵形或线状长椭圆形；舌状花白色、粉红色或紫色，舌片长 1.2 ～ 2.2 cm，先端 2 ～ 3 齿裂。

小红菊

瘦果具 4 ~ 6 脉棱。花果期 7 ~ 10 月。

| **生境分布** | 生于草原、山坡林缘、灌丛及河滩、沟边等。分布于宁夏海原、西吉、原州、同心等。

| **资源情况** | 野生资源较少。

| **采收加工** | 秋、冬季花初开时采摘，晒干或蒸后晒干。

| **功能主治** | 清热解毒，消肿。用于外感风热，咽喉痛，疮疡肿毒。

菊科 Compositae 菊属 *Chrysanthemum*

紫花野菊

Chrysanthemum zawadskii Herbich

| 药 材 名 | 紫花野菊（药用部位：叶、花序）。

| 形态特征 | 多年生草本，高 15 ～ 50 cm，有地下匍匐茎。茎直立，分枝斜升，开展，但通常仅上部有少数伞房状花序分枝，或几不分枝，茎枝中下部紫红色，疏被柔毛，上部及接花序处毛稍多。中下部茎生叶卵形、宽卵形、宽卵状三角形或近菱形，长 1.5 ～ 4 cm，2 回羽状分裂，1 回几全裂，侧裂片 2 ～ 3 对，2 回深裂或半裂，裂片三角形或斜三角形，宽达 3 mm，叶柄长 1 ～ 4 cm；上部茎生叶长椭圆形并羽状深裂或宽线形而不裂；叶两面同色，疏被柔毛至无毛。头状花序直径 1.5 ～ 4.5 cm，排成疏散伞房状花序，稀单生；总苞浅碟状，总苞片 4 层，边缘白色或褐色，膜质，外层线形或线状披针形，长 3.5 ～ 8 mm，背面疏被柔毛，先端圆，膜质扩大，中内层椭圆形或

紫花野菊

长椭圆形，长 3 ~ 7 mm；舌状花白色或紫红色，舌片长 1 ~ 2 cm，先端全缘或微凹。瘦果长 1.8 mm。花果期 7 ~ 9 月。

| **生境分布** | 生于草原及林间草地、林下等。分布于宁夏泾源、隆德等。

| **资源情况** | 野生资源较少。

| **采收加工** | 夏、秋季花开时采摘花序，除去杂质，阴干。

| **功能主治** | 清热解毒，降血压。

| **用法用量** | 内服煎汤；或入丸、散剂。

菊科 Compositae 菊属 Chrysanthemum

甘菊

Chrysanthemum lavandulifolium (Fischer ex Trautvetter) Makino

| 药 材 名 | 野菊花（药用部位：头状花序。别名：甘菊、野菊）。

| 形态特征 | 多年生草本，高 0.3 ~ 1.5 m，有地下匍匐茎。茎直立，自中部以上多分枝或仅上部伞房状花序分枝，密被柔毛，下部毛渐稀至无毛。基生叶及中部茎生叶菱形、扇形或近肾形，两面绿色或淡绿色，2回掌状或掌式羽状分裂，一至二回全裂；最上部及接花序下部的茎生叶羽裂或 3 裂，小裂片线形或宽线形，叶下面疏被柔毛，有柄。头状花序单生茎顶，稀茎生 2 ~ 3 头状花序；总苞浅碟状，总苞片4 层，边缘棕褐色或黑褐色，宽膜质，外层线形、长椭圆形或卵形，中内层长卵形、倒披针形，中外层背面疏被长柔毛。瘦果长约 2 mm。花果期 9 ~ 10 月。

| 生境分布 | 生于山坡草地、路边。分布于宁夏六盘山（泾源、隆德、原州）、罗

甘菊

山（同心、红寺堡）等。

| 资源情况 | 野生资源较少。

| 采收加工 | 秋季花开时采摘，鲜用或晾干。

| 功能主治 | 苦、辛，寒。归肝、心经。清热解毒。用于疔疮痈肿，目赤肿痛，头痛眩晕。

| 用法用量 | 内服煎汤，6 ～ 12 g，鲜品 30 ～ 60 g；或捣汁。外用适量，捣敷；或煎汤洗；或熬膏涂。

| 附　注 | （1）《中国植物志》（英文版）将本种的拉丁学名由 *Dendranthema lavandulifolium* (Fisch. ex Trautv.) Ling et Shih var. *seticuspe* (Maxim.) Shih 修订为 *Chrysanthemum lavandulifolium* (Fischer ex Trautvetter) Makino，修订后的拉丁学名与《宁夏中药志》记载的北野菊 *Chrysanthemum lavandulifolium* (Fischer ex Trautvetter) Makino 的拉丁学名相同，两者为同一植物。

（2）《中华人民共和国药典》（2020 年版）收载的野菊花的基原为野菊 *Chrysanthemum indicum* L.，其形态特征与本种相似，但两者并非同种。

（3）《中国中药资源志要》记载甘菊 *Chrysanthemum lavandulifolium*（Fischer ex Trautvetter）Makino、野菊 *Chrysanthemum indicum* L. 均作野菊花用。两者的主要区别是甘菊叶羽状深裂，绿色或淡绿色，两面被稀疏柔毛或下面被稍多的膨松柔毛；头状花序多数在茎枝先端排成疏松的伞房或复伞房花序；舌状花黄色。

菊科 Compositae 蓝刺头属 Echinops

砂蓝刺头
Echinops gmelini Turcz.

| 药 材 名 | 砂漏芦（药用部位：全草。别名：刺甲盖、恶背火草、火绒草）、砂漏芦根（药用部位：根。别名：砂兰刺头）。

| 形态特征 | 一年生草本，高 10 ~ 90 cm。根直伸，细圆锥形。茎单生，茎枝淡黄色，疏被腺毛。下部茎生叶线形或线状披针形，边缘具刺齿或刺状缘毛或呈三角形刺齿裂；中上部茎生叶与下部茎生叶同形；叶纸质，两面绿色，疏被蛛丝状毛及腺点。复头状花序单生茎顶或枝端，直径 2 ~ 3 cm，基毛白色，长 1 cm，细毛状，边缘糙毛状；外层总苞片线状倒披针形，爪基部有蛛丝状长毛，中层总苞片倒披针形，长 1.3 cm，背面上部被糙毛，背面下部被长蛛丝状毛，内层总苞片长椭圆形，中间芒刺裂较长，背部被长蛛丝状毛；小花蓝色或白色。瘦果倒圆锥形，密被淡黄棕色长直毛，遮盖冠毛。花果期 6 ~ 9 月。

砂蓝刺头

| 生境分布 | 生于山坡砾石地、荒漠草原、黄土丘陵或河滩沙地。分布于宁夏大武口、沙坡头、中宁、海原、青铜峡、灵武等。

| 资源情况 | 野生资源较丰富。

| 采收加工 | 砂漏芦：夏、秋季采集，洗净，切碎，晒干。
砂漏芦根：春、秋季采挖，洗净，切片，晒干。

| 药材性状 | 砂漏芦根：本品呈倒圆锥形，较细小，完整者长 15 ~ 25 cm，直径 4 ~ 8 cm；根头部无纤维状叶柄维管束，但有少数白色绵毛。表面土黄色或淡黄色，有细纵皱纹，下部常有支根。质坚硬，不易折断，断面黄白色，呈裂片状，无黄黑相间的菊花纹。气微，味淡。

| 功能主治 | 砂漏芦：咸、苦，寒。止血，安胎。用于先兆流产，产后出血。
砂漏芦根：清热解毒，通乳，排脓。用于疮痈肿痛，乳汁不通，乳腺炎，淋巴结结核，腮腺炎，痔漏。

| 用法用量 | 砂漏芦：内服煎汤，6 ~ 15 g。
砂漏芦根：内服煎汤，6 ~ 12 g。

菊科 Compositae 飞蓬属 *Erigeron*

飞蓬 *Erigeron acris* L.

| 药 材 名 | 飞蓬（药用部位：花序。别名：北飞蓬）。

| 形态特征 | 二年生草本，高 20 ～ 70 cm。茎直立，单一，具纵条棱，绿色或带紫色，被硬长毛，兼有疏贴毛，头状花序以下常被具柄的腺毛。茎基部叶倒披针形，长 1.5 ～ 10 cm，基部渐窄成长柄，全缘，稀具小尖齿；茎中部和上部叶披针形，长 0.5 ～ 8 cm，无柄；茎最上部叶线形；叶两面被硬毛。瘦果长圆状披针形，长约 1.8 mm，被疏贴毛；冠毛白色，刚毛状，外层极短，内层长 5 ～ 6 mm。果期 8 ～ 9 月。

| 生境分布 | 生于山坡草地、田野、路旁及林缘。分布于宁夏贺兰山（贺兰、平罗）、六盘山（泾源、隆德、原州）及西吉、海原、彭阳、金凤等。

| 资源情况 | 野生资源较丰富。

飞蓬

采收加工	7 ~ 8 月花初开时采摘，晒干。
功能主治	甘、微苦，平。归肺经。疏风清热。用于热性疾病。
用法用量	内服煎汤，3 ~ 9 g。

菊科 Compositae 飞蓬属 Erigeron

长茎飞蓬

Erigeron acris L. subsp. *politus* (Fries) H. Lindberg

长茎飞蓬

| 药 材 名 |

红蓝地花（药用部位：全草或根。别名：灯盏花、白带丹）。

| 形态特征 |

多年生草本，高 30 ~ 80 cm。根茎短，具多数细根。茎直立，单生或少数丛生，紫色，稀绿色，密被贴毛，兼有长硬毛，头状花序以下被腺毛或兼有长硬毛。叶全缘，绿色，或叶柄紫色，边缘常有睫毛状长节毛，两面无毛；基部叶莲座状，与下部叶均呈倒披针形或长圆形，长 1 ~ 10 cm，基部渐窄成长叶柄；中部和上部叶无柄，长圆形或披针形，长 0.5 ~ 7 cm。头状花序较少，生于长枝先端，排成伞房状或圆锥状，直径 1.2 ~ 2.2 cm；总苞半球形，总苞片 3 层，线状披针形，紫红色，稀绿色，背面密被腺毛，有时兼有长毛，内层长 4.5 ~ 8 mm，具窄的膜质边缘；雌花外层舌状，与花盘等长，长 6 ~ 8 mm，管部长 3 ~ 4.3 mm，上部被疏微毛，舌片淡红色或淡紫色；两性花管状，黄色，檐部窄锥形，管部长 1.5 ~ 2.5 mm，上部被疏微毛，裂片暗紫色。瘦果长圆状披针形，长 2 ~ 2.5 mm，扁，密被贴毛；冠毛白色，2 层，刚毛状。花期 7 ~ 8 月，果

期 8 ~ 9 月。

| **生境分布** | 生于向阳山坡、林缘草地、路旁。分布于宁夏六盘山（泾源、隆德、原州）、贺兰山（贺兰、平罗）等。

| **资源情况** | 野生资源较丰富。

| **采收加工** | 夏季采收，洗净，切碎，晒干。

| **功能主治** | 甘、微苦，平。解毒，消肿，活血。用于结核样型、瘤型麻风，视物模糊等。

| **用法用量** | 内服煎汤，9 ~ 15 g；或炖肉。外用适量，煎汤洗。

菊科 Compositae 飞蓬属 Erigeron

小蓬草
Erigeron canadensis L.

| 药 材 名 | 小飞蓬（药用部位：全草。别名：祁州一枝蒿、破布艾）。

| 形态特征 | 一年生草本，高 50 ～ 100 cm 或更高。根纺锤状，具纤维状根。茎直立，圆柱状，多少具棱，有条纹，被疏长硬毛，上部多分枝。叶密集，基部叶花期常枯萎，下部叶倒披针形，先端尖或渐尖，基部渐狭成柄，全缘或具疏锯齿，中部和上部叶较小，线状披针形或线形，近无柄或无柄，全缘或稀具 1 ～ 2 齿，两面或仅上面被疏短毛，边缘常被上弯的硬缘毛。头状花序多数，排列成顶生的多分枝的大圆锥花序，花序梗细；总苞近圆柱状，总苞片 2 ～ 3 层，淡绿色，线状披针形或线形，先端渐尖，外层约短于内层 1/2，背面被疏毛，边缘干膜质，无毛；花托平，具不明显的突起；雌花多数，舌状，白色，舌片小，稍超出花盘，线形，先端具 2 钝小齿；两性花淡黄

小蓬草

色，花冠管状，长 2.5 ~ 3 mm，先端 4 或 5 齿裂，花冠管上部被疏微毛。瘦果线状披针形，长 1.2 ~ 1.5 mm，稍扁压。花期 5 ~ 9 月。

| **生境分布** | 生于旷野、荒地、田边和路旁。分布于宁夏泾源、隆德等。

| **资源情况** | 野生资源较少。

| **采收加工** | 春、夏季采收，鲜用或切段晒干。

| **药材性状** | 本品茎直立，表面黄绿色或绿色，具细棱及粗糙毛。单叶互生，叶片展平后线状披针形，基部狭，先端渐尖，疏锯齿缘或全缘，有长缘毛。头状花序多数，集成圆锥花序状，花黄棕色。气香特异，味微苦。

| **功能主治** | 微苦、辛，凉。归肝、胆、胃、大肠经。清热利湿，散瘀消肿。用于痢疾，肠炎，肝炎，胆囊炎，跌打损伤，风湿骨痛，外伤出血，牛皮癣等。

| **用法用量** | 内服煎汤，15 ~ 30 g。外用适量，鲜品捣敷。

菊科 Compositae 牛膝菊属 Galinsoga

牛膝菊
Galinsoga parviflora Cav.

| **药 材 名** | 辣子草（药用部位：全草。别名：铜锤草）。

| **形态特征** | 一年生草本，高10～80 cm。茎纤细，不分枝或自基部分枝，分枝斜升，茎枝被贴伏柔毛和少量腺毛。叶对生，卵形或长椭圆状卵形；向上及花序下部的叶披针形；茎生叶两面疏被白色贴伏柔毛，沿脉和叶柄毛较密，具浅或钝锯齿或波状浅锯齿；花序下部的叶有时全缘或近全缘。头状花序半球形，排成疏散伞房状，花序梗长约3 cm；总苞半球形或宽钟状，总苞片1～2层，约5，外层短，内层卵形或卵圆形，白色，膜质；舌状花4～5，舌片白色，先端3齿裂，筒部细管状，密被白色柔毛，花冠冠毛状，脱落；管状花黄色，下部密被白色柔毛，冠毛膜片状，白色，披针形，边缘流苏状。瘦果具3棱，或中央瘦果具4～5棱，成熟时黑色或黑褐色，被白

牛膝菊

色微毛。花果期 7 ～ 10 月。

| **生境分布** | 生于林下、河谷地、荒野、河边、田间、溪边或郊区路旁。分布于宁夏大武口等。

| **资源情况** | 野生资源较少。

| **采收加工** | 夏、秋季采收，洗净，鲜用或晒干。

| **药材性状** | 本品中上部被柔毛，具淡黄棕色须状根。茎表面具细纵纹，节略膨大，不分枝或自基部分枝，断面略显纤维性，类白色。完整叶润湿展开后呈卵形或长圆状卵形，上、下表面均密被柔毛，边缘具钝齿，基出脉 3。伞房花序半球形，有长花梗；舌状花 4 ～ 5，花冠白色，先端 3 齿裂；管状花花冠黄色，外被稠密的白色短柔毛。味微苦。

| **功能主治** | 淡，平。清热解毒，止咳平喘，止血。用于扁桃体炎，咽喉炎，黄疸性肝炎，咳喘，肺结核，疔疮，外伤出血。

| **用法用量** | 内服煎汤，30 ～ 60 g。外用适量，研末敷。

| **附　　注** | 《中华本草》记载辣子草 *Galinsoga parviflora* Cav. 又名牛膝菊(《中国植物志》)。该书所载辣子草与牛膝菊 *Galinsoga parviflora* Cav. 的拉丁学名相同，两者为同一植物。

菊科 Compositae 大丁草属 Leibnitzia

大丁草
Leibnitzia anandria (Linnaeus) Turczaninow

大丁草

| 药 材 名 |

大丁草（药用部位：全草）。

| 形态特征 |

多年生草本，有春、秋 2 型，春型植株稍矮小，高 10 ~ 20 cm；秋型植株稍高大，高30 cm。叶基生，呈莲座状，倒卵状长椭圆形或倒卵状披针形，大头羽状分裂，顶裂片卵形或宽卵形，先端急尖，基部浅心形，边缘具不规则圆粗齿，齿端具小尖头，侧裂片较小，卵形、宽卵形或近圆形，稍向下伸，上面绿色，无毛或疏被蛛丝状绵毛，下面灰白色，密被蛛丝状绵毛，秋型绵毛较疏。花茎直立，单生或 2 ~ 3 自叶丛中抽出，密被灰白色蛛丝状绵毛；无苞片或具丝形苞片；头状花序单生花茎先端；总苞宽钟形，总苞片约 3 层，先端尖，边缘紫红色，背面多少被蛛丝状绵毛，外层稍短，披针形，内层线状披针形；舌状花花冠紫红色。瘦果纺锤形，绿棕色，具 5 棱，疏被短柔毛；冠毛多层，浅棕色，糙毛状，长约 7 mm。春型花期 5 ~ 6 月，果期 6 月；秋型花期 7 ~ 9 月，果期 9 月。

| 生境分布 | 生于林缘草地、山坡、路边。分布于宁夏六盘山（泾源、隆德、原州）、贺兰山（西夏、贺兰、平罗、大武口、惠农）等。

| 资源情况 | 野生资源较丰富。

| 采收加工 | 夏季花开前采收，洗净，鲜用或晒干。

| 药材性状 | 本品长 7 ~ 30 cm。根茎短小，棕褐色，长 1 ~ 2 cm，直径 0.5 cm，着生多数黄白色须根。叶基生，叶柄长 3 ~ 10 cm，叶片多皱缩，展平后呈宽卵形或倒披针状长椭圆形，叶脉明显，叶缘具不规则的圆齿，齿端有突尖头，背面及叶柄密被白色绵毛。花茎近圆柱形，有纵棱，长约 20 cm，直径约 3 mm，具单生的头状花序。气微，味辛辣。以色绿、叶多者为佳。

| 功能主治 | 苦，寒。归肺、脾经。清热解毒，祛风利湿，止咳止血。用于湿热淋证，泻痢，风湿痹痛，肺热咳嗽，疮疖肿毒，臁疮，烫火伤，创伤出血。

| 用法用量 | 内服煎汤，9 ~ 15 g。外用适量，研末调敷；或鲜品捣敷。

菊科 Compositae 鼠麴草属 Gnaphalium

湿生鼠曲草
Gnaphalium uliginosum L.

| 药 材 名 | 湿鼠曲草（药用部位：全草。别名：毛香、鼠曲草）。

| 形态特征 | 一年生草本，高 20 ~ 40 cm。茎直立或斜升，单生或簇生，分枝，密被灰白色绵毛。基生叶小，花期枯萎；茎生叶较密，无叶柄，叶片倒披针状条形，长 3 ~ 5 cm，宽 3 ~ 4 mm，先端钝，具小尖，基部狭窄，全缘，两面密被灰白色绵毛。头状花序多数，在茎和枝先端密集成球状，直径约 5 mm，无梗；总苞半球状，长约 2 mm，宽约 5 mm，总苞片 3 层，黄褐色，干膜质，外层总苞片短，宽卵形，先端钝，内层总苞片长圆形或披针形，先端尖；小花黄色，异型，雌花丝状，长于花柱，两性花花冠细筒状，长约 1.5 mm，有 5 裂片。瘦果长圆形，长约 1 mm，有细点；冠毛白色。花期 7 ~ 10 月。

| 生境分布 | 生于河谷草甸。分布于宁夏泾源、原州、隆德、西吉、海原等。

湿生鼠曲草

| **资源情况** | 野生资源较少。 |

| **采收加工** | 夏末花期采收，鲜用或晒干。 |

| **功能主治** | 甘、淡，平。止咳化痰，调气和中，清热平肝。用于支气管炎，胃溃疡，湿热痢疾，疮痈肿毒，高血压。 |

| **用法用量** | 内服煎汤，3 ~ 15 g；或浸酒。外用适量，捣敷。 |

菊科 Compositae 向日葵属 Helianthus

向日葵 *Helianthus annuus* L.

| 药 材 名 | 向日葵子（药用部位：果实。别名：天葵子、葵子）、向日葵花（药用部位：花。别名：葵花）、葵花盘（药用部位：花托。别名：葵花托、葵房、向日葵饼）、向日葵叶（药用部位：叶）、向日葵茎髓（药用部位：茎内髓心。别名：向日葵茎心、葵花茎髓、葵干心）、向日葵根（药用部位：根）。

| 形态特征 | 一年生草本，高 2 ~ 4 m。茎直立，粗壮，高达 3 m，被白色粗硬毛。叶互生，心状卵圆形或卵圆形，先端急尖或渐尖，基出脉3，边缘有粗锯齿，两面被短糙毛，有长柄。头状花序极大，直径 10 ~ 30 cm，单生茎端或枝端，常下倾；总苞片多层，叶质，覆瓦状排列，卵形至卵状披针形，先端尾状渐尖，被长硬毛或纤毛；舌状花多数，黄色，不结实；管状花极多数，棕色或紫色，有披针形

向日葵

裂片，结实。瘦果倒卵圆形或卵状长圆形，长 1 ~ 1.5 cm，常被白色柔毛，上端有 2 膜片状早落冠毛。花期 7 ~ 9 月，果期 9 ~ 10 月。

| **生境分布** | 宁夏部分地区有栽培，主要分布于宁夏彭阳、原州、同心等。

| **资源情况** | 栽培资源丰富。

| **采收加工** | 向日葵子：秋季果实成熟后，割取花盘，晒干，打下果实，晒干。

向日葵花：夏季花开时采摘，鲜用或晒干。

葵花盘：秋季果实成熟后，摘下花盘，搓取果实后，收取花托，鲜用或晒干。

向日葵叶：夏、秋季采收，鲜用或晒干。

向日葵茎髓：秋季采收，鲜用或晒干。

向日葵根：夏、秋季采挖，洗净，鲜用或晒干。

| **药材性状** | 向日葵子：本品呈浅灰色或黑色，扁长卵形或椭圆形，内藏 1 种子。种子淡黄色。

向日葵叶：本品多皱缩，完整叶片呈广卵圆形，长 10 ~ 20 cm，宽 8 ~ 25 cm，先端急尖或渐尖，边缘具锯齿，两面均粗糙。气微，味淡。

| **功能主治** | 向日葵子：甘，平。透疹，止痢，透痈脓。用于疹发不透，血痢，慢性骨髓炎。

向日葵花：微甘，平。祛风，平肝，利湿。用于头晕，耳鸣，小便淋沥。

葵花盘：甘，寒。归肝经。清热，平肝，止血，止痛。用于高血压，头痛，耳鸣，脘腹痛，痛经，子宫出血，疮疹。

向日葵叶：苦，凉。降血压，截疟，解毒。用于高血压，疟疾，疔疮。

向日葵茎髓：甘，平。归膀胱经。清热，利尿，止咳。用于淋浊，带下，乳糜尿，百日咳，风疹。

向日葵根：甘、淡，微寒。归胃、膀胱经。清热利湿，行气止痛。用于淋浊，水肿，带下，疝气，脘腹胀痛，跌打损伤。

| **用法用量** | 向日葵子：内服煎汤，15 ~ 30 g；或捣碎；或沸水炖。外用适量。

向日葵花：内服煎汤，15 ~ 60 g，鲜品加量。外用适量，捣敷。

葵花盘：内服煎汤，15 ~ 60 g，鲜品加量。外用适量，捣敷。

向日葵叶：内服煎汤，25 ~ 30 g，鲜品加量。外用适量，捣敷。

向日葵茎髓：内服煎汤，9 ~ 15 g。

向日葵根：内服煎汤，9 ~ 15 g，鲜品加倍；或研末。外用适量，捣敷。

菊科 Compositae 向日葵属 Helianthus

菊芋
Helianthus tuberosus L.

| 药 材 名 | 菊芋（药用部位：根茎、叶。别名：洋姜、番羌）。

| 形态特征 | 多年生草本，高3 m。有块状地下茎及纤维状根。茎直立，上部分枝，具糙毛或刚毛。基部叶对生，上部叶互生，叶柄上部有狭翅；叶片长圆状卵形、卵状椭圆形，长10～15 cm，宽3～9 cm，先端急尖或渐尖，基部宽楔形，边缘有锯齿，上表面具糙毛，下表面具柔毛，沿脉具短硬毛。头状花序数个，单生枝顶，直径5～9 cm；总苞片多层，披针形，开展；舌状花黄色，通常12～20，舌片椭圆形，长1.5～3 cm；管状花长约8 mm。瘦果楔形，有毛，上端具2～4带毛的扁芒。花期7～8月，果期8～9月。

| 生境分布 | 宁夏各地均有栽培。

菊芋

| **资源情况** | 栽培资源丰富。

| **采收加工** | 秋末采挖根茎，洗净，晒干；叶随采随用。

| **药材性状** | 本品根茎块状。叶长卵形至卵状椭圆形，长 10 ~ 15 cm，宽 3 ~ 9 cm，具 3 脉，上表面粗糙，下表面有柔毛，叶缘具锯齿，先端急尖或渐尖，基部宽楔形。叶柄具狭翅。

| **功能主治** | 甘，凉。归肺、大肠经。清热凉血，接骨。用于发热，肠热便血，跌扑损伤。

| **用法用量** | 内服煎汤，10 ~ 15 g；或根茎 1 个，生嚼服。外用适量，鲜品捣敷。

菊科 Compositae 泥胡菜属 Hemisteptia

泥胡菜

Hemisteptia lyrata (Bunge) Bunge

| 药 材 名 | 泥胡菜（药用部位：全草。别名：苦马菜、牛插鼻、石灰菜）。

| 形态特征 | 一年生草本。茎单生，疏被蛛丝毛。基生叶长椭圆形或倒披针形，中下部茎生叶与基生叶同形，长 4 ~ 15 cm；叶大头羽状深裂或几全裂，侧裂片（2 ~）4 ~ 6 对，稀 1 对，倒卵形、长椭圆形、匙形、倒披针形或披针形，顶裂片长菱形、三角形或卵形，全部裂片有三角形锯齿或重锯齿，侧裂片常有稀锯齿，最下部侧裂片常无齿，有时茎生叶不裂，叶上面绿色，无毛，下面灰白色，被绒毛；基生叶及下部茎生叶叶柄长达 8 cm，基部抱茎，上部茎生叶叶柄渐短，最上部茎生叶无柄。头状花序在茎枝先端排成伞房花序，稀头状花序单生茎顶；总苞宽钟状或半球形，直径 1.5 ~ 3 cm，总苞片多层，覆瓦状排列，向内层渐长，最外层三角形，外层及中层椭圆形，背

泥胡菜

面近先端有紫红色鸡冠状附片，内层长渐尖，上方带红色，中外层背面先端有直立的紫红色鸡冠状附片；花托平，密被托毛；小花两性，管状，花冠红色或紫色，檐部长 3 mm，细管部长 1.1 cm；花药基部附属物尾状，稀撕裂，花丝分离，无毛；花柱分枝长 0.4 mm，先端平截。瘦果楔形或扁斜楔形，长 2.2 mm，具 13 ～ 16 细肋；冠毛 2 层，外层刚毛羽毛状，基部连合成环，长 1.3 cm，整体脱落，内层刚毛鳞片状，3 ～ 9，极短，着生于一侧，宿存。花果期 3 ～ 8 月。

| 生境分布 | 生于山坡、山谷、林缘、荒地及田间路旁。分布于宁夏灵武等。

| 资源情况 | 野生资源较少。

| 采收加工 | 夏、秋季采集，洗净，鲜用或晒干。

| 药材性状 | 本品长 30 ～ 80 cm。茎具纵棱，光滑或略被绵毛。叶互生，多卷曲皱缩，完整叶片呈倒披针状卵圆形或倒披针形，羽状深裂。常有头状花序或球形总苞。瘦果圆柱形，长 2 mm，具纵棱及白色冠毛。气微，味微苦。

| 功能主治 | 辛、苦，寒。归肝、肾经。用于痔漏，痈肿疔疮，乳痈，淋巴结炎，风疹瘙痒，外伤出血，骨折。

| 用法用量 | 内服煎汤，9 ～ 15 g。外用适量，捣敷；或煎汤洗。

菊科 Compositae 狗娃花属 Heteropappus

阿尔泰狗娃花
Heteropappus altaicus (Willd.) Novopokr.

药 材 名	狗娃花（药用部位：根。别名：阿尔泰紫菀）。
形态特征	多年生草本，高 8 ~ 40 cm。茎直立，被上曲或开展的毛，上部常有腺，上部或全部有分枝。下部叶线形、长圆状披针形、倒披针形或近匙形，全缘或有疏浅齿，上部叶线形；叶两面或下面被粗毛或细毛，常有腺点。头状花序单生枝端或排成伞房状；总苞半球形，直径 0.8 ~ 1.8 cm，总苞片 2 ~ 3 层，长圆状披针形或线形，外层草质，被毛，常有腺，边缘膜质；舌状花 15 ~ 20，管部长 1.5 ~ 2.8 mm，有微毛，舌片浅蓝紫色，长圆状线形，长 1 ~ 1.5 cm；管状花长 5 ~ 6 mm，管部长 1.5 ~ 2.2 mm，裂片不等大，有疏毛。瘦果扁，倒卵状长圆形，灰绿色或浅褐色，被绢毛，上部有腺；冠毛污白色或红褐色，有不等长微糙毛。花期 5 ~ 9 月，果期 6 ~ 10 月。

阿尔泰狗娃花

| **生境分布** | 生于山坡、田边、路旁。分布于宁夏六盘山（泾源、隆德、原州、彭阳）、贺兰山（西夏、大武口）及盐池、灵武、同心等。

| **资源情况** | 野生资源较丰富。

| **采收加工** | 春、秋季采挖，除去地上部分，洗净，晒干，切段。

| **功能主治** | 苦，温。散寒润肺，降气化痰，止咳，利尿。用于阴虚咯血，咳嗽痰喘。

| **用法用量** | 内服煎汤，4.5 ~ 9 g。外用适量，捣敷。

| **附　注** | 《中国植物志》（英文版）将本种由狗娃花属 *Heteropappus* 修订为紫菀属 *Aster*，并将本种的拉丁学名修订为 *Aster altaicus* Willd.。

菊科 Compositae 狗娃花属 Heteropappus

狗娃花 *Heteropappus hispidus* (Thunb.) Less.

| 药 材 名 | 狗娃花（药用部位：根。别名：狗喳花、斩龙戟）。

| 形态特征 | 一年生或二年生草本，有垂直的纺锤状根。茎高 30 ~ 50 cm，单生，有时数个丛生，被上曲或开展的粗毛，下部常脱毛，有分枝。基部及下部叶在花期枯萎，倒卵形，长 4 ~ 13 cm，宽 0.5 ~ 1.5 cm，渐狭成长柄，先端钝或圆形，全缘或有疏齿；中部叶矩圆状披针形或条形，常全缘；全部叶质薄，两面被疏毛或无毛，边缘有疏毛，中脉及侧脉明显。头状花序直径 3 ~ 5 cm，单生枝端而排列成伞房状；总苞半球形，总苞片 2 层，近等长，条状披针形，宽 1 mm，草质；舌状花 30 或更多，管部长 2 mm，舌片浅红色或白色，条状矩圆形。瘦果倒卵形，扁，有细边肋，被密毛；舌状花冠毛极短，白色，膜片状，或部分带红色，长，糙毛状，管状花冠毛糙毛状，初白色，后

狗娃花

带红色，与花冠近等长。花期 7 ~ 9 月，果期 8 ~ 9 月。

| **生境分布** | 生于山坡草地或林下。分布于宁夏原州、彭阳等。

| **资源情况** | 野生资源较少。

| **采收加工** | 夏、秋季采挖，洗净，鲜用或晒干。

| **功能主治** | 苦，凉。清热解毒，消肿。用于疮肿，蛇咬伤等。

| **用法用量** | 外用适量，捣敷。

| **附　　注** | 《中国植物志》（英文版）将本种由狗娃花属 *Heteropappus* 修订为紫菀属 *Aster*，并将本种的拉丁学名修订为 *Aster hispidus* Thunb.。

菊科 Compositae 马兰属 Kalimeris

裂叶马兰
Kalimeris incisus (Fisch.) DC.

裂叶马兰

药材名

裂叮马兰（药用部位：全草）。

形态特征

多年生草本，有根茎。茎直立，高 60 ～ 120 cm，有沟棱，无毛或疏生向上的白色短毛，上部分枝。叶纸质，下部叶在花期枯萎；中部叶长椭圆状披针形或披针形，长 6 ～ 10 cm，宽 1.2 ～ 2.5 cm，先端渐尖，基部渐狭，无柄，边缘疏生缺刻状锯齿或间有羽状披针形尖裂片，上面无毛，边缘粗糙或有向上弯的短刚毛，下面近光滑，脉在下面凸起；上部分枝上的叶小，条状披针形，全缘。头状花序直径 2.5 ～ 3.5 cm，单生枝端且排成伞房状；总苞半球形，总苞片 3 层，覆瓦状排列，有微毛，外层较短，长椭圆状披针形，急尖，内层长 4 ～ 5 mm，先端钝尖，边缘膜质；舌状花淡蓝紫色，管部长约 1.5 mm，舌片长 1.5 ～ 1.8 cm，宽 2 ～ 2.5 mm；管状花黄色，长 3 ～ 4 mm，管部长 1 ～ 1.3 mm。瘦果倒卵形，长 3 ～ 3.5 mm，淡绿褐色，扁而有浅色边肋或偶有 3 肋而呈三棱形，被白色短毛；冠毛长 0.5 ～ 1.2 mm，淡红色。花果期 7 ～ 9 月。

| **生境分布** | 生于山坡、林缘、路旁及河滩地。分布于宁夏六盘山（泾源、隆德、原州）等。 |

| **资源情况** | 野生资源较少。 |

| **采收加工** | 夏、秋季采收，鲜用或晒干。 |

| **功能主治** | 消食，除湿热，利小便。 |

| **附　注** | （1）《中国植物志》（英文版）将本种由马兰属 *Kalimeris* 修订为紫菀属 *Aster*，并将本种的拉丁学名修订为 *Aster incisus* Fisch.。 |
| | （2）《宁夏中药志》记载马兰来源于菊科植物北方马兰 *Kalimeris mongolica* Kitam 的全草或根；《中华本草》记载马兰来源于菊科植物马兰 *Aster incisus* L. 的全草或根。北方马兰 *Kalimeris mongolica* Kitam、马兰 *Aster incisus* L. 与裂叶马兰 *Aster incisus* Fisch. 不是同一植物。 |

菊科 Compositae 马兰属 Kalimeris

全叶马兰 *Kalimeris integrifolia* Turcz. ex DC.

全叶马兰

| 药 材 名 |

全叶马兰（药用部位：全草。别名：全缘叶马兰）。

| 形态特征 |

多年生草本。茎单生或丛生，被硬毛，中部以上有近直立的帚状分枝。茎中部叶多而密，线状披针形、倒披针形或长圆形，长 2.5 ~ 4 cm，基部渐窄且无柄，全缘，边缘稍反卷；上部叶线形；全部叶下面灰绿色，两面密被粉状绒毛。总苞半球形，直径 7 ~ 8 mm，总苞片 3 层，外层近线形，内层长圆状披针形，长达 4 mm，上部革质，先端尖，有粗毛及腺点；舌状花 1 层，管部有毛，舌片淡紫色，长 1.1 cm；管状花花冠长 3 mm，成熟时浅褐色，扁，有浅色边肋，或一面有肋而呈三棱形，上部有短毛及腺。冠毛带褐色，长 0.3 ~ 1.5 mm，易脱落。花期 6 ~ 10 月，果期 7 ~ 11 月。

| 生境分布 |

生于山坡、林缘、灌丛、路旁。分布于宁夏泾源、海原等。

资源情况	野生资源较少。
采收加工	8 ~ 9 月采收，洗净，鲜用或晒干。
功能主治	苦，寒。清热解毒，止咳。用于感冒发热，咳嗽，咽炎。
用法用量	内服煎汤，9 ~ 18 g，鲜品 30 ~ 60 g。外用适量，捣敷；或研末掺；或煎汤洗。
附　注	《中国植物志》（英文版）将本种由马兰属 *Kalimeris* 修订为紫菀属 *Aster*，并将本种的拉丁学名修订为 *Aster pekinensis*（Hance）Kitag.。

菊科 Compositae 马兰属 Kalimeris

蒙古马兰 *Kalimeris mongolica* (Franch.) Kitam.

蒙古马兰

药材名

蒙古马兰（药用部位：全草或根。别名：北方马兰、羽叶马兰）。

形态特征

多年生草本。茎直立，高 30 ~ 80 cm，上部分枝，下部无毛或散生贴伏短硬毛，上部密被贴伏短硬毛。茎下部叶及中部叶倒披针形、披针形或椭圆状披针形，先端尖或钝，基部渐狭，边缘具疏齿、缺刻状锯齿或羽状深裂，裂片披针形或线状披针形，全缘，上面散生平伏短硬毛，下面沿脉疏生平伏短硬毛，无叶柄；茎上部叶渐小，线形或线状披针形，全缘。头状花序单生或 2 ~ 3 生于分枝先端，形成圆锥状伞房花序；总苞宽钟形，总苞片 3 ~ 4 层，外层短，内层长，披针形，先端革质，绿色，边缘膜质，白色，具缘毛，背面被短柔毛；外围舌状花 1 层，舌片淡蓝紫色，先端不裂；管状花多数。瘦果倒卵形，扁平，上部被短毛；冠毛短，不等长，褐色，基部合生成环状。花果期 7 ~ 9 月。

生境分布

生于山坡、林缘、路旁及河滩等。分布于宁夏六盘山（泾源、隆德、原州）等，泾源、隆德其他地区也有分布。

| **资源情况** | 野生资源较少。

| **采收加工** | 夏、秋季采收，洗净，鲜用或晒干。

| **功能主治** | 苦，凉。归肺、肝、胃经。清热解毒，利湿，凉血止血。用于感冒发热，咳嗽，咽喉肿痛，肠炎，痢疾，水肿，外伤出血。

| **用法用量** | 内服煎汤，10 ~ 15 g。

| **附　　注** | 《中国植物志》（英文版）将本种由马兰属 *Kalimeris* 修订为紫菀属 *Aster*，并将本种的拉丁学名修订为 *Aster mongolicus* Franch.。

菊科 Compositae 山柳菊属 Hieracium

山柳菊 *Hieracium umbellatum* L.

山柳菊

| 药 材 名 |

山柳菊（药用部位：全草或根及根茎。别名：九里明、黄花母）。

| 形态特征 |

多年生草本。茎直立，高 40 ～ 100 cm，不分枝，具纵沟棱，基部红紫色，无毛或被短柔毛。叶互生；基生叶花期枯萎；茎生叶披针形或线状披针形，先端渐尖，基部楔形，全缘或具疏锯齿，上面被短硬毛，下面沿脉被短硬毛，无柄。头状花序多数，在茎顶排列成伞房状，总花序梗纤细，密被短柔毛，混生短糙毛；总苞宽钟形或倒圆锥形，总苞片 3 ～ 4 层，向内渐长，外层总苞片披针形，背面被短毛，内层总苞片短圆状披针形；花全部舌状，黄色，舌片先端截平，5 齿裂。瘦果圆柱形，具 10 纵棱，紫褐色，无毛；冠毛 1 列，浅棕色，羽状。花果期 8 ～ 10 月。

| 生境分布 |

生于山坡草地、路边。分布于宁夏彭阳、西吉等。

| 资源情况 |

野生资源较少。

| **采收加工** | 夏、秋季采收全草，除去杂质及泥土，晒干；秋季采挖根及根茎，除去地上部分，洗净，晒干。 |

| **药材性状** | 本品根茎短粗，呈圆柱形或长块状，长 2 ~ 6 cm，直径 1.5 ~ 3 cm，具节，生多数细根。细根长达 10 cm；表面棕褐色或红褐色；质脆，易折断，断面白色。气微，味苦。茎呈圆柱形，直径 2 ~ 3.5 mm；质硬脆，折断面外层淡黄绿色，中央髓部白色。单叶互生，无柄，叶片皱缩或破碎，完整者展平后呈披针形，全缘或具疏齿，表面黄绿色。头状花序多数，总苞宽钟形或倒圆锥形；花冠黄色或黄棕色。瘦果圆柱形，具浅棕色冠毛。气微，味苦。以叶多、色黄绿、老梗少者为佳。 |

| **功能主治** | 苦，凉。归心经。清热解毒，利湿，消积。用于痈肿疮疖，热淋涩痛，腹痛积块，痢疾。 |

| **用法用量** | 内服煎汤，9 ~ 15 g。 |

菊科 Compositae 旋覆花属 *Inula*

欧亚旋覆花 *Inula britannica* L.

欧亚旋覆花

| 药 材 名 |

旋覆花（药用部位：花序。别名：金钱花、野油花）。

| 形态特征 |

多年生草本，高 30 ~ 80 cm。根茎短，横走或斜升，具须根。茎单生或簇生，绿色或紫色，有细纵沟，被长伏毛。叶片长圆形或椭圆状披针形，基部宽大，心形，有耳，半抱茎。头状花序直径 2.5 ~ 5 cm，多数或少数排列成疏散的伞房花序，花序梗细长；总苞半球形，直径 1.5 ~ 2.2 cm，长达 1 cm，总苞片约 5 层，线状披针形，最外层常叶质而较长，外层基部革质，上部叶质，内层干膜质；舌状花黄色，比总苞长 2 ~ 2.5 倍，舌片线形，长 10 ~ 13 mm；管状花花冠长约 5 mm，有三角状披针形裂片。冠毛白色，1 轮，有 20 余粗糙毛；瘦果圆柱形，有浅沟，被短毛。花期 6 ~ 10 月，果期 9 ~ 11 月。

| 生境分布 |

生于河岸、湿润坡地、田埂和路旁。宁夏各地均有分布。

| **资源情况** | 野生资源较丰富。

| **采收加工** | 7～10 月分批采收，晒干。

| **药材性状** | 本品直径 1～2 cm，总苞片 4～5 层，外层苞片上部叶质，下部革质。舌状花花冠长 1～2 cm，宽 1～1.5 mm。管状花花冠长 4～5 mm。冠毛 20～25。以完整、朵大、色黄、无枝梗者为佳。

| **功能主治** | 降气，消痰，行水，止呕。用于风寒咳嗽，痰饮蓄结，胸膈痞闷，喘咳痰多，呕吐噫气，心下痞硬。

| **用法用量** | 内服煎汤，3～9 g，包煎。

菊科 Compositae 旋覆花属 Inula

土木香
Inula helenium L.

土木香

| 药 材 名 |

土木香（药用部位：根。别名：青木香、藏木香）。

| 形 态 特 征 |

多年生草本，高 60 ~ 150 cm，有时可达 250 cm。根茎块状，有分枝。茎直立，粗壮，直径达 1 cm，不分枝或上部有分枝，被开展的长毛。茎基部叶较疏，基部渐狭成具翅且长达 20 cm 的柄，叶片椭圆状披针形，长 10 ~ 40 cm，宽 10 ~ 25 cm，先端尖，边缘有不规则的齿或重齿，上面被基部疣状的糙毛，下面被黄绿色密茸毛，叶脉在下面稍隆起，网脉明显；中部叶卵圆状披针形或长圆形，较小，基部心形，半抱茎；上部叶披针形，小。头状花序少数，排列成伞房状或总状花序，花序梗从极短至长达 12 cm，为多数苞片围裹；总苞片 5 ~ 6 层，外层革质，宽卵圆形，先端钝，常反折，被茸毛，内层长圆形，先端扩大成卵圆状三角形，干膜质，背面被疏毛，有缘毛，比外层长 3 倍，最内层线形，先端稍扩大或狭尖；舌状花黄色，舌片线形；管状花长 9 ~ 10 mm，有披针形裂片。冠毛污白色，有极多数具细齿的毛；瘦果四面形或五面形，长 3 ~ 4 mm，无毛。

花期 6 ~ 9 月。

| **生境分布** | 宁夏部分地区有栽培。

| **资源情况** | 栽培资源较少。

| **采收加工** | 秋季采挖，除去泥沙，晒干。

| **药材性状** | 本品呈圆锥形，略弯曲，长 5 ~ 20 cm。表面黄棕色或暗棕色，有纵皱纹及须根痕。根头粗大，先端有凹陷的茎痕及叶鞘残基，周围有圆柱形支根。质坚硬，不易折断，断面略平坦，黄白色至浅灰黄色，有凹点状油室。气微香，味苦、辛。

| **功能主治** | 辛、苦，温。归肝、脾经。健脾和胃，行气止痛，安胎。用于胸胁、脘腹胀痛，呕吐泻痢，胸胁挫伤，岔气作痛，胎动不安。

| **用法用量** | 内服煎汤，3 ~ 9 g；或入丸、散剂。

菊科 Compositae 旋覆花属 Inula

旋覆花 *Inula japonica* Thunb

| 药 材 名 | 旋覆花（药用部位：花序。别名：毛野人、金钱花）、金沸草（药用部位：地上部分。别名：金佛草）。

| 形态特征 | 多年生草本，高 30 ~ 50 cm。根茎短粗，具多数须根。茎直立，单一，被长伏毛或下部脱毛。中部叶长圆形、长圆状披针形或披针形，长 4 ~ 13 cm，基部常有圆形半抱茎小耳，无柄，有小尖头状疏齿或全缘，上面有疏毛或近无毛，下面有疏伏毛和腺点，中脉和侧脉有较密的长毛；上部叶线状披针形。头状花序直径 3 ~ 4 cm，排成疏散伞房花序，花序梗细长；舌状花黄色，比总苞长 2 ~ 2.5 倍，舌片线形，长 1 ~ 1.3 cm；管状花花冠长约 5 mm。冠毛白色，有20 余微糙毛，与管状花近等长；瘦果长 1 ~ 1.2 mm，圆柱形，有10 浅沟，被疏毛。花期 6 ~ 9 月，果期 9 ~ 10 月。

旋覆花

| **生境分布** | 生于田边、路边或沟渠边。分布于宁夏泾源、彭阳、原州、贺兰、青铜峡、沙坡头、中宁、兴庆、灵武、大武口等。 |

| **资源情况** | 野生资源较丰富。 |

| **采收加工** | 旋覆花：夏、秋季花刚开时采摘，晒干。
金沸草：9 ~ 10 月采收，晒干。 |

| **药材性状** | 旋覆花：本品呈扁球形或类球形，直径 1 ~ 2 cm。总苞由多数苞片组成，苞片呈覆瓦状排列，披针形或条形，灰黄色，长 4 ~ 11 mm，总苞基部有时残留花梗，苞片及花梗表面被茸毛。舌状花 1 列，黄色，长约 1 cm，多卷曲，常脱落；管状花多数，棕黄色，长约 5 mm；子房先端有多数白色冠毛，长 5 ~ 6 mm。可见椭圆形小瘦果。体轻，易散碎。气微，味微苦。
金沸草：本品茎呈圆柱形，上部分枝，长 30 ~ 50 cm，直径 0.2 ~ 0.5 cm；表面绿褐色或棕褐色，疏被短柔毛，有多数细纵纹；质脆，断面黄白色，髓部中空。叶片椭圆状披针形，宽 1 ~ 2.5 cm，边缘不反卷。头状花序较大，直径 1 ~ 2 cm，冠毛长约 0.5 cm。气微，味微苦。 |

| **功能主治** | 旋覆花：苦、辛、咸，微温。归肺、脾、胃、大肠经。降气，消痰，行水，止呕。用于风寒咳嗽，痰饮蓄结，胸膈痞闷，喘咳痰多，呕吐噫气，心下痞硬。
金沸草：苦、辛、咸，温。归肺、大肠经。降气，消痰，行水。用于外感风寒，痰饮蓄结，咳喘痰多，胸膈痞满。 |

| **用法用量** | 旋覆花：内服煎汤，3 ~ 9 g，包煎。
金沸草：内服煎汤，5 ~ 10 g。 |

菊科 Compositae 旋覆花属 *Inula*

蓼子朴
Inula salsoloides (Turcz.) Ostrnf.

| 药 材 名 | 蓼子朴（药用部位：全草。别名：黄蓬花、黄苦参、苦蒿）。

| 形态特征 | 多年生草本。茎斜升或直立，高 20 ~ 45 cm。叶披针状或长圆状线形，长 0.5 ~ 1.2 cm，宽 1 ~ 3 mm，全缘，基部常心形或有小耳，半抱茎，边缘平或稍反卷，先端钝或稍尖，稍肉质，上面无毛，下面有腺及短毛。头状花序单生枝端；总苞狭细，长短不等，排列为数层，淡黄色；边缘为雌花，排列为 1 层，花冠舌状，黄色；中央为两性花，多数，花冠筒状，黄色。瘦果圆柱形，冠毛白色，被腺和疏粗毛，上端有较长的毛。花期 7 ~ 8 月，果期 8 ~ 9 月。

| 生境分布 | 生于干旱草原、半荒漠和荒漠地区的戈壁滩地、流沙地、固定沙丘、湖河沿岸冲积地、黄土高原的风沙地和丘陵等。分布于宁夏同心、

蓼子朴

利通、中宁、灵武、永宁、贺兰、西夏、平罗、惠农等。

| **资源情况** | 野生资源丰富。

| **采收加工** | 夏、秋季采收，除去杂质，洗净，晒干。

| **药材性状** | 本品茎呈圆柱形，多分枝，长 25 ~ 45 cm，直径 2 ~ 3 mm；表面黄绿色或绿褐
色，被乳头状毛；质脆，断面白色，有髓。小叶互生，无柄；叶片窄圆形或披
针形，长 5 ~ 10 mm，宽 1 ~ 3 mm，全缘，质厚。头状花序通常单生枝端；舌
状花黄色或黄棕色。瘦果具白色冠毛。气微，味微苦。

| **功能主治** | 苦，寒。归脾、胃经。清热解毒，利水。用于感冒发热，痢疾，泄泻，水肿，小便不利，痈疮肿毒，黄水疮，湿疹。 |

| **用法用量** | 内服煎汤，6～15 g。外用适量，研末撒；或调敷。 |

菊科 Compositae 小苦荬属 Ixeridium

抱茎小苦荬
Ixeridium sonchifolium (Maxim.) Shih

抱茎小苦荬

| 药 材 名 |

苦碟子（药用部位：全草。别名：苦荬菜、满天星）。

| 形态特征 |

多年生草本，高 20 ~ 50 cm，具白色乳汁。根圆锥形，褐色。茎直立，圆柱形，具纵条纹，带紫色或灰绿色，有分枝。基生叶多数，平铺，叶片倒卵状披针形，长 3 ~ 7 cm，宽 1 ~ 2 cm，先端锐尖或圆钝，基部渐狭成具翅的柄，边缘羽状齿裂或深裂，裂片大小不等；茎生叶较狭小，长卵状披针形，长 2 ~ 5 cm，宽 0.5 ~ 1.5 cm，先端锐尖或渐尖，基部扩大成耳状或戟状抱茎，羽状浅裂或深裂，或具不规则的缺刻状齿。头状花序生于枝端，多数，呈聚伞状排列；总苞圆筒形，外层总苞片 5，短小，卵形，内层总苞片 8 ~ 9，较长，条状披针形，具 1 中脉；舌状花黄色，长 7 ~ 8 mm。瘦果纺锤形，长 2 ~ 3 mm，黑褐色，具色稍淡的喙；冠毛白色，长 3 ~ 4 mm。花果期 6 ~ 8 月。

| 生境分布 |

生于山坡草甸、路旁、撂荒地等。分布于宁夏泾源、隆德、西吉、原州、大武口、灵武等。

| 资源情况 | 野生资源较少。

| 采收加工 | 夏季花刚开时采收，晒干或切小段晒干。

| 药材性状 | 本品长短不一。根呈倒圆锥形，具少数分枝。茎呈圆柱形，上部具分枝，直径 1.5 ~ 4 mm；表面绿色、深绿色至黄棕色，有纵棱，无毛，节明显；质轻脆，易折断，折断时有粉尘飞出，断面略呈纤维性，外围黄绿色，髓部白色。叶互生，多皱缩、破碎，完整叶展开后呈卵状长圆形，长 2 ~ 5 cm，宽 0.5 ~ 2 cm，先端急尖，基部耳状抱茎。头状花序密集成伞房状，有细梗；总苞片 2 层；舌状花黄色，雄蕊 5，雌蕊 1，柱头 2 裂，子房上端具多数丝状白色冠毛。瘦果褐色，类纺锤形。气微，味微甘、苦。

| 功能主治 | 苦、辛，微寒。归心、大肠经。清热解毒，镇痛消肿。用于头痛，牙痛，肺痈，肠痈，乳痈，泄泻，痢疾，吐血，衄血，痈肿疮疖。

| 用法用量 | 内服煎汤，9 ~ 15 g。

| 附　　注 | 《中国植物志》（英文版）将本种修订为尖裂假还阳参 *Crepidiastrum sonchifolium* (Maximowicz) Pak & Kawano。

菊科 Compositae 苓菊属 *Jurinea*

蒙疆苓菊
Jurinea mongolica Maxim.

蒙疆苓菊

药材名

鸡毛狗（药用部位：基生叶叶柄基部及茎基部的棉团状物。别名：地棉花）。

形态特征

多年生草本，高10～25 cm。根粗壮，圆柱形，暗褐色，颈部被残存枯叶柄，有极厚的白色团状绵毛。茎丛生，直立，具纵棱，有分枝，被疏或密的蛛丝状毛。叶矩圆状披针形、条状披针形或条形，长3～10 cm，宽1～3 cm，羽状深裂或浅裂，侧裂片披针形、条形或三角形，有时不分裂而具疏牙齿，边缘常皱曲和反卷，两面有蛛丝状绵毛，下面密生腺点，主脉隆起而呈黄白色，向上叶渐小，叶柄变短至无柄。头状花序单生枝端；总苞钟状，总苞片黄绿色，紧贴而直立，先端渐尖，具刺尖，边缘具缘毛，外层较小；管状花紫红色，长2～2.5 cm，花冠裂片条状披针形，长约5 mm。瘦果褐色，冠毛污黄色，长达10 mm，具短羽毛。花果期6～9月。

生境分布

生于荒漠草原带的沙丘、砂质土农田、荒地、路旁。分布于宁夏大武口、平罗、利通、青铜峡、中宁、灵武等。

| **资源情况** | 野生资源较少。

| **采收加工** | 夏、秋季采集，除去砂土，晒干。

| **功能主治** | 淡，平。归心、肺经。止血。用于创伤出血，鼻衄。

| **用法用量** | 外用适量。

菊科 Compositae 莴苣属 Lactuca

莴苣 *Lactuca sativa* L.

莴苣

| 药 材 名 |

莴苣（药用部位：茎、叶。别名：莴苣菜、生菜、千金菜）、莴苣子（药用部位：种子。别名：白苣子、苣胜子、生菜子）。

| 形态特征 |

一年生或二年生草本，高 25 ～ 100 cm。根垂直直伸。茎直立，单生，厚肉质。基生叶丛生，向上渐小，长圆状倒卵形，长 6 ～ 15 cm，宽 1.5 ～ 6.5 cm，全缘或呈卷曲皱波状；茎生叶互生，椭圆形或三角状卵形，基部心形，抱茎。头状花序多数或极多数，在茎枝先端排成圆锥花序；舌状小花约 15，黄色。瘦果倒披针形，压扁，灰色、肉红色或浅褐色，每面有 6 ～ 7 细脉纹，先端急尖成细喙；喙细丝状，淡白色或褐红色，长约 4 mm，与瘦果几等长；冠毛 2 层，白色。花果期 2 ～ 9 月。

| 生境分布 |

宁夏各地均有栽培。

| 资源情况 |

栽培资源较丰富。

| 采收加工 | 莴苣：春季茎肥大时采收，多鲜用。
莴苣子：夏、秋季果实成熟时割取地上部分，晒干，打下种子，除去杂质，贮藏于干燥通风处。

| 功能主治 | 莴苣：苦、甘，凉。归脾、胃经。利尿，通乳，清热解毒。用于小便不利，尿血，乳汁不通，虫蛇咬伤，肿毒。
莴苣子：辛、苦，微温。归胃、肝经。通乳汁，利小便，活血行瘀。用于乳汁不通，小便不利，跌打损伤，瘀肿疼痛，阴囊肿痛。

| 用法用量 | 莴苣：内服煎汤，30 ～ 60 g。外用适量，捣敷。
莴苣子：内服煎汤，6 ～ 15 g；或研末，3 g。外用适量，研末涂擦；或煎汤熏洗。

菊科 Compositae 莴苣属 *Lactuca*

台湾翅果菊
Lactuca formosana Maxim.

| 药 材 名 | 苦丁（药用部位：全草或根。别名：小山萝卜、龙渣口、叉头草）。 |

| 形态特征 | 一年生草本，高约 60 cm。茎单生，直立，上部伞房花序状分枝，全部茎枝无毛。基部叶及下部茎生叶长椭圆形或倒披针形，先端急尖，基部楔形渐狭成翼柄，或无柄但基部耳状扩大，半抱茎；中部及中下部茎生叶倒披针形，无柄，基部耳状扩大，半抱茎，先端长或短渐尖；上部茎生叶及接花序分枝下部的叶较小或更小，披针形或长披针形，先端急尖或长渐尖；全部叶边缘有锯齿，但最上部及接花序分枝下部的叶全缘。头状花序多数，沿茎枝先端排成伞房状花序；总苞果期卵球形，5 层，外层卵形，中层椭圆形，内层披针形，全部总苞片先端急尖，有时染红紫色；舌状小花约 21，黄色。瘦果椭圆形或倒卵形，长 4 mm，宽 2 mm，棕红色或黑色，压扁， |

台湾翅果菊

边缘有宽翅，每面有一高起的细脉纹，先端突然收缩成长 2 mm 的细丝状喙；冠毛白色，2 层，细，微锯齿状。花果期 4 ~ 9 月。

| **生境分布** | 生于山坡灌丛或林下或山谷草地。分布于宁夏泾源、隆德等。

| **资源情况** | 野生资源较少。

| **采收加工** | 夏、秋季采收，洗净，晒干。

| **功能主治** | 苦，凉；有小毒。清热解毒，祛风活血。用于疥癣，疔疮痈肿，蛇咬伤。

| **用法用量** | 内服煎汤，15 ~ 30 g；或浸酒。外用适量，捣敷；或煎汤洗。

菊科 Compositae 莴苣属 Lactuca

翅果菊
Lactuca indica L.

翅果菊

药材名

山莴苣（药用部位：全草。别名：苦菜、苦芥菜）。

形态特征

多年生草本，高 50 ～ 130 cm。根垂直直伸。茎直立，淡红紫色。中下部茎生叶披针形、长披针形或长椭圆状披针形，长 10 ～ 26 cm，宽 2 ～ 3 cm，先端渐尖、长渐尖或急尖，基部收窄，无柄，心形、心状耳形或箭头状半抱茎，全缘、几全缘或具小尖头状微锯齿或小尖头，极少边缘缺刻状或羽状浅裂；向上的叶渐小，与中下部茎生叶同形；全部叶两面光滑无毛。头状花序含约 20 舌状小花，在茎枝先端排成伞房花序或伞房圆锥花序。瘦果长椭圆形或椭圆形，褐色或橄榄绿色，压扁，中部有 4 ～ 7 不等粗的线形或线状椭圆形小肋，先端短收窄，果颈长约 1 mm，边缘加宽、加厚成厚翅；冠毛白色，2 层，刚毛纤细，锯齿状，不脱落。花果期 7 ～ 9 月。

生境分布

生于山坡、林下、田边。分布于宁夏六盘山（泾源、隆德、原州）等。

| 资源情况 | 野生资源较少。

| 采收加工 | 夏、秋季花开时采收，除去泥土，鲜用或晒干。

| 功能主治 | 苦，寒。归肺经。清热解毒，活血祛瘀。用于肠痈，咽喉肿痛，湿热带下，产后瘀血作痛，崩漏，痔疮出血等。

| 用法用量 | 内服煎汤，9 ～ 15 g。外用适量，鲜品捣敷。

| 附　　注 | 《宁夏中药志》及《中华本草》记载的山莴苣 *Lactuca indica* L. 与《中国植物志》记载的翅果菊 *Lactuca indica* L. 为同一植物。《中国植物志》（英文版）将山莴苣的拉丁学名由 *Lagedium sibiricum* (L.) Sojak 修订为 *Lactuca sibirica* (L.) Benth. ex Maxim.，该种与《宁夏中药志》及《中华本草》所载山莴苣不同。

菊科 Compositae 莴苣属 Lactuca

乳苣

Lactuca tatarica (L.) C. A. Mey.

| 药 材 名 | 乳苣（药用部位：全草或根）。

| 形态特征 | 多年生草本，高 15 ~ 60 cm。根垂直直伸。茎直立，有细条棱或条纹，上部有圆锥状花序分枝，无毛。中下部茎生叶长椭圆形、线状长椭圆形或线形，基部渐窄成短柄或无柄，长 6 ~ 19 cm，羽状浅裂、半裂或有大锯齿，侧裂片 2 ~ 5 对，侧裂片半椭圆形或偏斜三角形，顶裂片披针形或长三角形；向上的叶与中部茎生叶同形或宽线形；叶两面无毛，裂片全缘或疏生小尖头或锯齿。头状花序排成圆锥花序；总苞圆柱状或楔形，长 2 cm，总苞片 4 层，背面无毛，带紫红色，中外层卵形或披针状椭圆形，长 3 ~ 8 mm，内层披针形或披针状椭圆形，长 2 cm；舌状小花紫色或紫蓝色。瘦果长圆状披针形，灰黑色，长 5 mm；冠毛白色，长 1 cm。花果期 6 ~ 9 月。

乳苣

| **生境分布** | 生于田边、路旁、沟渠边或潮湿的盐碱地。宁夏各地均有分布。 |

| **资源情况** | 野生资源丰富。 |

| **采收加工** | 夏、秋季采收，洗净，晒干。 |

| **功能主治** | 清热解毒，利胆退黄，活血祛瘀，排脓。用于湿热黄疸，痢疾，肠炎，阑尾炎，吐血，衄血，疮疖，痈肿，肺脓肿。 |

| **用法用量** | 内服煎汤，15 ~ 30 g；或生嚼。外用适量，捣敷；或烧灰敷；或煎汤洗。 |

菊科 Compositae 火绒草属 Leontopodium

美头火绒草

Leontopodium calocephalum (Franch.) Beauv.

| 药 材 名 |　美头火绒草（药用部位：全草）。

| 形态特征 |　多年生草本。根茎颈部粗厚，不育茎被密集叶鞘，有顶生叶丛与1至数个簇生花茎。茎被蛛丝状毛或上部被白色棉状茸毛，下部后近无毛。茎下部叶与不育茎的叶披针形、长披针形或线状披针形，长2～15 cm，基部成褐色长鞘；茎中部或上部叶卵圆状披针形，基部抱茎，无柄；叶草质，上面无毛或有蛛丝状毛或灰色绢状毛，或茎上部叶基部多少被柔毛或茸毛，下面被白色或边缘被银白色茸毛。苞叶多数，上面被带白色或干后黄色或黄褐色的厚茸毛，下面被白色或银灰色茸毛，较花序长2～5倍，形成直径4～12 cm的分散苞叶群；头状花序5～20（～25），直径0.5～1.2 cm；总苞长4～6 mm，被白色柔毛，总苞片约4层，先端无毛，深褐色或黑色，露

美头火绒草

出毛茸。瘦果被粗毛。花期 7 ～ 9 月，果期 9 ～ 10 月。

| **生境分布** | 生于高山和亚高山草甸、石砾坡地、湖岸、沼泽、林缘等。分布于宁夏六盘山（泾源、隆德、原州）等。

| **资源情况** | 野生资源较少。

| **采收加工** | 夏、秋季采收，除去杂质，晒干。

| **功能主治** | 辛、苦，凉。凉血，利尿，祛风，利湿。

菊科 Compositae 火绒草属 Leontopodium

湿生火绒草

Leontopodium calocephalum (Franch.) Beauv. var. *uliginosum* Beauv.

湿生火绒草

| 药 材 名 |

湿生火绒草（药用部位：全草）。

| 形态特征 |

本种与美头火绒草的区别在于：本种的叶长圆状线形，先端较急尖或近舌形，下面被白色或有时灰白色的茸毛，茎上部叶基部稍扩大，茎下部叶稍狭窄，被薄绵毛，较密生，苞叶较上部叶稍小，基部宽不及 6 mm，常舌状，下面被较少的毛；总苞片稍超出毛茸，先端褐色；茎高多变异，高 20 ~ 30 cm。

| 生境分布 |

生于林下湿润处或崖下岩石缝中。分布于宁夏六盘山（泾源、隆德、原州）、南华山（海原）等。

| 资源情况 |

野生资源较少。

| 采收加工 |

夏、秋季采收，除去杂质，晒干。

| 功能主治 |

清热凉血，利尿。

| 附　注 | 根据《中国植物志》（英文版），湿生火绒草已被修订为美头火绒草 *Leontopodium calocephalum* (Franch.) Beauv.。

菊科 Compositae 火绒草属 Leontopodium

薄雪火绒草

Leontopodium japonicum Miq.

薄雪火绒草

| 药 材 名 |

薄雪草（药用部位：全草。别名：小毛草、火绒草）。

| 形态特征 |

多年生草本。根茎分枝稍长，有数个簇生花茎和幼茎。茎上部被白色薄茸毛，下部不久脱毛。叶基部骤窄，无鞘部，边缘平或稍波状反折，上面有疏蛛丝状毛或脱毛，下面被银白色或灰白色薄层密茸毛，基出脉 3 ～ 5，侧脉在上面明显。苞叶多数，卵圆形或长圆形，两面被灰白色密茸毛或上面被蛛丝状毛，成苞叶群，或有长花序梗成复苞叶群；头状花序直径 3.5 ～ 4.5 mm，多数，较疏散；总苞钟形或半球形，被白色或灰白色密茸毛，总苞片 3 层，露出毛茸，先端无毛。瘦果常有乳突或粗毛。花期 6 ～ 9 月，果期 9 ～ 10 月。

| 生境分布 |

生于山坡草地。分布于宁夏六盘山（泾源、隆德、原州）等。

| 资源情况 |

野生资源较少。

| **采收加工** | 秋季采收，洗净，晾干。

| **功能主治** | 淡、微甘，平。润肺止咳。用于肺燥咳嗽。

| **用法用量** | 内服煎汤，9 ～ 15 g。

菊科 Compositae 火绒草属 Leontopodium

火绒草

Leontopodium leontopodioides (Willd.) Beauv.

| 药 材 名 | 火绒草（药用部位：地上部分。别名：老头草、小矛香艾）。

| 形态特征 | 多年生草本，高 10 ~ 40 cm。根茎有多数簇生的花茎和根出条。叶
线形或线状披针形，长 2 ~ 4.5 cm，宽 2 ~ 5 mm，上面灰绿色，被
柔毛，下面被白色或灰白色密绵毛或被绢毛。苞叶少数，长圆形或
线形，两面或下面被白色或灰白色厚茸毛，与花序等长或较花序长，
在雄株多少开展成苞叶群，在雌株多少直立，不形成苞叶群；雌株
头状花序直径 0.7 ~ 1 cm，密集，稀 1 或较多，常有较长花序梗而
排成伞房状；总苞半球形，长 4 ~ 6 mm，被白色绵毛，总苞片约 4 层，
稍露出毛茸。瘦果有乳突或密粗毛。花果期 7 ~ 10 月。

| 生境分布 | 生于山坡、草地、河滩地等。分布于宁夏隆德、西吉、原州、海原、

火绒草

同心、贺兰等。

| **资源情况** | 野生资源较丰富。

| **采收加工** | 夏、秋季采割，除去杂质，晒干。

| **药材性状** | 本品茎呈圆柱形，有纵棱，表面密被灰白色绵毛，刮去毛后呈褐绿色或紫绿色；质脆，易折断，断面不平坦，边缘绿色，中央髓部淡绿白色。叶互生，多皱缩破碎，完整者条形或条状披针形，先端尖或稍尖，基部稍狭；上表面绿色，下表面灰白色，被白色或灰白色绵毛。苞叶矩圆形或条形，两面被白色或灰白色厚绵毛。头状花序半球形，直径 0.4 ～ 0.6 cm。气微，味淡。

| **功能主治** | 微苦，寒。归肾、膀胱经。清热凉血，利尿。用于慢性肾炎，血尿，蛋白尿。

| **用法用量** | 内服煎汤，9 ～ 12 g。

| **附　　注** | 根据《宁夏中药资源》记载，同属植物美头火绒草 *Leontopodium calocephalum* (Franch.) Beauv.、湿生火绒草 *Leontopodium calocephalum* (Franch.) Beauv. var. *uliginosum* Beauv. 及薄雪火绒草 *Leontopodium japonicum* Miq. 的全草亦均作药用，其功用同火绒草。

菊科 Compositae 火绒草属 *Leontopodium*

矮火绒草
Leontopodium nanum (Hook. f. et Thoms.) Hand.-Mazz.

| **药 材 名** | 矮火绒草（药用部位：全草）。

| **形态特征** | 多年生草本，垫状丛生，或根茎分枝细或稍粗壮木质，被密集或疏散的褐色鳞片状枯叶鞘，有顶生的莲座状叶丛，疏散丛生或散生。基部叶匙形或线状匙形，长 0.7 ~ 2.5 cm，下部渐窄成短鞘部，边缘平，两面被白色或上面被灰白色长柔毛状密茸毛。苞叶少数，直立，与花序等长，不形成星状苞叶群；头状花序直径 0.6 ~ 1.3 cm，单生或 3 密集；总苞长 4 ~ 5.5 mm，被灰白色绵毛，总苞片 4 ~ 5 层，披针形，深褐色或褐色，超出毛茸。瘦果无毛或多少有粗毛。花期 5 ~ 6 月，果期 5 ~ 7 月。

| **生境分布** | 生于山坡草地。分布于宁夏泾源、隆德、同心等。

矮火绒草

| **资源情况** | 野生资源较少。

| **采收加工** | 花期采收，洗净，除去杂质，晒干。

| **功能主治** | 苦，凉。清热解毒，凉血，止血利尿，镇咳，降血压。

菊科 Compositae 火绒草属 *Leontopodium*

长叶火绒草

Leontopodium junpeianum Kitam.

| 药 材 名 | 兔儿子草（药用部位：全草）。

| 形态特征 | 多年生草本。根茎分枝短，有顶生的莲座状叶丛，或有叶鞘和多数近丛生花茎，或分枝匍枝状。茎基部叶常窄长匙形，近基部成紫红色无毛长鞘部；茎中部叶和部分基部叶线形、宽线形或舌状线形，长 2 ～ 13 cm；叶两面被毛或下面被白色或银白色长柔毛或密茸毛，上面渐无毛。苞叶多数，卵圆状披针形或线状披针形，上面或两面被白色长柔毛状茸毛，形成直径 2 ～ 6 cm 的苞叶群，或有长花序梗而形成直径达 9 cm 的复苞叶群；头状花序直径 6 ～ 9 mm，3 ～ 30 密集；总苞长约 5 mm，被长柔毛，总苞片约 3 层，椭圆状披针形，先端无毛，有时啮蚀状。瘦果无毛或有乳突，或有粗毛。花果期 7 ～ 10 月。

长叶火绒草

生境分布	生于山坡草地或灌丛。分布于宁夏六盘山（泾源、隆德、原州）、月亮山（海原）等。
资源情况	野生资源较少。
采收加工	秋季采收，洗净，晒干。
功能主治	辛，凉。疏风清热，止咳化痰。用于外感发热，肺热咳嗽，支气管炎。
用法用量	内服煎汤，6 ～ 15 g。

大黄橐吾
Ligularia duciformis (C. Winkl.) Hand.-Mazz.

| 药 材 名 | 大黄橐吾（药用部位：根）。

| 形态特征 | 多年生草本。根肉质，多数，簇生。茎上部被黄色柔毛。丛生叶与茎下部叶具柄，柄长达 31 cm，无翅，被有节的短柔毛，基部具鞘，叶片肾形或心形，长 5 ~ 16 cm，宽 7.5 ~ 50 cm，先端圆形，边缘有不整齐的齿，齿端具软骨质小尖头，基部弯缺宽，长为叶片的 1/3，两侧裂片圆形，两面光滑，叶脉掌状，主脉 3 ~ 5，网脉凸起；茎中部叶叶柄长 4 ~ 9.5 cm，密被黄绿色有节的短柔毛，基部具极膨大的鞘，外面被与叶柄一样的毛，鞘口全缘，叶片肾形，先端凹形，边缘具小齿；最上部叶常仅有叶鞘。复伞房状花序长达 20 cm；苞片及小苞片线状钻形；头状花序多数，盘状；总苞窄筒形，总苞片 5，2 层，长圆形，先端三角状尖，被睫毛，背部无毛，内层具膜质宽边；

大黄橐吾

小花 5 ~ 7，全部管状，黄色，伸出总苞，长 6 ~ 9 mm；冠毛白色，与花冠管部等长。瘦果圆柱形，长达 10 mm，光滑，幼时有纵折皱。花果期 7 ~ 9 月。

| **生境分布** | 生于山谷溪边。分布于宁夏六盘山（泾源、隆德、原州）等，泾源、隆德其他地区也有分布。

| **资源情况** | 野生资源丰富。

| **采收加工** | 春、秋季采挖，除去残茎，洗净，晒干。

| **功能主治** | 清热解毒，止痛，镇咳，祛痰，利尿。

菊科 Compositae 橐吾属 Ligularia

蹄叶橐吾
Ligularia fischeri (Ledeb.) Turcz.

| 药 材 名 | 山紫菀（药用部位：根及根茎。别名：紫菀、葫芦七、马蹄紫菀）。

| 形态特征 | 多年生草本。根肉质，黑褐色，多数。茎高大，直立，高 80 ~ 200 cm，上部被黄褐色柔毛。丛生叶与茎下部叶肾形，长 10 ~ 30 cm，宽 13 ~ 40 cm，基部心形，边缘具锯齿，两面光滑，叶脉掌状，叶柄长 18 ~ 59 cm，基部具鞘；茎中上部叶较小，具短柄，鞘膨大，全缘。总状花序长 25 ~ 75 cm；头状花序辐射状；苞片卵形或卵状披针形，下部者长达 6 cm，边缘有齿，小苞片窄披针形或丝状线形；总苞钟形，长 0.7 ~ 2 cm，直径 0.5 ~ 1.4 cm，总苞片 8 ~ 9，2 层，长圆形，先端尖，背部光滑，内层具膜质边缘。花果期 7 ~ 10 月。

蹄叶橐吾

| 生境分布 | 生于山坡草地、山沟旁。分布于宁夏六盘山（泾源、隆德、原州）等。

| 资源情况 | 野生资源较少。

| 采收加工 | 春、秋季采挖，除去茎叶，洗净，晒干。

| 药材性状 | 本品根茎横生，为不规则块状，上方有茎基痕及残存叶柄，下方密生多数细长须根。根长 3 ～ 10 cm，直径 0.1 ～ 0.15 cm，集成马尾状或扭曲成团块状；表面黄棕色或棕褐色，密生黄色或黄棕色短绒毛，有纵皱纹。体轻，质脆，易折断，断面中央有浅黄色木心。有特殊香气，味辛辣。

| 功能主治 | 辛，微温。祛痰，止咳，理气活血，止痛。用于咳嗽，痰多气喘，百日咳，腰腿痛，劳伤，跌打损伤。

| 用法用量 | 内服煎汤，8 ～ 15 g；或研末。

菊科 Compositae 橐吾属 *Ligularia*

掌叶橐吾

Ligularia przewalskii (Maxim.) Diels

掌叶橐吾

| 药 材 名 |

掌叶橐吾（药用部位：根、幼叶、花序）。

| 形态特征 |

多年生草本，高 50 ~ 80 cm。根茎短粗，具多数褐色细根。茎直立，单生，不分枝，具纵沟棱，无毛，常带暗紫色。基生叶近圆形或肾形，长 7 ~ 13 cm，宽 8 ~ 15 cm，基部深心形，掌状深裂，裂片通常 7，菱形或菱状椭圆形，中裂片 3，侧裂片 2 ~ 3 裂，边缘具疏齿或小裂片，上面绿色，疏被短硬毛，下面淡绿色，无毛，叶柄长 20 ~ 30 cm，具纵沟棱，无毛；茎生叶少数，与基生叶相似，叶柄较短，柄基扩展成鞘状，抱茎。头状花序多数，在茎顶排列成总状花序；苞叶狭线形，梗长约 2.5 mm，疏被白色短毛；总苞圆筒形，总苞片 5，外层线形，内层长椭圆形，先端稍钝，边缘膜质；舌状花 2，先端 3 齿裂，黄色；管状花 3 ~ 5，花冠黄色。瘦果圆杜形，长约 5 mm，具纵肋，褐色；冠毛紫褐色，糙毛状，长约 5 mm。花期 7 ~ 8 月，果期 8 ~ 9 月。

| 生境分布 |

生于林缘、草地或山谷溪边。分布于宁夏泾

源、隆德、六盘山（泾源、隆德、原州）、南华山（海原）及彭阳等。

| **资源情况** | 野生资源较少。

| **功能主治** | 根，苦，温。润肺，止咳，化痰。幼叶，催吐。花序，苦，凉。清热利湿，利胆退黄。

| **附　　注** | 《宁夏中药志》记载贺兰山和六盘山分布有裂叶橐吾 *Ligularia przewalskii* (Maxim.) Diels，即掌叶橐吾 *Ligularia przewalskii* (Maxim.) Diels；六盘山还分布有箭叶橐吾 *Ligularia sagitta* (Maxim.) Mattf. 和西伯利亚橐吾 *Ligularia sibirica* (L.) Cass.。上述3种植物的根及根茎也有作山紫菀药用的记载，三者与本种的主要区别见下述分种检索表。

1. 叶掌状深裂，裂片再分裂或有齿；小花5～7，其中舌状小花2···············
   ·····················裂叶橐吾 *Ligularia przewalskii* (Maxim.) Diels

1. 叶不分裂，边缘有锯齿或牙齿。
   2. 冠毛白色。
      3. 总苞长6～7 mm，宽3～4 mm，舌状花舌片长6～10 mm···········
         ·····················箭叶橐吾 *Ligularia sagitta* (Maxim.) Mattf.
      3. 总苞长9～10 mm，宽5～8 mm，舌状花舌片长10～20 mm··········
         ·····················西伯利亚橐吾 *Ligularia sibirica* (L.) Cass.
   2. 冠毛褐色，总苞箭状钟形，长10～12 mm，宽8～10 mm；苞叶卵形或披针形，茎、叶常被褐色短毛········蹄叶橐吾 *Ligularia fischerii* (Ledeb.) Turcz.

菊科 Compositae 橐吾属 Ligularia

箭叶橐吾 *Ligularia sagitta* (Maxim.) Mattf.

箭叶橐吾

药材名

箭叶橐吾（药用部位：根、幼叶、花序）。

形态特征

多年生草本，高 40 ~ 60 cm。根茎粗短，具多数细根。茎直立，单一，具明显的纵沟棱，上部被白色蛛丝状柔毛，后无毛。丛生叶与茎下部叶箭形、戟形或长圆状箭形，长 2 ~ 20 cm，边缘有小齿，两侧裂片外缘常有大齿，上面光滑，下面被白色蛛丝状柔毛，叶脉羽状，叶柄长 4 ~ 18 cm，具窄翅，基部鞘状；茎中部与下部叶同形，较小，具短柄，鞘状抱茎；茎最上部叶苞叶状。总状花序长 6 ~ 40 cm；头状花序多数，辐射状；苞片窄披针形或卵状披针形，草质，长达 6.5 cm，小苞片线形；总苞钟形或窄钟形，长 0.7 ~ 1 cm，直径 4 ~ 8 mm，总苞片 7 ~ 10，2 层，长圆形或披针形，背部无毛，内层边缘膜质；舌状花 5 ~ 9，黄色，舌片长圆形，长 0.7 ~ 1.2 cm；管状花多数，长 7 ~ 8 mm；冠毛白色，与花冠等长。花期 7 月，果期 8 ~ 9 月。

生境分布

生于山坡草丛或山谷溪边或湿地。分布于宁

夏六盘山（泾源、隆德、原州）等，隆德、原州其他地区也有分布。

| **资源情况** | 野生资源较少。

| **采收加工** | 春、秋季采挖根，除去茎叶，洗净，晒干。

| **功能主治** | 根，苦，温。润肺，止咳，化痰。幼叶，催吐。花序，苦，凉。清热利湿，利胆退黄。

| **附　　注** | 《宁夏中药志》记载贺兰山和六盘山分布有裂叶橐吾 *Ligularia przewalskii* (Maxim.) Diels，六盘山还分布有箭叶橐吾 *Ligularia sagitta* (Maxim.) Mattf. 和西伯利亚橐吾 *Ligularia sibirica* (L.) Cass.。上述 3 种植物的根及根茎也有作山紫菀药用的记载。

菊科 Compositae 母菊属 Matricaria

母菊 *Matricaria chamomilla* L.

药 材 名	母菊（药用部位：全草或花。别名：洋甘菊）。

| 形态特征 | 一年生草本，全株无毛。茎高 30 ~ 40 cm，有沟纹，上部多分枝。下部叶矩圆形或倒披针形，长 3 ~ 4 cm，宽 1.5 ~ 2 cm，2 回羽状全裂，无柄，基部稍扩大，裂片条形，先端具短尖头；上部叶卵形或长卵形。头状花序异型，直径 1 ~ 1.5 cm，在茎枝先端排成伞房状，花序梗长 3 ~ 6 cm；总苞片 2 层，苍绿色，先端钝，边缘白色，宽膜质，全缘；花托长圆锥状，中空；舌状花 1 列，舌片白色，反折；管状花多数，花冠黄色，中部以上扩大，冠檐 5 裂。瘦果小，长 0.8 ~ 1 mm，宽约 0.3 mm，淡绿褐色，侧扁，略弯，先端斜截形，背面圆形凸起，腹面及两侧有 5 白色细肋，无冠状冠毛。花果期 5 ~ 7 月。 |

| 生境分布 | 生于河谷旷野、山坡草地等。分布于宁夏泾源、隆德等。 |

母菊

| **资源情况** | 野生资源较少。

| **采收加工** | 5 ~ 7 月采收，晒干。

| **功能主治** | 辛、微苦，凉。清热解毒，止咳平喘，祛风湿。用于感冒发热，咽喉肿痛，肺热咳嗽，热痹肿痛，疮肿等。

| **用法用量** | 内服煎汤，10 ~ 15 g。

菊科 Compositae 蝟菊属 Olgaea

火媒草
Olgaea lleucophylla (Turcz.) Iljin

| 药 材 名 | 鳍蓟（药用部位：根、地上部分。别名：白山蓟、火草）。

| 形态特征 | 多年生草本，高 15 ～ 80 cm。根粗壮，直伸，直径达 2.5 cm。茎直立，粗壮，茎枝灰白色，密被蛛丝状绒毛。茎生叶沿茎下延成茎翼，翼宽 1.5 ～ 2 cm。基生叶长椭圆形，宽 3 ～ 5 cm，稍羽状浅裂，侧裂片 7 ～ 10 对，宽三角形，裂片及刺齿先端及边缘有褐色或淡黄色针刺，有短柄；茎生叶与基生叶同形或椭圆状披针形，两面近同色，灰白色，被蛛丝状绒毛，厚纸质。头状花序单生茎枝先端；总苞钟状，直径 3 ～ 4 cm，无毛或近无毛，总苞片多层，先端渐尖成针刺，外层长三角形，宽 2.5 ～ 3 mm，中层披针形或长椭圆状披针形，内层线状长椭圆形或宽线形；小花紫色或白色。瘦果长椭圆形，浅黄色，有棕黑色色斑；冠毛浅褐色，多层，刚毛细糙毛状。花果期 8 ～ 10 月。

火媒草

| 生境分布 | 生于草地、农田或水渠边。分布于宁夏海原、彭阳、兴庆、盐池、平罗、灵武、中宁、同心等。

| 资源情况 | 野生资源较丰富。

| 采收加工 | 夏、秋季采收，洗净，鲜用或切碎晒干。

| 功能主治 | 甘，凉。归心、肝、肾经。清热解毒，凉血止血。用于痈肿疮毒，瘰疬，吐血，衄血，崩漏，外伤出血。

| 用法用量 | 内服煎汤，9 ~ 15 g。外用适量，鲜品捣敷。

菊科 Compositae 蝟菊属 Olgaea

刺疙瘩 *Olgaea tangutica* Iljin

| 药 材 名 | 刺疙瘩（药用部位：全草）。

| 形态特征 | 多年生草本，高 20 ～ 100 cm。无明显主根；不定根多数，直径 2 mm。茎单生或 2 ～ 3 成簇生，疏被蛛丝毛，有长分枝。基生叶线形或线状长椭圆形，宽达 3 cm，羽状浅裂或深裂，侧裂片约 10 对，有 3 刺齿，基部渐窄成叶柄；茎生叶与基生叶同形，等样分裂或边缘具刺齿或针刺，基部两侧沿茎下延成茎翼；最上部叶或接头状花序下部的叶最小；叶及茎翼革质，上面绿色，有光泽，下面灰白色，密被绒毛。头状花序单生枝端；总苞钟状，无毛，总苞片多层，先端针刺状渐尖，外层短渐尖，内层及中层长渐尖，外层长三角形，中层披针形或线状披针形，内层线形。瘦果楔状长椭圆形，淡黄白色，有浅棕色色斑；冠毛多层，褐色或浅土红色，刚毛糙毛状。花果期

刺疙瘩

6～9月。

| **生境分布** | 生于山坡石质地等。分布于宁夏六盘山（泾源、隆德、原州）、南华山（海原）等。

| **资源情况** | 野生资源较少。

| **采收加工** | 夏、秋季采收，洗净，鲜用或切碎晒干。

| **功能主治** | 苦，凉。清热解毒，消肿，止血。

| **附　　注** | 《宁夏植物志》记载本种的植物名为青海鳍蓟 *Olgaea tangutica* Iljin。

菊科 Compositae 蟹甲草属 Parasenecio

山尖子

Parasenecio hastatus (L.) H. Koyama

山尖子

| 药 材 名 |

山尖子（药用部位：全草）。

| 形态特征 |

多年生草本。根茎平卧，有多数纤维状须根。茎坚硬，直立，高 40 ~ 150 cm，不分枝，具纵沟棱，下部近无毛，上部密被腺状柔毛。中部茎生叶三角状戟形，长 7 ~ 10 cm，宽 13 ~ 19 cm，基部戟形或微心形，沿叶柄下延成具窄翅的叶柄，边缘具不规则细尖齿，基部侧裂片有时具缺刻状小裂片，上面无毛或疏被短毛，下面被较密的柔毛，叶柄长 4 ~ 5 cm；上部茎生叶基部裂片三角形或近菱形；最上部茎生叶和苞片披针形或线形。头状花序下垂，在茎端和上部叶腋排成塔状窄圆锥花序，花序梗长 0.4 ~ 2 cm，密被腺状柔毛；总苞圆柱形，长 0.9 ~ 1.1 cm，直径 5 ~ 8 mm，总苞片 7 ~ 8，线形或披针形，背面密被腺毛，基部有 2 ~ 4 钻形小苞片；小花 8 ~ 15（~ 20），花冠淡白色，长 0.9 ~ 1.1 cm。瘦果圆柱形，淡褐色，长 6 ~ 8 mm，无毛，具肋；冠毛白色，约与瘦果等长或短于瘦果。花期 7 ~ 8 月，果期 9 月。

| **生境分布** | 生于林缘、灌丛或草地。分布于宁夏六盘山（泾源、隆德、原州）等，泾源、隆德其他地区也有分布。 |

| **资源情况** | 野生资源较少。 |

| **采收加工** | 夏、秋季采收，鲜用或切段阴干。 |

| **功能主治** | 解毒，消肿，利水；外用消肿生肌。用于小便不利；外用于创伤化脓。 |

菊科 Compositae 蟹甲草属 Parasenecio

无毛山尖子 Parasenecio hastatus (L.) H. Koyama var. glaber (Leber.) Y. L. Chen

无毛山尖子

| 药材名 |

山尖菜（药用部位：全草。别名：山尖子）。

| 形态特征 |

本种与山尖子的区别在于：本种叶背面无毛或仅沿叶脉被毛。

| 生境分布 |

生于林缘、灌丛或草地等。分布于宁夏六盘山（泾源、隆德、原州）等。

| 资源情况 |

野生资源较少。

| 采收加工 |

夏、秋季采收，鲜用或切段阴干。

| 功能主治 |

微苦，凉。解毒，利尿。用于伤口化脓，小便不利。

| 用法用量 |

内服煎汤，5 ~ 10 g。外用适量，煎汤洗。

菊科 Compositae 蟹甲草属 Parasenecio

蛛毛蟹甲草

Parasenecio roborowskii (Maxim.) Y. L. Chen

蛛毛蟹甲草

| 药 材 名 |

蛛毛蟹甲草（药用部位：根）。

| 形态特征 |

多年生草本。根茎粗壮，横走，有多数纤维状须根。茎单生，高 60 ~ 100 cm，直立，不分枝，具纵条纹，被白色蛛丝状毛或后脱毛。中部茎生叶卵状三角形或长三角形，基部平截或微心形，边缘有不规则锯齿，上面疏被贴生毛或近无毛，下面被白色或灰白色蛛丝状毛，基部 5 脉，被蛛丝状毛；上部叶与中部叶长卵形或长三角形，叶柄短。头状花序在茎端或上部叶腋排成塔状疏圆锥状，偏向一侧着生，花序梗长约 3 mm，与花序轴均被蛛丝状毛和柔毛，具 2 ~ 3 线形或线状披针形小苞片；总苞圆柱形，总苞片（2 ~ ）3（~ 4），线状长圆形，有微毛，边缘窄膜质，背面无毛，具数条细脉；小花 1 ~ 3（~ 4），花冠白色。瘦果圆柱形，长 3 ~ 4 mm，无毛，具肋；冠毛白色。花期 7 ~ 8 月，果期 9 ~ 10 月。

| 生境分布 |

生于山坡林下、林缘、灌丛、沟边和草地。分布于宁夏六盘山（泾源、隆德、原州）等。

| **资源情况** | 野生资源较少。 |

| **采收加工** | 秋季采挖，洗净，晒干。 |

| **功能主治** | 甘，平。镇痉息风，养肝，疗痹。用于关节痹痛，肢体拘挛。 |

菊科 Compositae 风毛菊属 Saussurea

柳叶菜风毛菊
Saussurea epilobioides Maxim.

柳叶菜风毛菊

| 药 材 名 |

柳兰叶风毛菊（药用部位：全草）。

| 形态特征 |

多年生草本。茎无毛。下部与中部茎生叶线
状长圆形，长 8 ~ 10 cm，基部渐窄成深心
形半抱茎小耳，密生具长尖头的深齿，上面
被糙毛，下面有腺点，无叶柄。头状花序排
成密集伞房状，花序梗短；总苞钟状或卵状
钟形，直径 6 ~ 8 mm，总苞片 4 ~ 5 层，无
毛，外层宽卵形，中层长圆形，先端均有黑
绿色长钻状马刀形附属物，附属物反折或稍
弯曲，内层长圆形或线状长圆形；小花紫色。
瘦果圆柱状，无毛，长 3 ~ 4 mm；冠毛污
白色，2 层。花果期 8 ~ 9 月。

| 生境分布 |

生于山坡草地。分布于宁夏盐池、海原等。

| 资源情况 |

野生资源较少。

| 采收加工 |

夏、秋季间采收，洗净，鲜用或晒干。

| **功能主治** | 苦，平。消肿止痛，散瘀止血。用于产后恶露不止，少腹作痛，尿血，便血，跌打损伤，刀伤出血。 |

| **用法用量** | 内服煎汤，5 ~ 15 g。外用适量，鲜品捣敷。 |

风毛菊 *Saussurea japonica* (Thunb.) DC.

风毛菊

| 药 材 名 |

八楞木（药用部位：全草。别名：八楞麻、青竹标）。

| 形态特征 |

二年生草本，高 50 ~ 120 cm。茎直立，上部具分枝，疏被短柔毛及腺点。基生叶及茎下部叶矩圆形或椭圆形，羽状深裂，顶裂片长圆状披针形，侧裂片 7 ~ 8 对，矩圆形、矩圆状披针形，先端钝或锐尖，全缘，两面疏被短柔毛及腺点，叶片基部下延成具翅的柄；向上叶渐小，上部叶长椭圆形、披针形或线形，全缘或羽状分裂，无柄。头状花序多数，在茎顶和枝端排列成密集的伞房状；总苞筒状钟形，疏被蛛丝状毛，总苞片 6 层，外层总苞片短小，卵形，先端钝，中、内层总苞片线状披针形，先端扩展为圆形膜质附片，附片紫红色，具齿；全为管状花，花冠紫红色。瘦果长椭圆形，褐色；冠毛 2 层，淡褐色，外层短，刚毛状，内层长，羽毛状。花果期 8 ~ 9 月。

| 生境分布 |

生于山坡草地、沟边、路旁。分布于宁夏贺兰山（贺兰、平罗、西夏）、罗山（同心、红寺堡）及海原、原州等。

| 资源情况 | 野生资源较丰富。

| 采收加工 | 夏、秋季采收，除去杂质，鲜用或晒干。

| 药材性状 | 本品茎类圆柱形，长 70 ～ 100 cm，直径可达 9 mm，上部分枝，基部稍膨大；表面棕色，具棱及狭翅；质坚而轻，易折断，断面髓部白色，中央有 1 小孔。叶多皱缩，暗绿色或棕色，完整者展平后基生叶及茎下部叶长圆形，边缘羽状深裂，下延成具翅的柄，茎先端叶片小，呈披针状，全缘，具短毛及腺点。头状花序排列成紧密的伞房状；总苞疏被蛛丝状毛，苞片黄绿色；花冠紫黄色。瘦果长圆形，冠毛淡褐色。气微，味微苦。

| 功能主治 | 苦、辛，平。祛风活络，散瘀止痛。用于风湿痹痛，腰腿痛，跌仆损伤。

| 用法用量 | 内服煎汤，9 ～ 15 g；或浸酒。外用适量，捣敷；或煎汤洗。

菊科 Compositae 风毛菊属 Saussurea

大耳叶风毛菊 *Saussurea macrota* Franch

| 药 材 名 | 大耳叶风毛菊（药用部位：全草）。

| 形态特征 | 多年生草本，高 25 ~ 75 cm。根茎粗壮，生多数不定根。茎单生，
直立，被糙毛或无毛。下部与中部茎生叶椭圆形或卵状椭圆形，
长 10 ~ 22 cm，宽 3 ~ 6 cm，基部深心形，有抱茎的大叶耳，无
柄；上部茎生叶渐小，长圆状披针形；叶边缘疏生齿，上面疏被糙
毛，下面疏被褐色腺毛。头状花序 2 ~ 10 排成伞房状，花序梗长
0.2 ~ 2 cm，被腺毛；总苞卵圆形，花后圆柱状，直径 6 ~ 8 mm，
总苞片 5 ~ 6 层，厚革质，边缘及先端常紫红色或褐色，疏被蛛丝
毛或几无毛，外层卵形，长 4 mm，中层长卵形，长 7 mm，内层线形，
长 1.2 cm；小花深紫色。瘦果圆柱状，长 4.5 mm，有纵肋；冠毛 2 层，
淡褐色。花果期 7 ~ 8 月。

大耳叶风毛菊

| 生境分布 | 生于山坡、林下及灌丛中。分布于宁夏泾源、隆德等。

| 资源情况 | 野生资源较少。

| 采收加工 | 夏、秋季采收，除去杂质，鲜用或晒干。

| 功能主治 | 除寒，壮阳，调经，止血。

菊科 Compositae 风毛菊属 Saussurea

蒙古风毛菊
Saussurea mongolica (Franch.) Franch.

蒙古风毛菊

药材名

蒙古风毛菊（药用部位：全草）。

形态特征

多年生草本，高 30 ～ 90 cm。根茎斜升，颈部被残存的褐色叶柄。下部茎生叶有长柄，柄长达 16 cm，叶片全形卵状三角形或卵形，长 5 ～ 20 cm，宽 3 ～ 6 cm，先端急尖，基部心形或微心形，羽状深裂或下半部羽状深裂或羽状浅裂，而上半部边缘有粗齿，侧裂片 1 ～ 3 对，长椭圆形或椭圆形，先端急尖或钝，全缘或有稀疏锯齿；中部与上部茎生叶同形或长圆状披针形或披针形，并等样分裂或边缘有粗齿；全部叶两面绿色，下面色淡，两面被稀疏短糙毛。冠毛 2 层，上部白色，下部淡褐色，外层短，糙毛状，长 3 mm，内层长，羽毛状，长 1 cm；瘦果圆柱状，褐色，长 4 mm，无毛。花果期 7 ～ 10 月。

生境分布

生于山坡、林下、灌丛、路旁及草坡。分布于宁夏六盘山（泾源、隆德、原州）、南华山（海原）等。

| **资源情况** | 野生资源较少。 |

| **采收加工** | 夏、秋季采收，除去杂质，鲜用或晒干。 |

| **功能主治** | 苦，凉。清热解毒，活血消肿。 |

| **附　　注** | 《宁夏植物志》记载的本种植物名为华北风毛菊 *Saussurea mongolica* (Franch.) Franch.，其与蒙古风毛菊 *Saussurea mongolica* (Franch.) Franch. 为同一植物。 |

菊科 Compositae 鸦葱属 *Scorzonera*

华北鸦葱
Scorzonera albicaulis Bunge

华北鸦葱

| 药 材 名 |

丝茅七（药用部位：根。别名：猪尾巴、羊奶子）。

| 形态特征 |

多年生草本，高达 120 cm。根圆柱状或倒圆锥状，直径达 1.8 cm。茎单生或少数成簇生，上部伞房状或聚伞花序状分枝，全部茎枝被白色绒毛，茎基被棕色残鞘。基生叶与茎生叶线形、宽线形或线状长椭圆形，全缘，稀有浅波状微齿，两面无毛，基生叶基部抱茎。头状花序在茎枝先端排成伞房花序，花序分枝长或排成聚伞花序；总苞圆柱状，总苞片约 5 层，被薄柔毛，果期毛稀或无毛，外层三角状卵形或卵状披针形，中内层椭圆状披针形、长椭圆形或宽线形；舌状小花黄色。瘦果圆柱状，无毛，先端喙状；冠毛污黄色，其中 3 ~ 5 超长，长达 2.4 cm，冠毛大部分羽毛状。花果期 5 ~ 9 月。

| 生境分布 |

生于山谷或山坡杂木林下或林缘、灌丛中。分布于宁夏泾源、隆德等。

资源情况	野生资源较少。

采收加工	秋季采挖，洗净，鲜用或晒干。

功能主治	苦，凉。清热解毒，凉血散瘀。用于风热感冒，痈肿疔毒，带状疱疹，月经不调，乳少不畅，跌打损伤。

用法用量	内服煎汤，6 ~ 15 g。外用适量，鲜品捣敷。

菊科 Compositae 鸦葱属 Scorzonera

鸦葱
Scorzonera austriaca Willd.

鸦葱

药材名

鸦葱（药用部位：全草或根。别名：兔儿奶、笔管草）。

形态特征

多年生草本，高 10 ~ 42 cm。根垂直直伸，黑褐色。茎多数，直立，基部被稠密的棕褐色纤维状撕裂的鞘状残遗物。基生叶线形、狭线形、线状披针形、线状长椭圆形、线状披针形或长椭圆形，基部渐狭成具翼的长柄，两面无毛或仅沿基部边缘有蛛丝状柔毛；茎生叶 2 ~ 3，鳞片状，披针形或钻状披针形，基部心形，半抱茎。头状花序单生茎端；总苞圆柱状，直径 1 ~ 2 cm，总苞片约 5 层，外层三角形或卵状三角形，中层偏斜披针形或长椭圆形，内层线状长椭圆形，全部总苞片外面光滑无毛，先端急尖、钝或圆形；舌状小花黄色。瘦果圆柱状，长 1.3 cm，有多数纵肋，无毛，无脊瘤；冠毛淡黄色，羽毛状。花果期 4 ~ 7 月。

生境分布

生于山坡草地。分布于宁夏六盘山（泾源、隆德、原州）、南华山（海原）、贺兰山（贺兰、平罗、大武口、惠农）等。

资源情况	野生资源较少。
采收加工	夏、秋季采收，洗净，鲜用或晒干。
功能主治	苦、辛，寒。清热解毒，消肿散结。用于疔疮痈疽，乳痈，跌打损伤，劳伤。
用法用量	内服煎汤，9 ～ 15 g；或熬膏。外用适量，捣敷；或取汁涂。

菊科 Compositae 鸦葱属 Scorzonera

拐轴鸦葱 Scorzonera divaricata Turcz.

| 药 材 名 | 鸦葱（药用部位：全草或根。别名：兔儿奶、笔管草）。

| 形态特征 | 多年生草本，高 20 ～ 70 cm。根垂直直伸，直径达 4 mm。茎直立，基部多分枝，茎枝被尘状柔毛至无毛，茎基无鞘状残迹。叶线形或丝状，长 1 ～ 9 cm，先端长渐尖，常卷曲成钩状，两面被微毛至无毛。头状花序单生茎枝先端，组成疏散的伞房状花序，具 4 ～ 5 舌状小花；总苞窄圆柱状，直径 5 ～ 6 mm，总苞片约 4 层，背面被柔毛或毛渐稀，外层宽卵形或长卵形，长约 5 mm，中内层长椭圆状披针形或线状长椭圆形，长 1.2 ～ 2 cm；舌状小花黄色。瘦果圆柱状，无毛，淡黄色或黄褐色；冠毛污黄色，羽毛状，上部细锯齿状。花果期 7 ～ 8 月。

| 生境分布 | 生于砾石滩地。分布于宁夏贺兰山（贺兰、西夏、大武口）及盐

拐轴鸦葱

池、同心、金凤等。

| **资源情况** | 野生资源较少。

| **采收加工** | 夏、秋季采收，洗净，鲜用或晒干。

| **功能主治** | 苦、辛，寒。清热解毒，消肿散结。用于疔疮痈疽，乳痈，跌打损伤，劳伤。

| **用法用量** | 内服煎汤，9 ~ 15 g；或熬膏。外用，捣敷；或取汁涂。

菊科 Compositae 鸦葱属 Scorzonera

蒙古鸦葱
Scorzonera mongolica Maxim.

| 药 材 名 | 鸦葱（药用部位：全草或根。别名：兔儿奶、笔管草）。

| 形态特征 | 多年生草本，高 5 ~ 35 cm。根垂直直伸，圆柱状。茎多数，直立或铺散，上部有分枝，茎枝灰绿色，无毛，茎基被褐色或淡黄色鞘状残迹。基生叶长椭圆形、长椭圆状披针形或线状披针形，长 2 ~ 10 cm，基部渐窄成柄，柄基鞘状；茎生叶互生或对生，披针形、长披针形、长椭圆形或线状长椭圆形，基部楔形收窄，无柄；叶肉质，两面无毛，灰绿色。头状花序单生茎端，或茎生 2 头状花序，呈聚伞花序状排列；总苞窄圆柱状，直径约 0.6 mm，总苞片 4 ~ 5 层，背面无毛或被蛛丝状柔毛，外层卵形、宽卵形，长 3 ~ 5 mm，中层长椭圆形或披针形，长 1.2 ~ 1.8 cm，内层线状披针形，长 2 cm；舌状小花黄色。瘦果圆柱状，长 5 ~ 7 mm，淡黄色，被长柔毛，先

蒙古鸦葱

端疏被柔毛；冠毛白色，长 2.2 cm，羽毛状。花果期 7 ~ 8 月。

| **生境分布** | 生于盐化草甸、盐化沙地、盐碱地、草滩及河滩地。分布于宁夏贺兰山（贺兰、西夏、平罗）及盐池、沙坡头、灵武等。

| **资源情况** | 野生资源较丰富。

| **采收加工** | 夏、秋季采收，洗净，鲜用或晒干。

| **功能主治** | 苦、辛，寒。清热解毒，消肿散结。用于疔疮痈疽，乳痈，跌打损伤，劳伤。

| **用法用量** | 内服煎汤，9 ~ 15 g；或熬膏。外用，捣敷；或取汁涂。

菊科 Compositae 鸦葱属 *Scorzonera*

帚状鸦葱
Scorzonera pseudodivaricata Lipsch.

| 药 材 名 | 帚状鸦葱（药用部位：根）。

| 形态特征 | 多年生草本，高 7 ~ 50 cm。根垂直直伸。茎中上部多分枝，呈帚状，被柔毛至无毛，茎基被纤维状撕裂残鞘。叶互生或有对生叶，线形，长达 16 cm，向上的茎生叶短小或呈针刺状或鳞片状，基生叶基部半抱茎，茎生叶基部半抱茎或稍扩大贴茎；叶先端渐尖或长渐尖，有时外弯成钩状，两面被白色柔毛至无毛。头状花序单生茎枝先端，成疏散的聚伞圆锥状花序，具 7 ~ 12 舌状小花；总苞窄圆柱状，总苞片约 5 层，背面被白色柔毛，外层卵状三角形，中内层椭圆状披针形、线状长椭圆形或宽线形；舌状小花黄色。瘦果圆柱状，初淡黄色，成熟后黑绿色，无毛；冠毛污白色，长 1.3 cm，多羽毛状，羽枝蛛丝毛状。花果期 7 ~ 8 月。

帚状鸦葱

| **生境分布** | 生于荒漠砾石地、干山坡、石质残丘、戈壁和沙地。分布于宁夏青铜峡、沙坡头、红寺堡、盐池、兴庆、灵武、大武口等。 |

| **资源情况** | 野生资源丰富。 |

| **采收加工** | 秋季采收，洗净，鲜用或晒干。 |

| **功能主治** | 苦、辛，寒。清热解毒，消肿散结。用于疔疮痈疽，五劳七伤。 |

| **用法用量** | 内服煎汤，9 ~ 15 g。 |

| **附　注** | 《中国植物志》记载的帚状鸦葱 *Scorzonera pseudodivaricata* Lipsch. 与《中国中药资源志要》记载的假叉枝鸦葱 *Scorzonera pseudodivaricata* Lipsch. 的拉丁学名一致，两者为同一植物。 |

菊科 Compositae 鸦葱属 Scorzonera

桃叶鸦葱 *Scorzonera sinensis* Lipsch. et Krasch. ex Lipsch.

| 药 材 名 | 老虎嘴（药用部位：根）。

| 形态特征 | 多年生草本，高5～53 cm。根垂直直伸，褐色或黑褐色，通常不分枝。茎直立，簇生或单生，不分枝，光滑，茎基密被纤维状撕裂的鞘状残遗物。基生叶宽卵形、宽披针形、宽椭圆形、倒披针形、椭圆状披针形、线状长椭圆形或线形，连叶柄长4～33 cm，向基部渐窄成柄，柄基鞘状，两面光滑，边缘皱波状；茎生叶鳞片状，披针形或钻状披针形，基部心形，半抱茎或贴茎。头状花序单生茎顶；总苞圆柱状，直径约1.5 cm，总苞片约5层，背面光滑，外层三角形，长0.8～1.2 cm，中层长披针形，长约1.8 cm，内层长椭圆状披针形，长1.9 cm；舌状小花黄色。瘦果圆柱状，肉红色，无毛；冠毛污黄色，长2 cm，大部分羽毛状。花果期5～7月。

桃叶鸦葱

| **生境分布** | 生于山坡、丘陵、沙丘、荒地或灌木林下。分布于宁夏同心、金凤、大武口等。

| **资源情况** | 野生资源较少。

| **采收加工** | 夏季采挖，洗净，晒干。

| **功能主治** | 辛，凉。疏风清热，解毒。用于风热感冒，咽喉肿痛，乳痈，疔疮。

| **用法用量** | 内服煎汤，9 ~ 15 g。

菊科 Compositae 千里光属 Senecio

额河千里光 *Senecio argunensis* Turcz.

额河千里光

药材名

千里光（药用部位：全草。别名：斩龙草、羽叶千里光、大蓬蒿）。

形态特征

多年生根茎草本。根茎斜升，具多数纤维状根。茎单生，直立，高 30 ～ 60 cm，被蛛丝状柔毛，有时脱毛。基生叶和下部茎生叶花期枯萎；中部茎生叶卵状长圆形或长圆形，长 6 ～ 10 cm，羽状全裂或羽状深裂，顶生裂片小而不明显，侧裂片约 6 对，窄披针形或线形，长 1 ～ 2.5 cm，具 1 ～ 2 齿或窄细裂，或全缘，上面无毛，下面有疏蛛丝状毛或脱毛，基部具窄耳或撕裂状耳，无柄；上部茎生叶渐小，羽状分裂。头状花序有舌状花，排成复伞房花序；花序梗细，有蛛丝状毛，有苞片和数个线状钻形小苞片；总苞近钟状，直径 3 ～ 5 mm，外层苞片约 10，线形，长 3 ～ 5 mm，总苞片约 13，长圆状披针形，上端具短髯毛，绿色或紫色，背面疏被蛛丝状毛；舌状花 10 ～ 13，舌片黄色，长圆状线形，长 8 ～ 9 mm；管状花多数，花冠黄色，长 6 mm。瘦果圆柱形，无毛；冠毛淡白色。花期 8 ～ 10 月。

| **生境分布** | 生于山坡、林缘、山沟及路旁。分布于宁夏泾源、隆德、彭阳、原州等。

| **资源情况** | 野生资源丰富。

| **采收加工** | 7 ~ 8 月采收，洗净，晒干或切段晒干。

| **药材性状** | 本品根茎两侧和下面生多数黄棕色或红棕色细根。根直径约 1 mm；质脆，易折断。茎圆柱形，直径 0.3 ~ 0.6 cm，上部多分枝；表面绿黄色，具纵条纹，密被蛛丝状毛；质硬脆，易折断，髓部大，白色。叶多皱缩破碎，完整者展平后呈椭圆形，羽状分裂，背面有短毛或蛛丝状毛。头状花序呈伞房状排列，总花序梗细长，花黄色或黄棕色。瘦果圆柱形，冠毛污白色，长约 5 mm。气微，味微苦。以叶多、色绿、老梗少者为佳。

| **功能主治** | 苦，寒。归心经。清热解毒。用于毒蛇咬伤，蝎、蜂螫伤，疮疖肿毒，湿疹，咽喉肿痛，痢疾，瘰疬，皮炎，急性结膜炎。

| **用法用量** | 内服煎汤，9 ~ 15 g。外用适量，鲜品捣敷；或煎汤熏洗。

| **附　注** | 《宁夏中药志》记载羽叶千里光 *Senecio argunensis* Turcz. 的全草作千里光药用；《中华本草》记载羽叶千里光 *Senecio argunensis* Turcz. 的根及全草作斩龙草药用。羽叶千里光 *Senecio argunensis* Turcz. 与额河千里光 *Senecio argunensis* Turcz. 的拉丁学名相同，两者为同一植物。

菊科 Compositae 千里光属 Senecio

欧洲千里光 *Senecio vulgaris* L.

欧洲千里光

| 药 材 名 |

欧洲千里光（药用部位：全草）。

| 形态特征 |

一年生草本。茎单生，直立，高 12 ~ 45 cm，疏被蛛丝状毛至无毛。叶无柄，倒披针状匙形或长圆形，长 3 ~ 11 cm，羽状浅裂至深裂，侧生裂片 3 ~ 4 对，长圆形或长圆状披针形，具齿，下部叶基部渐窄成柄状，中部叶基部半抱茎，两面尤其下面多少被蛛丝状毛至无毛；上部叶线形，具齿。头状花序排成密集伞房花序，花序梗长 0.5 ~ 2 cm，有疏柔毛或无毛，具数个线状钻形小苞片；总苞钟状，长 6 ~ 7 mm，外层小苞片 7 ~ 11，线状钻形，长 2 ~ 3 mm，具黑色长尖头，总苞片 18 ~ 22，线形，宽 0.5 mm，上端变黑色，背面无毛；无舌状花；管状花多数，花冠黄色。瘦果圆柱形，沿肋有柔毛。

| 生境分布 |

生于开旷山坡、草地及路旁。分布于宁夏金凤等。

| 资源情况 |

野生资源较少。

| **采收加工** | 夏、秋季采收，洗净，晒干或切段晒干。

| **功能主治** | 苦，凉。清热解毒，祛瘀消肿。用于口腔破溃，湿疹，小儿顿咳，无名毒疮，肿瘤。

菊科 Compositae 麻花头属 Klasea

麻花头 *Klasea centauroides* (L.) Cass.

麻花头

| 药 材 名 |

麻花头（药用部位：全草）。

| 形态特征 |

多年生草本，高 40 ～ 100 cm。根茎横走，黑褐色。茎直立，基部被残存的纤维状撕裂的叶柄。茎中部以下被长毛。基生叶及下部茎生叶长椭圆形，长 8 ～ 12 cm，羽状深裂，侧裂片 5 ～ 8 对，裂片长椭圆形或宽线形，叶柄长 3 ～ 9 cm；中部茎生叶与基生叶同形，并等样分裂，近无柄；上部茎生叶羽状全裂，叶两面粗糙，具长毛。头状花序单生茎枝先端；总苞卵圆形或长卵圆形，直径 1.5 ～ 2 cm，总苞片 10 ～ 20 层，上部淡黄白色，硬膜质，外层与中层三角形、三角状卵形或卵状披针形，长 4.5 ～ 8.5 mm，内层及最内层椭圆形、披针形、长椭圆形或线形，长 1 ～ 2 cm，最内层最长；小花红色、红紫色或白色。瘦果楔状长椭圆形，褐色；冠毛褐色或略带土红色，糙毛状。花果期 7 ～ 9 月。

| 生境分布 |

生于山坡林缘、草原、草甸、路旁或田间。分布于宁夏泾源、隆德、彭阳、原州、沙坡头等。

| 资源情况 | 野生资源较少。

| 采收加工 | 夏、秋季采收，洗净，晒干或切段晒干。

| 功能主治 | 清热解毒，止血，止泻。用于痈肿，痘疮。

菊科 Compositae 麻花头属 Klasea

缢苞麻花头

Klasea centauroides (L.) Cass. subsp. *strangulata* (Iljin) L. Martins

缢苞麻花头

| 药 材 名 |

缢苞麻花头（药用部位：根）。

| 形态特征 |

多年生草本，高 40 ~ 100 cm。根茎横卧。茎单生，直立，基部被残存的纤维状撕裂的褐色叶柄，全部茎枝被稀疏的多细胞节毛。基生叶与下部茎生叶长椭圆形或倒披针状长椭圆形或倒披针形，大头羽状或不规则大头羽状深裂，或羽状深裂，有长 4 ~ 7 cm 的叶柄；中部茎生叶与基生叶及下部茎生叶同形并等样分裂，但无柄，侧裂片通常全缘，无锯齿或有单齿，长三角形、线状三角形或披针形；全部叶两面粗糙，被多细胞长或短节毛。头状花序单生茎顶或少数头状花序单生茎枝先端，但不呈明显的伞房花序式排列；总苞半圆球形或扁圆球形，总苞片约10 层，覆瓦状排列，外层与中层卵形、卵状披针形或长椭圆形，内层及最内层长椭圆形至线形，上部淡黄色，硬膜质，全部苞片上部边缘有绢毛，中外层上部有细条纹；全部小花两性，紫红色，檐部与细管部等长。瘦果栗皮色或淡黄色，楔状长椭圆形或偏斜楔形，具 3 ~ 4 棱，先端截形；冠毛黄色、褐色或带红色，长达 7 ~ 9 mm，刚毛糙毛

状，分散脱落。花果期 6 ~ 9 月。

| **生境分布** | 生于山坡、草地、路旁、河滩地及田间。分布于宁夏海原、原州、同心、灵武等。

| **资源情况** | 野生资源较少。

| **采收加工** | 秋季采挖，洗净，晒干。

| **功能主治** | 微苦，凉。清热解毒。

菊科 Compositae 豨莶属 Sigesbeckia

腺梗豨莶
Sigesbeckia pubescens Makino

| 药 材 名 | 豨莶草（药用部位：地上部分。别名：火莶、绵仓狼、风湿草）、豨莶果（药用部位：果实）、豨莶根（药用部位：根）。

| 形态特征 | 一年生草本，高 30 ~ 120 cm。茎直立，粗壮，上部多分枝，被灰白色长柔毛和糙毛。基部叶卵状披针形；中部叶卵圆形或卵形，长 3.5 ~ 12 cm，基部下延成具翼、长 1 ~ 3 cm 的柄，边缘有尖头状粗齿；上部叶披针形或卵状披针形；叶上面深绿色，下面淡绿色，基出脉 3，两面被平伏柔毛。头状花序直径 1.8 ~ 2.2 cm，多数排成疏散圆锥状，花序梗较长，密生紫褐色腺毛和长柔毛；总苞宽钟状，总苞片 2 层，叶质，背面密生紫褐色腺毛，外层线状匙形或宽线形，长 0.7 ~ 1.4 cm，内层卵状长圆形，长 3.5 mm；舌状花花冠管部长 1 ~ 1.2 mm，先端 2 ~ 3（~ 5）齿裂；两性管状花长约 2.5 mm，

腺梗豨莶

冠檐钟状，先端 4 ~ 5 裂。瘦果倒卵圆形。果期 9 ~ 11 月。

| **生境分布** | 生于山坡、山谷林缘、灌丛林下草坪、河谷、溪边、河槽潮湿地、旷野、耕地边等。分布于宁夏泾源、隆德等。

| **资源情况** | 野生资源较少。

| **采收加工** | 豨莶草：夏季开花前或花期均可采收，晒至半干，置于干燥通风处晾干。
豨莶果：夏、秋季采收，晒干。
豨莶根：秋、冬季采挖，洗净，切断，鲜用或鲜用。

| **药材性状** | 豨莶草：本品枝上部被长柔毛和紫褐色腺点。叶卵圆形或卵形，边缘有不规则小锯齿。

| **功能主治** | 豨莶草：辛、苦，寒。归肝、肾经。祛风湿，利关节，解毒。用于风湿痹痛，筋骨无力，腰膝酸软，四肢麻痹，半身不遂，风疹湿疮。
豨莶果：驱蛔。用于蛔虫病。
豨莶根：祛风，除湿，生肌。用于风湿顽痹，头风，带下，烫火伤。

| **用法用量** | 豨莶草：内服煎汤，9 ~ 12 g，大剂量可用 30 ~ 60 g；或捣汁；或入丸、散剂。外用适量，捣敷；或研末撒；或煎汤熏洗。
豨莶果：内服煎汤，9 ~ 15 g。
豨莶根：内服煎汤，鲜品 60 ~ 120 g。外用适量，捣敷。

菊科 Compositae 水飞蓟属 Silybum

水飞蓟 Silybum marianum (L.) Gaertn.

| **药 材 名** | 水飞蓟（药用部位：果实。别名：水飞雉）。

| **形态特征** | 一年生至二年生草本，高 40 ~ 120 cm。茎直立，多分枝，具棱条。基生叶大，呈莲座状，具柄，叶片长椭圆状披针形，长15 ~ 40 cm，宽 6 ~ 14 cm，羽状深裂，缘齿有硬尖刺，上表面具光泽，有多数乳白色斑纹，下表面被短毛，脉上被长糙毛；茎生叶较小，基部抱茎。头状花序生于枝顶，直径 4 ~ 6 cm；总苞宽，近球形，总苞片多层，质硬，具长刺或外层总苞片先端突尖；全为管状花，两性，淡紫色、紫红色或白色。瘦果椭圆形，长约 7 mm，宽约3 mm，棕色或深棕色，表面具纵纹和突起，具白色刚毛状冠毛。花果期 7 ~ 9 月。

| **生境分布** | 栽培种。生于山坡、草地。分布于宁夏泾源、隆德等。

水飞蓟

| **资源情况** | 栽培资源较丰富。

| **采收加工** | 秋季果实成熟时采收果序，晒干，打下果实，除去杂质，晒干。

| **药材性状** | 本品呈长倒卵形或圆形，长 5 ~ 7 mm，宽 2 ~ 3 mm。表面淡灰棕色至黑色，有细纵花纹；先端钝圆，稍宽，有 1 圆环，中间具点状花柱残迹，基部略窄。质坚，破开后可见 2 子叶，淡黄色，富油性。气微，味淡。

| **功能主治** | 苦，凉。归肝、胆经。清热解毒，保肝利胆。用于急、慢性肝炎，肝硬化，脂肪肝，代谢中毒性肝损伤，胆石症，胆管炎，胆、肝管周围炎。

| **用法用量** | 内服煎汤，3 ~ 9 g。

菊科 Compositae 华蟹甲属 Sinacalia

华蟹甲

Sinacalia tangutica (Maxim.) B. Nord.

华蟹甲

药 材 名

华蟹甲（药用部位：根茎）。

形态特征

多年生直立草本。根茎块状，直径1～1.5 cm，具多数纤维状根。茎粗壮，中空，高50～100 cm，基部直径5～6 mm，不分枝，茎下部被褐色腺状柔毛。中部叶卵形或卵状心形，长10～16 cm，羽状深裂，侧裂片3～4对，近对生，长圆形，边缘常具数个小尖齿，上面疏被贴生硬毛，下面沿脉被柔毛及疏蛛丝状毛，羽状脉，叶柄长3～6 cm，基部半抱茎，被疏柔毛或近无毛；上部叶渐小，具短柄。头状花序常排成多分枝的宽塔状复圆锥状，花序轴及花序梗被黄褐色腺状柔毛，花序梗长2～3 mm，具2～3线形小苞片；总苞圆柱状，长0.8～1 cm，总苞片5，线状长圆形，长约8 mm，被微毛，边缘窄，干膜质；舌状花2～3，黄色，舌片长圆状披针形，长1.3～1.4 cm，具2小齿，具4脉；管状花4（～7），花冠黄色。瘦果圆柱形，长约3 mm，无毛，具肋；冠毛糙毛状，白色，长7～8 mm。花期7～9月。

| **生境分布** | 生于山坡草地、悬崖、沟边、草甸或林缘和路边。分布于宁夏六盘山（泾源、隆德、原州）等，泾源、隆德其他地区也有分布。

| **资源情况** | 野生资源较少。

| **采收加工** | 秋末采挖，除去残茎及须根，洗净，晒干。

| **功能主治** | 祛风化痰，滋阴平肝。用于头痛眩晕，风湿痹痛，偏瘫，咳嗽痰多。

菊科 Compositae 苦苣菜属 Sonchus

花叶滇苦菜 *Sonchus asper* (L.) Hill.

| 药 材 名 | 大叶苣荬菜(药用部位:全草或根。别名:白花大蓟、苦荬、败酱草)。

| 形态特征 | 一年生草本。根倒圆锥状,褐色,垂直直伸。茎单生或簇生,茎枝无毛或上部及花序梗被腺毛。基生叶与茎生叶同形,较小;中下部茎生叶长椭圆形、倒卵形、匙状或匙状椭圆形,连翼柄长 7 ~ 13 cm,柄基耳状抱茎或基部无柄;上部茎生叶披针形,不裂,基部圆耳状抱茎;下部茎生叶或全部茎生叶羽状浅裂、半裂或深裂,侧裂片 4 ~ 5对,椭圆形、三角形、宽镰形或半圆形;叶及裂片与抱茎圆耳边缘有尖齿刺,两面无毛。头状花序排成稠密伞房花序;总苞宽钟状,长约 1.5 cm,总苞片 3 ~ 4 层,绿色,草质,背面无毛,外层长披针形或长三角形,长 3 mm,中内层长椭圆状披针形或宽线形,长达1.5 cm;舌状小花黄色。瘦果倒披针状,褐色,两面各有 3 细纵肋,

花叶滇苦菜

肋间无横皱纹；冠毛白色。花果期 6 ～ 10 月。

| **生境分布** | 生于山坡、林缘及水边。分布于宁夏兴庆、灵武等。

| **资源情况** | 野生资源较少。

| **采收加工** | 秋季花未开或初开时采收全草，除去杂质，鲜用或晒干。

| **功能主治** | 苦，寒。清热解毒，止血。用于疮痈肿毒，小儿咳喘，肺痨咯血。

| **用法用量** | 内服煎汤，9 ～ 15 g，鲜品加倍。外用适量，鲜品捣敷。

| **附　　注** | 《中华本草》记载大叶苣荬菜来源于续断菊 Sonchus asper (L.) Hill. 的全草或根。续断菊 Sonchus asper (L.) Hill. 与花叶滇苦菜 Sonchus asper (L.) Hill. 的拉丁学名相同，两者为同一植物。

菊科 Compositae 苦苣菜属 Sonchus

苦苣菜 *Sonchus oleraceus* L.

| **药 材 名** | 苦苣菜（药用部位：全草。别名：苦菜）。 |

| **形态特征** | 一年生或二年生草本。根圆锥状，垂直直伸，有多数纤维状须根。茎直立，单生，高40～150 cm，有纵条棱或条纹，不分枝或上部有短伞房花序状或总状花序式分枝，茎枝无毛或上部花序分枝被腺毛。基生叶羽状深裂，长椭圆形或倒披针形，或大头羽状深裂，倒披针形，或不裂，椭圆形、椭圆状戟形、三角形、三角状戟形或圆形，基部渐窄成翼柄；中下部茎生叶羽状深裂或大头状羽状深裂，椭圆形或倒披针形，长3～12 cm，基部骤窄成翼柄，柄基圆耳状抱茎，顶裂片与侧裂片宽三角形、戟状宽三角形、卵状心形；下部茎生叶与中下部茎生叶同型，先端长渐尖，基部半抱茎；叶裂片及抱茎小耳边缘有锯齿，两面无毛。头状花序排成伞房或总状花序或单生茎 |

苦苣菜

顶；总苞宽钟状，长 1.5 cm，直径 1 cm，总苞片 3 ~ 4 层，先端长尖，背面无毛，外层长披针形或长三角形，长 3 ~ 7 mm，中内层长披针形至线状披针形，长 0.8 ~ 1.1 cm；舌状小花黄色。瘦果褐色，长椭圆形或长椭圆状倒披针形，长 3 mm，两面各有 3 细脉，肋间有横皱纹；冠毛白色。花果期 6 ~ 12 月。

| **生境分布** | 生于山坡或山谷林缘、林下或平地田间、空旷处或近水处。宁夏各地均有分布。

| **资源情况** | 野生资源较丰富。

| **采收加工** | 夏、秋季花未开或初开时采收，除去杂质及泥土，鲜用或晒干或切段晒干。

| **药材性状** | 本品茎呈圆柱形，多干瘪；表面黄绿色，具纵条棱；质轻脆，折断面具白色髓或中空。单叶互生，基部抱茎，叶片皱缩或破碎，完整者展平后呈长圆形或倒披针形，羽状深裂或大头羽裂；薄纸质，易碎。头状花序于枝顶或叶腋排列成伞房状；总苞钟形，直径 1 ~ 1.2 cm，黄绿色；舌状花黄色或黄棕色。瘦果长圆形，褐色或红褐色，具白色冠毛。气微，味苦。以叶多、色绿、老梗少者为佳。

| **功能主治** | 苦，寒。归心、脾、胃、大肠经。清热解毒，凉血止血。用于肠炎，痢疾，黄疸，淋证，咽喉肿痛，痈疮肿毒，乳腺炎，痔瘘，吐血，衄血，咯血，尿血，便血，崩漏。

| **用法用量** | 内服煎汤，15 ~ 30 g，鲜品 30 ~ 60 g；或鲜品绞汁。外用适量，煎汤熏洗；或鲜品捣敷；或取汁涂擦。

菊科 Compositae 漏芦属 Rhaponticum

祁州漏芦
Rhaponticum uniflorum (L.) DC.

祁州漏芦

药材名

漏芦（药用部位：根。别名：祁州漏芦、独花山牛蒡）。

形态特征

多年生草本，高（6～）30～100 cm。根茎粗厚；根直伸，直径1～3 cm。茎直立，不分枝，簇生或单生，灰白色，被绵毛。基生叶及下部茎生叶椭圆形、长椭圆形、倒披针形，羽状深裂，侧裂片5～12对，椭圆形或倒披针形，有锯齿或2回羽状分裂；中上部茎生叶渐小，与基生叶及下部茎生叶同形并等样分裂，有短柄；叶柔软，两面灰白色，被蛛丝毛及糙毛和黄色小腺点。头状花序单生茎顶；总苞半球形，直径3.5～6 cm，总苞片约9层，先端有膜质的宽卵形附属物，浅褐色，外层长三角形，长4 mm，中层椭圆形或披针形，内层披针形；小花均两性，管状，花冠紫红色。瘦果具3～4棱，楔状，长4 mm；冠毛褐色，多层，向内层渐长，糙毛状。花果期6～9月。

生境分布

生于山坡丘陵、松林下或桦树林下。分布于宁夏泾源、隆德、原州、西吉、彭阳、海原、红寺堡、同心等。

| **资源情况** | 野生资源较丰富。

| **采收加工** | 秋季采挖，除净残茎、泥土，晒干。

| **功能主治** | 苦，寒。归心、脾经。清热解毒，消痈，下乳，舒筋通脉。用于乳痈肿痛，痈疽发背，瘰疬疮毒，乳汁不通，湿痹拘挛。

| **用法用量** | 内服煎汤，0.9 ~ 2.4 g。外用适量。

| **附　　注** | 根据《中国植物志》（英文版），祁州漏芦的中文名已被修订为漏芦。

菊科 Compositae 万寿菊属 Tagetes

万寿菊 *Tagetes erecta* L.

| **药 材 名** | 万寿菊花（药用部位：花。别名：臭芙蓉、金菊、蜂窝菊）。 |

| **形态特征** | 一年生草本，高 50 ~ 150 cm。茎直立，粗壮，近基部分枝，具细纵条棱，分枝向上平展。叶羽状分裂，长 5 ~ 10 cm，宽 4 ~ 8 cm，裂片长椭圆形或披针形，具锐齿，上部叶裂片齿端有长细芒，叶缘有少数腺体。头状花序单生，直径 5 ~ 8 cm，花序梗先端棍棒状；总苞长 1.8 ~ 2 cm，直径 1 ~ 1.5 cm，杯状，先端具尖齿；舌状花黄色或暗橙黄色，长 2.9 cm，舌片倒卵形，长 1.4 cm，基部呈长爪，先端微弯缺；管状花花冠黄色，长约 9 mm，冠檐 5 齿裂。瘦果线形，被微毛；冠毛有 1 ~ 2 长芒和 2 ~ 3 短而钝的鳞片。花期 7 ~ 9 月。 |

| **生境分布** | 生于向阳、温暖、湿润处。宁夏部分地区有栽培，主要分布于宁夏隆德、西吉等。 |

万寿菊

| **资源情况** | 栽培资源较丰富。 |

| **采收加工** | 夏、秋季采收，鲜用或晒干。 |

| **功能主治** | 苦、辛，凉。清热解毒，化痰止咳。用于上呼吸道感染，百日咳，结膜炎，口腔炎，牙痛，咽炎，眩晕，小儿惊风，闭经，血瘀腹痛，痈疮肿毒。 |

| **用法用量** | 内服煎汤，3～9 g。外用适量，煎汤熏洗；或研末调敷；或鲜品捣敷。 |

菊科 Compositae 万寿菊属 Tagetes

孔雀草 *Tagetes patula* L.

| 药 材 名 | 孔雀草（药用部位：全草。别名：黄菊花、老来红、臭菊花）。

| 形态特征 | 一年生草本，高 30 ~ 100 cm。茎直立，通常近基部分枝，分枝斜开展。叶羽状分裂，长 2 ~ 9 cm，宽 1.5 ~ 3 cm，裂片线状披针形，边缘有锯齿，齿端常有长细芒，齿基部通常有 1 腺体。头状花序单生，直径 3.5 ~ 4 cm，花序梗长 5 ~ 6.5 cm，先端稍增粗；总苞长 1.5 cm，宽 0.7 cm，长椭圆形，上端具锐齿，有腺点；舌状花金黄色或橙色，带有红色斑，舌片近圆形，长 8 ~ 10 mm，宽 6 ~ 7 mm，先端微凹；管状花花冠黄色，长 10 ~ 14 mm，与冠毛等长，具 5 裂齿。瘦果线形，基部缩小，长 8 ~ 12 mm，黑色，被短柔毛；冠毛鳞片状，其中 1 ~ 2 呈长芒状，2 ~ 3 短而钝。花期 7 ~ 9 月。

| 生境分布 | 宁夏有零星栽培，主要分布于宁夏永宁、西夏等。

孔雀草

| **资源情况** | 栽培资源较少。

| **采收加工** | 夏、秋季采收，鲜用或晒干。

| **功能主治** | 苦，凉。清热解毒，止咳。用于风热感冒，咳嗽，百日咳，痢疾，腮腺炎，乳痈，疔肿，牙痛，口腔炎，目赤肿痛。

| **用法用量** | 内服煎汤，9 ~ 15 g；或研末。外用适量，研末醋调敷；或鲜品捣敷。

| **附　　注** | 根据《中国植物志》（英文版），孔雀草已被修订为万寿菊 *Tagetes erecta* L.。

菊科 Compositae 蒲公英属 *Taraxacum*

深裂蒲公英 *Taraxacum scariosum* (Tausch) Kirschner & Štepanek

| 药 材 名 | 蒲公英（药用部位：全草。别名：蒲公草、狗乳草、地丁）。

| 形态特征 | 多年生草本。根颈部有暗褐色残存叶基。叶线形或狭披针形，长4～20 cm，宽3～9 mm，具波状齿，羽状浅裂至羽状深裂，顶裂片较大，戟形或狭戟形，两侧小裂片狭尖，侧裂片三角状披针形至线形，裂片间常有缺刻或小裂片，无毛或被疏柔毛。花葶数个，高10～30 cm，先端光滑或被蛛丝状柔毛；头状花序；总苞基部卵形，外层总苞片宽卵形、卵形或卵状披针形，有明显的宽膜质边缘，先端有紫红色突起或较短的小角，内层总苞片线形或披针形，先端有紫色略钝的突起或不明显的小角；舌状花黄色，稀白色，边缘花舌片背面有暗紫色条纹，柱头淡黄色或暗绿色。瘦果倒卵状披针形，麦秆黄色或褐色，长3～4 mm，上部有短刺状小瘤，下部近光滑，

深裂蒲公英

先端逐渐收缩为长 1 mm 的圆柱形喙基；冠毛污白色。花果期 4 ~ 9 月。

| 生境分布 | 生于山坡路旁、沟旁、盐碱地。宁夏各地均有分布。

| 资源情况 | 野生资源较丰富。

| 采收加工 | 4 ~ 5 月开花前或刚开花时连根挖取，除净泥土，晒干。

| 药材性状 | 本品叶条形或狭披针形，长 2.5 ~ 9 cm，宽 0.3 ~ 0.9 cm，羽状浅裂至深裂，裂片稍倒向，三角状披针形至条形，顶裂片较大，戟形或狭戟形，无毛或疏被柔毛。外层总苞片有不明显的小角，内层总苞片比外层总苞片长 2 ~ 2.5 倍，无明显的小角。

| 功能主治 | 苦、甘，寒。归肝、胃经。清热解毒，消肿散结，利尿通淋。用于疔疮肿毒，乳痈，瘰疬，目赤，咽痛，肺痈，肠痈，湿热黄疸，热淋涩痛。

| 用法用量 | 内服煎汤，10 ~ 15 g。

| 附 注 | 《中华本草》记载蒲公英来源于蒲公英 *Taraxacum mongolicum* Hand.-Mazz.、碱地蒲公英 *Taraxacum sinicum* Kitag.、东北蒲公英 *Taraxacum ohwianum* Kitam.、异苞蒲公英 *Taraxacum heterolepis* Nakai et Koidz. ex Kitag.、亚洲蒲公英 *Taraxacum asiatica* Dahlst.、红梗蒲公英 *Taraxacum erythropodium* Kitag. 等蒲公英属多种植物的全草。根据《中国植物志》（英文版）记载，本种学名为深裂蒲公英 *Taraxacum scariosum* (Tausch) Kirschner & Štepanek，与《中华本草》记载的亚洲蒲公英 *Taraxacum asiatica* Dahlst. 为同一植物。

菊科 Compositae 蒲公英属 *Taraxacum*

华蒲公英 *Taraxacum sinicum* Kitag.

| 药 材 名 | 蒲公英（药用部位：全草。别名：蒲公草、狗乳草、地丁）。

| 形态特征 | 多年生草本。根颈部有褐色残存叶基。叶倒卵状披针形或狭披针形，稀线状披针形，长4～12 cm，宽6～20 mm，边缘叶羽状浅裂或全缘，具波状齿，内层叶倒向羽状深裂，顶裂片较大，长三角形或戟状三角形，每侧裂片3～7，狭披针形或线状披针形，全缘或具小齿，平展或倒向，两面无毛，叶柄和下面叶脉常紫色。花葶1至数条，高5～20 cm，长于叶，先端被蛛丝状毛或近无毛；头状花序直径20～25 mm；总苞小，长8～12 mm，淡绿色，总苞片3层，先端淡紫色，无增厚，亦无角状突起，或有时有轻微增厚，外层总苞片卵状披针形，有窄或宽的白色膜质边缘，内层总苞片披针形，较外层总苞片长2倍；舌状花黄色，稀白色，边缘花舌片背面有紫色条纹，

华蒲公英

舌片长约 8 mm，宽 1 ~ 1.5 mm。瘦果倒卵状披针形，淡褐色，长 3 ~ 4 mm，上部有刺状突起，下部有稀疏的钝小瘤，先端逐渐收缩为长约 1 mm 的圆锥形至圆柱形喙基，喙长 3 ~ 4.5 mm；冠毛白色，长 5 ~ 6 mm。花果期 6 ~ 8 月。

| **生境分布** | 生于稍潮湿的盐碱地或原野、砾石中。宁夏各地均有分布。

| **资源情况** | 野生资源较丰富。

| **采收加工** | 4 ~ 5 月开花前或刚开花时采收，除去泥土，晒干。

| **药材性状** | 本品叶呈倒卵状披针形或狭披针形，长约 4.8 cm，宽 1.2 ~ 1.5 cm，常较规则地倒向羽状深裂，裂片 3 ~ 7 对，先端裂片长戟形，先端尖或钝，基部狭长，几无毛。总苞片 3 层，外面 2 层先端几无小角，内面 1 层较外层长 2 倍。

| **功能主治** | 苦、甘，寒。归肝、胃经。清热解毒，消肿散结，利尿通淋。用于疔疮肿毒，乳痈，瘰疬，目赤，咽痛，肺痈，肠痈，湿热黄疸，热淋涩痛。

| **用法用量** | 内服煎汤，10 ~ 15 g。

| **附　　注** | 根据《中国植物志》（英文版）记载，本种学名为华蒲公英 *Taraxacum sinicum* Kitag.，与《中华本草》记载的碱地蒲公英 *Taraxacum sinicum* Kitag. 为同一植物。

菊科 Compositae 蒲公英属 Taraxacum

多裂蒲公英 *Taraxacum dissectum* (Ledeb.) Ledeb.

| **药 材 名** | 蒲公英（药用部位：全草）。

| **形态特征** | 多年生草本。根颈部密被黑褐色残存叶基，叶腋有褐色细毛。叶线形，稀披针形，长 2 ~ 5 cm，宽 3 ~ 10 mm，羽状全裂，先端裂片长三角状戟形，全缘，每侧裂片 3 ~ 7，裂片线形，裂片先端钝或渐尖，全缘，裂片间无齿或小裂片，两面被蛛丝状短毛，叶基有时显紫红色。花葶 1 ~ 6，长于叶，花时常整个被丰富的蛛丝状毛；总苞钟状，总苞片绿色，先端常显紫红色，无角，外层总苞片卵圆形至卵状披针形，伏贴，中央部分绿色，有宽的膜质边缘，内层总苞片长为外层总苞片的 2 倍；舌状花黄色或亮黄色，花冠喉部外面疏生短柔毛，边缘花舌片背面有紫色条纹，柱头淡绿色。瘦果淡灰褐色，中部以上具大量小刺，中部以下具小瘤状突起，喙长 4.5 ~ 6 mm；冠毛白

多裂蒲公英

色，长 6 ~ 7 mm。花果期 6 ~ 9 月。

| **生境分布** | 生于低洼盐碱地、沟渠边、田埂。分布于宁夏西夏、贺兰、大武口、平罗、沙坡头、盐池、青铜峡等。

| **资源情况** | 野生资源丰富。

| **采收加工** | 4 ~ 5 月开花前或刚开花时采收，除去泥土，晒干。

| **功能主治** | 苦、甘，寒。归肝、胃经。清热解毒，消肿散结，利尿通淋。用于疔疮肿毒，乳痈，瘰疬，目赤，咽痛，肺痈，肠痈，湿热黄疸，热淋涩痛。

| **用法用量** | 内服煎汤，10 ~ 15 g。

菊科 Compositae 蒲公英属 *Taraxacum*

白花蒲公英 *Taraxacum albiflos* Kirschner & Štepanek

| 药 材 名 | 蒲公英（药用部位：全草）。

| 形态特征 | 多年生草本，高 5 ~ 25 cm。根圆柱形，棕褐色，不分枝或分枝，根颈部具残存叶基。叶基生，莲座状，线状披针形，近全缘或浅裂，稀半裂，具小齿，长（2 ~）3 ~ 5（~ 8）cm，两面无毛。花葶 1 至数个，长 2 ~ 6 cm，无毛或先端疏被蛛丝状柔毛；头状花序直径 2.5 ~ 3 cm；总苞长 0.9 ~ 1.3 cm，总苞片绿色或淡绿色，先端背面 具小角或增厚，外层卵状披针形，稍宽于至等于内层，具宽的膜质 边缘；舌状花白色，稀淡黄色，边缘花舌片背面有暗色条纹，柱头 干时黑色。瘦果倒卵状长圆形，枯麦秆黄色、淡褐色或灰褐色，长 4 mm，上部 1/4 具小刺，先端渐收缩成长 0.5 ~ 1.2 mm 的喙基，喙 较粗，长 3 ~ 6 mm；冠毛长 4 ~ 5 mm，带淡红色，稀污白色。花

白花蒲公英

果期 5 ~ 8 月。

| **生境分布** | 生于沟渠边、草甸。分布于宁夏盐池、同心及沙坡头、中宁、贺兰、惠农、平罗、永宁、兴庆、灵武等引黄灌区等。

| **资源情况** | 野生资源丰富。

| **采收加工** | 4 ~ 5 月开花前或刚开花时采收，除去泥土，晒干。

| **功能主治** | 苦、甘、寒。归肝、胃经。清热解毒，消肿散结，利尿通淋。用于疔疮肿毒，乳痈，瘰疬，目赤，咽痛，肺痈，肠痈，湿热黄疸，热淋涩痛。

| **用法用量** | 内服煎汤，10 ~ 15 g。

菊科 Compositae 蒲公英属 *Taraxacum*

蒲公英 *Taraxacum mongolicum* Hand.-Mazz.

| 药 材 名 | 蒲公英（药用部位：全草。别名：黄黄苗、顶顶杠、黄黄狼）。

| 形态特征 | 多年生草本。根圆柱状，黑褐色，粗壮。叶倒卵状披针形、倒披针形或长圆状披针形，长 4 ~ 20 cm，边缘有时具波状齿或羽状深裂，有时倒向羽状深裂或大头羽状深裂，先端裂片较大，三角形或三角状戟形，全缘或具齿，每侧裂片 3 ~ 5，裂片三角形或三角状披针形，通常具齿，平展或倒向，裂片间常生小齿，基部渐窄成叶柄，叶柄及主脉常带红紫色，疏被蛛丝状白色柔毛或几无毛。花葶 1 至数个，高 10 ~ 25 cm，上部紫红色；总苞钟状，长 1.2 ~ 1.4 cm，淡绿色，总苞片 2 ~ 3 层，外层卵状披针形或披针形，长 0.8 ~ 1 cm，边缘宽膜质，基部淡绿色，上部紫红色，先端背面增厚或具角状突起，内层线状披针形，长 1 ~ 1.6 cm，先端紫红色，背面具小角状突起。

蒲公英

瘦果倒卵状披针形，暗褐色，长 4 ~ 5 mm，上部具小刺，下部具成行的小瘤，先端渐收缩成长约 1 mm 的圆锥形或圆柱形喙基，喙长 0.6 ~ 1 cm，纤细；冠毛白色，长约 6 mm。花期 4 ~ 9 月，果期 5 ~ 10 月。

| **生境分布** | 生于山坡草地、田边、路旁、水边、滩地。宁夏各地均有分布。

| **资源情况** | 野生资源丰富。

| **采收加工** | 春、夏、秋季采收花未开或初开时的全草，除去杂质，洗净，晒干。

| **药材性状** | 本品为皱缩卷曲的团块。根呈圆锥状，多弯曲，长 3 ~ 7 cm；表面棕褐色，抽皱；根头部有棕褐色或黄白色茸毛，有的毛已脱落。叶基生，多皱缩破碎，完整叶片呈倒披针形，绿褐色或暗灰绿色，先端尖或钝，边缘浅裂或羽状分裂，基部渐狭，下延成柄状，下表面主脉明显。花葶 1 至数条，每条顶生头状花序；总苞片多层，内面 1 层较长；花冠黄褐色或淡黄白色。有的可见多数具白色冠毛的长椭圆形瘦果。气微，味微苦。

| **功能主治** | 苦、甘，寒。归肝、胃经。清热解毒，消肿散结，利尿通淋。用于疔疮肿毒，乳痈，瘰疬，目赤，咽痛，肺痈，肠痈，湿热黄疸，热淋涩痛。

| **用法用量** | 内服煎汤，10 ~ 15 g。

| **附　注** | 据《宁夏中药志》记载，宁夏还分布有白花蒲公英 *Taraxacum albiflos* Kirschner & Štepanek、白缘蒲公英 *Taraxacum platypecidum* Diels、多裂蒲公英 *Taraxacum dissectum* (Ledeb.) Ledeb. 及华蒲公英 *Taraxacum sinicum* Kitag.，其与本种的区别见下列分种检索表。

1. 舌状花花冠白色或淡黄色；外层总苞片先端无或具不明显的小角；叶不规则羽状分裂，裂片三角状披针形或线形，下倾……………………………………………………………………白花蒲公英 *Taraxacum albiflos* Kirschner & Štepanek

1. 舌状花花冠黄色。

  2. 外层总苞片具宽且界线明显的膜质边缘，背部中央具暗绿色宽带……………………………………………………………白缘蒲公英 *Taraxacum platypecidum* Diels

  2. 外层总苞片无宽且界线明显的膜质边缘，背部绿色或淡绿色。

    3. 瘦果喙长 3 ~ 6 mm，瘦果长 4 mm；外层总苞片卵状披针形至披针形，先端有较大的小角或无, 内层总苞片线状披针形, 先端具小角…………………………………………………………………蒲公英 *Taraxacum mongolicum* Hand.-Mazz.

    3. 瘦果喙长 3 ~ 6 mm，瘦果长 2.5 ~ 3 mm。

      4. 植株外面的叶与里面的叶较整齐，为规则的羽状全裂；瘦果喙长 5 ~ 6 mm…………………多裂蒲公英 *Taraxacum dissectum* (Ledeb.) Ledeb.

      4. 植株外面的叶羽状浅裂或具波状齿，里面的叶倒向羽状深裂；瘦果下部具短而钝的小瘤，喙长 3 ~ 5 mm…华蒲公英 *Taraxacum sinicum* Kitag.

菊科 Compositae 蒲公英属 *Taraxacum*

白缘蒲公英 *Taraxacum platypecidum* Diels

| 药 材 名 | 蒲公英（药用部位：全草）。

| 形态特征 | 多年生草本，高 7 ~ 15 cm。根长圆锥形，黑褐色，根颈部具残存的黑褐色叶基。叶宽倒披针形或披针状倒披针形，长 10 ~ 30 cm，疏被蛛丝状柔毛或几无毛，羽状分裂，每侧裂片 5 ~ 8，裂片三角形，全缘或有疏齿，顶裂片三角形。花葶 1 至数个，高达 45 cm，上部密被白色蛛丝状绵毛；头状花序直径 4 ~ 4.5 cm；总苞宽钟状，长 1.5 ~ 1.7 cm，总苞片 3 ~ 4 层，先端背面有或无小角，外层宽卵形，中央有暗绿色宽带，边缘宽，白色，膜质，上端粉红色，疏被睫毛，内层长圆状线形或线状披针形，长约为外层的 2 倍。瘦果淡褐色，长约 4 mm，上部有刺瘤，先端缢缩成圆锥形或圆柱形喙基，长约 1 mm，喙长 0.8 ~ 1.2 cm；冠毛白色，长 0.7 ~ 1 cm。花果期 6 ~ 7 月。

白缘蒲公英

| **生境分布** | 生于山坡草地、田边、路旁、水边、滩地。分布于宁夏泾源、海原、隆德、彭阳、原州、红寺堡、同心、兴庆等。 |

生境分布 | 生于山坡草地、田边、路旁、水边、滩地。分布于宁夏泾源、海原、隆德、彭阳、原州、红寺堡、同心、兴庆等。

资源情况 | 野生资源丰富。

采收加工 | 4～5月开花前或刚开花时采收，除去泥土，晒干。

功能主治 | 苦、甘，寒。归肝、胃经。清热解毒，消肿散结，利尿通淋。用于疔疮肿毒，乳痈，瘰疬，目赤，咽痛，肺痈，肠痈，湿热黄疸，热淋涩痛。

用法用量 | 内服煎汤，10～15 g。

菊科 Compositae 狗舌草属 Tephroseris

红轮狗舌草

Tephroseris flammea (Turcz. ex DC.) Holub

红轮狗舌草

| 药 材 名 |

红轮狗舌草（药用部位：全草或花）。

| 形态特征 |

多年生草本。根茎短细，具多数纤维状根。茎单生，直立，高达 60 cm，不分枝，被白色蛛丝状绒毛及柔毛。基生叶花期凋落，椭圆状长圆形，基部楔状，具长柄；下部茎生叶倒披针状长圆形，基部窄成翅，稍下延成叶柄，半抱茎，边缘中部以上具尖齿，两面疏被蛛丝状绒毛及柔毛，或变无毛；中部茎生叶无柄，椭圆形或长圆状披针形；上部茎生叶线状披针形或线形。头状花序排成近伞形伞房花序，花序梗被黄褐色柔毛及疏白色蛛丝状绒毛，基部有苞片，上部具 2 ~ 3 小苞片；总苞钟状，总苞片约 25，披针形或线状披针形，草质，深紫色，背面疏被蛛丝状毛或近无毛；舌状花 13 ~ 15，舌片深橙色或橙红色，线形；管状花多数，花冠黄色或紫黄色。瘦果圆柱形，被柔毛；冠毛淡白色，长 5.5 mm。花期 7 ~ 8 月。

| 生境分布 |

生于山地草原及林缘。分布于宁夏泾源、隆德、彭阳、西吉、原州等。

| **资源情况** | 野生资源较丰富。 |

| **采收加工** | 夏、秋季间采收，洗净，鲜用或晒干。 |

| **功能主治** | 全草，苦，寒。清热解毒。用于疗毒痈肿。花，苦，寒。活血调经。 |

| **用法用量** | 内服煎汤，0.5～3 g。 |

菊科 Compositae 款冬属 Tussilago

款冬
Tussilago farfara L.

| 药 材 名 | 款冬花（药用部分：花蕾。别名：冬花、款花、看灯花）。

| 形态特征 | 多年生草本。根茎横生。基生叶卵形或三角状心形，后出基生叶宽心形，长 3 ~ 12 cm，宽达 14 cm，边缘波状，先端有增厚的疏齿，下面密被白色茸毛，掌状脉，叶柄长 5 ~ 15 cm，被白色绵毛。头状花序单生花葶先端，直径 2.5 ~ 3 cm，初直立，花后下垂；总苞钟状，总苞片 1 ~ 2 层，披针形或线形，常带紫色，被白色柔毛，后脱落，有时具黑色腺毛；花序托平，无毛；小花异形；边缘有多层雌花，花冠舌状，黄色，柱头 2 裂；中央两性花少数，花冠管状，5 裂，花药基部尾状，柱头头状，不结实。瘦果圆柱形，长 3 ~ 4 mm，具 5 ~ 10 肋；冠毛白色，糙毛状，长 1 ~ 1.5 cm。

| 生境分布 | 生于较暖的水沟、山谷湿地或林下。分布于宁夏泾源、隆德、彭阳、

款冬

西吉、海原、原州等。

| **资源情况** | 野生资源较丰富。

| **采收加工** | 12 月或地冻前花尚未出土时采收，除去花梗和泥沙，阴干。

| **药材性状** | 本品呈长圆棒状，单生或 2 ～ 3 基部连生，长 1 ～ 2.5 cm，直径 0.5 ～ 1 cm。上端较粗，下端渐细或带短梗，外面被多数鱼鳞状苞片。苞片外表面紫红色或淡红色，内表面密被白色絮状茸毛。体轻，撕开后可见白色茸毛。气香，味微苦而辛。

| **功能主治** | 辛、微苦，温。归肺经。润肺下气，止咳化痰。用于新久咳嗽，喘咳痰多，劳嗽咯血。

| **用法用量** | 内服煎汤，5 ～ 10 g。

菊科 Compositae 苍耳属 Xanthium

苍耳 *Xanthium strumarium* L.

| 药 材 名 | 苍耳子（药用部位：带总苞的果实。别名：苍耳蛋、刺儿棵、疔疮草）、苍耳（药用部位：全草。别名：刺儿棵）、苍耳花（药用部位：花）、苍耳根（药用部位：根）。

| 形态特征 | 一年生草本，高 50 ~ 90 cm。根纺锤状。茎下部圆柱形，上部有纵沟。叶片三角状卵形或心形，近全缘，边缘有不规则粗锯齿，上面绿色，下面苍白色，被糙伏毛。雄头状花序球形，总苞片长圆状披针形，花托柱状，托片倒披针形，花冠钟形，花药长圆状线形；雌头状花序椭圆形，外层总苞片小，披针形，喙坚硬，锥形。瘦果倒卵形。花期 7 ~ 8 月，果期 9 ~ 10 月。

| 生境分布 | 生于平原、丘陵、低山、荒野路边、田边等。宁夏各地均有分布。

苍耳

| **资源情况** | 野生资源丰富。

| **采收加工** | 苍耳子：秋季果实成熟时采收，除去梗、叶，干燥。

苍耳：夏季采收，除去泥土，切段，晒干或鲜用。

苍耳花：夏季采收，鲜用或阴干。

苍耳根：秋后采挖，鲜用或切片晒干。

| **药材性状** | 苍耳子：本品呈纺锤形或卵圆形，长 1 ~ 1.5 cm，直径 0.4 ~ 0.7 cm。表面黄棕色或黄绿色，全体有钩刺，先端有 2 较粗的刺，分离或相连，基部有果柄痕。质硬而韧，横切面中央有纵隔膜，2 室，每室有 1 瘦果。瘦果略呈纺锤形，一面较平坦，先端具一凸起的花柱基，果皮薄，灰黑色，具纵纹。种皮膜质，浅灰色，子叶 2，有油性。气微，味微苦。

| **功能主治** | 苍耳子：散风寒，通鼻窍，祛风湿。用于风寒头痛，鼻塞流涕，鼻衄，鼻渊，风疹瘙痒，湿痹拘挛。

苍耳：苦、辛，微寒；有小毒。归肺、脾、肝经。祛风，散热，除湿，解毒。用于感冒，头风，头晕，鼻渊，目赤，目翳，风湿痹痛，拘挛麻木，风癞，疔疮，疥癣，皮肤瘙痒，痔疮，痢疾。

苍耳花：祛风，除湿，止痒。用于白癜顽痒，白痢。

苍耳根：微苦，平；有小毒。清热解毒，利湿。用于疔疮，痈疽，丹毒，缠喉风，阑尾炎，宫颈炎，痢疾，肾炎水肿，乳糜尿，风湿痹痛。

| **用法用量** | 苍耳子：内服煎汤，3 ~ 9 g。

苍耳：内服煎汤，6 ~ 12 g，大剂量可用 30 ~ 60 g；或捣汁；或熬膏；或入丸、散剂。外用适量，捣敷；或烧存性，研末调敷；或煎汤洗；或熬膏敷。

苍耳花：内服煎汤，6 ~ 15 g。外用适量，捣敷。

苍耳根：内服煎汤，15 ~ 30 g；或捣汁；或熬膏。外用适量，煎汤熏洗；或熬膏涂。

菊科 Compositae 苍耳属 Xanthium

刺苍耳 *Xanthium spinosum* L.

| 药 材 名 | 刺苍耳（药用部位：果实）。

| 形态特征 | 一年生直立草本。茎上部多分枝，节上具三叉状棘刺，刺长 1 ~ 3 cm。叶狭卵状披针形或阔披针形，长 3 ~ 8 cm，宽 6 ~ 30 mm，边缘 3 ~ 6 浅裂或不裂，全缘，中间裂片较长，长渐尖，基部楔形，下延至柄，上面有光泽，中脉下凹明显，下面密被灰白色毛；叶柄细，长 5 ~ 15 mm，被绒毛。花单性，雌雄同株；雄花序球状，生于上部，总苞片 1 层，雄花管状，先端裂，雄蕊 5；雌花序卵形，生于雄花序下部，总苞囊状，长 8 ~ 14 mm，具钩刺，先端具 2 喙，内有 2 无花冠的花，花柱线形，柱头 2 深裂。果实纺锤形，长 8 ~ 12 mm，直径 4 ~ 7 mm，表面黄绿色，着生先端膨大的钩刺，刺长 2 mm，外皮（总苞）坚韧，内分 2 室，每室有 1 纺锤状瘦果；种皮

刺苍耳

膜质，灰黑色，种子浅灰色，子叶 2，胚根位于尖端。果期 9 ~ 11 月。

| **生境分布** | 生于路边、荒地和旱作物地。分布于宁夏中宁、同心等。

| **资源情况** | 野生资源较少。

| **采收加工** | 秋季果实成熟时采收，晒干。

| **功能主治** | 散风止痛，祛湿，杀虫。用于风寒头痛，鼻渊，牙痛，风寒湿痹，瘙痒。

泽泻科 Alismataceae 泽泻属 Alisma

草泽泻 *Alisma gramineum* Lej.

草泽泻

药 材 名

草泽泻（药用部位：块茎）。

形态特征

多年生沼生草本。块茎较小或不明显。叶多数，丛生；叶片披针形，长2.7～12.4 cm，宽0.6～1.9 cm，先端渐尖，基部楔形，基出脉3～5；叶柄长2～31 cm，粗壮，基部膨大成鞘状。花葶高13～80 cm；花序长6～56 cm，具2～5轮分枝，每轮分枝（2～）3～9或更多，分枝粗壮；花两性，花梗长1.5～4.5 cm；外轮花被片广卵形，长2.5～4.5 mm，宽1.5～2.5 mm，脉隆起，5～7，内轮花被片白色，大于外轮花被片，近圆形，边缘整齐；花药椭圆形，黄色，长约0.5 mm，花丝长约0.5 mm，基部宽约1 mm，向上骤然狭窄；心皮轮生，排列整齐，花柱长约0.4 mm，柱头小，长为花柱的1/3～1/2，向背部反卷；花托平凸，高1～2 mm。瘦果两侧压扁，倒卵形或近三角形，长2～3 mm，宽1.5～2.5 mm，背部具脊或较平，有时具1～2浅沟，腹部具窄翅，两侧果皮厚纸质，不透明，有光泽；果喙很短，侧生；种子紫褐色，长1.2～1.8 mm，宽约1 mm，中部微凹。花期 6 ~ 7 月，果期 8 月。

| **生境分布** | 生于湖边、水塘、沼泽、沟边、湿地、池沼或稻田中。分布于宁夏沙坡头、中宁、海原、贺兰、惠农、平罗、永宁、兴庆、灵武等引黄灌区。

| **资源情况** | 野生资源较少。

| **采收加工** | 秋后采挖，洗净，晒干。

| **功能主治** | 甘、淡，寒。利水渗湿，泻热通淋。用于小便淋沥涩痛，水肿，泄泻。

| **用法用量** | 内服煎汤，3 ~ 15 g。

| **附　注** | 本种与窄叶泽泻 *Alisma canaliculatum* A. Braun et Bouche. 的形态特征相似，但本种的叶片直，花柱很短，向背部反卷，花丝基部宽，果实背部具 1 ~ 2 浅沟或浅沟不明显，易于区别。宁夏未发现有窄叶泽泻的分布，但常有将本种误作窄叶泽泻的情况出现。

泽泻科 Alismataceae 慈姑属 Sagittaria

野慈姑 *Sagittaria trifolia* L.

| 药 材 名 |　慈姑（药用部位：球茎。别名：慈果子、茨菇、白地栗）、慈姑叶（药用部位：地上部分。别名：剪刀草、水慈姑、慈姑苗）、慈姑花（药用部位：花）。

| 形态特征 |　多年生水生或沼生草本。根茎横走，较粗壮，末端膨大，或否。挺水叶箭形，叶片长短、宽窄变异很大，通常顶裂片短于侧裂片，比值为 1：1.5 ～ 1：1.2，有时侧裂片更长，顶裂片与侧裂片间缢缩，或否，叶柄基部渐宽，鞘状，边缘膜质，具横脉或横脉不明显。花葶直立，挺水，高（15 ～）20 ～ 70 cm 或更高，通常粗壮；花序总状或圆锥状，长 5 ～ 20 cm，有时更长，具 1 ～ 2 分枝，具多轮花，每轮有 2 ～ 3 花；苞片 3，基部多少合生，先端尖；花单性；花被片反折，外轮花被片椭圆形或广卵形，长 3 ～ 5 mm，宽 2.5 ～ 3.5 mm，

野慈姑

内轮花被片白色或淡黄色，长 6 ～ 10 mm，宽 5 ～ 7 mm，基部收缩；雌花通常 1 ～ 3 轮，花梗短粗，心皮多数，两侧压扁，花柱自腹侧斜上；雄花多轮，花梗斜举，长 0.5 ～ 1.5 cm，雄蕊多数，花药黄色，长 1 ～ 1.5（～ 2）mm，花丝长短不一，长 0.5 ～ 3 mm，通常外轮花丝短，向内渐长。瘦果两侧压扁，长约 4 mm，宽约 3 mm，倒卵形，具翅，背翅多少不整齐；果喙短，自腹侧斜上；种子褐色。花期 6 ～ 7 月，果期 8 ～ 9 月。

| 生境分布 | 生于湖泊、池沼、稻田及水沟中。分布于宁夏沙坡头、青铜峡、灵武、兴庆、金凤等。

| 资源情况 | 野生资源丰富。

| 采收加工 | 慈姑：秋季初霜后，茎叶枯黄、球茎充分成熟时，至翌年春季发芽前，可随时采收，洗净，鲜用或晒干。

慈姑叶：夏、秋季采收，鲜用或切段晒干。

慈姑花：秋季花开时采收，鲜用。

| 药材性状 | 慈姑：本品鲜品呈长卵圆形或椭圆形，长 2.2 ～ 4.5 cm，直径 1.8 ～ 3.2 cm。表面黄白色或黄棕色，有的微呈青紫色，具纵皱纹和横环状节，节上残留红棕色鳞叶，鳞叶脱落后显淡绿黄色。先端具长 5 ～ 7 cm 的芽或芽脱落的圆形痕，基部钝圆或平截。切断面类白色，水分较多，富含淀粉。干品多纵切或横切成块状，切面灰白色；粉性强。气微，味微苦、甜。

慈姑叶：本品皱缩，长 15 ～ 30 cm，外表面灰褐色至深褐色，展平后叶片形状不一，有的呈狭带状，阔狭不等，有的呈卵形或戟形，先端钝或短尖，基部裂片向两侧开展；叶柄三棱形。质脆，易破碎。气微，味辣、略甜。

| 功能主治 | 慈姑：甘、微苦、微辛，微寒。归肝、肺、脾、膀胱经。活血凉血，止咳通淋，散结解毒。用于产后血闷，胎衣不下，带下，崩漏，衄血，呕血，咳嗽痰血，淋浊，疮肿，目赤肿痛，角膜白斑，瘰疬，睾丸炎，骨膜炎，毒蛇蛟伤。

慈姑叶：苦、微辛，寒。归心、脾经。清热解毒，凉血化瘀，利水消肿。用于咽喉肿痛，黄疸，水肿，恶疮肿毒，丹毒，瘰疬，湿疹，蛇虫咬伤。

慈姑花：微苦，寒。归肝、脾经。清热解毒，利湿。用于疔肿，痔漏，湿热黄疸。

| 用法用量 | 慈姑：内服煎汤，15 ～ 30 g；或绞汁。外用适量，捣敷；或磨汁沉淀后点眼。

慈姑叶：内服煎汤，10 ～ 30 g；或捣汁。外用适量，研末调敷；或鲜品捣敷。

慈姑花：内服煎汤，3 ～ 9 g。外用适量，鲜品捣敷。

| 附　注 | 本种的亚种华夏慈姑 *Sagittaria trifolia* L. subsp. *leucopetala* (Miquel) Q. F. Wang

与本种的区别在于：华夏慈姑植株高大，粗壮；叶片宽大，肥厚，顶裂片先端钝圆，卵形至宽卵形；匍匐茎末端膨大成球茎，球茎卵圆形或球形，长可达 5 ~ 8 cm，宽可达 4 ~ 6 cm；圆锥花序高大，长 20 ~ 60 cm，有时可超过 80 cm，分枝（1 ~ ）2（ ~ 3），着生于下部，具 1 ~ 2 轮雌花，主轴雌花 3 ~ 4 轮，位于侧枝之上；雄花多轮，生于上部，组成大型圆锥花序，果期常斜卧水中；果期花托扁球形，直径 4 ~ 5 mm，高约 3 mm；种子褐色，具小突起。华夏慈姑与本种同等药用。宁夏未发现有华夏慈姑的分布，但常有将本种误作华夏慈姑的情况。

水麦冬科 Juncaginaceae 水麦冬属 Triglochin

海韭菜 *Triglochin maritima* Linnaeus

海韭菜

药材名

海韭菜（药用部位：全草。别名：圆果水麦冬、三尖草）、海韭菜籽（药用部位：果实）。

形态特征

多年生草本，稍粗壮。根茎短，着生多数须根，常有棕色叶鞘残留物。叶全部基生，条形，长7～30 cm，宽1～2 mm，基部具鞘，鞘缘膜质，先端与叶舌相连。花葶直立，较粗壮，圆柱形，光滑，中上部着生多数排列较紧密的花，呈顶生总状花序，无苞片，花梗长约1 mm，开花后长可达2～4 mm；花两性；花被片6，绿色，排列成2轮，外轮花被片宽卵形，内轮花被片较狭；雄蕊6，分离，无花丝；雌蕊淡绿色，由6合生的心皮组成，柱头毛笔状。蒴果六棱状椭圆形或卵形，长3～5 mm，直径约2 mm，成熟后呈6瓣开裂。花果期6～10月。

生境分布

生于河边湿地、沼泽草甸和浅水中。分布于宁夏贺兰山（贺兰、平罗、西夏）及盐池、沙坡头、海原等。

资源情况	野生资源丰富。

采收加工	海韭菜：6～7月采收，切段，晒干。
	海韭菜籽：8～9月采收，晒干。

功能主治	海韭菜：甘，平；有毒。清热养阴，生津止咳。用于阴虚潮热，胃热烦渴，口干舌燥。
	海韭菜籽：甘，平。健脾止泻。用于脾虚泄泻。

用法用量	海韭菜：内服煎汤，6～12 g。
	海韭菜籽：内服煎汤，6～10 g。

水麦冬科 Juncaginaceae 水麦冬属 *Triglochin*

水麦冬
Triglochin palustris Linnaeus

水麦冬

| 药 材 名 |

水麦冬（药用部位：果实。别名：小麦冬、牛毛墩、长果水麦冬）。

| 形态特征 |

多年生湿生草本，植株弱小。根茎短，生多数须根。叶全部基生，条形，长达 20 cm，宽约 1 mm，先端钝，基部具鞘，两侧鞘缘膜质，残存叶鞘纤维状。花葶细长，直立，圆柱形，无毛；总状花序，花排列较疏散，无苞片，花梗长约 2 mm；花被片 6，绿紫色，椭圆形或舟形，长 2 ~ 2.5 mm；雄蕊 6，近无花丝，花药卵形，长约 1.5 mm，2 室；雌蕊由 3 合生的心皮组成，柱头毛笔状。蒴果棒状条形，长约 6 mm，直径约 1.5 mm，成熟时自下至上呈 3 瓣开裂，仅顶部联合。花果期 6 ~ 10 月。

| 生境分布 |

生于山沟泉水边、低洼盐碱草地、盐碱湿地或浅水处。分布于宁夏六盘山（泾源、隆德、原州）、贺兰山（永宁、贺兰）及灵武、盐池、沙坡头、海原、西吉等，原州、隆德、永宁、贺兰其他地区也有分布。

| **资源情况** | 野生资源丰富。

| **采收加工** | 夏、秋季采收，晒干。

| **功能主治** | 酸、涩，平。消炎，止泻。用于眼痛，腹泻。

| **用法用量** | 研末与其他药配用。

眼子菜科 Potamogetonaceae 眼子菜属 Potamogeton

浮叶眼子菜 *Potamogeton natans* L.

| 药 材 名 | 水案板（药用部位：全草。别名：压水草、厚叶眼子菜、活叶眼子菜）。

| 形态特征 | 多年生水生草本。根茎发达，白色，常具红色斑点，多分枝，节处生须根。茎圆柱形，直径 1.5 ~ 2 mm，通常不分枝或极少分枝。浮水叶革质，卵形至矩圆状卵形，有时呈卵状椭圆形，长 4 ~ 9 cm，宽 2.5 ~ 5 cm，先端圆形或具钝尖头，基部心形至圆形，稀渐狭，具长柄，叶脉 23 ~ 35，于叶端连接，其中 7 ~ 10 显著；沉水叶质厚，叶柄状，呈半圆柱状线形，先端较钝，长 10 ~ 20 cm，宽 2 ~ 3 mm，具不明显的 3 ~ 5 脉，常早落；托叶近无色，长 4 ~ 8 cm，鞘状抱茎，具多脉，常呈纤维状宿存。穗状花序顶生，长 3 ~ 5 cm，具多轮花，开花时伸出水面，花序梗稍膨大，比茎粗或有时与茎等粗，开花时通常直立，花后弯曲而使穗沉没水中，长 3 ~ 8 cm；花小；花被片 4，

浮叶眼子菜

绿色，肾形至近圆形，直径约 2 mm；雌蕊 4，离生。果实倒卵形，外果皮常为灰黄色，长 3.5 ~ 4.5 mm，宽 2.5 ~ 3.5 mm，背部钝圆或具不明显的中脊。花果期 7 ~ 10 月。

| **生境分布** | 生于湖泊、沟塘、稻田、池沼等静水或缓流中，水体多呈弱酸性。分布于宁夏沙坡头、中宁、海原、贺兰、惠农、平罗、永宁、兴庆、灵武等引黄灌区。

| **资源情况** | 野生资源丰富。

| **采收加工** | 8 ~ 10 月采收，鲜用或切段晒干。

| **药材性状** | 本品根茎匍匐，具红色斑点。叶宽椭圆形或倒卵形，先端钝圆，基部心形或下延至叶柄，叶柄长于叶片。穗状花序圆柱形，具较紧密排列的花，黄绿色。气微香，味甘、微涩。

| **功能主治** | 微苦，凉。清热解毒，除湿利水。用于目赤肿痛，疮痈肿毒，黄疸，水肿，痔疮出血，蛔虫病。

| **用法用量** | 内服煎汤，6 ~ 15 g。外用适量，鲜品捣敷。

| **附　　注** | 本种的全草亦作藏药使用。

眼子菜科 Potamogetonaceae 篦齿眼子菜属 Stuckenia

篦齿眼子菜
Stuckenia pectinata (Linnaeus) Borner

| 药 材 名 | 篦齿眼子菜（药用部位：全草。别名：龙须眼子菜、马尾巴草）。

| 形态特征 | 多年生沉水草本。根茎发达，白色，直径 1 ~ 2 mm，具分枝，常于春末夏初至秋季在根茎及其分枝的先端形成长 0.7 ~ 1 cm 的小块茎状卵形休眠芽体。茎长 50 ~ 200 cm，近圆柱形，纤细，直径 0.5 ~ 1 mm，下部分枝稀疏，上部分枝稍密集。叶线形，长 2 ~ 10 cm，宽 0.3 ~ 1 mm，先端渐尖或急尖，基部与托叶贴生成鞘；鞘长 1 ~ 4 cm，绿色，边缘叠压而抱茎，先端具长 4 ~ 8 mm 的无色膜质小舌片；叶脉 3，平行，先端连接，中脉显著，有与之近垂直的次级叶脉，边缘脉细弱而不明显。穗状花序顶生，具 4 ~ 7 轮花，间断排列，花序梗细长，与茎近等粗；花被片 4，圆形或宽卵形，直径约 1 mm；雌蕊 4，通常仅 1 ~ 2 可发育为成熟果实。果实倒卵形，

篦齿眼子菜

长 3.5 ～ 5 mm，宽 2.2 ～ 3 mm，先端斜生长约 0.3 mm 的喙，背部钝圆。花果期 5 ～ 10 月。

| **生境分布** | 生于河沟、水渠、池沼、排水沟及稻田等各类水体中，水体多呈弱酸性或中性，在西北地区亦见于少数弱碱性水体及咸水中。分布于宁夏沙坡头、中宁、海原、贺兰、惠农、平罗、永宁、兴庆、灵武等引黄灌区。

| **资源情况** | 野生资源丰富。

| **采收加工** | 6 ～ 7 月采收，洗净，晾干。

| **功能主治** | 微苦，凉。清热解毒。用于肺热咳嗽，疮疖。

| **用法用量** | 内服煎汤，3 ～ 6 g。外用适量，煎汁熬膏。

眼子菜科 Potamogetonaceae 眼子菜属 Potamogeton

穿叶眼子菜 *Potamogeton perfoliatus* L.

| 药 材 名 | 酸水草（药用部位：全草。别名：抱茎眼子菜、眼子菜、穿叶眼子菜）。

| 形态特征 | 多年生沉水草本，具发达的根茎。根茎白色，节处生须根。茎圆柱形，直径 0.5 ~ 2.5 mm，上部多分枝。叶卵形、卵状披针形或卵状圆形，无柄，先端钝圆，基部心形，耳状抱茎，边缘波状，常具极细微的齿，基出脉 3 或 5，弧形，先端连接，次级脉细弱；托叶膜质，无色，长 3 ~ 7 mm，早落。穗状花序顶生，具 4 ~ 7 轮花，密集或稍密集，花序梗与茎近等粗，长 2 ~ 4 cm；花小；花被片 4，淡绿色或绿色；雌蕊 4，离生。果实倒卵形，长 3 ~ 5 mm，先端具短喙，背部具 3 脊，中脊稍锐，侧脊不明显。花果期 5 ~ 10 月。

| 生境分布 | 生于灌渠、河流、排水沟及稻田等水体中。分布于宁夏贺兰山（贺兰）及隆德、金凤等。

穿叶眼子菜

| **资源情况** | 野生资源丰富。

| **采收加工** | 夏、秋季采收，鲜用或晒干。

| **功能主治** | 淡、微辛，凉。祛风利湿。用于湿疹，皮肤瘙痒。

| **用法用量** | 内服煎汤，10 ~ 15 g，鲜品 30 ~ 60 g。外用适量，煎汤熏洗。

| **附　注** | 本种的全草亦作藏药使用。

石蒜科 Amaryllidaceae 葱属 Allium

洋葱
Allium cepa L.

| 药 材 名 | 洋葱（药用部位：鳞茎。别名：玉葱、浑提葱、洋葱头）、洋葱子（药用部位：种子）。

| 形态特征 | 多年生草本，具特殊的葱气味。鳞茎粗大，近球状至扁球状，外皮紫红色、褐红色、淡褐红色、黄色至淡黄色，纸质至薄革质，内皮肥厚，肉质，内、外皮均不破裂。叶圆筒状，中空，中部以下粗，向上渐狭，比花葶短，直径超过 0.5 cm。花葶粗壮，高可达 1 m，中空的圆筒状，中部以下膨大，向上渐狭，下部被叶鞘；总苞 2 ~ 3 裂；伞形花序球状，具多而密集的花；花粉白色，小花梗长约 2.5 cm；花被片具绿色中脉，矩圆状卵形，长 4 ~ 5 mm，宽约 2 mm；花丝等长，稍长于花被片，约在基部 1/5 处合生，合生部分下部的 1/2 与花被片贴生，内轮花丝基部极为扩大，扩大部分每侧各具 1 齿，

洋葱

外轮花丝锥形；子房近球状，腹缝线基部具有帘的凹陷蜜穴；花柱长约 4 mm。花果期 5 ~ 7 月。

| **生境分布** | 栽培种。宁夏各地均有栽培。

| **资源情况** | 栽培资源丰富。

| **采收加工** | 洋葱：当下部第 1 ~ 2 片叶枯黄、鳞茎停止膨大进入休眠阶段、鳞茎外层鳞片变干时采收，挖出后在田间晾晒 3 ~ 4 天，叶片晒至七八成干时，编成辫状贮藏。

洋葱子：夏、秋季果实成熟时采收果序，晒干后打下果实，收集种子。

| **药材性状** | 洋葱：本品呈球形或扁球形，表面被黄色至红棕色皮膜，先端略尖，基部有多数须根痕。鳞片层层包裹，鳞片外膜呈白色、淡黄色或紫色，鳞片肉质，呈白色。气特异，味辛、甘。

洋葱子：本品呈不规则类半圆形或半卵圆形，略扁，长 3 ~ 4 mm，宽 2 ~ 3 mm。表面黑色，一面凸起，皱缩，有细密的网状皱纹，另一面微凹，皱纹不甚明显，先端钝，基部稍尖，种脐多呈点状，种子剖开后可见类白色种仁。质硬。嚼之有洋葱的特异辛味。

| **功能主治** | 洋葱：辛、甘，温。归脾、肝经。健胃理气，祛湿杀虫，化浊降脂。用于食少腹胀，滴虫性阴道炎，痰浊阻遏所致的高脂血症；外用于创伤，溃疡。

| **用法用量** | 洋葱：内服生食或熟食，30 ~ 120 g。外用，捣敷；或捣汁涂。

洋葱子：内服入散剂、膏剂、糖浆剂，3 ~ 5 g。外用适量，敷或搽。

| **附　　注** | （1）本种的栽培变种楼子葱 *Allium cepa* L. var. *proliferum* Regel，俗名"红葱"，与本种的区别在于：楼子葱的鳞茎卵状至卵状矩圆形，伞形花序具大量珠芽，间有数花，珠芽常常在花序上就发出幼叶，花被片白色，具淡红色中脉。但楼子葱鳞茎外皮、叶、花被片、花丝和子房等的形态特征均和洋葱相似。楼子葱在宁夏部分地区有栽培，主要栽培于宁夏同心以南地区。

（2）洋葱子常作维吾尔药使用，其药性为二级干热、味辛，可生干生热，激发性欲，祛寒壮阳，强筋养肌，固发生发，燥湿祛斑，祛湿止痒；用于湿寒性或黏液质性疾病，如寒性性欲减退、身寒阳痿，湿性筋肌虚弱，脱发斑秃，白癜风，湿疹等。

石蒜科 Amaryllidaceae 葱属 Allium

天蓝韭 *Allium cyaneum* Regel

天蓝韭

| 药 材 名 |

蓝花葱（药用部位：全草或鳞茎。别名：白狼葱、野葱、野韭菜）。

| 形态特征 |

多年生草本。鳞茎数枚聚生，圆柱状，细长，直径 2 ~ 4（~ 6） mm，外皮暗褐色，老时破裂成纤维状，常呈不明显的网状。叶半圆柱状，上面具沟槽，比花葶短或超过花葶，宽 1.5 ~ 2.5（~ 4） mm。花葶圆柱状，高 10 ~ 30（~ 45） cm，常在下部被叶鞘；总苞单侧开裂或 2 裂，比花序短；伞形花序近扫帚状，有时半球状，具少花或多花，常疏散；花天蓝色，小花梗与花被片等长或长为花被片的 2 倍，稀更长，基部无小苞片；花被片卵形或矩圆状卵形，长 4 ~ 6.5 mm，宽 2 ~ 3 mm，稀更长或更宽，内轮花被片稍长；花丝等长，从比花被片长 1/3 至比其长 1 倍，通常长为花被片的 1.5 倍，仅基部合生并与花被片贴生，内轮花被片基部扩大，无齿或每侧各具 1 齿，外轮花被片锥形；子房近球状，腹缝线基部具有帘的凹陷蜜穴；花柱伸出花被外。花果期 8 ~ 10 月。

| **生境分布** | 生于海拔 1 600 ~ 2 500 m 的山坡、草地、林下或林缘。分布于宁夏南华山（海原）、罗山（同心、红寺堡）及原州等，同心其他地区也有分布。 |

| **资源情况** | 野生资源丰富。 |

| **采收加工** | 夏季花将开时采收，抖净泥土，晾干。 |

| **功能主治** | 辛，温。散风寒，通阳气。用于风寒感冒，阴寒腹痛，四肢逆冷，小便不利。 |

| **用法用量** | 内服煎汤，6 ~ 15 g。外用适量，捣敷。 |

石蒜科 Amaryllidaceae 葱属 Allium

葱 *Allium fistulosum* L.

| 药 材 名 | 葱白（药用部位：鳞茎。别名：大葱、葱茎白、葱白头）、葱须（药用部位：须根。别名：葱根）、葱叶（药用部位：叶）、葱花（药用部位：花）、葱实（药用部位：种子。别名：葱子）、葱汁（药材来源：全株或茎捣取的汁。别名：葱苒、葱涕、空亭液）。

| 形态特征 | 多年生草本。鳞茎单生，圆柱状，稀呈基部膨大的卵状圆柱形，直径 1 ~ 2 cm，有时可达 4.5 cm，外皮白色，稀淡红褐色，膜质至薄革质，不破裂。叶圆筒状，中空，向先端渐狭，约与花葶等长，直径超过 0.5 cm。花葶圆柱状，中空，高 30 ~ 50（~ 100）cm，中部以下膨大，向先端渐狭，约 1/3 以下被叶鞘；总苞膜质，2 裂；伞形花序球状，具多花，较疏散；花白色，小花梗纤细，与花被片等长或长为花被片的 2 ~ 3 倍，基部无小苞片；花被片长 6 ~ 8.5 mm，

葱

近卵形，先端渐尖，具反折的尖头，外轮花被片稍短；花丝长为花被片的 1.5 ~ 2 倍，锥形，在基部合生并与花被片贴生；子房倒卵状，腹缝线基部具不明显的蜜穴；花柱细长，伸出花被外。花果期 4 ~ 7 月。

| 生境分布 |　栽培种。宁夏各地均有栽培。

| 资源情况 |　栽培资源丰富。

| 采收加工 |　葱白：夏、秋季采挖，除去须根、叶及外皮，洗净，鲜用。

葱须：全年均可采收，晒干。

葱叶：全年均可采收，鲜用或晒干。

葱花：7 ~ 9 月花开时采收，阴干。

葱实：夏、秋季采收果实，晒干，搓取种子，簸去杂质。

葱汁：全年均可采收全株或茎，捣汁，鲜用。

| 药材性状 |　葱白：本品呈圆柱形，常数枝鳞叶簇生，先端稍大，长短不一，直径 0.3 ~ 1 mm，白色。表面光滑，具白色纵纹，上端为数层膜质叶鞘，基部有黄白色鳞茎盘，其下簇生多数白色细须根。质嫩，不易折断，断面类白色，不平坦，可见数层同心性环纹。气清香特异，味辛辣。

葱实：本品呈三角状扁卵形，一面微凹，另一面隆起，有 1 ~ 2 棱线，长 3 ~ 4 mm，

宽 2 ～ 3 mm。表面黑色，多光滑或偶有疏皱纹，凹面平滑；基部有 2 突起，较短的突起先端为灰棕色或灰白色种脐，较长的突起先端为珠孔。纵切面可见种皮菲薄，胚乳灰白色，胚白色，弯曲，子叶 1。体轻，质坚硬。气特异，嚼之有葱味。以粒饱满、色黑、无杂质者为佳。

| 功能主治 | 葱白：辛，温。归肺、大肠经。发表，通阳，解毒。用于伤寒寒热头痛，阴寒腹痛，胸痹，小便不利。

葱须：辛，平。归肺经。祛风散寒，解毒，散瘀。用于风寒头痛，喉疮，痔疮，冻伤。

葱叶：辛，温。归肺经。发汗解表，解毒散肿。用于风寒感冒，风水浮肿，疮痈肿痛，跌打损伤。

葱花：辛，温。归脾、胃经。散寒通阳。用于脘腹冷痛、胀满。

葱实：辛，温。温肾，明目，解毒。用于肾虚阳毒，遗精，目眩，视物昏暗，疮痈。

葱汁：辛，温。归肝经。散瘀止血，通窍，驱虫，解毒。用于衄血，尿血，头痛，耳聋，虫积，外伤出血，跌打损伤，疮痈肿痛。

| 用法用量 | 葱白：内服煎汤，9 ~ 15 g；或酒煎；或煮粥，鲜品 15 ~ 30 g。外用适量，捣敷；或炒熨；或煎汤洗；或蜂蜜或醋调敷。

葱须：内服煎汤，6 ~ 9 g；或研末。外用适量，研末吹；或煎汤熏洗。

葱叶：内服煎汤，9 ~ 15 g；或煮粥。外用适量，捣敷；或煎汤洗。

葱花：内服煎汤，6 ~ 12 g。

葱实：内服煎汤，6 ~ 12 g；或入丸、散剂；或煮粥。外用适量，熬膏敷贴；或煎汤洗。

葱汁：内服单饮，5 ~ 10 ml；或和酒服；或泛丸。外用适量，涂搽；或滴鼻、滴耳。

| 附　注 | 本种的全草亦作蒙药使用。

石蒜科 Amaryllidaceae 葱属 Allium

薤白
Allium macrostemon Bunge

| **药 材 名** | 薤白（药用部位：鳞茎。别名：薤根、薍子、薤白头）。

| **形态特征** | 多年生草本。鳞茎近球状，直径 0.7 ~ 1.5（~ 2）cm，基部常具小鳞茎（因其易脱落故在标本上不常见），外皮带黑色，纸质或膜质，不破裂，但在标本上多因脱落而仅存白色内皮。叶 3 ~ 5，半圆柱状，或因背部纵棱发达而呈三棱状半圆柱形，中空，上面具沟槽，比花葶短。花葶圆柱状，高 30 ~ 70 cm，1/4 ~ 1/3 被叶鞘；总苞 2 裂，比花序短；伞形花序半球状至球状，具多而密集的花，或间具珠芽或有时全为珠芽；珠芽暗紫色，基部具小苞片；花淡紫色或淡红色，小花梗近等长，比花被片长 3 ~ 5 倍，基部具小苞片；花被片矩圆状卵形至矩圆状披针形，长 4 ~ 5.5 mm，宽 1.2 ~ 2 mm，内轮花被片常较狭；花丝等长，比花被片稍长至比其长 1/3，在基部合生并

薤白

与花被片贴生，分离部分的基部呈狭三角形扩大，向上收狭成锥形，内轮花丝基部约为外轮花丝基部宽的 1.5 倍；子房近球状，腹缝线基部具有帘的凹陷蜜穴；花柱伸出花被外。花期 5 ～ 6 月，果期 7 ～ 9 月。

| **生境分布** | 生于海拔 2 000 m 以下的山坡、山谷、草地及田边。分布于宁夏贺兰山（贺兰、平罗）、罗山（同心、红寺堡）、六盘山（泾源、隆德、原州）及金凤、海原、西吉等，泾源、隆德、原州其他地区也有分布。

| **资源情况** | 野生资源丰富。

| **采收加工** | 夏、秋季采挖，洗净，除去须根，蒸透或置沸水中烫透，晒干。

| **药材性状** | 本品呈不规则卵圆形，高 0.5 ～ 1.5 cm，直径 0.5 ～ 1.8 cm。表面黄白色或淡黄棕色，皱缩，半透明，有类白色膜质鳞片包被，底部有凸起的鳞茎盘。质硬，角质样。有蒜臭，味微辣。

| **功能主治** | 辛、苦，温。归心、肺、胃、大肠经。通阳散结，行气导滞。用于胸痹心痛，脘腹痞满胀痛，泻痢后重。

| **用法用量** | 内服煎汤，5 ～ 10 g。

石蒜科 Amaryllidaceae 葱属 Allium

碱韭
Allium polyrhizum Turcz. ex Regel

| 药 材 名 | 碱韭（药用部位：全草或鳞茎。别名：紫花韭）。

| 形态特征 | 多年生草本。鳞茎成丛地紧密簇生，圆柱状，外皮黄褐色，破裂成纤维状，呈近网状，紧密或松散。叶半圆柱状，边缘具细糙齿，稀光滑，比花葶短，直径 0.25 ~ 1 mm。花葶圆柱状，高 7 ~ 35 cm，下部被叶鞘；总苞 2 ~ 3 裂，宿存；伞形花序半球状，具多而密集的花；花紫红色或淡紫红色，稀白色，小花梗近等长，与花被片等长至比其长 1 倍，基部具小苞片，稀无小苞片；花被片长 3 ~ 7（~ 8.5）mm，宽 1.3 ~ 3（~ 4）mm，外轮花被片狭卵形至卵形，内轮花被片矩圆形至矩圆状狭卵形，稍长；花丝与花被片等长或近等长或略长于花被片，基部 1/6 ~ 1/2 合生成筒状，合生部分的 1/3 ~ 1/2 与花被片贴生，内轮花丝分离部分的基部扩大，扩大部

碱韭

分每侧各具 1 锐齿，极少无齿，外轮花丝锥形；子房卵形，腹缝线基部深绿色，不具凹陷的蜜穴；花柱比子房长。花果期 6 ～ 8 月。

| **生境分布** | 生于海拔 1 200 ～ 2 500 m 的向阳山坡或草地上。分布于宁夏贺兰山（贺兰、西夏）及红寺堡、同心等。

| **资源情况** | 野生资源较少。

| **功能主治** | 发汗解表，通阳健胃。

| **附　注** | 本种的种子作藏药使用。

石蒜科 Amaryllidaceae 葱属 Allium

青甘韭
Allium przewalskianum Regel

青甘韭

| 药 材 名 |

青甘韭（药用部位：全草。别名：青甘野韭）。

| 形态特征 |

多年生草本。鳞茎数枚聚生，有时基部被共同的网状鳞茎外皮，狭卵状圆柱形，外皮红色，较少淡褐色，破裂成纤维状，呈明显的网状，常紧密地包围鳞茎。叶半圆柱状至圆柱状，具4～5纵棱，短于或略长于花葶，直径0.5～1.5 mm。花葶圆柱状，高10～40 cm，下部被叶鞘；总苞与伞形花序近等长或较短，单侧开裂，具与裂片等长的喙，宿存；伞形花序球状或半球状，具多而稍密集的花；花淡红色至深紫红色，小花梗近等长，比花被片长2～3倍，基部无小苞片，稀具很少的小苞片；花被片长（3～）4～6.5 mm，宽1.5～2.7 mm，先端微钝，内轮花被片矩圆形至矩圆状披针形，外轮花被片卵形或狭卵形，略短；花丝等长，长为花被片的1.5～2倍，在基部合生并与花被片贴生，蕾期花丝反折，刚开放时内轮花丝先伸直，随后外轮花丝伸直，内轮花丝基部扩大成矩圆形，扩大部分长为花丝的1/3～1/2，每侧各具1齿，有时2齿弯曲，互相交接，外轮花丝锥形；子房球状，基部

无凹陷的蜜穴；花柱在花刚开放时被包围在由 3 内轮花丝扩大部分所组成的三角锥中，花后期伸出，而与花丝近等长。花果期 6 ~ 9 月。

| **生境分布** | 生于海拔 1 200 ~ 2 500 m 的干旱山坡、石缝、草地或灌丛下。分布于宁夏泾源、海原、隆德、西吉、贺兰、沙坡头、同心等。

| **资源情况** | 野生资源较少。

| **功能主治** | 活血祛瘀。

| **附　注** | 本种的全草亦作藏药使用。

石蒜科 Amaryllidaceae 葱属 Allium

蒜
Allium sativum L.

蒜

| 药 材 名 |

大蒜（药用部位：鳞茎。别名：蒜、蒜头）。

| 形态特征 |

越年生草本，具强烈蒜臭气。鳞茎球状至扁球状，通常由多数肉质、瓣状的小鳞茎紧密排列而成，外面被数层白色至带紫色的膜质外皮。叶宽条形至条状披针形，扁平，先端长渐尖，比花葶短，宽可达 2.5 cm。花葶实心，圆柱状，高可达 60 cm，中部以下被叶鞘；总苞具长 7 ~ 20 cm 的长喙，早落；伞形花序密具珠芽，间有数花；花常淡红色，小花梗纤细；小苞片大，卵形，膜质，具短尖；花被片披针形至卵状披针形，长3 ~ 4 mm，内轮花被片较短；花丝比花被片短，基部合生并与花被片贴生，内轮花丝基部扩大，扩大部分每侧各具 1 齿，齿端呈长丝状，长超过花被片，外轮花丝锥形；子房球状；花柱不伸出花被外。花期 7 月。

| 生境分布 |

栽培种。宁夏各地均有栽培。

| 资源情况 |

栽培资源丰富。

| 采收加工 | 夏季叶枯时采挖，除去须根和泥沙，置通风处晾晒至外皮干燥。

| 药材性状 | 本品呈类球形，直径 3 ~ 6 cm。表面被白色、淡紫色或紫红色膜质鳞皮。先端略尖，中间有残留花葶，基部有多数须根痕。剥去外皮可见独头或 6 ~ 16 瓣状小鳞茎，着生于残留花茎基周围。鳞茎瓣略呈卵圆形，外皮膜质，先端略尖，一面弓状隆起，剥去皮膜后呈白色，肉质。气特异，味辛辣，具刺激性。以个大、肥厚、味辛辣者为佳。

| 功能主治 | 辛，温。归脾、胃、肺经。解毒消肿，杀虫，止痢。用于痈肿疮疡，疥癣，肺痨，顿咳，泄泻，痢疾。

| 用法用量 | 内服煎汤，9 ~ 15 g；或生食；或煮食、煨食；或捣烂为丸。外用适量，捣敷。煮食、煨食用量较大；生食用量较小。阴虚火旺，肝热目疾，口齿、喉舌诸患及时行病病后均禁服生品，慎服熟品。

| 附　　注 | 本种的鳞茎也作藏药、蒙药和维药使用。

石蒜科 Amaryllidaceae 葱属 Allium

高山韭
Allium sikkimense Baker

高山韭

药材名

高山韭（药用部位：全草）。

形态特征

多年生草本。鳞茎数枚聚生，圆柱状，直径 0.3 ～ 0.5 cm，外皮暗褐色，破裂成纤维状，下部近网状，稀条状破裂。叶狭条形，扁平，比花葶短，宽 2 ～ 5 mm。花葶圆柱状，高 15 ～ 40 cm，有时仅 5 cm，下部被叶鞘；总苞单侧开裂，早落；伞形花序半球状，具多而密集的花；花钟状，天蓝色，小花梗近等长，比花被片短或与其等长，基部无小苞片；花被片卵形或卵状矩圆形，先端钝，长 6 ～ 10 mm，宽 3 ～ 4.5 mm，内轮花被片边缘常具 1 至数枚疏离的不规则小齿，且常比外轮花被片稍长而宽；花丝等长，长为花被片的 1/2 ～ 2/3，基部合生并与花被片贴生，合生部分高约 1 mm，内轮花丝基部扩大，有时每侧各具 1 齿，外轮花丝基部也常扩大，有时每侧亦各具 1 齿；子房近球状，腹缝线基部具明显的有窄帘的凹陷蜜穴；花柱比子房短或与其近等长。花果期 7 ～ 9 月。

| 生境分布 | 生于海拔 1 500 ~ 2 500 m 的山坡、草地、林缘或灌丛下。分布于宁夏六盘山（泾源、隆德、原州）等，原州其他地区也有分布。 |

| 资源情况 | 野生资源较少。 |

| 功能主治 | 除寒，发表，解毒。 |

| 附　注 | （1）本种具有叶扁平条形、花天蓝色、花丝比花被片短、花被片卵形至卵状矩圆形、内轮花被片边缘常具小齿的特征，易被识别。本种与齿被韭 *Allium yuanum* Wang et Tang 的形态特征极为相似，又常混生在一起，两者的区别在于：齿被韭的叶为背面呈龙骨状隆起的条形，干后常扭卷，花被片先端渐尖。齿被韭叶的特征在野外极易被识别，以此能准确地把它与具扁平条形叶的本种区分开。

（2）本种的全草、种子作藏药使用。

石蒜科 Amaryllidaceae 葱属 Allium

韭
Allium tuberosum Rottler ex Sprengle

| **药 材 名** | 韭菜子（药用部位：种子。别名：韭子、韭菜仁）、韭菜（药用部位：叶。别名：草钟乳、起阳草、长生韭）、韭根（药用部位：根。别名：韭菜根）。 |

| **形态特征** | 多年生草本，具特殊强烈气味，具倾斜的横生根茎。鳞茎簇生，近圆柱状，外皮暗黄色至黄褐色，破裂成纤维状，呈网状或近网状。叶条形，扁平，实心，比花葶短，宽 1.5～9 mm，边缘平滑。花葶圆柱状，常具 2 纵棱，高 25～60 cm，下部被叶鞘；总苞单侧开裂或 2～3 裂，宿存；伞形花序半球状或近球状，具多但较稀疏的花；花白色，小花梗近等长，比花被片长 2～4 倍，基部具小苞片，且数枚小花梗的基部又被一共同的苞片包围；花被片常具绿色或黄绿色中脉，内轮花被片矩圆状倒卵形，稀矩圆状卵形，先端具短尖头 |

韭

或钝圆，长 4 ~ 7（~ 8）mm，宽 2.1 ~ 3.5 mm，外轮花被片常较窄，矩圆状卵形至矩圆状披针形，先端具短尖头，长 4 ~ 7（~ 8）mm，宽 1.8 ~ 3 mm；花丝等长，长为花被片的 2/3 ~ 4/5，基部合生并与花被片贴生，合生部分高 0.5 ~ 1 mm，分离部分狭三角形，内轮花丝稍宽；子房倒圆锥状球形，具 3 圆棱，外壁具细的疣状突起。花果期 7 ~ 9 月。

| 生境分布 | 生于草地、林缘。分布于宁夏惠农、平罗、金凤、大武口等。宁夏各地均有栽培。

| 资源情况 | 野生资源较少。栽培资源丰富。

| 采收加工 | 韭菜子：秋季果实成熟时采收果序，晒干，搓出种子，除去杂质。
韭菜：有 4 心叶时即可收割第 1 刀韭菜叶，经养根施肥后，至有 5 叶时收割第 2 刀，根据需要可连续收割 5 ~ 6 刀，鲜用。
韭根：全年均可采挖，洗净，鲜用或晒干。

| 药材性状 | 韭菜子：本品呈半圆形或半卵圆形，略扁，长 2 ~ 4 mm，宽 1.5 ~ 3 mm。表面黑色，一面凸起，粗糙，有细密的网状皱纹，另一面微凹，皱纹不甚明显。先端钝，基部稍尖，有点状凸起的种脐。质硬。气特异，味微辛。以粒饱满、色黑、无杂质者为佳。
韭菜：本品叶片基生，狭长而尖，呈条形，扁平，实心，长 20 ~ 45 cm，宽 1.5 ~ 9 mm，上表面、下表面及边缘平滑。具特殊香气。

| 功能主治 | 韭菜子：辛、甘，温。归肝、肾经。温补肝肾，壮阳固精。用于肝肾亏虚，腰膝酸痛，阳痿遗精，遗尿尿频，白浊带下。
韭菜：辛、甘，温。归肾、胃、肺、肝经。补肾，温中，行气，散瘀，解毒。用于肾虚阳痿，里寒腹痛，噎膈反胃，胸痹疼痛，衄血，吐血，尿血，痢疾，痔疮，痈疮肿毒，漆疮，跌打损伤。
韭根：辛、甘，温。温中，行气，散瘀，解毒。用于里寒腹痛，食积腹胀，胸痹疼痛，赤白带下，衄血，吐血，漆疮，疮癣，跌打损伤。

| 用法用量 | 韭菜子：内服煎汤，3 ~ 9 g；或入丸、散剂。
韭菜：内服捣汁，60 ~ 120 g；或煮粥、炒熟作羹。外用适量，捣敷；或煎汤熏洗；或热熨。
韭根：内服煎汤，鲜品 30 ~ 60 g；或捣汁。外用适量，捣敷；或温熨；或研末调敷。

| 附　注 | 本种的新鲜叶、种子也作维吾尔药使用。

石蒜科 Amaryllidaceae 葱属 Allium

茖葱
Allium victorialis L.

茖葱

| 药 材 名 |

茖葱（药用部位：鳞茎及叶。别名：鹿耳韭、格葱、山葱）。

| 形态特征 |

多年生草本。鳞茎单生或 2 ～ 3 聚生，近圆柱状，外皮灰褐色至黑褐色，破裂成纤维状，呈明显的网状。叶 2 ～ 3，倒披针状椭圆形至椭圆形，长 8 ～ 20 cm，宽 3 ～ 9.5 cm，基部楔形，沿叶柄稍下延，先端渐尖或短尖，叶柄长为叶片的 1/5 ～ 1/2。花葶圆柱状，高 25 ～ 80 cm，1/4 ～ 1/2 被叶鞘；总苞 2 裂，宿存；伞形花序球状，具多而密集的花；花白色或带绿色，极稀带红色，小花梗近等长，比花被片长 2 ～ 4 倍，果期伸长，基部无小苞片；内轮花被片椭圆状卵形，长（4.5 ～）5 ～ 6 mm，宽 2 ～ 3 mm，先端钝圆，常具小齿，外轮花被片狭而短，舟状，长 4 ～ 5 mm，宽 1.5 ～ 2 mm，先端钝圆；花丝比花被片长 1/4 ～ 1 倍，基部合生并与花被片贴生，内轮花丝狭长三角形，基部宽 1 ～ 1.5 mm，外轮花丝锥形，基部比内轮花丝窄；子房具 3 圆棱，基部收狭成短柄，柄长约 1 mm，每室具 1 胚珠。花果期 6 ～ 8 月。

| **生境分布** | 生于海拔 1 200 ～ 2 500 m 的阴湿坡、山坡、林下、草地或沟边。分布于宁夏泾源、西吉、海原等。

| **资源情况** | 野生资源较丰富。

| **采收加工** | 夏、秋季采挖鳞茎及叶，除去网状纤维质层及根茎、须根，鲜用或晒干。

| **药材性状** | 本品鳞茎圆锥状，直径约 1 cm；表面黄白色，上部带紫色；质松脆。基生叶 2 ～ 3，具紫色短柄；叶片皱缩，破碎，完整者展平后呈长椭圆形，具弧形脉，薄质，绿色或黄白色。花茎圆柱形，直径 1.5 ～ 3 mm，长达 30 cm，表面淡黄棕色或绿黄色，中空；顶生伞形花序，膜质总苞常宿存，花梗近等长，花被白色或带紫色。蒴果先端微凹，内含黑色种子。味辛辣。以质嫩、无根及纤维者为佳。

| **功能主治** | 辛，温。归肺经。辛散温通，止血，散瘀，化痰，止痛，辟秽。用于风寒感冒，呕恶胀满，衄血，跌扑损伤，瘀血肿痛，久咳，头痛，目赤。

| **用法用量** | 内服煎汤，15 ～ 30 g。外用适量，鲜品捣敷。

天门冬科 Asparagaceae 知母属 Anemarrhena

知母
Anemarrhena asphodeloides Bunge

| 药 材 名 | 知母（药用部位：根茎。别名：梳篦子、梳背子草、毛知母）。

| 形态特征 | 多年生草本。根茎直径 0.5 ~ 1.5 cm，为残存的叶鞘所覆盖。叶长 15 ~ 60 cm，宽 1.5 ~ 11 mm，向先端渐尖而呈近丝状，基部渐宽而呈鞘状，具多条平行脉，没有明显的中脉。花葶远长于叶；总状花序通常较长，可达 20 ~ 50 cm；苞片小，卵形或卵圆形，先端长渐尖；花粉红色、淡紫色至白色；花被片条形，长 5 ~ 10 mm，中央具 3 脉，宿存。蒴果狭椭圆形，长 8 ~ 13 mm，宽 5 ~ 6 mm，先端有短喙；种子长 7 ~ 10 mm。花果期 6 ~ 9 月。

| 生境分布 | 生于山坡、草地或路旁较干燥或向阳处。分布于宁夏罗山（同心、红寺堡）及盐池、原州、海原、西吉、彭阳、灵武等，同心其他地区也有分布。宁夏有零星栽培。

知母

| **资源情况** | 野生资源较少。栽培资源较少。

| **采收加工** | 春、秋季采挖，除去须根和泥沙，直接晒干者习称"毛知母"，趁鲜除去外皮后晒干者习称"知母肉"。

| **药材性状** | 本品呈长条状，微弯曲，略扁，偶有分枝，长 3 ~ 15 cm，直径 0.8 ~ 1.5 cm，一端有浅黄色茎叶残痕。表面黄棕色至棕色，上面有 1 凹沟，具紧密排列的环状节，节上密生黄棕色的残存叶基，由两侧向根茎上方生长；下面隆起而略皱缩，并有凹陷或凸起的点状根痕。质硬，易折断，断面黄白色。气微，味微甜、略苦，嚼之带黏性。以条粗、质硬、断面色白黄者为佳。

| **功能主治** | 苦、甘，寒。归肺、胃、肾经。清热泻火，滋阴润燥。用于外感热病，高热烦渴，肺热燥咳，骨蒸潮热，内热消渴，肠燥便秘。

| **用法用量** | 内服煎汤，6 ~ 12 g。

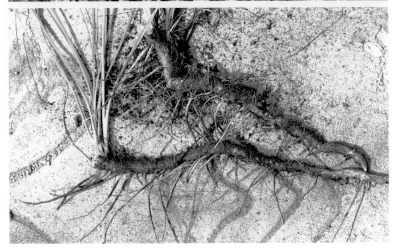

■ 天门冬科 ■ Asparagaceae ■ 天门冬属 ■ *Asparagus*

攀缘天门冬
Asparagus brachyphyllus Turcz.

| **药 材 名** | 抓地龙（药用部位：块根。别名：寄马桩、山文竹、糙叶天冬）。

| **形态特征** | 攀缘植物。块根肉质，近圆柱状，直径 7 ~ 15 mm。茎近平滑，长 20 ~ 100 cm，分枝具纵凸纹，通常有软骨质齿。叶状枝每 4 ~ 10 成 簇，近扁圆柱形，略有条棱，伸直或弧曲，长 4 ~ 12（~ 20）mm，直径约 0.5 mm，有软骨质齿，稀齿不明显；鳞片状叶基部有长 1 ~ 2 mm 的刺状短距，有时距不明显。花通常每 2 ~ 4 腋生，淡紫 褐色，花梗长 3 ~ 6 mm，关节位于近中部；雄花花被长 7 mm，花 丝中部以下贴生于花被片上；雌花较小，花被长约 3 mm。浆果直径 6 ~ 7 mm，成熟时红色，通常有 4 ~ 5 种子。花期 5 ~ 6 月，果期 8 月。

| **生境分布** | 生于山坡、田边或灌丛中。分布于宁夏贺兰山（西夏）及盐池、泾源、海原、彭阳、原州、同心等。

攀缘天门冬

| **资源情况** | 野生资源较丰富。

| **采收加工** | 夏、秋季采挖，洗净，置沸水中煮约 30 分钟，捞出，剥去外皮，晒干或鲜用。

| **药材性状** | 本品长梭状，肉质，肥厚，长超过 10 cm，直径 7 ~ 15 mm。表面有细纵皱纹及深浅不一的沟纹，黄白色至棕黄色。质柔韧，有黏性。气微，味淡。

| **功能主治** | 苦、微辛，温。归肝、肾经。祛风湿，止痒。用于风湿痹痛，湿疹，皮肤瘙痒，肿毒疮疡。

| **用法用量** | 内服煎汤，6 ~ 9 g。外用适量，捣敷。

| **附　注** | （1）据《中华本草》、《全国中草药汇编》（第三版）和《中药大辞典》（第二版）等当代主流本草的记载，抓地龙来源于本种的块根，寄马桩来源于本种同属植物戈壁天门冬 *Asparagus gobicus* Ivan. ex Grubov 的全草。《宁夏中药材手册》（1971 年版）收载的寄马桩的来源为戈壁天门冬的全草，而《宁夏中药志》（第二版）记载的寄马桩的来源为本种的全草或根，并记载戈壁天门冬在民间也作寄马桩使用，这与当代主流本草及宁夏早期本草著作的记载明显不同。戈壁天门冬与本种的主要区别在于：戈壁天门冬为半灌木，茎坚挺，根细长，无膨大的肉质块根。

（2）本种的块根以干品、鲜品入药，两者功用不同。《中国中药资源志要》记载，本种的干块根苦、辛，平。祛风除湿，清热解毒，润肺止咳。本种的鲜块根外用于排脓，生肌，敛疮拔毒。

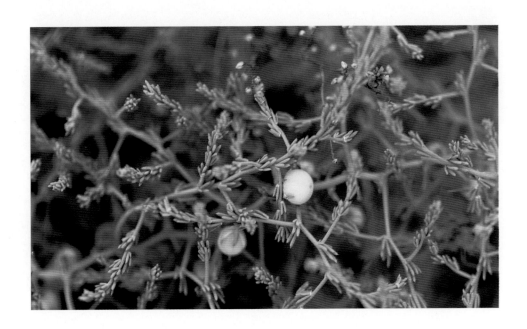

天门冬科 Asparagaceae 天门冬属 Asparagus

羊齿天门冬
Asparagus filicinus D. Don

| 药 材 名 | 羊齿天冬（药用部位：块根。别名：天门冬、千打锤、土百部）。

| 形态特征 | 直立草本，通常高 50 ～ 70 cm。根成簇，从基部开始或在距基部几厘米处呈纺锤状膨大，膨大部分长短不一，一般长 2 ～ 4 cm，宽 5 ～ 10 mm。茎近平滑，分枝通常有棱，有时稍具软骨质齿。叶状枝每 5 ～ 8 成簇，扁平，镰状，长 3 ～ 15 mm，宽 0.8 ～ 2 mm，有中脉；鳞片状叶基部无刺。花每 1 ～ 2 腋生，淡绿色，有时稍带紫色；花梗纤细，长 12 ～ 20 mm，关节位于近中部；雄花花被长约 2.5 mm，花丝不贴生于花被片上，花药卵形，长约 0.8 mm；雌花和雄花近等大或比雄花略小。浆果直径 5 ～ 6 mm，有 2 ～ 3 种子。花期 5 ～ 7 月，果期 8 ～ 9 月。

| 生境分布 | 生于海拔 1 200 ～ 2 700 m 的丛林下、林缘或山谷阴湿处。分布于宁

羊齿天门冬

夏泾源、隆德等。

| **资源情况** | 野生资源较丰富。

| **采收加工** | 春、秋季采挖，除去茎，洗净，置沸水中煮约 30 分钟，捞出，剥除外皮，晒干。

| **药材性状** | 本品呈长纺锤形，长 2 ~ 4 cm，直径 5 ~ 10 mm，有时成簇。表面棕黑色，有细密根毛，纵皱纹深浅不等。质柔韧，有黏性，断面角质样，中心中柱细，黄白色。有豆腥气，味淡。

| **功能主治** | 甘、淡，平。归肺经。润肺止咳，化痰平喘，杀虫止痒。用于肺气上逆，咳嗽气喘，咳痰带血，肺痨，肺痈，百日咳，支气管哮喘，疥癣瘙痒。

| **用法用量** | 内服煎汤，6 ~ 15 g。外用适量，煎汤洗；或研末调敷。

天门冬科 Asparagaceae 天门冬属 Asparagus

戈壁天门冬
Asparagus gobicus Ivanova ex Grubov

| 药 材 名 | 寄马桩（药用部位：带根的全株。别名：鸡麻抓）。

| 形态特征 | 半灌木，坚挺，近直立，高 15 ~ 45 cm。根细长，直径 1.5 ~ 2 mm。茎上部通常回折状，中部具纵向剥离的白色薄膜，分枝常强烈回折状，略具纵凸纹，疏生软骨质齿。叶状枝每 3 ~ 8 成簇，通常下倾或平展，和分枝成钝角；近圆柱形，略有几条不明显的钝棱，长 0.5 ~ 2.5 cm，直径 0.8 ~ 1 mm，较刚硬；鳞片状叶基部具短距，无硬刺。花每 1 ~ 2 腋生，花梗长 2 ~ 4 mm，关节位于近中部或上部；雄花花被长 5 ~ 7 mm，花丝中部以下贴生于花被片上；雌花略小于雄花。浆果直径 5 ~ 7 mm，成熟时红色，有 3 ~ 5 种子。花期 5 月，果期 6 ~ 9 月。

| 生境分布 | 生于向阳山坡、石砾质荒滩。分布于宁夏贺兰山（贺兰、西夏、平罗、

戈壁天门冬

大武口、惠农）及海原、中宁、青铜峡、利通、红寺堡、盐池、同心、灵武、永宁、兴庆等，贺兰、西夏、平罗、大武口、惠农其他地区也有分布。

| **资源情况** | 野生资源丰富。

| **采收加工** | 秋季采挖，洗净，鲜用或晒干。

| **药材性状** | 本品根细长，略呈梭状，稍肉质，直径 1.5 ~ 2 mm。地上部分长 15 ~ 45 cm。上部茎及分枝常呈"之"字状。叶状枝簇生，每簇 3 ~ 8 枝，常下倾或平展，近圆柱形，表面略具棱，长 0.5 ~ 2.5 cm，直径 0.8 ~ 1 mm，质稍硬；鳞片状叶小。

| **功能主治** | 辛、微苦，平。祛风，杀虫，止痒，消痈散结。用于神经性皮炎，牛皮癣，体癣，疮疖痈肿。

| **用法用量** | 外用适量，煎汤洗；或捣敷。

| **附　注** | （1）《宁夏中药志》记载寄马桩药材来源于攀缘天门冬 *Asparagus brachyphyllus* Turcz. 的全草或根，与当代主流观点及宁夏早期本草著作的记载不符。

（2）寄马桩是宁夏的民间草药，民间有"家有寄马桩，不怕生大疮"的谚语，是指寄马桩有敛疮拔脓生肌的作用。

天门冬科 Asparagaceae 天门冬属 Asparagus

龙须菜
Asparagus schoberioides Kunth

| **药材名** | 龙须菜根（药用部位：根及根茎）、龙须菜全草（药用部位：全草）。

| **形态特征** | 直立草本，高可达 1 m。根细长，直径 2 ~ 3 mm。茎上部和分枝具纵棱，分枝有时有极狭的翅。叶状枝通常每 3 ~ 4 成簇，窄条形，镰状，基部近锐三棱形，上部扁平，长 1 ~ 4 cm，宽 0.7 ~ 1 mm；鳞片状叶近披针形，基部无刺。花每 2 ~ 4 腋生，黄绿色；花梗很短，长 0.5 ~ 1 mm；雄花花被长 2 ~ 2.5 mm，雄蕊的花丝不贴生于花被片上；雌花和雄花近等大。浆果直径约 6 mm，成熟时红色，通常有 1 ~ 2 种子。花期 5 ~ 6 月，果期 8 ~ 9 月。

| **生境分布** | 生于海拔 1 200 ~ 2 000 m 的草坡或林下。分布于宁夏青铜峡等。

| **资源情况** | 野生资源较少。

龙须菜

| **功能主治** | 龙须菜根：润肺降气，下痰止咳。用于肺实喘满，咳嗽多痰，胃脘疼痛。
龙须菜全草：止血利尿。

天门冬科 Asparagaceae 天门冬属 Asparagus

曲枝天门冬
Asparagus trichophyllus Bunge

| 药 材 名 | 曲枝天门冬根（药用部位：根）。

| 形态特征 | 多年生草本，近直立，高 60 ～ 100 cm。根较细，直径 2 ～ 3 mm。茎平滑，中部至上部强烈回折状，有时上部疏生软骨质齿；分枝先下弯而后上升，靠近基部形成强烈弧曲，有时近半圆形，上部回折状，小枝多少具软骨质齿。叶状枝通常每 5 ～ 8 成簇，刚毛状，略有 4 ～ 5 棱，稍弧曲，长 7 ～ 18 mm，直径 0.2 ～ 0.4 mm，通常稍伏贴于小枝上，有时稍具软骨质齿；茎上的鳞片状叶基部有长 1 ～ 3 mm 的刺状距，极少成硬刺，分枝上的距不明显。花每 2 腋生，绿黄色而稍带紫色；花梗长 12 ～ 16 mm，关节位于近中部；雄花花被长 6 ～ 8 mm，花丝中部以下贴生于花被片上；雌花较小，花被长 2.5 ～ 3.5 mm。浆果直径 6 ～ 7 mm，成熟时红色，有 3 ～ 5 种子。花期 5 月，果期 7 月。

曲枝天门冬

| **生境分布** | 生于砾石山坡、路旁、田边或荒地上。分布于宁夏贺兰山（贺兰、西夏）及海原等。 |

| **资源情况** | 野生资源较少。 |

| **采收加工** | 春、秋季采收，除去泥土，晒干。 |

| **功能主治** | 甘、微苦，凉。归肝经。祛风除湿。用于风湿性腰腿疼，局部浮肿；外用于瘙痒，渗出性皮肤病，疮疖红肿。 |

| **用法用量** | 内服煎汤，9 ～ 12 g。外用，捣敷。 |

天门冬科 Asparagaceae **铃兰属** *Convallaria*

铃兰 *Convallaria majalis* L.

药 材 名	铃兰（药用部位：带花全草。别名：君影草、铃铛花）。
形态特征	多年生草本，全株无毛，高 18 ～ 30 cm，常成片生长。叶椭圆形或卵状披针形，长 7 ～ 20 cm，宽 3 ～ 8.5 cm，先端近急尖，基部楔形；叶柄长 8 ～ 20 cm。花葶高 15 ～ 30 cm，稍外弯；苞片披针形，短于花梗；花梗长 6 ～ 15 mm，近先端有关节，果实成熟时从关节处脱落；花白色，长、宽均为 5 ～ 7 mm；裂片卵状三角形，先端锐尖，有 1 脉；花丝稍短于花药，向基部扩大，花药近矩圆形；花柱柱状，长 2.5 ～ 3 mm。浆果直径 6 ～ 12 mm，成熟后红色，稍下垂；种子扁圆形或双凸状，表面有细网纹，直径 3 mm。花期 5 ～ 6 月，果期 7 ～ 9 月。
生境分布	生于海拔 850 ～ 2 500 m 的林下阴湿处或沟边。分布于宁夏六盘山（泾

铃兰

源、隆德、原州）等。

| **资源情况** | 野生资源较少。

| **采收加工** | 夏、秋季采挖，除去杂质及泥土，晒干。

| **药材性状** | 本品长 20 ～ 30 cm。根茎细长，黄白色，生多数须根。叶片 2，椭圆形，长约 10 cm，宽约 6 cm，全缘，两面无毛，具多数弧形脉；叶柄长达 20 cm，相互迭抱，下部包被 4 ～ 5 鞘状鳞叶。花葶较叶短；总状花序具约 10 花；花被宽钟形，先端 6 浅裂。幼果球形。

| **功能主治** | 苦，温；有毒。归肝、肾、膀胱经。温阳利水，活血。用于心悸，水肿，带下，崩漏，丹毒，跌扑损伤，风湿性心脏病，克山病，阵发性心动过速，心力衰竭，紫癜。

| **用法用量** | 内服煎汤，1 ～ 3 g；或研末，每次 0.3 g，每日 1 g。外用适量，煎汤洗。

舞鹤草
Maianthemum bifolium (L.) F. W. Schmidt

| 药 材 名 | 舞鹤草（药用部位：全草）。

| 形态特征 | 多年生草本。根茎细长，有时分叉，长可达 20 cm 或更长，直径
1 ~ 2 mm，节上有少数根，节间长 1 ~ 3 cm。茎高 8 ~ 20（ ~ 25）cm，
无毛或散生柔毛。基生叶有长达 10 cm 的叶柄，到花期已凋萎；茎
生叶通常 2，极少 3，互生于茎上部，三角状卵形，长 3 ~ 8（ ~ 10）cm，
宽 2 ~ 5（ ~ 9）cm，先端急尖至渐尖，基部心形，弯缺张开，
下面脉上生柔毛或散生微柔毛，边缘有细小的锯齿状乳突或具柔
毛；叶柄长 1 ~ 2 cm，常有柔毛。总状花序直立，长 3 ~ 5 cm，有
10 ~ 25 花；花序轴有柔毛或乳头状突起；花白色，直径 3 ~ 4 mm，
单生或成对，花梗细，长约 5 mm，先端有关节；花被片矩圆形，
长 2 ~ 2.5 mm，有 1 脉；花丝短于花被片；花药卵形，长 0.5 mm，

舞鹤草

黄白色；子房球形，花柱长约 1 mm。浆果直径 3 ~ 6 mm；种子卵圆形，直径 2 ~ 3 mm，种皮黄色，有颗粒状皱纹。花期 5 ~ 7 月，果期 8 ~ 9 月。

| 生境分布 | 生于高山阴坡林下。分布于宁夏六盘山（泾源、隆德、原州）、罗山（同心、红寺堡）、贺兰山（贺兰）等，泾源、同心其他地区也有分布。

| 资源情况 | 野生资源较少。

| 采收加工 | 夏、秋季采挖，洗净，晒干。

| 药材性状 | 本品根茎细长，直径约 1 mm，具节，节上生少数须根；表面黄白色；质脆，折断面类白色。茎圆柱形，长 10 ~ 15 cm，直径 1 ~ 1.5 mm；表面光滑，黄绿色或带紫色，基部具基生叶凋萎后的纤维状残基。叶 2，具柄；叶片多皱缩或破碎，完整者展平后呈三角状卵形，全缘，两面均呈黄绿色。总状花序顶生，花梗纤细，花被白色。果实球形，幼时绿色或绿黑色。气微，味淡。以根茎粗壮、叶黄绿者为佳。

| 功能主治 | 酸、涩，微寒。归肝经。凉血止血，清热解毒。用于吐血，尿血，月经过多，外伤出血，疮痈肿毒。

| 用法用量 | 内服煎汤，15 ~ 30 g。外用适量，研末撒；或捣敷。

| 附　注 | 《中华本草》记载本种的药材名为"二叶舞鹤草"，《宁夏中药志》记载本种的药材名为"舞鹤草"。

| 天门冬科 | Asparagaceae | 舞鹤草属 | *Maianthemum*

管花鹿药
Maianthemum henryi (Baker) LaFrankie

| **药 材 名** | 鹿药（药用部位：根及根茎。别名：少穗花、螃蟹七）。

| **形态特征** | 多年生草本，高 50 ～ 80 cm。根茎直径 1 ～ 2 cm。茎中部以上有短硬毛或微硬毛，稀无毛。叶纸质，椭圆形、卵形或矩圆形，长 9 ～ 22 cm，宽 3.5 ～ 11 cm，先端渐尖或具短尖，两面有伏毛或近无毛，基部具短柄或几无柄。花淡黄色或带紫褐色，单生，通常排成总状花序，有时基部具 1 ～ 2 分枝或具多个分枝而成圆锥花序；花序长 3 ～ 7（～ 17）cm，有毛；花梗长 1.5 ～ 5 mm，有毛；花被高脚碟状，筒部长 6 ～ 10 mm，长为花被的 2/3 ～ 3/4，裂片开展，长 2 ～ 3 mm；雄蕊生于花被筒喉部，花丝通常极短，极少长达 1.5 mm，花药长约 0.7 mm；花柱长 2 ～ 3 mm，稍长于子房，柱头 3 裂。浆果球形，直径 7 ～ 9 mm，未成熟时绿色而带紫斑点，成熟时红色，

管花鹿药

具 2 ~ 4 种子。花期 5 ~ 6（~ 8）月，果期 8 ~ 10 月。

| **生境分布** | 生于海拔 1 300 ~ 2 500 m 的林下、灌丛下、山谷、水旁湿地或林缘。分布于宁夏六盘山（泾源、隆德、原州）等，泾源其他地区也有分布。

| **资源情况** | 野生资源较少。

| **采收加工** | 春、秋季采挖，洗净，鲜用或晒干。

| **药材性状** | 本品略呈结节状，稍扁，长 6 ~ 15 cm，直径 0.5 ~ 1 cm。表面棕色至棕褐色，具皱纹，先端有 1 至数个茎基或芽基，周围密生多数须根。质坚硬，断面白色，粉性。气微，味甜、微辛。以根茎粗壮、断面白色、粉性足者为佳。

| **功能主治** | 甘、辛，温。归肝、肾经。温阳补肾，活血祛瘀，祛风止痛。用于肾虚阳痿，月经不调，偏、正头痛，风湿痹痛，痈肿疮毒，跌扑损伤。

| **用法用量** | 内服煎汤，6 ~ 15 g；或浸酒。外用适量，捣敷；或热熨。

天门冬科 Asparagaceae 黄精属 Polygonatum

卷叶黄精
Polygonatum cirrhifolium (Wall.) Royle

卷叶黄精

| 药 材 名 |

卷叶黄精（药用部位：根茎。别名：鸡头黄精、鸡头参、黄精）。

| 形态特征 |

多年生草本。根茎肥厚，圆柱状，直径 1 ~ 1.5 cm，或根茎呈连珠状，结节直径 1 ~ 2 cm。茎高 30 ~ 90 cm。叶通常每 3 ~ 6 轮生，稀下部有少数散生，细条形至条状披针形，少矩圆状披针形，长 4 ~ 9（~ 12）cm，宽 2 ~ 8（~ 15）mm，先端拳卷或弯曲成钩状，边缘常外卷。花序轮生，通常具 2 花，总花梗长 3 ~ 10 mm，花梗长 3 ~ 8 mm，俯垂；苞片透明，膜质，无脉，长 1 ~ 2 mm，位于花梗上部或基部，或苞片不存在；花被淡紫色，长 8 ~ 11 mm，花被筒中部稍缢狭，裂片长约 2 mm；花丝长约 0.8 mm，花药长 2 ~ 2.5 mm；子房长约 2.5 mm，花柱长约 2 mm。浆果红色或紫红色，直径 8 ~ 9 mm，具 4 ~ 9 种子。花期 5 ~ 7 月，果期 9 ~ 10 月。

| 生境分布 |

生于海拔 1 800 ~ 2 700 m 的林下、草地或山坡。分布于宁夏贺兰山（贺兰、西夏）及西吉等。

| **资源情况** | 野生资源较少。

| **采收加工** | 春、秋季采挖，除去茎叶及须根，洗净，晾晒 1 ~ 2 天，至外部稍干、内部尚软时，用竹筐轻撞，除去外层薄皮及须根，并使其柔软，再边晒边揉，至无硬心为度，晒干后再撞至光亮柔润。

| **药材性状** | 本品呈结节状，肥厚，肉质，或呈圆柱状，长 4 ~ 10 cm，直径 1 ~ 1.5 cm。表面淡黄白色或灰黄色，具环节，有纵纹及少数须根痕，结节膨大，茎痕圆形，微凹。质坚硬，断面淡黄白色至黄棕色，半透明，角质状。气微，味甜，有黏性。

| **功能主治** | 甘，平。归脾、肺、肾经。补气养阴，健脾，润肺祛痰，清热解毒，止血。用于脾胃虚弱，体倦乏力，肺虚燥咳，吐血，崩漏带下，疮肿。

| **用法用量** | 内服煎汤，9 ~ 15 g；或研末；或浸酒。外用适量，磨汁涂。

| **附　注** | （1）《宁夏中药志》记载本种在宁夏也作黄精药材的基原，别名为"白及"（泾源）。其根茎常为 2 至数个肥厚结节连生，每结节上有圆形茎痕，幼株仅生 1 结节块茎，形似白及，故泾源有将本植物误称"白及"的情况出现。

（2）《中华人民共和国药典》（2020 年版）记载黄精药材的来源为滇黄精 *Polygonatum kingianum* Coll. et Hemsl.、黄精 *Polygonatum sibiricum* Delar. ex Redoute 或多花黄精 *Polygonatum cyrtonema* Hua 的干燥根茎。按形状不同，习称"大黄精""鸡头黄精""姜形黄精"。本种并不是药典记载的"黄精"药材的基原。《甘肃省中药材标准》（2020 年版）记载鸡头黄精药材以本种的根茎入药，为甘肃省习用黄精品种之一。

天门冬科 Asparagaceae 黄精属 Polygonatum

玉竹

Polygonatum odoratum (Mill.) Druce

| 药 材 名 | 玉竹（药用部位：根茎。别名：荧、葳蕤、黄脚鸡）。

| 形态特征 | 多年生草本。根茎圆柱形，直径 3 ~ 16 mm。茎高 20 ~ 50 cm，具 7 ~ 12 叶。叶互生，椭圆形至卵状矩圆形，长 5 ~ 12 cm，宽 3 ~ 16 cm，先端尖，下面带灰白色，下面脉上平滑至呈乳头状粗糙。花序具 1 ~ 4 花（栽培品可多至 8），总花梗（单花时为花梗）长 1 ~ 1.5 cm，无苞片或有条状披针形苞片；花被黄绿色至白色，长 13 ~ 20 mm，花被筒较直，裂片长 3 ~ 4 mm；花丝丝状，近平滑至具乳头状突起，花药长约 4 mm；子房长 3 ~ 4 mm，花柱长 10 ~ 14 mm。浆果蓝黑色，直径 7 ~ 10 mm，具 7 ~ 9 种子。花期 5 ~ 6 月，果期 7 ~ 9 月。

| 生境分布 | 生于海拔 1 500 ~ 2 700 m 的林下或山野阴坡。分布于宁夏贺兰山

玉竹

（贺兰、平罗、西夏）、罗山（同心、红寺堡）、南华山（海原）及泾源、隆德、西吉、原州、沙坡头、盐池等，贺兰、平罗、西夏、同心其他地区也有分布。

| **资源情况** | 野生资源较丰富。

| **采收加工** | 秋季采挖，除去须根，洗净，晒至柔软后，反复揉搓、晾晒至无硬心，晒干；或蒸透后，揉至半透明，晒干。

| **药材性状** | 本品呈长圆柱形，略扁，少有分枝，长 4 ~ 18 cm，直径 0.3 ~ 1.6 cm。表面黄白色或淡黄棕色，半透明，具纵皱纹和微隆起的环节，有白色圆点状须根痕和圆盘状茎痕。质硬而脆或稍软，易折断，断面角质样或显颗粒性。气微，味甘，嚼之发黏。

| **功能主治** | 甘，微寒。归肺、胃经。养阴润燥，生津止渴。用于肺胃阴伤，燥热咳嗽，咽干口渴，内热消渴。

| **用法用量** | 内服煎汤，6 ~ 12 g；或熬膏；或浸酒；或入丸、散剂。阴虚有热者宜生用，热不甚者宜制用。

黄精

天门冬科 Asparagaceae 黄精属 Polygonatum

黄精
Polygonatum sibiricum Delar. ex Redoute

| 药 材 名 |

黄精（药用部位：根茎。别名：鸡头参、白及、兔竹）。

| 形态特征 |

多年生草本，高 50 ~ 90 cm。根茎圆柱状，由于结节膨大，因此"节间"一头粗，另一头细，粗的一头有短分枝，直径 1 ~ 2 cm。茎高 50 ~ 90 cm，或超过 1 m，有时呈攀缘状。叶轮生，每轮 4 ~ 6，条状披针形，长 8 ~ 15 cm，宽（4 ~）6 ~ 16 mm，先端拳卷或弯曲成钩。花序通常具 2 ~ 4 花，似呈伞状，总花梗长 1 ~ 2 cm，花梗长（2.5 ~）4 ~ 10 mm，俯垂；苞片位于花梗基部，膜质，钻形或条状披针形，长 3 ~ 5 mm，具 1 脉；花被乳白色至淡黄色，长 9 ~ 12 mm，花被筒中部稍缢缩，裂片长约 4 mm；花丝长 0.5 ~ 1 mm，花药长 2 ~ 3 mm；子房长约 3 mm，花柱长 5 ~ 7 mm。浆果直径 7 ~ 10 mm，黑色，具 4 ~ 7 种子。花期 5 ~ 6 月，果期 8 ~ 9 月。

| 生境分布 |

生于海拔 1 500 ~ 2 700 m 的林下、灌丛或山坡阴处。分布于宁夏六盘山（泾源、隆德、原州）、贺兰山（贺兰、西夏、平罗）、罗山（同心、红寺堡）、香山（沙坡头）、南华山（海原）等。

| **资源情况** | 野生资源较丰富。

| **采收加工** | 春、秋季采挖，除去须根，洗净，置沸水中略烫或蒸至透心，干燥。

| **药材性状** | 本品呈结节状弯柱形，长 3 ~ 10 cm，直径 0.5 ~ 1.5 cm，结节长 2 ~ 4 cm，略呈圆锥形，常有分枝。表面黄白色或灰黄色，半透明，有纵皱纹，茎痕圆形，直径 5 ~ 8 mm。质硬而韧，不易折断，断面角质，淡黄色至黄棕色。气微，味甜，嚼之有黏性。

| **功能主治** | 甘，平。归脾、肺、肾经。补气养阴，健脾，润肺，益肾。用于脾胃气虚，体倦乏力，胃阴不足，口干食少，肺虚燥咳，劳嗽咯血，精血不足，腰膝酸软，须发早白，内热消渴。

| **用法用量** | 内服煎汤，9 ~ 15 g。

| **附　注** | 本种的根茎也作藏药、蒙药使用。

轮叶黄精
Polygonatum verticillatum (L.) All.

轮叶黄精

| 药 材 名 |

羊角参（药用部位：根茎。别名：玉竹参、甘肃黄精、野白芨）。

| 形态特征 |

多年生草本。根茎的"节间"长 2 ~ 3 cm，一头粗，另一头较细，粗的一头有短分枝，直径 7 ~ 15 mm，稀根茎呈连珠状。茎高（20 ~ ）40 ~ 80 cm。叶通常 3 叶轮生，或间有少数对生或互生，稀全株叶均对生，矩圆状披针形（长 6 ~ 10 cm，宽 2 ~ 3 cm）至条状披针形或条形（长达 10 cm，宽仅 5 mm），先端尖至渐尖。花单朵或 2 ~ 3（ ~ 4）组成花序，总花梗长 1 ~ 2 cm，花梗长 3 ~ 10 mm，俯垂；苞片不存在，或微小而生于花梗上；花被淡黄色或淡紫色，长 8 ~ 12 mm，裂片长 2 ~ 3 mm；花丝长 0.5 ~ 1（ ~ 2）mm，花药长约 2.5 mm；子房长约 3 mm，具约与之等长或较之稍短的花柱。浆果红色，直径 6 ~ 9 mm，具 6 ~ 12 种子。花期 5 ~ 6 月，果期 8 ~ 10 月。

| 生境分布 |

生于林下、林缘或山坡草地。分布于宁夏六盘山（泾源、隆德、原州）等。

| 资源情况 | 野生资源较少。

| 采收加工 | 夏、秋季间采挖，除去茎叶及须根，洗净，蒸后晒干。

| 药材性状 | 本品呈圆柱形，长 5～15 cm，直径 3～7 mm，粗细较均匀。表面深棕色，具圆形茎痕，茎痕间距 4～6 cm；节明显，呈波状环，节间较长，可见少数点状须根痕。质韧，断面角质样，可见散在的类白色小点（维管束）。气微，味微甜而带黏性。

| 功能主治 | 甘、微苦，凉。补脾润肺，养肝，解毒消痈。用于脾胃虚弱，阴虚肺燥，咳嗽咽干，肝阳上亢，头晕目眩，疮痈肿痛。

| 用法用量 | 内服煎汤，6～9 g；或研末；或浸酒。外用适量，捣敷。

| 附 注 | 黄精属植物的根茎有苦、甜之分，传统认为，甜者能作黄精药材入药，苦者不能作黄精药材入药。除《中华人民共和国药典》收载的 3 种基原外，地方还习用轮叶黄精 *Polygonatum verticillatum* (L.) All.、卷叶黄精 *Polygonatum cirrhifolium* (Wall.) Royle、互卷黄精 *Polygonatum alternicirrhosum* Hand.-Mazz.、热河黄精 *Polygonatum macropodum* Turczaninow、长梗黄精 *Polygonatum filipes* Merr. ex C. Jeffrey et McEwan、对叶黄精 *Polygonatum oppositifolium* (Wall.) Royle 6 种作为黄精的基原植物。其中，轮叶黄精和卷叶黄精的根茎味苦，按传统看法，不宜作黄精药材入药。

湖北黄精
Polygonatum zanlanscianense Pamp.

| 药 材 名 | 老虎姜（药用部位：根茎。别名：白药子）。

| 形态特征 | 多年生草本，高 80 ~ 150 cm。根茎连珠状或姜块状，肥厚，直径 1 ~ 3.5 cm。茎直立或上部多少攀缘，高可超过 1 m。叶轮生，每轮 3 ~ 6，叶形变异较大，椭圆形、矩圆状披针形、披针形至条形，长（5 ~ ）8 ~ 15 cm，宽（4 ~ ）13 ~ 28（ ~ 35）mm，先端拳卷至稍弯曲。花序具 2 ~ 6（ ~ 11）花，近伞形，总花梗长 5 ~ 20（ ~ 40）mm，花梗长（2 ~ ）4 ~ 7（ ~ 10）mm；苞片位于花梗基部，膜质或中间略带草质，具 1 脉，长（1 ~ ）2 ~ 6 mm；花被白色或淡黄绿色或淡紫色，长 6 ~ 9 mm，花被筒近喉部稍缢缩，裂片长约 1.5 mm；花丝长 0.7 ~ 1 mm，花药长 2 ~ 2.5 mm；子房长约 2.5 mm，花柱长 1.5 ~ 2 mm。浆果直径 6 ~ 7 mm，紫红色或黑色，具 2 ~

湖北黄精

4 种子。花期 6 ~ 7 月，果期 8 ~ 10 月。

| 生境分布 |　生于海拔 1 500 ~ 2 700 m 的山坡林下、林缘或灌丛。分布于宁夏六盘山（泾源、隆德、原州）等。

| 资源情况 |　野生资源较少。

| 采收加工 |　秋季采挖，除去地上部分和须根，洗净，晒干或切片晒干。

| 药材性状 |　本品结节状，每节呈半月状或不规则形，常数个盘曲连接，肥厚，长短不一，直径 1.5 ~ 3.5 cm。表面淡黄白色或黄棕色，粗糙，具不规则皱纹及疣状凸起的须根痕；茎痕呈圆盘状，凹陷；环节明显，6 ~ 7 环，在两端常密集。质坚硬，不易折断，断面角质样，类白色，颗粒状。气微，味苦，有黏性。

| 功能主治 |　苦、辛，平。归肺、脾经。祛痰止血，消肿解毒。用于咳嗽，吐血，衄血，外伤出血，咽喉肿痛，疮疡肿毒。

| 用法用量 |　内服煎汤，9 ~ 15 g；或入丸、散剂。

| 附　注 |　湖北黄精的根茎味苦，按传统看法，不宜作黄精药材入药。

百合科 Liliaceae 七筋姑属 Clintonia

七筋姑
Clintonia udensis Trautv. et Mey.

| 药 材 名 | 雷公七（药用部位：全草或根。别名：七筋姑、搜山虎、竹叶七）。

| 形态特征 | 多年生草本。根茎较硬，直径5 mm，有撕裂成纤维状的残存鞘叶。叶3 ~ 4，纸质或厚纸质，椭圆形、倒卵状矩圆形或倒披针形，长8 ~ 25 cm，宽3 ~ 16 cm，无毛或幼时边缘有柔毛，先端骤尖，基部呈鞘状抱茎或后期伸长成柄状。花葶密生白色短柔毛，长10 ~ 20 cm，果期伸长可达60 cm；总状花序有3 ~ 12花，花梗密生柔毛，初期长约1 cm，后来伸长可达7 cm；苞片披针形，长约1 cm，密生柔毛，早落；花白色，少有淡蓝色；花被片矩圆形，长7 ~ 12 mm，宽3 ~ 4 mm，先端钝圆，外面有微毛，具5 ~ 7脉；花药长1.5 ~ 2 mm，花丝长3 ~ 5（ ~ 7） mm；子房长约3 mm，花柱连同浅3裂的柱头长3 ~ 5 mm。果实球形至矩圆形，长7 ~ 12

七筋姑

（~14）mm，宽 7 ~ 10 mm，自先端至中部沿背缝线作蒴果状开裂，每室有 6 ~ 12 种子；种子卵形或梭形，长 3 ~ 4.2 mm，宽约 2 mm。花期 5 ~ 6 月，果期 7 ~ 10 月。

| **生境分布** | 生于山坡林下。分布于宁夏六盘山（泾源、隆德、原州）等。

| **资源情况** | 野生资源较少。

| **采收加工** | 夏、秋季采收，洗净，鲜用或晾干。

| **药材性状** | 本品皱缩。根茎短粗，具多数细根；根和根茎表面均呈棕褐色，当年生幼根呈橙黄色；质硬脆，折断面呈淡黄色。叶基生，无柄；叶片皱缩或破碎，完整者展平后呈倒披针形，全缘，基部渐狭成鞘状抱茎；表面黄绿色或棕黄色，光滑无毛。花葶单一，长达 50 cm；花白色或淡棕黄色，总状稀疏排列于先端。果实球形，棕黑色至蓝黑色。气微，味淡。

| **功能主治** | 苦、微辛，凉；有小毒。归肝经。散瘀止痛。用于跌扑损伤，劳伤。

| **用法用量** | 内服煎汤，全草 3 ~ 6 g；或浸酒，根 0.3 ~ 1 g。

百合科 Liliaceae 贝母属 Fritillaria

宁夏贝母

Fritillaria taipaiensis P. Y. Li var. *ningxensis* Y. Yang et J. K. Wu

宁夏贝母

| 药 材 名 |

宁夏贝母（药用部位：鳞茎。别名：盘贝、六盘山贝母）。

| 形态特征 |

多年生草本，高 20 ~ 60 cm。鳞茎扁球形，直径 1 ~ 1.5 cm。茎直立，无毛。叶线形，最下的 2 叶对生，其上叶轮生、对生或散生，花下 3 叶轮生，长 5 ~ 14 cm，宽 3 ~ 8 mm，先端卷曲或直伸，基部半抱茎，两面无毛。花 1 ~ 2；花被钟形，长 3 ~ 4.5 cm，黄绿色，具紫色小方格；花被片 6，2 轮排列，外轮花被片倒卵状矩圆形，宽 11 ~ 13 mm，先端急尖，内轮花被片狭倒卵形，宽 14 ~ 18 mm，先端钝，基部以上具椭圆形腺窝，并在背面明显突出；雄蕊 6，花丝长约 18 mm，基部稍宽，无毛，花药长约 7 mm，近基着生，先端具小尖头；子房圆柱形，长 10 ~ 12 mm，花柱长约 1.5 cm，上部 3 裂，裂片长约 5 mm。花期 5 ~ 6 月。

| 生境分布 |

生于海拔 2 000 ~ 2 900 m 的林下或林缘草地。分布于宁夏六盘山（泾源、隆德、原州）等。

| **资源情况** | 野生资源较少。

| **采收加工** | 6 ~ 7 月地上部分枯黄时采挖，洗净，晒干或低温干燥。

| **药材性状** | 本品呈圆锥形或扁圆形，先端稍尖或钝圆，基部中央微凹，高 0.6 ~ 1.2 cm，直径 0.7 ~ 1.3 cm，一般较大者直径大于高，较小者则高大于直径。表面类白色，光滑，外层 2 鳞片的形状、大小相差不大，先端开裂，剥开外层鳞叶可见细鳞叶或心芽。质坚实，断面白色，粉性。气微，味微甜。以质坚实、粉性足、色白者为佳。

| **功能主治** | 苦、甘，微寒。归肺、心经。清热润肺，化痰止咳。用于肺热燥咳，干咳少痰，阴虚劳嗽，痰中带血。

| **用法用量** | 内服煎汤，3 ~ 10 g；或研末，1 ~ 2 g。

| **附　注** | （1）宁夏正在进行本种的引种栽培及驯化试验，目前尚不能大量生产商品药材。

（2）《中国中药资源志要》《宁夏植物志》和《宁夏中药志》记载，宁夏六盘山地区所产贝母的商品名为"盘贝"（以示出产于六盘山），被长期作为"川贝母"药用，南京药学院杨永康、吴家坤将其原植物命名为宁夏贝母 *Fritillaria taipaiensis* P. Y. Li var. *ningxensis* Y. Yang et J. K. Wu，认为其原植物为太白贝母

的变种。其与原变种的区别在于：花阔钟形，花被片宽大浑圆，长 4.5 ~ 4.8 cm，宽 2.2 ~ 2.4 cm，内 3 枚花被片倒卵状椭圆形，非匙形，蜜腺窝大而突起，被片具浅紫褐色细斑纹，先端两侧边缘无紫色斑带。应当说其与原变种的主要区别在于花被片的形状、色斑等花的特征上。但是，六盘山与秦岭太白山邻近，有文献记载，太白贝母花被片的形状和颜色变化较大，在同一栽培地内的也会不同；显微鉴别结果显示，宁夏贝母表皮组织与太白贝母具有相同特征，两者表皮细胞壁上均无角质栓；另外，研究者从宁夏贝母中分离到的 6 个异甾体生物碱与太白贝母的基本一致。目前，国内植物学界对宁夏贝母这一新变种的确定存在争议，这一新变种尚未得到学界的广泛认可。而围绕宁夏贝母的相关研究也较少。

百合科 Liliaceae 百合属 *Lilium*

山丹 *Lilium pumilum* DC.

| 药 材 名 |

百合（药用部位：鳞叶。别名：重迈、重箱、百合蒜）、百合花（药用部位：花）、百合子（药用部位：种子）。

| 形态特征 |

多年生草本。鳞茎卵形或圆锥形，高 2.5 ~ 4.5 cm，直径 2 ~ 3 cm；鳞片矩圆形或长卵形，长 2 ~ 3.5 cm，宽 1 ~ 1.5 cm，白色。茎高 15 ~ 60 cm，有小乳头状突起，有的带紫色条纹。叶散生于茎中部，条形，长 3.5 ~ 9 cm，宽 1.5 ~ 3 mm，中脉在下面凸出，边缘有乳头状突起。花单生或数朵排成总状花序，鲜红色，通常无斑点，有时有少数斑点，下垂；花被片反卷，长 4 ~ 4.5 cm，宽 0.8 ~ 1.1 cm，蜜腺两边有乳头状突起；花丝长 1.2 ~ 2.5 cm，无毛，花药长椭圆形，长约 1 cm，黄色，花粉近红色；子房圆柱形，长 0.8 ~ 1 cm，花柱稍长于子房，或比其长 1 倍或更多，长 1.2 ~ 1.6 cm，柱头膨大，直径 5 mm，3 裂。蒴果矩圆形，长 2 cm，宽 1.2 ~ 1.8 cm。花期 7 ~ 8 月，果期 9 ~ 10 月。

山丹

| 生境分布 | 生于海拔 1 100 ～ 2 600 m 的山坡草地或林缘。分布于宁夏泾源、隆德、彭阳、西吉、原州、平罗、贺兰、西夏、沙坡头、同心等。

| 资源情况 | 野生资源较丰富。

| 采收加工 | 百合：秋季采挖，洗净，剥取鳞叶，置沸水中略烫，干燥。

百合花：6 ～ 7 月采摘，阴干或晒干。

百合子：夏、秋季采收，晒干。

| 药材性状 | 百合：本品呈长椭圆形，长 2 ～ 5 cm，宽 1 ～ 2 cm，中部厚 1.3 ～ 4 mm。表面黄白色至淡棕黄色，有的微带紫色，有数条纵直平行的白色维管束。先端稍尖，基部较宽，边缘薄，微波状，略向内弯曲。质硬而脆，断面较平坦，角质样。气微，味微苦。以鳞叶均匀、肉厚、质硬、筋少、色白、味微苦者为佳。

| 功能主治 | 百合：甘，寒。归心、肺经。养阴润肺，清心安神。用于阴虚燥咳，劳嗽咯血，虚烦惊悸，失眠多梦，精神恍惚。

百合花：甘、苦，微寒。归肺、心经。清热润肺，宁心安神。用于咳嗽痰少或黏，眩晕，心烦，夜寐不安，天疱湿疮。

百合子：甘、苦，凉。归大肠经。清热凉血。用于肠风下血。

| 用法用量 | 百合：内服煎汤，6 ~ 12 g；或入丸、散剂；或蒸食、煮粥。外用适量，捣敷。
百合花：内服煎汤，6 ~ 12 g。外用适量，研末调敷。
百合子：内服研末，3 ~ 9 g。

| 附　注 | （1）《中国植物志》记载的山丹 *Lilium pumilum* DC. 与《中华人民共和国药典》收载的细叶百合 *Lilium pumilum* DC. 为同一植物。
（2）本种的鳞茎也作蒙药使用。

百合科 Liliaceae 萱草属 Hemerocallis

萱草
Hemerocallis fulva (L.) L.

萱草

| 药 材 名 |

萱草根（药用部位：根。别名：漏芦根果、黄花菜根、皮蒜）、萱草（药用部位：全草）、萱草嫩苗（药用部位：嫩苗）、萱草花（药用部位：花蕾。别名：忘忧草、金针菜、萱草）。

| 形态特征 |

多年生草本，高 30 ~ 90 cm。根茎极短，丛生多数近肉质纤维根及中下部膨大成纺锤形的块根。叶基生，排成 2 列；叶片条形，长 40 ~ 80 cm，宽 1.5 ~ 3.5 cm，先端渐尖，基部抱茎，全缘，主脉明显，在背面呈龙骨状突起。花葶粗壮，圆柱状，自叶丛抽出，高出叶面；蝎尾状聚伞花序复组成圆锥状，具 6 ~ 12 或更多花；苞片卵状披针形；花梗长约 2 cm；花大，橘黄色，无香味；花被长 7 ~ 12 cm，下部 2 ~ 3 cm 合生成较粗短的花被管，上部钟状，6 裂，裂片长椭圆形，排列成 2 轮，外轮化被裂片 3，长圆状披针形，宽 1.2 ~ 1.8 cm，具平行脉，内轮花被裂片 3，长圆形，宽 2 ~ 3 cm，具分枝的脉，中部具褐红色色带，边缘波状折皱，盛开时裂片反曲；雄蕊 6，伸出花被外，上弯，比花被裂片短，花丝线状，花药多少"丁"字形；花

柱伸出，上弯，比雄蕊长，子房长圆形，3 室。蒴果长圆形，长 5 ～ 10 cm，具钝棱，成熟时开裂；种子有棱角，黑色，光亮。花果期 5 ～ 7 月。

| **生境分布** | 栽培种。分布于宁夏隆德、大武口、灵武、盐池、利通、同心、海原等。

| **资源情况** | 栽培资源较丰富。

| **采收加工** | 萱草根：夏、秋季采挖，除去残茎、须根，洗净泥土，晒干。

萱草：全年均可采收，晒干。

萱草嫩苗：春季采收，鲜用。

萱草花：7 ～ 8 月间花蕾未开放时采摘，晒干。

| **药材性状** | 萱草根：本品簇生，多数已折断，完整者长 5 ～ 15 cm，上部直径 3 ～ 4 mm，中下部膨大成纺锤形块根，直径 0.5 ～ 1 cm，多干瘪抽皱，有多数纵皱及少数横纹，表面灰黄色或淡灰棕色。体轻，质松软，稍有韧性，不易折断，断面灰棕色或暗棕色，有多数放射状裂隙。气微香，味稍甜。

萱草：本品根茎呈短圆柱形，长 1 ～ 1.5 cm，有的先端有叶残基。根簇生，多数已折断，完整者长 5 ～ 15 cm，上部直径 3 ～ 4 cm，中下部膨大成纺锤形块根，直径 0.5 ～ 1 cm，多干瘪抽皱，有多数纵皱及少数横纹，表面淡黄色至淡灰棕色；体轻，质松软，稍有韧性，不易折断，断面灰棕色或暗棕色，有多数放射状裂隙。

完整叶片展平后呈宽线形，长30～60 cm，宽约1.5 cm，有棱脊，下部重叠，主脉较粗，基部枯烂后常残存灰褐色纤维状维管束。气微香，味稍甜。

萱草花：本品呈细长棒形，长6～15 cm，直径0.3～0.5 cm，上半部略膨大，下半部细柱状。表面淡黄褐色至黄褐色，先端钝尖，基部着生短梗；花被管长3～5 cm，花被裂片2轮，每轮3；雄蕊、雌蕊均被包裹于花被裂片内。质柔软。气微清香，味淡。

| **功能主治** | 萱草根：甘，凉；有毒。归脾、肝、膀胱经。清热利湿，凉血止血，解毒消肿。用于黄疸，水肿，淋浊，带下，衄血，便血，崩漏，瘰疬，乳痈，乳汁不通。

萱草：甘，凉；有小毒。归肝、脾、膀胱经。清热利湿，凉血止血，解毒消肿。用于黄疸，水肿，小便不利，带下，便血，乳痈。

萱草嫩苗：甘，凉。清热利湿。用于胸膈烦热，黄疸，小便短赤。

萱草花：甘，凉。利水渗湿，清热止渴，解郁宽胸。用于小便赤涩，烦热口渴，胸闷忧郁。

| **用法用量** | 萱草根：内服煎汤，6～9 g。外用适量，捣敷。

萱草：内服煎汤，3～6 g。外用适量，捣敷。

萱草嫩苗：内服煎汤，15～30 g。外用适量，捣敷。

萱草花：内服煎汤，10～15 g。

| **附　　注** | 《中国植物志》（英文版）记载本种由百合科 Liliaceae 修订为何福花科 Asphodelaceae。

百合科 Liliaceae 重楼属 Paris

华重楼
Paris polyphylla Smith var. *chinensis* (Franch.) Hara

华重楼

| 药 材 名 |

重楼（药用部位：根茎。别名：蚤休、七叶一枝花、重楼根）。

| 形态特征 |

多年生草本，高 35 ~ 100 cm，无毛。根茎粗厚，直径达 1 ~ 3 cm，外面棕褐色，密生多数环节和须根。茎通常带紫红色，直径（0.8 ~）1 ~ 1.5 cm，基部有 1 ~ 3 灰白色干膜质鞘。叶 5 ~ 8 轮生，通常 7，倒卵状披针形、矩圆状披针形或倒披针形，基部通常楔形，长 7 ~ 15 cm，宽 2.5 ~ 5 cm，先端短尖或渐尖，基部圆形或宽楔形；叶柄明显，长 2 ~ 6 cm，带紫红色。花梗长 5 ~ 16（~ 30）cm；外轮花被片绿色，（3 ~）4 ~ 6，狭卵状披针形，长（3 ~）4.5 ~ 7 cm，内轮花被片狭条形，通常中部以上变宽，宽 1 ~ 1.5 mm，长 1.5 ~ 3.5 cm，长为外轮花被片的 1/3 至与其近等长或较其稍长；雄蕊 8 ~ 10，花药长 1.2 ~ 1.5（~ 2）cm，长为花丝的 3 ~ 4 倍，药隔突出部分长 1 ~ 1.5（~ 2）mm；子房近球形，具棱，先端具 1 盘状花柱基，花柱粗短，具（4 ~）5 分枝。蒴果紫色，直径 1.5 ~ 2.5 cm，3 ~ 6 瓣裂开；种子多数，具鲜红色多浆汁的外种皮。花期

5 ～ 7 月，果期 8 ～ 10 月。

| **生境分布** | 生于海拔 1 200 ～ 2 500 m 的林下阴处或沟谷草丛中。分布于宁夏泾源等。

| **资源情况** | 野生资源较少。

| **采收加工** | 秋季采挖，除去须根，洗净，晒干。

| **药材性状** | 本品呈结节状扁圆柱形，略弯曲，长 5 ～ 12 cm，直径 1 ～ 3 cm。表面黄棕色或灰棕色，外皮脱落处呈白色；密具层状凸起的粗环纹，一面结节明显，结节上具椭圆形凹陷茎痕，另一面有疏生的须根或疣状须根痕。先端具鳞叶和茎的残基。质坚实，断面平坦，白色至浅棕色，粉性或角质。气微，味微苦、麻。

| **功能主治** | 苦，微寒；有小毒。归肝经。清热解毒，消肿止痛，凉肝定惊。用于疔疮痈肿，咽喉肿痛，毒蛇咬伤，跌扑伤痛，惊风抽搐。

| **用法用量** | 内服煎汤，3 ～ 9 g。外用适量，研末调敷。

| **附 注** | 《中国植物志》记载本种的植物名为华重楼 *Paris polyphylla* Smith var. *chinensis* (Franch.) Hara，将其作为七叶一枝花 *Paris polyphylla* Smith 的变种。《中华人民共和国药典》（2020 年版）记载本种植物名为七叶一枝花 *Paris polyphylla* Smith var. *chinensis* (Franch.) Hara。国内其他一些药品标准或本草著作中也有将本种的中文名记载为"七叶一枝花"的情况，这导致本种中文名使用非常混乱。

百合科 Liliaceae 重楼属 Paris

宽叶重楼

Paris polyphylla Smith var. *latifolia* Wang et Chang

宽叶重楼

| 药 材 名 |

灯台七（药用部位：根茎。别名：七叶一枝花、重楼、灯盏七）。

| 形态特征 |

多年生草本。植株高 35 ~ 100 cm，无毛。根茎粗厚，直径达 1 ~ 2.5 cm，外面棕褐色，密生多数环节和须根。茎通常带紫红色，直径（0.8 ~ ）1 ~ 1.5 cm，基部有 1 ~ 3 灰白色干膜质鞘。叶（5 ~ ）7 ~ 10，矩圆形、椭圆形或倒卵状披针形，长 7 ~ 15 cm，宽 2.5 ~ 5 cm，先端短尖或渐尖，基部圆形或宽楔形；叶柄明显，长 2 ~ 6 cm，带紫红色。花梗长 5 ~ 16（ ~ 30）cm；外轮花被片绿色，（3 ~ ）4 ~ 6，狭卵状披针形，长（3 ~ ）4.5 ~ 7 cm，内轮花被片狭条形，通常比外轮花被片长；雄蕊 8 ~ 12，花药短，长 5 ~ 8 mm，与花丝近等长或较花丝稍长，药隔突出部分长 0.5 ~ 1（ ~ 2）mm；子房近球形，具棱，先端具 1 盘状花柱基，花柱粗短，具（4 ~ ）5 分枝。蒴果紫色，直径 1.5 ~ 2.5 cm，3 ~ 6 瓣裂开；种子多数，具鲜红色多浆汁的外种皮。花期 4 ~ 7 月，果期 8 ~ 11 月。

| 生境分布 | 生于林下阴湿处。分布于宁夏六盘山（泾源、隆德、原州）及彭阳等。 |

| 资源情况 | 野生资源较少。 |

| 采收加工 | 秋季采挖，除去须根和泥土，晒干或切片晒干。 |

| 药材性状 | 本品呈长卵形或扁圆柱形，不规则结节状，长 2 ～ 6 （～ 8 ） cm，直径 1 ～ 2.5 cm。表面黄棕色或棕褐色，全体密生粗环纹，下面有须根或须根痕，先端有茎的残基及膜质叶鞘；较老的根茎表面色较深，具多数凹陷的类圆形茎痕。质坚硬，折断面粉性，灰白色，略呈角质状，维管束排列为环状。气微，味微苦。以粗壮、质重者为佳。 |

| 功能主治 | 苦，微寒；有小毒。归肝经。清热解毒，消肿止痛，凉肝定惊。用于疗疮痈肿，咽喉肿痛，毒蛇咬伤，牙痛，跌打伤痛，小儿惊风抽搐。 |

| 用法用量 | 内服煎汤，3 ～ 9 g。外用适量，研末调敷。 |

| 附　注 | 《宁夏中药志》记载本种以根茎入药，药材名为"七叶一枝花"，但从本种的药用历史记载来看，多以"灯台七"作其药材名。 |

百合科 Liliaceae 重楼属 Paris

北重楼
Paris verticillata M.-Bieb.

| 药 材 名 | 上天梯（药用部位：根茎。别名：定风筋、铜筷子、灯台七）。

| 形态特征 | 多年生草本，高 25 ~ 60 cm。根茎细长，直径 3 ~ 5 mm。茎绿白色，有时带紫色。叶（5 ~ ）6 ~ 8 轮生，披针形、狭矩圆形、倒披针形或倒卵状披针形，长（4 ~ ）7 ~ 15 cm，宽 1.5 ~ 3.5 cm，先端渐尖，基部楔形，具短柄或近无柄。花梗长 4.5 ~ 12 cm；外轮花被片绿色，极少带紫色，叶状，通常 4（~ 5），纸质，平展，倒卵状披针形、矩圆状披针形或倒披针形，长 2 ~ 3.5 cm，宽（0.6 ~ ）1 ~ 3 cm，先端渐尖，基部圆形或宽楔形，内轮花被片黄绿色，条形，长 1 ~ 2 cm；花药长约 1 cm，花丝基部稍扁平，长 5 ~ 7 mm，药隔突出部分长 6 ~ 8（~ 10）mm；子房近球形，紫褐色，先端无盘状花柱基，花柱具 4 ~ 5 分枝，分枝细长，并向外反卷，比不分

北重楼

枝部分长 2 ～ 3 倍。蒴果浆果状，不开裂，直径约 1 cm，具数颗种子。花期 5 ～ 6
月，果期 7 ～ 9 月。

| 生境分布 | 生于海拔 1 100 ～ 2 500 m 的山坡林下。分布于宁夏六盘山（泾源、隆德、原州）
等，泾源、隆德其他地区也有分布。

| 资源情况 | 野生资源丰富。

| 采收加工 | 夏末秋初采挖，除去茎叶及须根，洗净，鲜用或晒干。

| 药材性状 | 本品呈圆柱形，稍扁，略弯曲，长 5 ～ 10 cm，直径约 3 mm。表面棕黄色，具
纵皱纹，有节，节上残留膜状鳞叶、须根或根痕。质坚脆，易折断，断面较平坦，
白色至淡黄色，显粉性。气无，
味微甘而后麻。

| 功能主治 | 苦，寒；有小毒。祛风利湿，
清热定惊，解毒消肿。用于
风湿痹痛，热病抽搐，咽喉
肿痛，痈肿，瘰疬，毒蛇咬伤。

| 用法用量 | 内服煎汤，3 ～ 6 g；或入丸、
散剂。外用适量，捣敷；或
以醋磨汁涂。

| 附　注 | 本种与宽叶重楼 *Paris
polyphylla* Smith var. *latifolia*
Wang et chang 形态相似，其
主要区别在于：本种根茎细
长，横走，须根较少，轮生
叶 6 ～ 8，外轮花被片 4（
～ 5），内轮花被片线形，短
于外轮花被片。

菝葜科 Smilacaceae 菝葜属 Smilax

防己叶菝葜

Smilax menispermoidea A. DC.

防己叶菝葜

| 药 材 名 |

宁夏土茯苓（药用部位：根茎。别名：土伏苓、白菝葜）。

| 形态特征 |

攀缘灌木。根茎粗壮，木质，坚硬，黄褐色，着生多数须根。茎长 0.5 ~ 3 m，枝条无刺。叶纸质，卵形或宽卵形，长 2 ~ 6(~ 10) cm，宽 2 ~ 5 (~ 7) cm，先端急尖，并具尖凸，基部浅心形至近圆形，下面苍白色；叶柄长 1 ~ 2 cm，下部 1/2 ~ 2/3 成狭鞘，有卷须。伞形花序具数朵至 10 余朵花，总花梗纤细，较叶柄长；花序托稍膨大，有宿存小苞片；花紫红色；雄花外花被片长约 2.5 mm，宽约 1.1 mm，内花被片稍狭，雄蕊较短，花丝合生成短柱；雌花稍小或与雄花近等大，具 6 退化雄蕊。浆果球形，直径 7 ~ 10 mm，成熟时紫黑色。花期 5 ~ 6 月，果期 8 ~ 10 月。

| 生境分布 |

生于海拔 1 500 ~ 2 700 m 的林下、灌丛及山坡荫蔽处。分布于宁夏泾源、隆德、原州等。

| **资源情况** | 野生资源较少。

| **采收加工** | 秋季采挖，洗净，除去地上部分及须根，晒干或切片晒干。

| **药材性状** | 本品呈不规则条块状，有结节状隆起，具短分枝，长 5 ~ 15 cm，直径 2 ~ 5 cm。表面棕褐色或灰褐色，具须根痕，有时表皮可见不规则裂纹。质坚硬，难折断，断面类白色至淡棕色。气微，味淡。

| **功能主治** | 甘、淡，平。归肝、胃经。除湿，解毒，通利关节。用于湿热淋浊，带下，痈肿，瘰疬，疥癣，梅毒及汞中毒所致的肢体拘挛，筋骨疼痛。

| **用法用量** | 内服煎汤，15 ~ 60 g。

| **附 注** | 《中华人民共和国药典》（2020年版）记载土茯苓药材的来源为百合科植物光叶菝葜 *Smilax glabra* Roxb. 的干燥根茎。本种的根茎在宁夏亦称为"土茯苓"，为宁夏的民间药。为与《中华人民共和国药典》正品土茯苓区别，本书以"宁夏土茯苓"为药材正名。

菝葜科 Smilacaceae 菝葜属 Smilax

鞘柄菝葜
Smilax stans Maxim.

| 药 材 名 | 铁丝威灵仙（药用部位：根及根茎。别名：威灵仙、铁杆威灵仙、铁丝灵仙）。

| 形态特征 | 落叶灌木或半灌木，直立或披散，高 0.3 ~ 3 m。茎和枝条稍具棱，无刺。叶纸质，卵形、卵状披针形或近圆形，长 1.5 ~ 4（~ 6）cm，宽 1.2 ~ 3.5（~ 5）cm，下面稍苍白色或有时有粉尘状物；叶柄长 5 ~ 12 mm，向基部渐宽成鞘状，背面有多条纵槽，无卷须，脱落点位于近先端。花序具 1 ~ 3 或更多花；总花梗纤细，比叶柄长 3 ~ 5 倍；花序托不膨大；花绿黄色，有时淡红色；雄花外花被片长 2.5 ~ 3 mm，宽约 1 mm，内花被片稍狭；雌花比雄花略小，具 6 退化雄蕊，退化雄蕊有时具不育花药。浆果直径 6 ~ 10 mm，成熟时黑色，具粉霜。花期 5 ~ 6 月，果期 10 月。

鞘柄菝葜

| **生境分布** | 生于海拔 1 600 ~ 2 700 m 的林下、灌丛中或山坡阴处。分布于宁夏泾源、隆德、原州等。 |

| **资源情况** | 野生资源较丰富。 |

| **采收加工** | 秋季采挖，除去茎叶和泥土，晒干。 |

| **药材性状** | 本品根茎呈不规则块状，坚硬，大小不一；表面黄棕色或灰褐色，具多数圆锥状突起，着生多数细长的根。根长 10 ~ 40 cm，直径 0.5 ~ 1.5 mm；表面灰褐色或灰黑色，平滑，带细小钩刺及少数须根。质韧，富弹性，不易折断，断面白色。气微，味淡。 |

| **功能主治** | 辛、微苦，平。归心、肺经。祛风除湿，活血通络，解毒散结。用于风湿痹痛，关节不利，疮疖，肿毒，瘰疬。 |

| **用法用量** | 内服煎汤，6 ~ 9 g，大剂量可用 15 ~ 30 g；或入丸、散剂；或浸酒。外用适量，捣敷；或研末调敷；或煎汤洗。 |

| **附　注** | 《宁夏中药志》记载本种在 20 世纪 60 年代曾被作为威灵仙采挖和销售；另外，本种在甘肃也曾是当地威灵仙的主流基原。《中华人民共和国药典》收载的威灵仙的基原为毛茛科植物威灵仙 *Clematis chinensis* Osbeck、棉团铁线莲 *Clematis hexapetala* Pall. 或东北铁线莲 *Clematis manshurica* Rupr.。 |

藜芦科 Melanthiaceae 藜芦属 Veratrum

藜芦

Veratrum nigrum L.

藜芦

药材名

藜芦（药用部位：根及根茎。别名：黑藜芦、葱芦、山葱）、藜芦茎叶（药用部位：茎、叶）。

形态特征

多年生草本，高可达 1 m，通常粗壮，基部鞘枯死后残留有网眼的黑色纤维网。叶椭圆形、宽卵状椭圆形或卵状披针形，大小常有较大变化，通常长 22 ~ 25 cm，宽约 10 cm，薄革质，先端锐尖或渐尖，基部无柄或生于茎上部者具短柄，两面无毛。圆锥花序密生黑紫色花，侧生总状花序近直立伸展，长 4 ~ 12（~ 22）cm，通常具雄花，顶生总状花序常较侧生总状花序长 2 倍或更多，几乎全部着生两性花；总轴和枝轴密生白色绵状毛；小苞片披针形，边缘和背面有毛；生于侧生总状花序上的花梗长约 5 mm，与小苞片近等长，密生绵状毛；花被片开展或在两性花中略反折，矩圆形，长 5 ~ 8 mm，宽约 3 mm，先端钝或浑圆，基部略收狭，全缘；雄蕊长为花被片的一半；子房无毛。蒴果长 1.5 ~ 2 cm，宽 1 ~ 1.3 cm。花果期 7 ~ 9 月。

| **生境分布** | 生于海拔 1 500 ~ 2 500 m 的山坡草地、林下或草丛中。分布于宁夏六盘山（泾源、隆德、原州）等，泾源、隆德其他地区也有分布。 |

| **资源情况** | 野生资源较少。 |

| **采收加工** | 藜芦：春季采挖，除去苗叶、泥沙，晒干。
藜芦茎叶：夏、秋季间采收，除去杂质，晒干。 |

| **药材性状** | 藜芦：本品根茎呈圆柱形，长 2 ~ 4 cm，直径 0.7 ~ 1.4 cm；外被残留的黑褐色纤维状叶基维管束，下部簇生多数细根。根细长，略弯曲，长 7 ~ 15 cm，直径 1 ~ 3 cm；表面淡黄色或灰褐色，具细密的横皱纹，下部多横皱纹。质坚脆，断面类白色。气微，味苦。
藜芦茎叶：本品茎长 30 ~ 100 cm，圆柱状，中空；表面灰绿色或棕褐色，基部常残留黑褐色网状纤维。叶片椭圆形，基部抱茎，全缘，两面无毛，具数条明显的平行脉。体轻，质脆。气微。 |

| **功能主治** | 藜芦：辛、苦，寒；有毒。归肺、胃、肝经。涌吐风痰，杀虫疗疮。用于中风痰壅，喉闭不通，癫痫，疥癣，秃疮。
藜芦茎叶：辛、苦，寒；有毒。归肺、胃、肝经。宣壅导滞，涌吐风痰。用于痰涎壅盛，风痫癫疾，喉痹。 |

| **用法用量** | 藜芦：内服入丸、散剂，0.3 ~ 0.9 g。外用适量。
藜芦茎叶：内服煎汤，1.5 ~ 3 g。 |

| **附　　注** | 本种的根及根茎亦作蒙药和维药使用。 |

薯蓣科 Dioscoreaceae　薯蓣属 *Dioscorea*

穿龙薯蓣 *Dioscorea nipponica* Makino

| 药 材 名 | 穿山龙（药用部位：根茎。别名：穿龙骨、穿地龙）。

| 形态特征 | 多年生草质藤本。根茎横走，木质，坚硬，呈弯曲的圆柱状，多分枝，外皮黄褐色，常呈片状剥落，着生多数须根。茎圆柱形，左旋缠绕，近无毛。单叶互生，叶柄长 7 ~ 15 cm；叶片掌状心形，长 7 ~ 14 cm，宽 7 ~ 13 cm，边缘不等大三角状浅裂、中裂或深裂，先端裂片近全缘。花雌雄异株。雄花序为腋生的穗状花序，花序基部常由 2 ~ 4 花集成小伞状，先端常为单花；苞片披针形，先端渐尖，短于花被；花被碟形，6 裂；雄蕊 6，着生于花被裂片的中央。雌花序穗状；雌花具退化雄蕊；雌蕊柱头 3 裂，裂片再 2 裂。蒴果成熟后橘黄色，先端凹入，基部近圆形，具 3 翅，翅长 1.5 ~ 2 cm，宽 0.6 ~ 1 cm；种子每室 2，有时仅 1 枚发育，着生于中轴基部，四周有不等宽的

穿龙薯蓣

薄膜状翅，上方呈长方形，长约为宽的 2 倍。花期 6 ~ 8 月，果期 8 ~ 10 月。

| 生境分布 | 生于海拔 1 800 ~ 2 500 m 的山坡、沟旁、林缘或灌丛中。分布于宁夏六盘山（泾源、隆德、原州）、罗山（同心、红寺堡）及西吉等，泾源、原州其他地区也有分布。

| 资源情况 | 野生资源丰富。

| 采收加工 | 春、秋季采挖，洗净，除去须根和外皮，晒干。

| 药材性状 | 本品呈类圆柱形，稍弯曲，长 15 ~ 20 cm，直径 1 ~ 1.5 cm。表面黄白色或棕黄色，有不规则纵沟、刺状残根及偏于一侧的凸起的茎痕。质坚硬，断面平坦，白色或黄白色，散有淡棕色维管束小点。气微，味苦、涩。

| 功能主治 | 甘、苦，温。归肝、肾、肺经。祛风除湿，舒筋通络，活血止痛，止咳平喘。用于风湿痹痛，关节肿胀，疼痛麻木，跌扑损伤，闪腰岔气，咳嗽气喘。

| 用法用量 | 内服煎汤，9 ~ 15 g；或制成酒剂。

| 附　注 | 本种的根及根茎也作蒙药、维药使用。

薯蓣科 Dioscoreaceae 薯蓣属 Dioscorea

薯蓣 *Dioscorea polystachya* Turczaninow

| **药 材 名** | 山药（药用部位：根茎。别名：怀山药、山薯蓣）、山药藤（药用部位：地上部分）。

| **形态特征** | 缠绕草质藤本。块茎肉质，肥厚，略呈圆柱形，长可达 1 m 或更长，直径 2 ~ 7 cm，外皮灰褐色，生须根。茎通常紫红色，右旋。单叶在茎下部互生，在茎中部以上对生，稀 3 叶轮生；叶片卵状三角形至宽卵形或戟形，变异大，长 3 ~ 9（ ~ 16）cm，宽 2 ~ 7（ ~ 14）cm，先端渐尖，基部深心形、宽心形或近截形，边缘常 3 浅裂至深裂，中裂片卵状椭圆形至披针形，侧裂片耳状，圆形、近方形至长圆形，幼苗期叶片一般不裂，宽卵形或卵圆形，基部深心形，叶腋内常有珠芽。花单性，雌雄异株，成细长的穗状花序。雄花序长 2 ~ 8 cm，近直立，2 ~ 8 生于叶腋，偶呈圆锥状排列；花序轴呈明显的"之"

薯蓣

字形曲折；苞片和花被片有紫褐色斑点；外轮花被片宽卵形，内轮花被片卵形，较小；雄蕊 6。雌花序 1 ~ 3 生于叶腋。蒴果三棱状扁圆形或三棱状圆形，长 1.2 ~ 2 cm，宽 1.5 ~ 3 cm，外面有白粉；种子着生于每室中轴中部，四周有膜质翅。花期 6 ~ 9 月，果期 7 ~ 11 月。

| **生境分布** | 栽培种。分布于宁夏金凤等。

| **资源情况** | 栽培资源较丰富。

| **采收加工** | 山药：冬季茎叶枯萎后采挖，切去根头，洗净，除去外皮和须根后直接干燥者习称"毛山药"，除去外皮后趁鲜切厚片再干燥者习称"山药片"；或选择肥大顺直的干燥山药，置清水中，浸至无干心，闷透，切齐两端，用木板搓成圆柱状，晒干，打光，习称"光山药"。

山药藤：夏、秋季采收，洗净，晒干。

| **药材性状** | 山药：本品毛山药略呈圆柱形，弯曲而稍扁，长 15 ~ 30 cm，直径 1.5 ~ 6 cm；表面黄白色或淡黄色，有纵沟、纵皱纹及须根痕，偶有浅棕色外皮残留。体重，质坚实，不易折断，断面白色，粉性；气微，味淡、微酸，嚼之发黏。山药片为不规则厚片，皱缩不平，切面白色或黄白色；质坚脆，粉性；气微，味淡、微酸。光山药呈圆柱形，两端平齐，长 9 ~ 18 cm，直径 1.5 ~ 3 cm；表面光滑，白色或黄白色。

山药藤：本品茎呈圆柱形段状，稍扭曲，直径 0.15 ~ 0.4 cm；表面棕黄色至黄褐色，具纵沟纹，有的具分枝及叶痕；切面淡黄棕色，疏松，可见空隙，中空。叶皱缩破碎，黄绿色至棕绿色，展平后完整者呈三角状卵形或三角状广卵形或耳状 3 浅裂至深裂，基部戟状心形，先端渐尖或长尖。质软。气微，味微涩。

| **功能主治** | 山药：甘，平。归脾、肺、肾经。补脾养胃，生津益肺，补肾涩精。用于脾虚食少，久泻不止，肺虚喘咳，肾虚遗精，带下，尿频，虚热消渴。

山药藤：微苦、甘，平。清利湿热，凉血解毒。用于皮肤湿疹，丹毒。

| **用法用量** | 山药：内服煎汤，15 ~ 30 g。

山药藤：外用适量，煎汤熏洗；或捣敷。

鸢尾科 Iridaceae 射干属 *Belamcanda*

射干
Belamcanda chinensis (L.) Redouté

| 药 材 名 |

射干（药用部位：根茎。别名：板草）、射干叶（药用部位：叶）。

| 形态特征 |

多年生草本。根茎不规则块状，斜伸，黄色或黄褐色；须根多数，带黄色。茎高1～1.5 m，实心。叶互生，嵌迭状排列，剑形，长20～60 cm，宽2～4 cm，基部鞘状抱茎，先端渐尖，无中脉。花序顶生，叉状分枝，每分枝先端聚生数朵花；花梗细，长约1.5 cm，花梗及花序的分枝处均包有膜质苞片；苞片披针形或卵圆形；花橙红色，散生紫褐色斑点，直径4～5 cm；花被裂片6，排列成2轮，外轮花被裂片倒卵形或长椭圆形，长约2.5 cm，宽约1 cm，先端钝圆或微凹，基部楔形，内轮花被裂片较外轮花被裂片略短而狭；雄蕊3，长1.8～2 cm，着生于外轮花被裂片基部，花药条形，外向开裂，花丝近圆柱形，基部稍扁而宽；花柱上部稍扁，先端3裂，裂片边缘略向外卷，有细而短的毛，子房下位，倒卵形，3室，中轴胎座，胚珠多数。蒴果倒卵形或长椭圆形，长2.5～3 cm，直径1.5～2.5 cm，先端无喙，常残存凋萎的花被，成熟时室背开

射干

裂，果瓣外翻，中央有直立的果轴；种子圆球形，黑紫色，有光泽，直径约5 mm，着生于果轴上。花期 6 ~ 8 月，果期 7 ~ 9 月。

| **生境分布** | 生于海拔 1 800 ~ 2 500 m 的山坡草地、路旁和林缘。分布于宁夏六盘山（泾源、隆德、原州）及红寺堡等。宁夏兴庆、金凤有零星栽培。

| **资源情况** | 野生资源较少。栽培资源一般。

| **采收加工** | 射干：春初刚发芽或秋末茎叶枯萎时采挖，除去须根和泥沙，干燥。
射干叶：8 ~ 9 月采收，切丝，干燥。

| **药材性状** | 射干：本品呈不规则结节状，长 3 ~ 10 cm，直径 1 ~ 2 cm。表面黄褐色、棕褐色或黑褐色，皱缩，有较密的环纹。上面有数个圆盘状凹陷的茎痕，偶有茎基残存；下面残留细根及根痕。质硬，断面黄色，颗粒性。气微，味苦、微辛。以粗壮、质硬、断面色黄者为佳。
射干叶：本品为卷曲状粗丝。上、下表面均呈黄绿色至黄棕色。平行脉数条，在上、下表面间隔凸起。体轻，质韧，易纵向撕裂。气微，味淡。

| **功能主治** | 射干：苦，寒。归肺经。清热解毒，消痰，利咽。用于热毒痰火郁结，咽喉肿痛，痰涎壅盛，咳嗽气喘。
射干叶：微苦、涩，凉。归肾、膀胱、肝、胆、肺经。清火解毒，凉血止血，

利胆退黄，利尿化石，收敛止汗。用于淋证所致的尿频、尿急、尿痛、尿血、尿中夹有沙石，月经不调，崩漏，黄疸，消渴，肺痨咯血。

| **用法用量** | 射干：内服煎汤，3 ~ 10 g；或入丸、散剂；或鲜品捣汁。外用适量，煎汤洗；或研末吹喉；或捣敷。
射干叶：内服煎汤，15 ~ 30 g。

| **附　　注** | 本种的根茎亦作蒙药、苗药、傣药、壮药使用。

鸢尾科 Iridaceae 鸢尾属 Iris

野鸢尾
Iris dichotoma Pall.

野鸢尾

| 药 材 名 |

白射干（药用部位：根茎。别名：土射干、板草、白花射干）。

| 形态特征 |

多年生草本。根茎为不规则块状，棕褐色或黑褐色；须根发达，粗而长，黄白色，分枝少。叶基生或在花茎基部互生，两面灰绿色，剑形，长 15 ～ 35 cm，宽 1.5 ～ 3 cm，先端多弯曲成镰形，渐尖或短渐尖，基部鞘状抱茎，无明显的中脉。花茎实心，高40 ～ 60 cm，上部二歧状分枝，分枝处生披针形茎生叶，下部有 1 ～ 2 抱茎的茎生叶；花序生于分枝先端；苞片 4 ～ 5，膜质，绿色，边缘白色，披针形，长 1.5 ～ 2.3 cm，内包含 3 ～ 4 花；花蓝紫色或浅蓝色，有棕褐色斑纹，直径 4 ～ 4.5 cm；花梗细，常超出苞片，长 2 ～ 3.5 cm；花被管甚短，外花被裂片宽倒披针形，长 3 ～ 3.5 cm，宽约1 cm，上部向外反折，无附属物，内花被裂片狭倒卵形，长约 2.5 cm，宽 6 ～ 8 mm，先端微凹；雄蕊长 1.6 ～ 1.8 cm，花药与花丝等长；花柱分枝扁平，花瓣状，长约2.5 cm，先端裂片狭三角形，子房绿色，长约 1 cm。蒴果圆柱形或略弯曲，长 3.5 ～

5 cm，直径 1 ~ 1.2 cm，果皮黄绿色，革质，成熟时自先端向下开裂至 1/3 处；种子暗褐色，椭圆形，有小翅。花期 7 ~ 8 月，果期 8 ~ 9 月。

| **生境分布** | 生于砂质草地、山坡石隙等向阳干燥处。分布于宁夏贺兰山（贺兰、平罗、西夏）、罗山（同心、红寺堡）、六盘山（泾源、隆德、原州）、南华山（海原）及盐池、彭阳等，同心、海原、原州、泾源其他地区也有分布。

| **资源情况** | 野生资源较少。

| **采收加工** | 秋季采挖，除去地上部分和须根，洗净，晒干。

| **药材性状** | 本品呈不规则结节状，长 2 ~ 5 cm，直径 0.7 ~ 2.5 cm。表面灰褐色，粗糙，可见圆形茎痕或残留的茎基。质空虚软韧或硬而脆，横断面中央有小木心，木心与外皮间为空隙或黄白色皮层。气微，味微苦、辛。以粗壮、质硬、断面色黄者为佳。

| **功能主治** | 苦，寒；有小毒。归心、肝经。清热解毒，活血消肿。用于咽喉肿痛，牙龈肿痛，胃痛，乳痈，肝炎，肝肿大，扁桃体炎。

| **用法用量** | 内服煎汤，1.5 ~ 3 g。外用适量，切片贴患处。

| **附　注** | （1）宁夏曾有把白射干误称为射干并采挖和药用的情况出现。本种与射干为同科不同属植物，不宜作射干药用。
（2）《中华本草》记载白花射干以本种的全草或根茎入药。

鸢尾科 Iridaceae 鸢尾属 Iris

德国鸢尾
Iris germanica L.

德国鸢尾

| 药 材 名 |

德国鸢尾（药用部位：茎叶）。

| 形态特征 |

多年生草本。根茎粗壮而肥厚，常分枝，扁圆形，斜伸，具环纹，黄褐色；须根肉质，黄白色。叶直立或略弯曲，淡绿色、灰绿色或深绿色，常具白粉，剑形，长20～50 cm，宽2～4 cm，先端渐尖，基部鞘状，常带红褐色，无明显的中脉。花茎光滑，黄绿色，高60～100 cm，上部有1～3侧枝，中、下部有1～3茎生叶；苞片3，草质，绿色，边缘膜质，有时略带红紫色，卵圆形或宽卵形，长2～5 cm，宽2～3 cm，内包含1～2花；花大，色鲜艳，直径可达12 cm；花色因栽培品种不同而异，多为淡紫色、蓝紫色、深紫色或白色，有香味；花被管喇叭形，长约2 cm，外花被裂片椭圆形或倒卵形，长6～7.5 cm，宽4～4.5 cm，先端下垂，爪部狭楔形，中脉密生黄色须毛状附属物，内花被裂片倒卵形或圆形，长、宽均约5 cm，直立，先端向内拱曲，中脉宽，并向外隆起，爪部狭楔形；雄蕊长2.5～2.8 cm，花药乳白色；花柱分枝淡蓝色、蓝紫色或白色，长约5 cm，宽约1.8 cm，先端裂片宽三角形或半圆形，有锯齿，子房纺锤形，长约 3 cm，直径约 5 mm。蒴果三棱状圆柱形，长 4 ~ 5 cm，先端钝，无喙，成熟时自先端向下开裂为 3 瓣；种子梨形，黄棕色，表面有皱纹，先端有黄白色附属物。花期 4 ~ 5 月，果期 6 ~ 8 月。

| **生境分布** | 栽培种。分布于宁夏沙坡头、利通、盐池、大武口等。

| **资源情况** | 栽培资源丰富，亦为庭园观赏植物。

| **功能主治** | 活血化瘀，祛风利湿。

鸢尾科 Iridaceae 鸢尾属 Iris

锐果鸢尾 *Iris goniocarpa* Baker

锐果鸢尾

| 药 材 名 |

锐果鸢尾（药用部位：根、种子）。

| 形态特征 |

多年生草本。根茎短，棕褐色；须根细，质柔嫩，黄白色，多分枝。叶柔软，黄绿色，条形，长 10 ~ 25 cm，宽 2 ~ 3 mm，先端钝，中脉不明显。花茎高 10 ~ 25 cm，无茎生叶；苞片 2，膜质，绿色，略带淡红色，披针形，长 2 ~ 4 cm，宽 5 ~ 8 mm，先端渐尖，向外反折，内包含 1 花；花蓝紫色，直径 3.5 ~ 5 cm；花梗甚短或无；花被管长 1.5 ~ 2 cm，外花被裂片倒卵形或椭圆形，长 2.5 ~ 3 cm，宽约 1 cm，有深紫色斑点，先端微凹，基部楔形，中脉上的须毛状附属物基部白色，先端黄色，内花被裂片狭椭圆形或倒披针形，长 1.8 ~ 2.2 cm，宽约 5 mm，先端微凹，直立；雄蕊长约 1.5 cm，花药黄色；花柱分枝花瓣状，长约 1.8 cm，先端裂片狭三角形，子房绿色，长 1 ~ 1.5 cm。蒴果黄棕色，三棱状圆柱形或椭圆形，长 3.2 ~ 4 cm，直径 1.2 ~ 1.8 cm，先端有短喙。花期 5 ~ 6 月，果期 6 ~ 8 月。

| **生境分布** | 生于海拔 1 700 ~ 2 700 m 的高山草地、向阳山坡草丛中及林缘、疏林下。分布于宁夏六盘山（泾源、隆德、原州）、罗山（同心、红寺堡）等。 |

| **资源情况** | 野生资源较少。 |

| **功能主治** | 清热解毒，凉血利湿。用于咽喉肿痛，黄疸。 |

鸢尾科 Iridaceae 鸢尾属 Iris

马蔺

Iris lactea Pall. var. *chinensis* (Fisch.) Koidz.

药 材 名	马蔺子（药用部位：种子。别名：马莲子）、马蔺花（药用部位：花。别名：马兰花）、马蔺根（药用部位：根）、马蔺（药用部位：全草。别名：马莲、铁扫帚）。
形态特征	多年生密丛草本。根茎粗壮，木质，斜伸，外包大量致密的红紫色、折断的老叶残留叶鞘及毛发状纤维；须根粗而长，黄白色，少分枝。叶基生，坚韧，灰绿色，条形或狭剑形，长约50 cm，宽4 ~ 6 mm，先端渐尖，基部鞘状，带红紫色，无明显的中脉。花茎光滑，高3 ~ 10 cm；苞片3 ~ 5，草质，绿色，边缘白色，披针形，长4.5 ~ 10 cm，宽0.8 ~ 1.6 cm，先端渐尖或长渐尖，内包含2 ~ 4花；花浅蓝色、蓝色或蓝紫色，直径5 ~ 6 cm；花梗长4 ~ 7 cm；花被管甚短，有色较深的条纹，长约3 mm，外花被裂片倒披针形，

马蔺

长 4.5 ~ 6.5 cm，宽 0.8 ~ 1.2 cm，先端钝或急尖，爪部楔形，内花被裂片狭倒披针形，长 4.2 ~ 4.5 cm，宽 5 ~ 7 mm，爪部狭楔形；雄蕊长 2.5 ~ 3.2 cm，花药黄色，花丝白色；子房纺锤形，长 3 ~ 4.5 cm。蒴果长椭圆状柱形，长 4 ~ 6 cm，直径 1 ~ 1.4 cm，有 6 明显的肋，先端有短喙；种子为不规则多面体，棕褐色，略有光泽。花期 5 ~ 6 月，果期 7 ~ 8 月。

| **生境分布** | 生于向阳山坡、路旁、沟边或草地及浅沙地带。分布于宁夏泾源、隆德、西吉、原州、惠农、平罗、沙坡头、青铜峡、利通、盐池、金凤、大武口等。宁夏各地均有栽培。

| **资源情况** | 野生、栽培资源均丰富。

| **采收加工** | 马蔺子：秋季果实成熟时采收果穗，干燥，搓出种子，除去果壳及杂质，干燥。
马蔺花：夏季开花时采摘，晒干或阴干。
马蔺根：夏、秋季采挖，除去根茎，洗净，晒干或鲜用。
马蔺：夏、秋季采收，扎成把，晒干或鲜用。

药材性状	马蔺子：本品为不规则多面体或呈扁卵形，长 4 ~ 5 mm，宽 3 ~ 4 mm。表面红棕色至棕褐色，多数边缘隆起，基部有浅色种脐，先端有略凸起的合点。质坚硬，不易破碎，切断面胚乳肥厚，灰白色，角质；胚位于种脐的一端，黄白色，细小弯曲。气微，味淡。

马蔺花：本品多皱缩，表面黄棕色至棕色，或带蓝紫色。花被片 6，长 2.5 ~ 3.5 cm，展开后呈匙形、倒披针形；雄蕊 3，花药长；花柱 3 深裂，扁平，花瓣状，先端 2 裂。花梗长 1.5 ~ 3 cm。体轻，质脆，易散碎。气特殊，味微苦、咸。以大小整齐、色蓝紫者为佳。

功能主治	马蔺子：甘，平。归脾、胃、大肠经。清热利湿，消肿解毒，止血。用于湿热黄疸，泻痢，喉痹，痈肿，小便不利，吐血，衄血，崩漏，便血，疝气，疮肿，烫伤。

马蔺花：咸、酸、微苦，凉。清热，解毒，止血，利尿。用于咽喉肿痛，吐血，衄血，小便不利，淋病，痈疽。

马蔺根：甘，平。归肺、大肠、肝经。清热解毒，活血利尿。用于喉痹，痈疽，病毒性肝炎，风湿痹痛，淋浊。

马蔺：苦、微甘，微寒。归肾、膀胱、肝经。清热解毒，利尿通淋，活血消肿。用于喉痹，淋浊，关节痛，痈疽恶疮，金疮。

用法用量	马蔺子：内服煎汤，3 ~ 9 g。外用适量，研末调敷。

马蔺花：内服煎汤，3 ~ 9 g。外用捣敷。

马蔺根：内服煎汤，3 ~ 9 g；或绞汁。外用适量，煎汤熏洗。

马蔺：内服煎汤，3 ~ 9 g；或绞汁。外用适量，煎汤熏洗。

附 注	本种的种子亦作藏药、蒙药和维药使用；本种的根亦作维药使用。

鸢尾科 Iridaceae 鸢尾属 Iris

天山鸢尾
Iris loczyi Kanitz

| 药 材 名 |　天山鸢尾（药用部位：根、种子）。

| 形态特征 |　多年生密丛草本。折断的老叶叶鞘宿存于根茎上，棕色或棕褐色。地下有不明显的木质块状根茎，暗棕褐色。叶质坚韧，直立，狭条形，长 20 ~ 40 cm，宽约 3 mm，先端渐尖，基部鞘状，无明显的中脉。花茎较短，不伸出或略伸出地面，基部常有披针形膜质鞘状叶；苞片 3，草质，长 10 ~ 15 cm，宽约 1.5 cm，中脉明显，先端渐尖，内包含 1 ~ 2 花；花蓝紫色，直径 5.5 ~ 7 cm；花被管甚长，丝状，长达 10 cm，外花被裂片倒披针形或狭倒卵形，长 6 cm，宽 1 ~ 2 cm，爪部略宽，内花被裂片倒披针形，长 4.5 ~ 5 cm，宽 7 ~ 8 mm；雄蕊长约 2.5 cm；花柱分枝长约 4 cm，宽约 8 mm，先端裂片半圆形，子房纺锤形，长约 1.2 cm。果实长倒卵形至圆柱形，长 4 ~ 7 cm，

天山鸢尾

直径约 2 cm，先端略有短喙，有 6 明显的肋，新鲜时红褐色，苞片宿存于果实基部。花期 5 ~ 6 月，果期 7 ~ 9 月。

| 生境分布 | 生于海拔 1 500 m 以上的高山向阳草地、砂质地上。分布于宁夏贺兰山（贺兰、平罗、西夏、永宁）及中宁、沙坡头等。

| 资源情况 | 野生资源较少。

| 功能主治 | 消肿止痛。

鸢尾科 Iridaceae 鸢尾属 *Iris*

准噶尔鸢尾
Iris songarica Schrenk ex Fisch. et C. A. Mey.

准噶尔鸢尾

| 药 材 名 |

准噶尔鸢尾（药用部位：根、种子）。

| 形态特征 |

多年生密丛草本，基部围有棕褐色折断的老叶叶鞘。地下有不明显的木质块状根茎，棕黑色；须根棕褐色，上下近等粗。叶灰绿色，条形，花期叶较花茎短，长 15 ~ 23 cm，宽 2 ~ 3 mm，果期叶比花茎长，长 70 ~ 80 cm，宽 0.7 ~ 1 cm，有 3 ~ 5 纵脉。花茎高 25 ~ 50 cm，光滑，有 3 ~ 4 茎生叶；花下苞片 3，草质，绿色，边缘膜质，色较淡，长 7 ~ 14 cm，宽 1.8 ~ 2 cm，先端短渐尖，内包含 2 花；花梗长 4.5 cm；花蓝色，直径 8 ~ 9 cm；花被管长 5 ~ 7 mm，外花被裂片提琴形，长 5 ~ 5.5 cm，宽约 1 cm，上部椭圆形或卵圆形，爪部近披针形，内花被裂片倒披针形，长约 3.5 cm，宽约 5 mm，直立；雄蕊长约 2.5 cm，花药褐色；花柱分枝长约 3.5 cm，宽约 1 cm，先端裂片狭三角形，子房纺锤形，长约 2.5 cm。蒴果三棱状卵圆形，长 4 ~ 6.5 cm，直径 1.5 ~ 2 cm，先端有长喙，果皮革质，网脉明显，成熟时自先端沿室背开裂至 1/3 处；种子棕褐色，梨形，无附属物，表面略皱缩。花期 6 ~ 7 月，果期

8 ～ 9 月。

| **生境分布** | 生于向阳高山草地、坡地及石质山坡。分布于宁夏贺兰山（贺兰、平罗）、罗山（同心、红寺堡）、六盘山（泾源、隆德、原州）等。

| **资源情况** | 野生资源较少。

| **采收加工** | 夏季采收根，洗净，晒干或鲜用；8 ～ 9 月采收种子，晒干，除去果壳及杂质，晒干。

| **功能主治** | 微苦、辛，平。消肿止痛。用于咽喉肿痛，疮肿，跌打肿痛。

| **用法用量** | 内服煎汤，3 ～ 9 g。外用适量，根捣敷；种子研末调涂。

鸢尾科 Iridaceae 鸢尾属 Iris

鸢尾
Iris tectorum Maxim.

| 药 材 名 | 川射干（药用部位：根茎。别名：土知母）、鸢尾（药用部位：全草或叶。别名：乌鸢、蓝蝴蝶）。

| 形态特征 | 多年生草本，基部围有老叶残留的膜质叶鞘及纤维。根茎粗壮，二歧分枝，直径约 1 cm，斜伸；须根较细而短。叶基生，黄绿色，稍弯曲，中部略宽，宽剑形，长 15 ~ 50 cm，宽 1.5 ~ 3.5 cm，先端渐尖或短渐尖，基部鞘状，有数条不明显的纵脉。花茎光滑，高 20 ~ 40 cm，顶部常有 1 ~ 2 短侧枝，中、下部有 1 ~ 2 茎生叶；苞片 2 ~ 3，绿色，草质，边缘膜质，色淡，披针形或长卵圆形，长 5 ~ 7.5 cm，宽 2 ~ 2.5 cm，先端渐尖或长渐尖，内包含 1 ~ 2 花；花蓝紫色，直径约 10 cm；花梗甚短；花被管细长，长约 3 cm，上端膨大成喇叭形，外花被裂片圆形或宽卵形，长 5 ~ 6 cm，宽约

鸢尾

4 cm，先端微凹，爪部狭楔形，沿中脉有不规则的鸡冠状附属物，呈不整齐的缝状裂，内花被裂片椭圆形，长 4.5 ～ 5 cm，宽约 3 cm，花盛开时向外平展，爪部突然变细；雄蕊长约 2.5 cm，花药鲜黄色，花丝细长，白色；花柱分枝扁平，淡蓝色，长约 3.5 cm，先端裂片近四方形，有疏齿，子房纺锤状圆柱形，长 1.8 ～ 2 cm。蒴果长椭圆形或倒卵形，长 4.5 ～ 6 cm，直径 2 ～ 2.5 cm，有 6 明显的肋，成熟时自上而下 3 瓣裂；种子黑褐色，梨形，无附属物。花期 4 ～ 5 月，果期 6 ～ 8 月。

| 生境分布 | 栽培种。分布于宁夏兴庆等。

| 资源情况 | 栽培资源稀少。

| 采收加工 | 川射干：全年均可采挖，除去须根及泥沙，干燥。
鸢尾：夏、秋季采收，洗净，切碎，鲜用。

| 药材性状 | 川射干：本品呈不规则条状或圆锥形，略扁，有分枝，长 3 ～ 10 cm，直径 1 ～ 2.5 cm。表面灰黄褐色或棕色，有环纹和纵沟，常有残存的须根及凹陷或圆点状突起的须根痕。质松脆，易折断，断面黄白色或黄棕色。气微，味甘、苦。
鸢尾：本品全草长 10 ～ 19 cm。根丛生，中部膨大成椭圆形，直径 2 ～ 4 mm；表面土棕色。干叶有多数棕毛状叶柄残基，剑形，长 10 ～ 16 cm，全缘。花茎由苞片组成的佛焰苞内抽出。蒴果狭长，有棱。气微臭，味淡。以根个大、饱满、纯净者为佳。

| 功能主治 | 川射干：苦，寒。归肺经。清热解毒，祛痰，利咽。用于热毒痰火郁结，咽喉肿痛，痰涎壅盛，咳嗽气喘。
鸢尾：辛、苦，凉；有毒。清热解毒，祛风利湿，消肿止痛。用于咽喉肿痛，肝炎，肝肿大，膀胱炎，风湿痛，跌打肿痛，疮疖，皮肤瘙痒。

| 用法用量 | 川射干：内服煎汤，6 ～ 10 g。
鸢尾：内服煎汤，6 ～ 15 g；或绞汁；或研末。外用适量，捣敷；或煎汤洗。

| 附 注 | （1）川射干在被《中华人民共和国药典》（2005 年版 一部）正式收载前，曾长期被作为射干的代用品或伪混品在西南地区使用。
（2）川射干在《中华本草》和《中药大辞典》中收载的正名为"鸢根"。
（3）本种的根茎亦入苗药。

鸢尾科 Iridaceae 鸢尾属 *Iris*

细叶鸢尾 *Iris tenuifolia* Pall.

| 药 材 名 | 老牛揣（药用部位：根及根茎。别名：梭扭扭、安胎灵）、老牛揣子（药用部位：种子）。

| 形态特征 | 多年生密丛草本，基部有红褐色或黄棕色折断的老叶叶鞘。根茎块状，短而硬，木质，黑褐色；根坚硬，细长，分枝少。叶质坚韧，丝状或狭条形，长 20 ~ 60 cm，宽 1.5 ~ 2 mm，扭曲，无明显的中脉。花茎长度随埋砂深度不同而变化，通常甚短，不伸出地面；苞片 4，披针形，长 5 ~ 10 cm，宽 8 ~ 10 mm，先端长渐尖或尾状尖，边缘膜质，中肋明显，内包含 2 ~ 3 花；花蓝紫色，直径约 7 cm；花梗细，长 3 ~ 4 mm；花被管长 4.5 ~ 6 cm，外花被裂片匙形，长 4.5 ~ 5 cm，宽约 1.5 cm，爪部较长，中央下陷成沟状，中脉无附属物，但常生纤毛，内花被裂片倒披针形，长约 5 cm，宽约 5 mm，直立；

细叶鸢尾

雄蕊长约3 cm，花丝与花药近等长；花柱分枝长约4 cm，宽4～5 mm，先端裂片狭三角形，子房细圆柱形，长0.7～1.2 cm，直径约2 mm。蒴果倒卵形，长3.2～4.5 cm，直径1.2～1.8 cm，先端有短喙，成熟时沿室背自上而下开裂。花期4～5月，果期8～9月。

| 生境分布 | 生于固定沙丘或砂质地上。分布于宁夏贺兰山东麓及青铜峡、海原、沙坡头、兴庆、盐池、灵武等。

| 资源情况 | 野生资源较丰富。

| 采收加工 | 老牛揣：夏、秋季采收，洗净，切段，晒干。
老牛揣子：8～9月果实成熟时采收果实，将种子剥出，除去果壳及杂质，晒干。

| 功能主治 | 老牛揣：甘、微苦，凉。安胎养血，止血。用于胎动不安，胎漏。
老牛揣子：甘、淡，凉。清热解毒，利尿止血。用于咽喉肿痛，湿热黄疸，小便不利，吐血，衄血，崩漏。

| 用法用量 | 老牛揣：内服煎汤，6～15 g。
老牛揣子：内服煎汤，3～10 g；或入丸、散剂。

鸢尾科 Iridaceae 鸢尾属 Iris

粗根鸢尾
Iris tigridia Bunge

| 药 材 名 | 粗根马蔺（药用部位：根、种子）。

| 形态特征 | 多年生草本，基部常有大量老叶叶鞘残留的纤维，不反卷，棕褐色。根茎不明显，短而小，木质；须根肉质，直径 3 ~ 4 mm，有皱缩的横纹，黄白色或黄褐色，先端渐细，基部略粗，不分枝或少分枝。叶深绿色，有光泽，狭条形，花期叶长 5 ~ 13 cm，宽 1.5 ~ 2 mm，果期长可达 30 cm，宽约 3 mm，先端长渐尖，基部鞘状，膜质，色较淡，无明显的中脉。花茎细，长 2 ~ 4 cm，不伸出或略伸出地面；苞片 2，黄绿色，膜质，狭披针形，先端短渐尖，内包含 1 花；花蓝紫色，直径 3.5 ~ 3.8 cm；花梗长约 5 mm；花被管长约 2 cm，上部逐渐变粗，外花被裂片狭倒卵形，长约 3.5 cm，宽约 1 cm，有紫褐色及白色斑纹，爪部楔形，沿中脉有黄色须毛状附属物，内花被

粗根鸢尾

裂片倒披针形，长 2.5 ~ 2.8 cm，宽 4 ~ 5 mm，先端微凹，花盛开时略向外倾斜；雄蕊长约 1.5 cm；花柱分枝扁平，长约 2.3 cm，先端裂片狭三角形，子房绿色，狭纺锤形，长约 1.2 cm。蒴果卵圆形或椭圆形，长 3.5 ~ 4 cm，直径 1.5 ~ 2 cm，果皮革质，先端渐尖成喙，具宿存的枯萎花被，成熟时只沿室背开裂至基部；种子棕褐色，梨形，有黄白色附属物。花期 5 月，果期 6 ~ 8 月。

| **生境分布** | 生于固定沙丘、砂质草原、砾石滩地或干山坡上。分布于宁夏沙坡头、海原等。

| **资源情况** | 野生资源较少。

| **功能主治** | 养血安胎。

灯心草科 Juncaceae 灯心草属 Juncus

小花灯心草 *Juncus articulatus* L.

| **药 材 名** | 小花灯心草（药用部位：全草）。

| **形态特征** | 多年生草本，高（10～）15～40（～60）cm。根茎粗壮横走，黄色，
具细密的褐黄色须根。茎密丛生，直立，圆柱形，直径 0.8～1.5 mm，
绿色，表面有纵条纹。叶基生和茎生，短于茎；低出叶少，鞘状，
长 1～3 cm，先端有短突起，边缘膜质，黄褐色；基生叶 1～2，
叶鞘基部红褐色至褐色；茎生叶 1～2（～4），叶片扁圆筒形，长
2.5～6（～10）cm，宽 0.8～1.4 mm，先端渐尖成钻状，具明显
的横隔，绿色，叶鞘松弛抱茎，长 0.8～3.5 cm，边缘膜质；叶耳明
显，较窄。花序由 5～30 头状花序组成，排列成顶生复聚伞花序，
花序分枝常 2～5，具长短不等的花序梗，上端 2～3 回分枝，向
两侧伸展；头状花序半球形至近圆球形，直径 6～8 mm，有 5～10

小花灯心草

（～15）花；叶状总苞片1，长1.5～5 cm，鞘部较宽，上部细线形，具横隔，绿色，通常短于花序；苞片披针形或三角状披针形，长2.5～3 mm，锐尖，黄色，背部中央有1脉；花被片披针形，等长，长2.5～3 mm，先端尖，背面通常有3脉，具较宽的膜质边缘，幼时黄绿色，后变淡红褐色；雄蕊6，长约为花被片的1/2，花药长圆形，黄色，长0.7～1 mm，花丝长0.7～0.9 mm；花柱极短，圆柱形，柱头3分叉，线形，较长。蒴果三棱状长卵形，长3～3.5 mm，超出花被片，先端具极短的尖头，1室，成熟时深褐色，光亮；种子卵圆形，长0.5～0.7 mm，一端具短尖，黄褐色，表面具纵条纹及细横纹。花期6～7月，果期8～9月。

| 生境分布 | 生于湿草地、水边、池沼边或稻田边。分布于宁夏泾源、隆德等。

| 资源情况 | 野生资源较少。

| 功能主治 | 甘、涩，寒。清热利尿，除烦。

灯心草科 Juncaceae 灯心草属 Juncus

小灯心草 *Juncus bufonius* L.

| **药 材 名** | 野灯草（药用部位：全草）。

| **形态特征** | 一年生草本，高 4 ~ 20（~ 30）cm，有多数细弱的浅褐色须根。茎丛生，细弱，直立或斜升，有时稍下弯，基部常红褐色。叶基生和茎生；茎生叶常 1；叶片线形，扁平，长 1 ~ 13 cm，宽约 1 mm，先端尖；叶鞘具膜质边缘，无叶耳。花序呈二歧聚伞状或排列成圆锥状，生于茎顶，占整个植株的 1/4 ~ 4/5，花序分枝细弱而微弯；叶状总苞片长 1 ~ 9 cm，常短于花序；花排列疏松，很少密集，具花梗和小苞片；小苞片 2 ~ 3，三角状卵形，膜质，长 1.3 ~ 2.5 mm，宽 1.2 ~ 2.2 mm；花被片披针形，外轮花被片长 3.2 ~ 6 mm，宽 1 ~ 1.8 mm，背部中间绿色，边缘宽膜质，白色，先端锐尖，内轮花被片稍短，几乎全为膜质，先端稍尖；雄蕊 6，

小灯心草

长为花被的 1/3 ~ 1/2，花药长圆形，淡黄色，花丝丝状；雌蕊具短花柱，柱头 3，向外弯曲，长 0.5 ~ 0.8 mm。蒴果三棱状椭圆形，黄褐色，长 3 ~ 4（~ 5）mm，先端稍钝，3 室；种子椭圆形，两端细尖，黄褐色，有纵纹，长 0.4 ~ 0.6 mm。花常闭花受精。花期 5 ~ 7 月，果期 6 ~ 9 月。

| 生境分布 | 生于海拔 1 500 ~ 2 700 m 的湿草地、湖岸、河边、沼泽地。分布于宁夏贺兰山（贺兰、平罗）、六盘山（泾源、隆德、原州）、南华山（海原）等，泾源、隆德其他地区也有分布。

| 资源情况 | 野生资源较少。

| 采收加工 | 夏季采收，洗净，晒干。

| 功能主治 | 苦，凉。清热，通淋，利尿，止血。用于热淋，小便涩痛，水肿，尿血。

| 用法用量 | 内服煎汤，3 ~ 6 g。

灯心草科 Juncaceae 灯心草属 Juncus

灯心草 *Juncus effusus* L.

灯心草

| 药 材 名 |

灯心草（药用部位：茎髓。别名：秧草、水
灯心、野席草）、灯心草根（药用部位：根
及根茎。别名：灯草根）。

| 形态特征 |

多年生草本，高 27 ～ 91 cm，有时更高。
根茎粗壮横走，具黄褐色稍粗的须根。茎丛
生，直立，圆柱形，淡绿色，具纵条纹，直
径（1 ～）1.5 ～ 3（～ 4）mm，茎内充满
白色的髓心。叶全部为低出叶，呈鞘状或鳞
片状，包围在茎基部，长 1 ～ 22 cm，基部
红褐色至黑褐色；叶片退化为刺芒状。聚伞
花序假侧生，含多花，排列紧密或疏散；总
苞片圆柱形，生于先端，似茎的延伸，直立，
长 5 ～ 28 cm，先端尖锐；小苞片 2，宽卵形，
膜质，先端尖；花淡绿色；花被片线状披针
形，长 2 ～ 2.7 mm，宽约 0.8 mm，先端锐
尖，背脊增厚突出，黄绿色，边缘膜质，外
轮花被片稍长于内轮花被片；雄蕊 3（偶 6），
长约为花被片的 2/3，花药长圆形，黄色，
长约 0.7 mm，稍短于花丝；雌蕊具 3 室子房，
花柱极短，柱头 3 分叉，长约 1 mm。蒴果
长圆形或卵形，长约 2.8 mm，先端钝或微凹，
黄褐色；种子卵状长圆形，长 0.5 ～ 0.6 mm，

黄褐色。花期 4 ~ 7 月，果期 6 ~ 9 月。

| **生境分布** | 生于海拔 1 500 ~ 2 500 m 的河边、池旁、水沟、稻田旁、草地及沼泽湿处。分布于宁夏沙坡头等。

| **资源情况** | 野生资源较少。

| **采收加工** | 灯心草：夏末至秋季割取茎，晒干，取出茎髓，理直，扎成小把。
灯心草根：夏、秋季采挖，除去茎部，洗净，晒干。

| **药材性状** | 灯心草：本品呈细圆柱形，长达 90 cm，直径 0.1 ~ 0.3 cm。表面白色或淡黄白色，有细纵纹。体轻，质软，略有弹性，易拉断，断面白色。气微，味淡。

| **功能主治** | 灯心草：甘、淡，微寒。归心、肺、小肠经。清心火，利小便。用于心烦失眠，尿少涩痛，口舌生疮。
灯心草根：甘，寒。归心、膀胱经。利水通淋，清心安神。用于淋病，小便不利，湿热黄疸，心悸不安。

| **用法用量** | 灯心草：内服煎汤，1 ~ 3 g。
灯心草根：内服煎汤，15 ~ 30 g。

| **附　　注** | 本种的全草或茎髓入苗药。

禾本科 Poaceae 芨芨草属 Achnatherum

醉马草
Achnatherum inebrians (Hance) Keng

| 药 材 名 | 醉针茅（药用部位：全草。别名：药老、药草、米米蒿）、醉针茅根（药用部位：根）。

| 形态特征 | 多年生草本。须根柔韧。秆直立，少数丛生，平滑，高60～100 cm，直径2.5～3.5 mm，通常具3～4节，节下贴生微毛，基部具鳞芽。叶鞘稍粗糙，上部者短于节间，叶鞘口具微毛；叶舌厚膜质，长约1 mm，先端平截或具裂齿；叶片质较硬，直立，边缘常卷折，上面及边缘粗糙，茎生叶长8～15 cm，基生叶长达30 cm，宽2～10 mm。圆锥花序紧密，呈穗状，长10～25 cm，宽1～2.5 cm；小穗长5～6 mm，灰绿色或基部带紫色，成熟后变褐铜色；颖膜质，几等长，先端尖，常破裂，微粗糙，具3脉；外稃长约4 mm，背部密被柔毛，先端具2微齿，具3脉，脉于先端汇合且延伸成芒，

醉马草

芒长 10 ~ 13 mm，1 回膝曲，芒柱稍扭转且被微短毛，基盘钝，具短毛，长约 0.5 mm；内稃具 2 脉，脉间被柔毛；花药长约 2 mm，先端具毫毛。颖果圆柱形，长约 3 mm。花果期 7 ~ 9 月。

| 生境分布 | 生于海拔 1 500 ~ 2 500 m 的高山草原、山坡草地、田边、路旁、河滩。分布于宁夏贺兰山（贺兰、平罗、西夏）、香山（沙坡头）、罗山（同心、红寺堡）、南华山（海原）及盐池、西吉等。

| 资源情况 | 野生资源较少。

| 采收加工 | 醉针茅：夏、秋季采收，洗净，晒干。
醉针茅根：春、秋季采挖，除去地上部分，洗净，鲜用或晒干。

| 药材性状 | 醉针茅：本品须根多数，纤细，黄白色。茎圆柱形，具节，大部分包于叶鞘内；表面黄绿色，具纵沟棱；质较韧，中空。叶互生，叶鞘长，叶舌膜质，较硬，叶片长条形，上表面粗糙，两侧向内卷折；质较硬。圆锥花序较窄，下部间断；小穗灰绿色，具长芒，于中部以下扭转。气微，味淡。以叶多、色绿、无枯叶者为佳。

| 功能主治 | 醉针茅：苦，寒；有毒。归心经。消肿，止痛。用于关节肿痛。
醉针茅根：苦，寒；有毒。归心经。解毒消肿。用于疮疡肿毒，腮腺炎。

| 用法用量 | 醉针茅：外用适量，浸酒涂。不可内服。
醉针茅根：外用适量，捣敷；或研末调涂。不可内服。

禾本科 Poaceae 芨芨草属 Achnatherum

芨芨草
Achnatherum splendens (Trin.) Nevski

| 药 材 名 | 芨芨草（药用部位：茎、根、种子。别名：积机草、席箕草、枳芨草）、芨芨草花（药用部位：花。别名：芨芨花）。

| 形态特征 | 多年生丛生草本。植株具粗而坚韧、外被砂套的须根。秆直立，坚硬，内具白色髓，形成大的密丛，高 50 ~ 250 cm，直径 3 ~ 5 mm，节多聚于基部，具 2 ~ 3 节，平滑无毛，基部宿存枯萎的黄褐色叶鞘。叶鞘无毛，具膜质边缘；叶舌三角形或尖披针形，长 5 ~ 10 （~ 15）mm；叶片纵卷，质坚韧，长 30 ~ 60 cm，宽 5 ~ 6 mm，上面脉纹凸起，微粗糙，下面光滑无毛。圆锥花序长（15 ~）30 ~ 60 cm，开花时呈金字塔形开展，主轴平滑或具角棱而微粗糙，分枝细弱，2 ~ 6 簇生，平展或斜向上升，长 8 ~ 17 cm，基部裸露；小穗长 4.5 ~ 7 mm（除芒），灰绿色，基部带紫褐色，成熟后常变

芨芨草

草黄色；颖膜质，披针形，先端尖或锐尖，第 1 颖长 4 ~ 5 mm，具 1 脉，第 2 颖长 6 ~ 7 mm，具 3 脉；外稃长 4 ~ 5 mm，厚纸质，先端具 2 微齿，背部密生柔毛，具 5 脉，基盘钝圆，具柔毛，长约 0.5 mm，芒自外稃齿间伸出，直立或微弯，粗糙，不扭转，长 5 ~ 12 mm，易断落；内稃长 3 ~ 4 mm，具 2 脉而无脊，脉间具柔毛；花药长 2.5 ~ 3.5 mm，先端具毫毛。花果期 6 ~ 9 月。

| 生境分布 | 生于海拔 1 100 ~ 2 500 m 的弱碱性草滩、荒滩、砂土山坡、半固定沙丘、路旁等。宁夏各地均有分布等。

| 资源情况 | 野生资源丰富。

| 采收加工 | 芨芨草：全年均可采收茎、根，秋季采收种子，晒干。
芨芨草花：夏、秋季花开时采收，晒干。

| 功能主治 | 芨芨草：甘、淡，平。清热利尿。用于尿闭，尿路感染。
芨芨草花：甘、淡，平。利尿，止血。用于小便不利，内出血。

| 用法用量 | 芨芨草：内服煎汤，茎、根 15 ~ 30 g，种子 10 ~ 15 g。
芨芨草花：内服煎汤，15 ~ 30 g。

禾本科 Poaceae 冰草属 Agropyron

冰草

Agropyron cristatum (L.) Gaertn.

| 药 材 名 | 冰草（药用部位：根）。

| 形态特征 | 多年生丛生草本。秆成疏丛，上部紧接花序部分被短柔毛或无毛，高 20 ~ 60（~ 75）cm，有时分蘖横走或下伸成长达 10 cm 的根茎。叶片长 5 ~ 15（~ 20）cm，宽 2 ~ 5 mm，质较硬而粗糙，常内卷，上面叶脉强烈隆起成纵沟，脉上密被微小短硬毛。穗状花序较粗壮，矩圆形或两端微窄，长 2 ~ 6 cm，宽 8 ~ 15 mm；小穗紧密平行排列成 2 行，整齐，呈篦齿状，含（3 ~）5 ~ 7 小花，长 6 ~ 9（~ 12）mm；颖舟形，脊连同背部脉间被长柔毛，第 1 颖长 2 ~ 3 mm，第 2 颖长 3 ~ 4 mm，具略短于颖体的芒；外稃被稠密的长柔毛或显著地被稀疏柔毛，先端具长 2 ~ 4 mm 的短芒；内稃脊上具短小刺毛。

冰草

| **生境分布** | 生于干燥草地、向阳山坡、山沟、丘陵及沙地。分布于宁夏贺兰山（贺兰、西夏、平罗、大武口、惠农）及盐池、原州、西吉、隆德、沙坡头、海原、青铜峡、同心、兴庆等，贺兰、西夏、大武口其他地区也有分布。 |

| **资源情况** | 野生资源丰富。 |

| **功能主治** | 止血，利尿。用于血尿，肾盂肾炎，功能失调性子宫出血，月经不调，吐血，咯血，外伤出血。 |

| **附　　注** | （1）本种的根亦作蒙药使用。
（2）《中华本草》及《中药大辞典》均无禾本科冰草属植物入药的记载。《中华本草》收载的冰草及冰草白穗药材的基原为禾本科赖草属植物赖草 *Leymus secalinus* (Georgi) Tzvel.，并非本种，二者功能不同，应当注意区分。 |

禾本科 Poaceae 冰草属 Agropyron

沙芦草
Agropyron mongolicum Keng

| 药 材 名 | 沙芦草（药用部位：根）。

| 形态特征 | 多年生丛生草本。秆成疏丛，直立，高 20 ~ 60 cm，有时基部横卧而节生根成匍茎状，具 2 ~ 3（~ 6）节。叶片长 5 ~ 15 cm，宽 2 ~ 3 mm，内卷成针状，叶脉隆起成纵沟，脉上密被微细刚毛。穗状花序长 3 ~ 9 cm，宽 4 ~ 6 mm，穗轴节间长 3 ~ 5（~ 10）mm，光滑或生微毛；小穗向上斜升，长 8 ~ 14 mm，宽 3 ~ 5 mm，含（2 ~）3 ~ 8 小花；颖两侧不对称，具 3 ~ 5 脉，第 1 颖长 3 ~ 6 mm，第 2 颖长 4 ~ 6 mm，先端具长约 1 mm 的短尖头；外稃无毛或具稀疏微毛，具 5 脉，先端具长约 1 mm 的短尖头，第 1 外稃长 5 ~ 6 mm；内稃脊具短纤毛。

| 生境分布 | 生于干燥草原、山坡或沙地。分布于宁夏贺兰山（贺兰、平罗、西夏）

沙芦草

及盐池、灵武、同心、沙坡头、红寺堡、兴庆等。

| **资源情况** | 野生资源较少。

| **功能主治** | 止血，利尿。用于水肿，尿血，肾盂肾炎，子宫出血，月经不调，咯血，吐血，外伤出血。

| **附　　注** | （1）本种的根亦作蒙药使用。
（2）本种为国家二级保护野生植物。

荩草

Arthraxon hispidus (Trin.) Makino

| 药 材 名 | 荩草（药用部位：全草。别名：马耳草、黄草）。

| 形态特征 | 一年生草本。秆细弱，无毛，基部倾斜，高 30 ~ 60 cm，具多节，常分枝，基部节着地易生根。叶鞘短于节间，生短硬疣毛；叶舌膜质，长 0.5 ~ 1 mm，边缘具纤毛；叶片卵状披针形，长 2 ~ 4 cm，宽 0.8 ~ 1.5 cm，基部心形，抱茎，除下部边缘生疣基毛外其余均无毛。总状花序细弱，长 1.5 ~ 4 cm，2 ~ 10 呈指状排列或簇生秆顶；总状花序轴节间无毛，长为小穗的 2/3 ~ 3/4；无柄小穗卵状披针形，两侧压扁，长 3 ~ 5 mm，灰绿色或带紫色；第 1 颖草质，边缘膜质，包住第 2 颖的 2/3，具 7 ~ 9 脉，脉上粗糙至生疣基硬毛，尤以先端及边缘为多，先端锐尖；第 2 颖近膜质，与第 1 颖等长，舟形，脊上粗糙，具 3 脉而 2 侧脉不明显，先端尖；第 1 外稃长圆形，

荩草

透明，膜质，先端尖，长为第 1 颖的 2/3；第 2 外稃与第 1 外稃等长，透明，膜质，近基部伸出一膝曲的芒；芒长 6 ～ 9 mm，下部扭转；雄蕊 2，花药黄色或带紫色，长 0.7 ～ 1 mm。颖果长圆形，与稃体等长。有柄小穗退化仅剩针状刺，柄长 0.2 ～ 1 mm。花果期 9 ～ 11 月。

| 生境分布 | 生于山坡草地阴湿处、沟渠边、荒地或湿润草地上。分布于宁夏沙坡头、中宁、海原、贺兰、惠农、平罗、永宁、兴庆、灵武等引黄灌区。

| 资源情况 | 野生资源较丰富。

| 采收加工 | 秋季采收，除去杂质，晒干或鲜用。

| 药材性状 | 本品茎纤细，直径 1 ～ 2 mm，圆柱形，下部节上生须根；表面黄绿色或带紫色，节部膨大，近节处具白色柔毛；质较韧，断面中空。单叶互生，叶鞘具多数沟棱及白色柔毛；叶片卵状披针形或披针形，基部抱茎，全缘或呈波状；薄纸质，易碎。总状花序细弱，呈指状或簇生于茎顶，黄白色或绿白色。气微，味淡。以茎叶完整、色绿者为佳。

| 功能主治 | 苦，平。归肺经。止咳定喘，解毒杀虫。用于久咳喘逆，肝炎，咽喉炎，口腔炎，鼻炎，恶疮，疥癣。

| 用法用量 | 内服煎汤，6 ～ 12 g。外用适量，煎汤洗；或捣敷。

| 附　注 | 《中国中药资源志要》记载本种的变种中亚荩草 Arthraxon hispidus (Trin.) Makino var. *centrasiaticus* (Grisb.) Honda 和匿芒荩草 Arthraxon hispidus (Trin.) Makino var. *cryptatherus* (Hack.) Honda 与本种同等药用。其中，匿芒荩草还可用于肺痈。《中国植物志》（英文版）已将匿芒荩草归并于本种。此外，《宁夏植物志》收载的本种的另一变种虎氏荩草 Arthraxon hispidus (Trin.) Makino var. *hookeri* (Hack.) Honda，亦被归并于本种。

禾本科 Poaceae 燕麦属 Avena

莜麦

Avena chinensis (Fisch. ex Roem. et Schult.) Metzg.

莜麦

| 药 材 名 |

莜麦仁（药用部位：种仁。别名：油麦、青稞、青稞麦）。

| 形态特征 |

一年生草本。须根外面常具砂套。秆直立，丛生，高 60 ~ 100 cm，通常具 2 ~ 4 节。叶鞘松弛，基生者长于节间，常被微毛，鞘缘透明，膜质；叶舌透明，膜质，长约 3 mm，先端钝圆或微齿裂；叶片扁平，质软，长 8 ~ 40 cm，宽 3 ~ 16 mm，微粗糙。圆锥花序疏松开展，长 12 ~ 20 cm，分枝纤细，具棱角，刺状粗糙；小穗含 3 ~ 6 小花，长 2 ~ 4 cm；小穗轴细且坚韧，无毛，常弯曲，第 1 节间长达 1 cm；颖草质，边缘透明，膜质，两颖近相等，长 15 ~ 25 mm，具 7 ~ 11 脉；外稃无毛，草质而较柔软，边缘透明，膜质，具 9 ~ 11 脉，先端常 2 裂，第 1 外稃长 20 ~ 25 mm，基盘无毛，背部无芒或上部 1/4 以上伸出 1 芒，芒长 1 ~ 2 cm，细弱，直立或反曲；内稃甚短于外稃，长 11 ~ 15 mm，具 2 脊，先端延伸成芒尖，脊上具密纤毛；雄蕊 3，花药长约 2 mm。颖果长约 8 mm，与稃体分离。花果期 6 ~ 8 月。

| **生境分布** | 栽培种。分布于宁夏原州、隆德、西吉等。

| **资源情况** | 栽培资源较丰富。

| **采收加工** | 9 月采收，晒干。

| **功能主治** | 咸，平。补中益气。用于脾胃气虚，四肢无力，大便稀溏。

| **用法用量** | 内服煎汤，30 ~ 60 g；或制成食品、酒等。

| **附　　注** | 据《中国植物志》记载，大麦属植物青稞 *Hordeum vulgare* L. var. *coeleste* Linnaeus 和燕麦属植物莜麦 *Avena chinensis* (Fisch. ex Roem. et Schult.) Metzg. 是完全不同的物种。《中国中药资源志要》记载青稞药材的来源为莜麦 *Avena chinensis* (Fisch. ex Roem. et Schult.) Metzg. 的种仁；《中药大辞典》和《中华本草》则记载青稞药材的来源为禾本科燕麦属植物青稞 *Avena chinensis* (Fisch. ex Roem. et Schult.) Metzg. 的种仁，此 3 部文献均可能是依据清代吴其濬《植物名实图考》中"青稞即莜麦，一作油麦"的记载，将青稞和莜麦认定为同一物种。国家法定标准《中华人民共和国卫生部药品标准·藏药分册》附一（成方制剂中本标准未收载的主要药材及炮制品）记载青稞药材的来源为禾本科植物裸麦 *Hordeum vulgare* L. var. *nudum* Hook. f. （即青稞 *Hordeum vulgare* L. var. *coeleste* Linnaeus）的成熟种子。鉴于此，将莜麦种仁的药材名定为"青稞"不符合命名原则，建议将莜麦种仁的药材名修订为"莜麦仁"。

禾本科 Poaceae 燕麦属 Avena

野燕麦 *Avena fatua* L.

野燕麦

|药材名|

燕麦草（药用部位：全草。别名：野燕麦、乌麦）、野麦子（药用部位：种子。别名：燕麦）。

|形态特征|

一年生草本。须根较坚韧。秆直立，光滑无毛，高 60 ~ 120 cm，具 2 ~ 4 节。叶鞘松弛，光滑或基部者被微毛；叶舌透明，膜质，长 1 ~ 5 mm；叶片扁平，长 10 ~ 30 cm，宽 4 ~ 12 mm，微粗糙，或上面和边缘疏生柔毛。圆锥花序开展，金字塔形，长 10 ~ 25 cm，分枝具棱角，粗糙；小穗长 18 ~ 25 mm，含 2 ~ 3 小花，小穗柄弯曲下垂，先端膨胀；小穗轴密生淡棕色或白色硬毛，节脆硬，易断落，第 1 节间长约 3 mm；颖草质，几相等，通常具 9 脉；外稃质坚硬，第 1 外稃长 15 ~ 20 mm，背面中部以下具淡棕色或白色硬毛，芒自稃体中部稍下处伸出，长 2 ~ 4 cm，膝曲，芒柱棕色，扭转。颖果被淡棕色柔毛，腹面具纵沟，长 6 ~ 8 mm。花果期 4 ~ 9 月。

|生境分布|

生于荒芜田野或麦田，为田间杂草。宁夏各

地均有分布。

| 资源情况 | 野生资源丰富。

| 采收加工 | 燕麦草：结实前采收，晒干。

野麦子：夏、秋季果实成熟时采收，脱壳，取出种子，晒干。

| 药材性状 | 燕麦草：本品茎秆长 60 ~ 120 cm，数枝丛生。须根坚韧。叶互生，有松弛长鞘，叶舌透明，膜质，长 1 ~ 5 mm，叶片扁平，长 10 ~ 30 cm，宽 4 ~ 12 mm，微粗糙。圆锥花序长 10 ~ 25 cm，小穗长 18 ~ 25 mm，有 2 ~ 3 花，小花梗细长下垂；颖草质，内、外颖同形，近等长，具 7 ~ 11 脉；外稃质坚硬，第 1 外稃长 15 ~ 20 mm，芒自外稃中部稍下处伸出，长 2 ~ 4 cm，膝曲，芒柱棕色，扭转，内稃与外稃近似。气微，味微甘。

| 功能主治 | 燕麦草：甘，温。补虚损。用于吐血，虚汗不止，妇女崩漏。

野麦子：甘，温。补心止汗。用于虚汗不止。

| 用法用量 | 燕麦草：内服煎汤，15 ~ 60 g。

野麦子：内服煎汤，10 ~ 15 g。

| 附　　注 | 《宁夏中药志》记载的野燕麦药材的来源为本种的茎、叶及种子，其功用与《中华本草》记载的燕麦草的功用基本相同。宁夏还栽培有同属植物燕麦 Avena sativa L.，该植物与本种亦同等入药。

禾本科 Poaceae 燕麦属 Avena

燕麦 *Avena sativa* L.

| 药 材 名 | 燕麦仁（药用部位：种仁。别名：野麦、浮小麦）。

| 形态特征 | 一年生草本。须根较坚韧。秆直立，光滑无毛，高 60～120 cm，具 2～4 节。叶鞘松弛，光滑或基部者被微毛；叶舌透明，膜质，长 1～5 mm；叶片扁平，长 10～30 cm，宽 4～12 mm，微粗糙，或上面和边缘疏生柔毛。圆锥花序开展，金字塔形，长 10～25 cm，分枝具棱角，粗糙；小穗长 18～25 mm，含 1～2 小花，小穗柄弯曲下垂，先端膨胀；小穗轴近无毛或疏生短毛，不易断落，第 1 节间长约 3 mm；颖草质，几相等，通常具 9 脉；外稃质坚硬，第 1 外稃长 15～20 mm，背部无毛，基盘仅具少数短毛或近无毛，无芒，或仅背部有一较直的芒，第 2 外稃无毛，通常无芒。颖果被淡棕色柔毛，腹面具纵沟，长 6～8 mm。花果期 4～9 月。

燕麦

| 生境分布 | 栽培种。分布于宁夏贺兰、泾源、惠农、中宁等。

| 资源情况 | 栽培资源丰富。

| 功能主治 | 退虚热，益气，止汗，解毒。

| 附　　注 | 《中华本草》《中药大辞典》等主流本草著作均无本种入药的记载。《宁夏中药志》仅记载本种与野燕麦 *Avena fatua* L. 同等入药（详见"野燕麦"条）。《中国中药资源志要》记载本种以种仁入药，未明确其药材名，故将本种的药材名定为"燕麦仁"。

禾本科 Poaceae 菵草属 Beckmannia

菵草
Beckmannia syzigachne (Steud.) Fern.

| 药 材 名 | 菵米（药用部位：种子）。

| 形态特征 | 一年生草本。秆直立，高 15 ~ 90 cm，具 2 ~ 4 节。叶鞘无毛，多长于节间；叶舌透明，膜质，长 3 ~ 8 mm；叶片扁平，长 5 ~ 20 cm，宽 3 ~ 10 mm，粗糙或下面平滑。圆锥花序长 10 ~ 30 cm，分枝稀疏，直立或斜升；小穗扁平，圆形，灰绿色，常含 1 小花，长约 3 mm；颖草质，边缘质薄，白色，背部灰绿色，具淡色横纹；外稃披针形，具 5 脉，常具伸出颖外的短尖头；花药黄色，长约 1 mm。颖果黄褐色，长圆形，长约 1.5 mm，先端具丛生短毛。花果期 4 ~ 10 月。

| 生境分布 | 生于水沟边、浅流水中及潮湿处。分布于宁夏六盘山（泾源、隆德、原州）等。

菵草

资源情况	野生资源较少。
采收加工	秋季采收，晒干。
功能主治	甘，寒。益气健胃。
用法用量	内服煮食，适量。

雀麦
Bromus japonicus Thunb. ex Murr.

| 药 材 名 | 雀麦（药用部位：全草。别名：燕麦、杜姥草、牡姓草）、雀麦米（药用部位：种子）。

| 形态特征 | 一年生草本。秆直立，高 40 ～ 90 cm。叶鞘闭合，被柔毛；叶舌先端近圆形，长 1 ～ 2.5 mm；叶片长 12 ～ 30 cm，宽 4 ～ 8 mm，两面生柔毛。圆锥花序疏展，长 20 ～ 30 cm，宽 5 ～ 10 cm，具 2 ～ 8 分枝，向下弯垂；分枝细，长 5 ～ 10 cm，上部着生 1 ～ 4 小穗；小穗黄绿色，密生 7 ～ 11 小花，长 12 ～ 20 mm，宽约 5 mm；颖近等长，脊粗糙，边缘膜质，第 1 颖长 5 ～ 7 mm，具 3 ～ 5 脉，第 2 颖长 5 ～ 7.5 mm，具 7 ～ 9 脉；外稃椭圆形，草质，边缘膜质，长 8 ～ 10 mm，一侧宽约 2 mm，具 9 脉，微粗糙，先端钝三角形，芒自先端下部伸出，长 5 ～ 10 mm，基部稍扁平，成熟后外弯；内稃

雀麦

长 7 ~ 8 mm，宽约 1 mm，两脊疏生细纤毛；小穗轴短棒状，长约 2 mm；花药长 1 mm。颖果长 7 ~ 8 mm。花果期 5 ~ 7 月。

| **生境分布** | 生于山坡林缘、荒野路旁、漫滩湿地。分布于宁夏六盘山（泾源、隆德、原州）及沙坡头、利通等，隆德其他地区也有分布。

| **资源情况** | 野生资源较少。

| **采收加工** | 雀麦：4 ~ 6 月采收，晒干。
雀麦米：5 ~ 6 月采收，晒干。

| **功能主治** | 雀麦：甘，平。止汗，催产。用于自汗，盗汗，汗出不止，难产。
雀麦米：甘，平。滑肠，益肝和脾。

| **用法用量** | 雀麦：内服煎汤，15 ~ 30 g。
雀麦米：内服煮食，适量。

虎尾草 *Chloris virgata* Sw.

| 药 材 名 | 虎尾草（药用部位：地上部分）。

| 形态特征 | 一年生草本。秆直立或基部膝曲，高 12 ~ 75 cm，直径 1 ~ 4 mm，光滑无毛。叶鞘背部具脊，包卷松弛，无毛；叶舌长约 1 mm，无毛或具纤毛；叶片线形，长 3 ~ 25 cm，宽 3 ~ 6 mm，两面无毛或边缘及上面粗糙。穗状花序 5 ~ 10 或更多，长 1.5 ~ 5 cm，指状着生于秆顶，常直立而并拢成毛刷状，有时包藏于顶叶的膨胀叶鞘中，成熟时常带紫色；小穗无柄，长约 3 mm；颖膜质，具 1 脉，第 1 颖长约 1.8 mm，第 2 颖与小穗等长或略短于小穗，中脉延伸成长 0.5 ~ 1 mm 的小尖头；第 1 小花两性，外稃纸质，两侧压扁，呈倒卵状披针形，长 2.8 ~ 3 mm，具 3 脉，沿脉及边缘被疏柔毛或无毛，两侧边缘上部 1/3 处有长 2 ~ 3 mm 的白色柔毛，先端尖或有时具 2

虎尾草

微齿，芒自背部先端稍下方伸出，长 5 ~ 15 mm，内稃膜质，略短于外稃，具 2 脊，脊上被微毛，基盘具长约 0.5 mm 的毛；第 2 小花不孕，长楔形，仅存外稃，长约 1.5 mm，先端截平或略凹，芒长 4 ~ 8 mm，自背部边缘稍下方伸出。颖果纺锤形，淡黄色，光滑无毛而半透明，胚长约为颖果的 2/3。花果期 6 ~ 10 月。

| 生境分布 |　生于田间、路旁荒野、河岸沙地、土墙及房顶上。宁夏各地均有分布。

| 资源情况 |　野生资源丰富。

| 功能主治 |　清热除湿，杀虫，止痒。

禾本科 Poaceae 马唐属 Digitaria

马唐
Digitaria sanguinalis (L.) Scop.

| 药 材 名 | 马唐（药用部位：全草。别名：羊麻、菵）。

| 形态特征 | 一年生草本。秆直立或下部倾斜，膝曲上升，高 10 ~ 80 cm，直径 2 ~ 3 mm，无毛或节生柔毛。叶鞘短于节间，无毛或散生疣基柔毛；叶舌长 1 ~ 3 mm；叶片线状披针形，长 5 ~ 17 cm，宽 4 ~ 15 mm，基部圆形，边缘较厚，微粗糙，具柔毛或无毛。总状花序长 5 ~ 18 cm，4 ~ 12 呈指状着生于长 1 ~ 2 cm 的主轴上；穗轴直伸或开展，两侧具宽翼，边缘粗糙；小穗椭圆状披针形，长 3 ~ 3.5 mm；第 1 颖小，短三角形，无脉，第 2 颖具 3 脉，披针形，长约为小穗的 1/2，脉间及边缘大多具柔毛；第 1 外稃与小穗等长，具 7 脉，中脉平滑，两侧的脉间距较宽，无毛，边脉上具小刺状粗糙，脉间及边缘生柔毛；第 2 外稃近革质，灰绿色，先端渐尖，与第 1 外稃等长；花药

马唐

长约 1 mm。花果期 6 ～ 9 月。

| 生境分布 | 生于沟渠边、田野、路旁及山坡草地。分布于宁夏沙坡头、中宁、海原、贺兰、惠农、平罗、永宁、兴庆、灵武等引黄灌区。

| 资源情况 | 野生资源较少。

| 采收加工 | 夏、秋季采收，晒干。

| 药材性状 | 本品长 40 ～ 100 cm。秆分枝，下部节上生根。完整叶片条状披针形，长 5 ～ 17 cm，宽 4 ～ 15 mm，先端渐尖或短尖，基部钝圆，两面无毛或疏生柔毛，叶鞘疏松抱茎，无毛或疏生柔毛。

| 功能主治 | 甘，寒。明目，润肺。

| 用法用量 | 内服煎汤，9 ～ 15 g。

| 附　　注 | 本种的全草亦入傣药。

禾本科 Poaceae 稗属 Echinochloa

稗

Echinochloa crus-galli (L.) P. Beauv.

稗

| 药 材 名 |

稗根苗（药用部位：根和苗叶。别名：水高粱、扁扁草）、稗米（药用部位：种子。别名：稗子）。

| 形态特征 |

一年生草本。秆高 50 ～ 150 cm，光滑无毛，基部倾斜或膝曲。叶鞘疏松裹秆，平滑无毛，下部者长于节间，上部者短于节间；叶舌缺；叶片扁平，线形，长 10 ～ 40 cm，宽 5 ～ 20 mm，无毛，边缘粗糙。圆锥花序直立，近尖塔形，长 6 ～ 20 cm；主轴具棱，粗糙或具疣基长刺毛；分枝斜上举或贴向主轴，有时再分小枝；穗轴粗糙或生疣基长刺毛；小穗卵形，长 3 ～ 4 mm，脉上密被疣基刺毛，具短柄或近无柄，密集在穗轴的一侧；第 1 颖三角形，长为小穗的 1/3 ～ 1/2，具 3 ～ 5 脉，脉上具疣基毛，基部包卷小穗，先端尖；第 2 颖与小穗等长，先端渐尖或具小尖头，具 5 脉，脉上具疣基毛；第 1 小花通常中性，外稃草质，上部具 7 脉，脉上具疣基刺毛，先端延伸成一粗壮的芒，芒长 0.5 ～ 1.5 （～ 3）cm，内稃薄膜质，狭窄，具 2 脊；第 2 外稃椭圆形，平滑，光亮，成熟后变硬，先端具小尖头，尖头上有 1 圈细毛，边缘内卷，包着同质的内稃，但内稃先端露出。花果期夏、秋季。

| **生境分布** | 生于沼泽、沟渠边、低洼荒地及稻田中。宁夏各地均有分布。

| **资源情况** | 野生资源丰富。

| **采收加工** | 稗根苗：夏季采收，鲜用或晒干。
　　　　　　　稗米：夏、秋季果实成熟时采收，舂去壳，晒干。

| **功能主治** | 稗根苗：甘、淡，微寒。凉血止血。用于金疮，外伤出血。
　　　　　　　稗米：辛、甘、苦，微寒。归肝、脾经。益气补脾。

| **用法用量** | 稗根苗：外用适量，捣敷；或研末撒。
　　　　　　　稗米：内服煮食，适量。

| **附　　注** | 本种的变种无芒稗 *Echinochloa crus-galli* (L.) P. Beauv. var. *mitis* (Pursh) Petermann
　　　　　　　与本种同等药用。

禾本科 Poaceae 稗属 Echinochloa

无芒稗
Echinochloa crus-galli (L.) P. Beauv. var. *mitis* (Pursh) Petermann

| 药 材 名 | 无芒稗（药用部位：全草）。

| 形态特征 | 一年生草本。秆高 50 ~ 120 cm，直立，粗壮。叶片长 20 ~ 30 cm，宽 6 ~ 12 mm。圆锥花序直立，长 10 ~ 20 cm，分枝斜上举而开展，常再分枝；小穗卵状椭圆形，长约 3 mm，无芒或具极短芒，芒长常不及 0.5 mm，脉上被疣基硬毛。

| 生境分布 | 生于沟渠边、稻田中、水边或路边草地上。分布于宁夏沙坡头、中宁、海原、贺兰、惠农、平罗、永宁、兴庆、灵武等引黄灌区。

| 资源情况 | 野生资源丰富。

| 采收加工 | 夏、秋季采收，晒干。

无芒稗

| **功能主治** | 微苦，微温。止血，生肌。用于金疮，损伤出血，麻疹。

禾本科 Poaceae 稗属 Echinochloa

湖南稗子

Echinochloa frumentacea (Roxb.) Link

湖南稗子

| 药 材 名 |

湖南稗子（药用部位：全草或根、苗叶、种仁）。

| 形态特征 |

一年生草本。秆粗壮，高 100 ~ 150 cm，直径 5 ~ 10 mm。叶鞘光滑无毛，大部分短于节间；叶舌缺；叶片扁平，线形，长 15 ~ 40 cm，宽 10 ~ 24 mm，质较柔软，无毛，先端渐尖，边缘变厚或呈波状。圆锥花序直立，长 10 ~ 20 cm；主轴粗壮，具棱，棱边粗糙，具疣基长刺毛；分枝微呈弓状弯曲；小穗卵状椭圆形或椭圆形，长 3 ~ 5 mm，绿白色，无疣基毛或疏被硬刺毛，无芒；第 1 颖短小，三角形，长为小穗的 1/3 ~ 2/5；第 2 颖稍短于小穗；第 1 小花通常中性，外稃草质，与小穗等长，内稃膜质，狭窄；第 2 外稃革质，平滑而光亮，成熟时露出颖，先端具小尖头，边缘内卷，包着同质的内稃。花果期 8 ~ 9 月。

| 生境分布 |

生于沟渠边、稻田中、水边或路边草地上。分布于宁夏沙坡头、中宁、海原、贺兰、惠农、平罗、永宁、兴庆、灵武等引黄灌区。

| **资源情况** | 野生资源较少。

| **功能主治** | 微苦，微温。止血，生肌。用于金疮，损伤出血，麻疹。

禾本科 Poaceae 画眉草属 Eragrostis

大画眉草

Eragrostis cilianensis (All.) Link. ex Vignolo-Lutati

大画眉草

| 药 材 名 |

大画眉草（药用部位：全草。别名：星星草、西连画眉草）、大画眉草花（药用部位：花序。别名：星星草花）。

| 形态特征 |

一年生草本。秆粗壮，高 30 ～ 90 cm，直径 3 ～ 5 mm，直立，丛生，基部常膝曲，具 3 ～ 5 节，节下有 1 圈明显的腺体。叶鞘疏松裹茎，脉上有腺体，鞘口具长柔毛；叶舌为 1 圈成束的短毛，长约 0.5 mm；叶片线形，扁平，伸展，长 6 ～ 20 cm，宽 2 ～ 6 mm，无毛，叶脉与叶缘均有腺体。圆锥花序长圆形或尖塔形，长 5 ～ 20 cm，分枝粗壮，单生，上举，腋间具柔毛，小枝和小穗柄均有腺体；小穗长圆形或卵状长圆形，墨绿色带淡绿色或黄褐色，扁压并弯曲，长 5 ～ 20 mm，宽 2 ～ 3 mm，有 10 ～ 40 小花，小穗除单生外，常密集簇生；颖近等长，长约 2 mm，颖具 1 脉或第 2 颖具 3 脉，脊上均有腺体；外稃呈广卵形，先端钝，第 1 外稃长约 2.5 mm，宽约 1 mm，侧脉明显，主脉有腺体，暗绿色而有光泽；内稃宿存，稍短于外稃，脊上具短纤毛；雄蕊 3，花药长 0.5 mm。颖果近圆形，直径约 0.7 mm。花果期 7 ～ 10 月。

| **生境分布** | 生于荒地、山坡、旷野、路边、田埂或农田内。分布于宁夏六盘山（泾源、隆德、原州）及沙坡头、中宁、海原、贺兰、惠农、平罗、永宁、兴庆、灵武等引黄灌区。 |

| **资源情况** | 野生资源丰富。 |

| **采收加工** | 大画眉草：夏、秋季采收，除去杂质，晒干或鲜用。
大画眉草花：花期采收，晒干。 |

| **药材性状** | 大画眉草：本品须根纤细，淡黄白色，质较韧。茎圆柱形，长 20 ~ 30 cm，宽 1 ~ 2 mm；表面黄绿色，有纵条棱，具节，节下具褐色环；质较韧，中空。叶片带状，平行叶脉明显，上表面叶脉具硬毛，边缘内卷；叶鞘抱茎；叶舌具柔毛。圆锥花序疏散；梗纤细，弯曲；小穗含数朵花，紧密，呈暗绿色。气微，味淡。 |

| **功能主治** | 大画眉草：甘、淡，凉。归肾、膀胱经。疏风清热，利尿通淋。用于热淋，石淋，水肿，目赤翳障。
大画眉草花：淡，平。归心经。解毒，止痒。用于黄水疮。 |

| **用法用量** | 大画眉草：内服煎汤，9 ~ 15 g。
大画眉草花：外用适量，炒黑，研末调敷或撒。 |

禾本科 Poaceae 画眉草属 Eragrostis

小画眉草 *Eragrostis minor* Host

小画眉草

药 材 名

小画眉草（药用部位：全草。别名：蚊蚊草、星星草）。

形态特征

一年生草本。秆纤细，丛生，膝曲上升，高15～50 mm，直径1～2 mm，具3～4节，节下有1圈腺体。叶鞘较节间短，疏松裹茎，叶鞘脉上有腺体，鞘口有长毛；叶舌为1圈长柔毛，长0.5～1 mm；叶片线形，平展或卷缩，长3～15 cm，宽2～4 mm，下面光滑，上面粗糙并疏生柔毛，主脉及边缘均有腺体。圆锥花序开展而疏松，长6～15 cm，宽4～6 cm，每节具1分枝，分枝平展或上举，腋间无毛，花序轴、小枝及柄均有腺体；小穗长圆形，长3～8 mm，宽1.5～2 mm，含3～16小花，绿色或深绿色，小穗柄长3～6 mm；颖锐尖，具1脉，脉上有腺点，第1颖长1.6 mm，第2颖长约1.8 mm；第1外稃长约2 mm，广卵形，先端圆钝，具3脉，侧脉明显并靠近边缘，主脉有腺体；内稃长约1.6 mm，弯曲，脊上有纤毛，宿存；雄蕊3，花药长约0.3 mm。颖果红褐色，近球形，直径约0.5 mm。花果期6～9月。

| **生境分布** | 生于田边、荒野、草地、路旁及村庄附近。分布于宁夏平罗、盐池、灵武、中宁、同心、沙坡头、兴庆等。

| **资源情况** | 野生资源丰富。

| **采收加工** | 夏季采收，洗净，鲜用或晒干。

| **药材性状** | 本品须根纤细，淡黄白色，质较韧。茎圆柱形，长 20～30 cm，宽 1～2 mm；表面黄绿色，有纵条棱，具节，节下具褐色环；质较韧，中空。叶片带状，平行叶脉明显，上表面叶脉具硬毛，边缘内卷；叶鞘抱茎；叶舌具柔毛。圆锥花序疏散；梗纤细，弯曲；小穗含数朵花，紧密，呈暗绿色。气微，味淡。

| **功能主治** | 淡，凉。疏风清热，凉血，利尿。用于目赤云翳，崩漏，热淋，小便不利。

| **用法用量** | 内服煎汤，15～30 g，鲜品 60～120 g；或研末。外用适量，煎汤洗。

禾本科 Poaceae　画眉草属 Eragrostis

画眉草
Eragrostis pilosa (L.) Beauv.

| 药 材 名 | 画眉草（药用部位：全草。别名：榧子草、星星草、蚊子草）。

| 形态特征 | 一年生草本。秆丛生，直立或基部膝曲，高 15 ～ 60 cm，直径
1.5 ～ 2.5 mm，通常具 4 节，光滑。叶鞘疏松裹茎，长于或短于节间，
扁压，鞘缘近膜质，鞘口有长柔毛；叶舌为 1 圈纤毛，长约 0.5 mm；
叶片线形，扁平或卷缩，长 6 ～ 20 cm，宽 2 ～ 3 mm，无毛。圆锥
花序开展或紧缩，长 10 ～ 25 cm，宽 2 ～ 10 cm，分枝单生、簇生
或轮生，多直立向上，腋间有长柔毛；小穗具柄，长 3 ～ 10 mm，
宽 1 ～ 1.5 mm，含 4 ～ 14 小花；颖膜质，披针形，先端渐尖，第 1
颖长约 1 mm，无脉，第 2 颖长约 1.5 mm，具 1 脉；第 1 外稃长约
1.8 mm，广卵形，先端尖，具 3 脉；内稃长约 1.5 mm，稍呈弓形弯曲，
脊上有纤毛，迟落或宿存；雄蕊 3，花药长约 0.3 mm。颖果长圆形，

画眉草

长约 0.8 mm。花果期 8 ~ 11 月。

| **生境分布** | 生于荒芜田野、草地、路边或沟渠旁。分布于宁夏西夏、永宁等。

| **资源情况** | 野生资源较少。

| **采收加工** | 夏、秋季采收，洗净，晒干。

| **功能主治** | 甘、淡，凉。利尿通淋，清热活血。用于热淋，石淋，目赤痒痛，跌打损伤。

| **用法用量** | 内服煎汤，9 ~ 15 g。外用适量，烧存性，研末调搽；或煎汤洗。

禾本科 Poaceae 黄花茅属 Anthoxanthum

茅香

Anthoxanthum nitens (Weber) Y. Schouten & Veldkamp

茅香

| 药 材 名 |

茅香根（药用部位：根）。

| 形态特征 |

多年生。根茎细长。秆高 50 ~ 60 cm，具 3 ~ 4 节，上部无毛。叶鞘无毛或毛极少，长于节间；叶舌透明，膜质，长 2 ~ 5 mm，先端啮蚀状；叶片披针形，质较厚，上面被微毛，长 5 cm，宽 7 mm，基生叶长可达 40 cm。圆锥花序长约 10 cm；小穗淡黄褐色，有光泽，长 5（~ 6）mm；颖膜质，具 1 ~ 3 脉，等长或第 1 颖稍短；雄花外稃稍短于颖，顶具微小尖头，背部向上渐被微毛，边缘具纤毛；孕花外稃锐尖，长约 3.5 mm，上部被短毛。花果期 6 ~ 9 月。

| 生境分布 |

生于海拔 1 100 ~ 2 600 m 的阴坡、河漫滩、湿润草地、荒地或路边。分布于宁夏六盘山（泾源、隆德、原州）及西吉、金凤等。

| 资源情况 |

野生资源较少。

| **采收加工** | 春、秋季采挖，洗净泥土，切段，鲜用或晒干。 |

| **功能主治** | 甘，寒。凉血止血，清热利尿。用于吐血，尿血，肾炎浮肿，热淋。 |

| **用法用量** | 内服煎汤，30 ~ 60 g。 |

| **附　　注** | 根据《中国中药资源志要》记载，本种的变种毛鞘茅香 *Anthoxanthum nitens* (Weber) Y. Schouten & Veldkamp var. *pubescens* Kryl. [*Hierochloe odorata* (L.) Beauv. var. *pubescens* Kryl.] 与本种同等入药。毛鞘茅香与本种的主要区别在于：毛鞘茅香叶鞘密生柔毛，小穗较小，长 3.5 ~ 5 mm，花果期 4 ~ 8 月。毛鞘茅香生于海拔 470 ~ 2 450 m 的山坡、湿润草地或路边，分布于宁夏六盘山。 |

禾本科 Poaceae 大麦属 Hordeum

大麦
Hordeum vulgare L.

| 药 材 名 | 麦芽（药用部位：发芽的颖果。别名：大麦芽、大麦毛）、大麦（药用部位：颖果。别名：䅟、稞麦、䅟麦）、大麦苗（药用部位：幼苗）、大麦秸（药用部位：茎秆）。

| 形态特征 | 一年生草本，高 50 ～ 100 cm。秆粗壮，直立，光滑无毛；叶鞘先端两侧具弯曲成钩状的叶耳；叶舌小，长 1 ～ 2 mm，膜质；叶片扁平，长披针形，长 9 ～ 20 cm，宽 6 ～ 20 mm，叶面粗糙，背面较平滑。花序穗状，长 3 ～ 8 cm（除芒外），粗壮，稠密，每节着生 3 完全发育的小穗；小穗长 1 ～ 1.5 cm，通常无柄，含 1 花；内、外颖均线形或线状披针形，微具短毛，先端常具一由中脉延长而成的短芒，长 8 ～ 14 mm；外稃长圆状披针形，光滑，具 5 明显的纵脉，先端延伸成芒，芒长 8 ～ 15 cm，边棱具细刺；内稃与外稃等长，

大麦

较狭，具 2 脊；鳞被 2，先端具须毛；雄蕊 3；子房 1，花柱 2。颖果与内、外稃紧紧贴合，成熟时内、外稃亦不易脱落。花期 5 ~ 6 月，果期 6 ~ 7 月。

| 生境分布 | 栽培种。宁夏各地均有栽培。

| 资源情况 | 栽培资源丰富。

| 采收加工 | 麦芽：将颖果用水浸泡后，保持适宜温度、湿度，待幼芽长至约 5 mm 时，晒干或低温干燥。

大麦：4 ~ 5 月果实成熟时采收，晒干。

大麦苗：冬季采集，鲜用或晒干。

大麦秸：果实成熟后采割，除去果实，晒干。

| 药材性状 | 麦芽：本品呈梭形，长 8 ~ 12 mm，直径 3 ~ 4 mm。表面淡黄色，背面为外稃包围，具 5 脉；腹面为内稃包围。除去内、外稃后，腹面有 1 纵沟；基部胚根处生出幼芽和须根，幼芽长披针状条形，长约 5 mm。须根数条，纤细而弯曲。质硬，断面白色，粉性。气微，味微甘。

大麦：本品呈梭形，长 8 ~ 12 mm，直径 1 ~ 3 mm。表面淡黄色，背面为外稃包围，具 5 脉，先端长芒已断落；腹面为内稃包围，有 1 纵沟。质硬，断面粉性，白色。气无，味微甘。

| 功能主治 | 麦芽：甘，平。归脾、胃经。行气消食，健脾开胃，回乳消胀。用于食积不消，脘腹胀痛，脾虚食少，乳汁郁积，乳房胀痛，妇女断乳，肝郁胁痛，肝胃气痛。

大麦：甘，凉。归脾、肾经。健脾和胃，宽肠，利水。用于腹胀，食滞泄泻，小便不利。

大麦苗：甘、辛，寒。利湿退黄，护肤敛疮。用于黄疸，小便不利，皮肤皲裂，冻疮。

大麦秸：甘、苦，温。归脾、肺经。利湿消肿，理气。用于小便不利，心胃气痛。

| 用法用量 | 麦芽：内服煎汤，9 ~ 15 g。

大麦：内服煎汤，30 ~ 60 g；或研末。外用，炒，研末调敷；或煎汤洗。

大麦苗：内服煎汤，30 ~ 60 g；或捣汁。外用适量，煎汤洗。

大麦秸：内服煎汤，30 ~ 60 g。

| 附 注 | 本种的果实也作维药使用。

大白茅

Imperata cylindrica (L.) Beauv. var. *major* (Nees) C. E. Hubbard

大白茅

| 药 材 名 |

白茅根（药用部位：根茎。别名：丝茅草、白茅草、茅草根）、白茅花（药用部位：花穗。别名：菅花、茅花、茅针花）、白茅针（药用部位：未开放的花序。别名：茅苗、茅笋、茅针）、茅草叶（药用部位：叶）。

| 植物形态 |

多年生草本，具横走、多节、被鳞片的长根茎。秆直立，高 25 ~ 90 cm，具 2 ~ 4 节，节具长 2 ~ 10 mm 的白柔毛。叶鞘无毛或上部及边缘具柔毛，鞘口具疣基柔毛，鞘常麋集于秆基，老时破碎成纤维状；叶舌干膜质，长约 1 mm，先端具细纤毛；叶片线形或线状披针形，长 10 ~ 60 cm，宽 2 ~ 8 mm，先端渐尖，中脉在下面明显隆起并渐向基部增粗或成柄，边缘粗糙，上面被细柔毛；顶生叶短小，长 1 ~ 3 cm。圆锥花序穗状，长 5 ~ 20 cm，宽 1 ~ 2 cm，分枝短缩而密集，有时基部较稀疏；小穗柄先端膨大成棒状，无毛或疏生丝状柔毛，长柄长 3 ~ 4 mm，短柄长 1 ~ 2 mm；小穗披针形，长 2.5 ~ 3.5（~ 4）mm，基部密生长 12 ~ 15 mm 的丝状柔毛；两颖几相等，膜质或下部质较厚，先端渐尖，具 5 脉，中脉延伸至上部，背部脉间疏生长于小穗本身 3 ~ 4 倍的丝状柔毛，边缘稍具纤毛；第 1 外稃卵状长圆形，长为颖之半或更短，先端尖，具裂齿及少数纤毛；第 2 外稃长约 1.5 mm；内稃宽约 1.5 mm，宽大于长，先端截平，无芒，具微小的裂齿；雄蕊 2，花药黄色，长 2 ~ 3 mm，先雌蕊而成熟；柱头 2，紫黑色，自小穗先端伸出。颖果椭圆形，长约 1 mm。花果期 7 ~ 9 月。

| **生境分布** | 生于山麓、荒野、路旁、草甸、沙地。分布于宁夏贺兰山（贺兰、平罗、大武口、惠农）及金凤等。

| **资源情况** | 野生资源较少。

| **采收加工** | 白茅根：春、秋季采挖，洗净，晒干，除去须根和膜质叶鞘，捆成小把。
白茅花：4 ~ 5 月花盛开前采收，晒干。
白茅针：4 ~ 5 月采摘，鲜用或晒干。
茅草叶：全年均可采收，晒干。

| **药材性状** | 白茅根：本品呈长圆柱形，长 30 ~ 60 cm，直径 0.2 ~ 0.4 cm。表面黄白色或淡黄色，微有光泽，具纵皱纹，节明显，稍凸起，节间长短不等，通常长 1.5 ~ 3 cm。体轻，质略脆，断面皮部白色，多有裂隙，放射状排列，中柱淡黄色，易与皮部剥离。气微，味微甜。

白茅花：本品呈圆柱形，长 5 ~ 20 cm，小穗基部和颖片密被细长丝状毛，占花穗的大部分，灰白色，质轻而柔软，棉絮状。小穗黄褐色，介于细长丝状毛中，不易脱落，外颖矩圆状披针形，膜质；雌蕊花柱 2 裂，裂片线形，裂片上着生黄棕色毛。花序柄圆柱形，青绿色。气微，味淡。以干燥、洁白、无叶、柄短者为佳。

| 功能主治 | 白茅根：甘，寒。归肺、胃、膀胱经。凉血止血，清热利尿。用于血热吐血，衄血，尿血，热病烦渴，湿热黄疸，水肿尿少，热淋涩痛。

白茅花：甘，温。止血，定痛。用于吐血，衄血，刀伤。

白茅针：甘，平。止血，解毒。用于衄血，尿血，大便下血，外伤出血，疮痈肿毒。

茅草叶：辛、微苦，平。祛风除湿。用于风湿痹痛，皮肤风疹。

| 用法用量 | 白茅根：内服煎汤，9 ~ 30 g。

白茅花：内服煎汤，9 ~ 15 g。外用适量，罨敷或塞鼻。

白茅针：内服煎汤，9 ~ 15 g。外用适量，捣敷或塞鼻。

茅草叶：内服煎汤，15 ~ 30 g。外用适量，煎汤洗。

| 附　注 | （1）药用的白茅属植物主要为大白茅 *Imperata cylindrica* (L.) Beauv. var. *major* (Nees) C. E. Hubbard。《中华人民共和国药典》（2020 年版　一部）收载的白茅根药材的基原"白茅"应为《中国植物志》收载的大白茅 *Imperata cylindrica* (L.) Beauv. var. *major* (Nees) C. E. Hubbard，为白茅 *Imperata cylindrica* (L.) Beauv. 的变种，应当注意区分。

（2）《宁夏植物志》中无白茅属植物的记载。《宁夏中药资源》简要记载："白茅 *Imperata cylindrica* (L.) Beauv. var. *major* (Nees) C. E. Hubbard 生长于山麓、荒野，分布于宁夏贺兰山。"本种标本采集自金凤银川植物园。

（3）《江苏中药材标准》（2016 年版）记载白茅花药材以白茅 *Imperata cylindrica* (L.) Beauv. 的干燥花序入药，而《江苏植物志》记载大白茅产于江苏各地，生于路旁、山坡、草地，并无白茅分布的记载。《西安植物志》记载白茅 *Imperata cylindrica* (L.) Beauv. 在西安多见，常生于田间、沟岸等处。

（4）本种的根茎亦作蒙药和藏药使用。

禾本科 Poaceae 赖草属 Leymus

赖草

Leymus secalinus (Georgi) Tzvel.

| 药 材 名 | 冰草（药用部位：全草或根茎。别名：赖草、厚穗滨草、厚穗碱草）、冰草白穗（药用部位：带菌的果穗）。

| 形态特征 | 多年生草本，具下伸和横走的根茎。秆单生或丛生，直立，高40 ～ 100 cm，具 3 ～ 5 节，光滑无毛或在花序下密被柔毛。叶鞘光滑无毛，或在幼嫩时边缘具纤毛；叶舌膜质，截平，长 1 ～ 1.5 mm；叶片长 8 ～ 30 cm，宽 4 ～ 7 mm，扁平或内卷，上面及边缘粗糙或具短柔毛，下面平滑或微粗糙。穗状花序直立，长 10 ～ 15（ ～ 24 ）cm，宽 10 ～ 17 mm，灰绿色；穗轴被短柔毛，节与边缘被长柔毛，节间长 3 ～ 7 mm，基部者长达 20 mm；小穗通常 2 ～ 3，稀 1 或 4 生于每节，长 10 ～ 20 mm，含 4 ～ 7（ ～ 10 ）小花；小穗轴节间长 1 ～ 1.5 mm，贴生短毛；颖短于小穗，线状披针形，先端

赖草

狭窄如芒，不覆盖第 1 外稃基部，具不明显的 3 脉，上半部粗糙，边缘具纤毛，第 1 颖短于第 2 颖，长 8 ~ 15 mm；外稃披针形，边缘膜质，先端渐尖或具长 1 ~ 3 mm 的芒，背具 5 脉，被短柔毛或上半部无毛，基盘具长约 1 mm 的柔毛，第 1 外稃长 8 ~ 10（~ 14）mm；内稃与外稃等长，先端常微 2 裂，脊的上半部具纤毛；花药长 3.5 ~ 4 mm。花果期 6 ~ 10 月。

| **生境分布** | 生于山坡、丘陵、荒滩、碱地、沙地、路边、平原绿洲及山地草原带。宁夏各地均有分布。

| **资源情况** | 野生资源丰富。

| **采收加工** | 冰草：夏、秋季采收，切段，晒干。
冰草白穗：秋季采收。

| **功能主治** | 冰草：苦，微寒。归肺、肝、肾经。清热利湿，止咳平喘，止血。用于淋病，赤白带下，哮喘，痰中带血，鼻衄。
冰草白穗：苦，微寒。清热利湿。用于淋证，赤白带下。

| **用法用量** | 冰草：内服煎汤，15 ~ 60 g；或作茶饮。
冰草白穗：内服煎汤，15 ~ 30 g。

臭草
Melica scabrosa Trin.

| 药 材 名 | 猫毛草（药用部位：全草。别名：臭草、金丝草、肥马草）。

| 形态特征 | 多年生。须根细弱，较稠密。秆丛生，直立或基部膝曲，高20～90 cm，直径1～3 mm，基部密生分蘖。叶鞘闭合近鞘口，常撕裂，光滑或微粗糙，下部者长于节间，上部者短于节间；叶舌透明，膜质，长1～3 mm，先端撕裂而两侧下延；叶片质较薄，扁平，干时常卷折，长6～15 cm，宽2～7 mm，两面粗糙或上面疏被柔毛。圆锥花序狭窄，长8～22 cm，宽1～2 cm；分枝直立或斜向上升，主枝长达5 cm；小穗柄短，纤细，上部弯曲，被微毛；小穗淡绿色或乳白色，长5～8 mm，含2～4（～6）孕性小花，先端由数个不育外稃集成小球形；小穗轴节间长约1 mm，光滑；颖膜质，狭披针形，两颖近等长，长4～8 mm，具3～5脉，背面中脉常生微小

臭草

纤毛；外稃草质，先端尖或钝且为膜质，具7隆起的脉，背面颗粒状粗糙，第1外稃长5～8 mm；内稃短于外稃或与外稃等长，倒卵形，先端钝，具2脊，脊上被微小纤毛；雄蕊3，花药长约1.3 mm。颖果褐色，纺锤形，有光泽，长约1.5 mm。花果期5～8月。

| 生境分布 | 生于山坡草地、荒芜田野、渠边或路旁。分布于宁夏贺兰山（贺兰、西夏、平罗、大武口、惠农）、六盘山（泾源、隆德、原州）及沙坡头、利通、盐池等，隆德、贺兰、西夏、平罗、大武口其他地区也有分布。

| 资源情况 | 野生资源丰富。

| 采收加工 | 夏季采收，洗净，晒干。

| 药材性状 | 本品根细。茎纤细，浅黄棕色。叶薄，光滑或微粗糙。果实光亮，褐色，纺锤形。气微，味淡。

| 功能主治 | 甘，凉。利尿通淋，清热退黄。用于尿路感染，肾炎水肿，感冒发热，黄疸性肝炎，糖尿病。

| 用法用量 | 内服煎汤，30～60 g。

禾本科 Poaceae 稻属 Oryza

稻

Oryza Sativa L.

稻

药 材 名

稻芽（药用部位：发芽的颖果。别名：谷芽）、稻谷芒（药用部位：果实上的细芒刺。别名：稻穗、谷颖）、稻草（药用部位：茎叶。别名：稻蒿、稻秆、禾秆）。

形态特征

一年生水生草本。秆直立，高 0.5 ~ 1.5 m，随品种而异。叶鞘松弛，无毛；叶舌披针形，长 10 ~ 25 cm，两侧基部下延成叶鞘边缘，具 2 镰形抱茎的叶耳；叶片线状披针形，长约 40 cm，宽约 1 cm，无毛，粗糙。圆锥花序大型，疏展，长约 30 cm，分枝多，棱粗糙，成熟时向下弯垂；小穗含 1 成熟花，两侧甚压扁，长圆状卵形至椭圆形，长约 10 mm，宽 2 ~ 4 mm；颖极小，仅在小穗柄先端留下半月形痕迹；退化外稃 2，锥刺状，长 2 ~ 4 mm；两侧孕性花外稃质厚，具 5 脉，中脉成脊，表面有方格状小乳突，厚纸质，遍布细毛端毛较密，有芒或无芒；内稃与外稃同质，具 3 脉，先端尖而无喙；雄蕊 6，花药长 2 ~ 3 mm。颖果长约 5 mm，宽约 2 mm，厚 1 ~ 1.5 mm；胚长约为颖果的 1/4。花果期 6 ~ 10 月。

| **生境分布** | 栽培种。宁夏沙坡头、中宁、海原、贺兰、惠农、平罗、永宁、兴庆、灵武等引黄灌区普遍栽培。 |

| **资源情况** | 栽培资源丰富。 |

| **采收加工** | 稻芽：将颖果用水浸泡后，保持适宜的温度、湿度，待须根长至约1 cm时，干燥。
稻谷芒：脱粒、晒谷或扬谷时收集，晒干。
稻草：收获稻谷时，收集脱粒的稻秆，晒干。 |

| **药材性状** | 稻芽：本品呈扁长椭圆形，两端略尖，长7～9 mm，直径约3 mm。外稃黄色，有白色细茸毛，具5脉；一端有2对称的白色条形浆片，长2～3 mm，其中1浆片内侧伸出1～3弯曲的须根，须根长0.5～1.2 cm。质硬，断面白色，粉性。气微，味淡。 |

| **功能主治** | 稻芽：甘，温。归脾、胃经。消食和中，健脾开胃。用于食积不消，腹胀口臭，脾胃虚弱，不饥食少。
稻谷芒：利湿退黄。用于黄疸。
稻草：辛，温。归脾、肺经。宽中，下气，消食，解毒。用于噎膈，反胃，食滞，腹痛，泄泻，消渴，黄疸，痔疮，烫火伤。 |

用法用量	稻芽：内服煎汤，9 ～ 15 g。
	稻谷芒：内服适量，炒黄，研末酒冲。
	稻草：内服煎汤，50 ～ 150 g；或烧灰淋汁澄清。外用适量，煎汤洗。

稷
Panicum miliaceum L.

| 药 材 名 | 黍米（药用部位：种子。别名：稷米、丹稷米、稷）、黍根（药用部位：根）、黍茎（药用部位：茎。别名：黍穰）。

| 形态特征 | 一年生栽培草本。秆粗壮，直立，高 40 ~ 120 cm，单生或少数丛生，有时有分枝，节密被髭毛，节下被疣基毛。叶鞘松弛，被疣基毛；叶舌膜质，长约 1 mm，先端具长约 2 mm 的睫毛；叶片线形或线状披针形，长 10 ~ 30 cm，宽 5 ~ 20 mm，两面具疣基长柔毛或无毛，先端渐尖，基部近圆形，边缘常粗糙。圆锥花序开展或较紧密，成熟时下垂，长 10 ~ 30 cm，分枝粗或纤细，具棱槽，边缘具糙刺毛，下部裸露，上部密生小枝与小穗；小穗卵状椭圆形，长 4 ~ 5 mm；颖纸质，无毛，第 1 颖正三角形，长为小穗的 1/2 ~ 2/3，先端尖或锥尖，通常具 5 ~ 7 脉，第 2 颖与小穗等

稷

长，通常具 11 脉，脉先端渐汇合成喙状；第 1 外稃形似第 2 颖，具 11 ~ 13 脉；内稃透明，膜质，短小，长 1.5 ~ 2 mm，先端微凹或深 2 裂；第 2 小花长约 3 mm，成熟后因品种不同，而有黄色、乳白色、褐色、红色和黑色等；第 2 外稃背部圆形，平滑，具 7 脉，内稃具 2 脉；鳞被较发育，长 0.4 ~ 0.5 mm，宽约 0.7 mm，具多脉，并由 1 级脉分出次级脉。胚乳长为谷粒的 1/2，种脐点状，黑色。花果期 7 ~ 10 月。

| **生境分布** | 栽培种。宁夏各地均有栽培。

| **资源情况** | 栽培资源丰富。

| **采收加工** | 黍米：夏、秋季种子成熟时采收，除去果皮，晒干。
黍根：秋季采挖，洗净，晒干。
黍茎：秋季采收，晒干。

| **药材性状** | 黍米：本品呈类圆球形，直径约 2 mm，黄白色；背面较平，种脐点状微凹；腹面圆凸，具较浅的腹沟，纵贯腹面的 1/3；残存外果皮棕褐色，有光泽。质硬。气无，味甘，嚼之微黏。

| **功能主治** | 黍米：甘，微温。归肺、脾、胃、大肠经。益气补中，除烦止渴，解毒。用于烦渴，泻痢，吐逆，咳嗽，胃痛，小儿鹅口疮，疮痛，烫伤。
黍根：辛，热；有小毒。利尿消肿，止血。用于小便不利，脚气，水肿，妊娠尿血。

黍茎：辛，热；有小毒。利尿消肿，止血，解毒。用于小便不利，水肿，妊娠尿血，脚气，苦瓠中毒。

|用法用量| 黍米：内服煎汤，30～90 g；或煮粥；或淘取泔汁。外用适量，研末调敷。

黍根：内服煎汤，30～60 g。

黍茎：内服煎汤，9～15 g；或烧存性，研末，每次 1 g，每日 3 次。外用适量，煎汤熏洗。

禾本科 Poaceae 狼尾草属 Pennisetum

狼尾草
Pennisetum alopecuroides (L.) Spreng.

| **药 材 名** | 狼尾草 (药用部位: 全草。别名: 狼尾、狼茅、小芒草)、狼尾草根 (药用部位: 根及根茎)。 |

| **形态特征** | 多年生草本。须根较粗壮。秆直立, 丛生, 高 30 ~ 120 cm, 在花序下密生柔毛。叶鞘光滑, 两侧压扁, 主脉呈脊状, 在基部者跨生状, 在秆上部者长于节间; 叶舌具长约 2.5 mm 的纤毛; 叶片线形, 长 10 ~ 80 cm, 宽 3 ~ 8 mm, 先端长渐尖, 基部生疣毛。圆锥花序直立, 长 5 ~ 25 cm, 宽 1.5 ~ 3.5 cm; 主轴密生柔毛; 总梗长 2 ~ 3 (~ 5) mm; 刚毛粗糙, 淡绿色或紫色, 长 1.5 ~ 3 cm; 小穗通常单生, 偶双生, 线状披针形, 长 5 ~ 8 mm; 第 1 颖微小或缺, 长 1 ~ 3 mm, 膜质, 先端钝, 脉不明显或具 1 脉; 第 2 颖卵状披针形, 先端短尖, 具 3 ~ 5 脉, 长为小穗的 1/3 ~ 2/3; 第 1 小花中性, 第 1 外稃与小 |

狼尾草

穗等长，具 7 ~ 11 脉；第 2 外稃与小穗等长，披针形，具 5 ~ 7 脉，边缘包着同质的内稃；鳞被 2，楔形；雄蕊 3，花药先端无毫毛；花柱基部联合。颖果长圆形，长约 3.5 mm。花果期夏、秋季。

| **生境分布** | 生于田岸、荒地、道旁及小山坡上。分布于宁夏海原、彭阳等。

| **资源情况** | 野生资源较少。

| **采收加工** | 狼尾草：夏、秋季采收，洗净，晒干。
狼尾草根：全年均可采收，洗净，晒干或鲜用。

| **功能主治** | 狼尾草：甘，平。清肺止咳，凉血明目。用于肺热咳嗽，目赤肿痛。
狼尾草根：甘，平。清肺止咳，解毒。用于肺热咳嗽，疮毒。

| **用法用量** | 狼尾草：内服煎汤，9 ~ 15 g。
狼尾草根：内服煎汤，30 ~ 60 g。

禾本科 Poaceae 狼尾草属 Pennisetum

白草

Pennisetum flaccidum Grisebach

白草

| 药 材 名 |

白草（药用部位：根茎。别名：倒生草、白花草）。

| 形态特征 |

多年生草本，纤细，具横走根茎。秆直立，单生或丛生，高 20 ~ 90 cm。叶鞘疏松包茎，近无毛，基部者密集，近跨生，上部者短于节间；叶舌短，具长 1 ~ 2 mm 的纤毛；叶片狭线形，长 3 ~ 15 cm，宽 2 ~ 5 mm，两面无毛。圆锥花序狭窄，直立或稍弯曲，长 5 ~ 15 cm，宽约 5 mm；主轴具棱角，无毛或罕疏生短毛，残留在主轴上的总梗长 0.5 ~ 1 mm；刚毛稀少，柔软，细弱，微粗糙，长 8 ~ 15 mm，灰绿色或紫色；小穗排列稀疏，通常单生，卵状披针形，长 3 ~ 8 mm；第 1 颖微小，先端钝圆、锐尖或齿裂，脉不明显；第 2 颖长为小穗的 1/3 ~ 3/4，先端具芒尖，具 1 ~ 3 脉；第 1 小花雄性，罕或中性，第 1 外稃与小穗等长，厚膜质，先端具芒尖，具 3 ~ 5（~ 7）脉，第 1 内稃透明，膜质或退化；第 2 小花两性，第 2 外稃具 5 脉，先端具芒尖，与其内稃同为纸质；鳞被 2，楔形，先端微凹；雄蕊 3，花药先端无毫毛；花柱近基部联合。颖果长圆形，长约 2.5 mm。花果期 7 ~ 10 月。

| **生境分布** | 生于山坡、沙地、田埂、路旁及水沟等。分布于宁夏贺兰山（贺兰、平罗）、罗山（同心、红寺堡）、南华山（海原）及泾源、中宁、青铜峡、盐池、西夏、兴庆等。

| **资源情况** | 野生资源丰富。

| **采收加工** | 秋季采挖，洗净，以纸遮蔽，晒干。

| **药材性状** | 本品呈圆柱形，有的分枝，长短不一，长 30 ~ 60 cm，直径 0.2 ~ 0.4 cm。表面黄白色或淡黄色，微具光泽，具纵皱纹，节明显，稍凸起，偶残留须根，节间长短不等。质坚硬，断面中央有白色髓心，皮部与中柱不易剥离。无臭，味淡。

| **功能主治** | 甘，寒。清热利尿，凉血止血。用于热淋，尿血，肺热咳嗽，鼻衄，胃热烦渴。

| **用法用量** | 内服煎汤，15 ~ 24 g。

禾本科 Poaceae 芦苇属 Phragmites

芦苇
Phragmites australis (Cav.) Trin. ex Steud.

| 药 材 名 | 芦根（药用部位：根茎。别名：苇子、芦草）、芦茎（药用部位：嫩茎。别名：苇茎、嫩芦梗）、芦叶（药用部位：叶。别名：芦箬）、芦花（药用部位：花。别名：葭花、芦蓬蕽、蓬蕽）、芦笋（药用部位：嫩苗。别名：灌、芦尖）。

| 形态特征 | 多年生草本。根茎十分发达。秆直立，高 1 ~ 3（~ 8）m，具 20 多节，基部和上部的节间较短，最长的节间位于下部第 4 ~ 6 节，长 20 ~ 25（~ 40）cm，节下被蜡粉。叶鞘下部者短于节间，上部者长于节间；叶舌边缘密生 1 圈长约 1 mm 的短纤毛，两侧缘毛长 3 ~ 5 mm，易脱落；叶片披针状线形，长 30 ~ 50 cm，宽 2 ~ 3 cm，无毛，先端长渐尖成丝形。圆锥花序大型，长 20 ~ 40 cm，宽约 10 cm，分枝多数，长 5 ~ 20 cm，着生稠密下垂的小穗；小穗柄

芦苇

长 2 ~ 4 mm，无毛；小穗长 12 ~ 20 mm，含 4 ~ 7 小花；颖具 3 脉，第 1 颖长 4 mm；第 2 颖长约 7 mm；第 1 不孕外稃雄性，长约 12 mm，第 2 外稃长 11 mm，具 3 脉，先端长渐尖，基盘延长，两侧密生与外稃等长的丝状柔毛，与无毛的小穗轴连接处具明显的关节，成熟后易自关节上脱落；内稃长约 3 mm，2 脊粗糙；雄蕊 3，花药长 1.5 ~ 2 mm，黄色。颖果长约 1.5 mm。花果期 7 ~ 9 月。

| **生境分布** | 生于湖塘、渠边。宁夏各地均有分布。

| **资源情况** | 野生资源丰富。

| **采收加工** | 芦根：全年均可采挖，除去芽、须根及膜状叶，鲜用或晒干。

芦茎：夏、秋季采收，晒干或鲜用。

芦叶：春、夏、秋季采收。

芦花：秋后采收，晒干。

芦笋：春、夏季采挖，洗净，晒干或鲜用。

| **药材性状** | 芦根：本品鲜品呈长圆柱形，有的略扁，长短不一，直径 1 ~ 2 cm。表面黄白色，有光泽，外皮疏松，可剥离，节呈环状，有残根和芽痕。体轻，质韧，不易折断，切断面黄白色，中空，壁厚 1 ~ 2 mm，有小孔排列成环。干品呈扁圆柱形，节处较硬，节间有纵皱纹。气微，味甘。

芦茎：本品呈长圆柱形，长 30 cm，直径 0.4 ~ 0.6 cm。表面黄白色，光滑，具光泽。有的一侧显纵皱纹，节间长 10 ~ 17 cm，节部稍膨大，有的具残存叶鞘；叶鞘外表面具棕褐色环节纹，其下有的具宽 3 ~ 5 mm 的粉带，内表面淡白色，有的具残存的绒毛状髓质横膜。质硬，较难折断，断面粗糙，中空。气微，味淡。

芦叶：本品常皱缩卷曲或纵裂，展平后完整者分为叶鞘、叶舌和叶片。叶鞘圆筒形，长 12 ~ 16 cm，外表面灰黄色，具细密浅纵沟纹，内表面光亮；叶舌短，长 1 ~ 2 mm，下部有棕黑色横线，上部呈白色毛须状；叶片线状披针形，长 30 ~ 50 cm，宽 2 ~ 3 cm，两面灰绿色，背面下部中脉外突，先端长尾尖，黄色，基部渐窄，两侧小耳状，内卷，全缘。质脆，易折断，断面较整齐，叶鞘可见 1 列孔洞。气微，味淡。

芦花：本品完整者为穗状花序组成的圆锥花序，长 20 ~ 30 cm。下部梗腋间具白色柔毛，灰棕色至紫色。小穗长 15 ~ 20 mm，有 4 ~ 7 小花，第 1 小花通常为雄花，其余为两性花；颖线形，展平后披针形，不等长，第 1 颖长为第 2 颖之半或更短；外稃具白色柔毛。质轻。气微，味淡。

| **功能主治** | 芦根：甘，寒。归肺、胃经。清热泻火，生津止渴，除烦，止呕，利尿。用于热病烦渴，肺热咳嗽，肺痈吐脓，胃热呕哕，热淋涩痛。
芦茎：甘，寒。归肺、心经。清肺解毒，止咳排脓。用于肺痈吐脓，肺热咳嗽，痈疽。

芦叶：甘，寒。归胃、肺经。清热辟秽，止血，解毒。用于霍乱吐泻，吐血，衄血，肺痈。

芦花：甘，寒。止泻，止血，解毒。用于吐泻，衄血，血崩，外伤出血，鱼蟹中毒。

芦笋：甘，寒。清热生津，利水通淋。用于热病口渴心烦，肺痈，肺痿，淋病，小便不利，鱼肉中毒。

| **用法用量** | 芦根：内服煎汤，15 ～ 30 g，鲜品加倍；或捣汁。

芦茎：内服煎汤，15 ～ 30 g，鲜品 60 ～ 120 g。外用适量，烧灰淋汁；熬膏敷。

芦叶：内服煎汤，30 ～ 60 g；或烧存性，研末。外用适量，研末敷；或烧灰淋汁；或熬膏敷。

芦花：内服煎汤，15 ～ 30 g。外用适量，捣敷；或烧存性，研末吹鼻。

芦笋：内服煎汤，30 ～ 60 g；或鲜品捣汁。

禾本科 Poaceae 早熟禾属 Poa

早熟禾 Poa annua L.

| 药 材 名 | 早熟禾（药用部位：全草。别名：发汗草）。

| 形态特征 | 一年生或冬性禾草。秆直立或倾斜，质软，高 6 ~ 30 cm，平滑无毛。叶鞘稍压扁，中部以下闭合；叶舌长 1 ~ 3（~ 5）mm，圆头；叶片扁平或对折，长 2 ~ 12 cm，宽 1 ~ 4 mm，质柔软，常有横脉纹，先端急尖成船形，边缘微粗糙。圆锥花序宽卵形，长 3 ~ 7 cm，开展；分枝 1 ~ 3 着生于各节，平滑；小穗卵形，含 3 ~ 5 小花，长 3 ~ 6 mm，绿色；颖质薄，具宽膜质边缘，先端钝，第 1 颖披针形，长 1.5 ~ 2（~ 3）mm，具 1 脉，第 2 颖长 2 ~ 3（~ 4）mm，具 3 脉；外稃卵圆形，先端与边缘宽膜质，具明显的 5 脉，脊与边脉下部具柔毛，间脉近基部有柔毛，基盘无绵毛，第 1 外稃长 3 ~ 4 mm；内稃与外稃近等长，两脊密生丝状毛；花药黄色，长 0.6 ~ 0.8 mm。

早熟禾

颖果纺锤形，长约 2 mm。花期 4 ~ 5 月，果期 6 ~ 7 月。

| **生境分布** | 生于路旁、草地、田野水沟或荫蔽荒坡湿地。宁夏各地均有分布。

| **资源情况** | 野生资源丰富。

| **功能主治** | 用于咳嗽，湿疹，跌打损伤。

禾本科 Poaceae 早熟禾属 Poa

草地早熟禾
Poa pratensis L.

| 药 材 名 | 草地早熟禾（药用部位：根茎。别名：六月禾）。

| 形态特征 | 多年生，具发达的匍匐根茎。秆疏丛生，直立，高 50 ~ 90 cm，具 2 ~ 4 节。叶鞘平滑或糙涩，长于节间，并较叶片长；叶舌膜质，长 1 ~ 2 mm，蘖生者较短；叶片线形，扁平或内卷，长约 30 cm，宽 3 ~ 5 mm，先端渐尖，平滑或边缘与上面微粗糙，蘖生叶片较狭长。圆锥花序金字塔形或卵圆形，长 10 ~ 20 cm，宽 3 ~ 5 cm；分枝开展，每节 3 ~ 5，微粗糙或下部平滑，2 次分枝，小枝上着生 3 ~ 6 小穗，基部主枝长 5 ~ 10 cm，中部以下裸露；小穗柄较短；小穗卵圆形，绿色至草黄色，含 3 ~ 4 小花，长 4 ~ 6 mm；颖卵圆状披针形，先端尖，平滑，有时脊上部微粗糙，第 1 颖长 2.5 ~ 3 mm，具 1 脉，第 2 颖长 3 ~ 4 mm，具 3 脉；外稃膜质，先端稍钝，具少许

草地早熟禾

膜质，脊与边脉在中部以下密生柔毛，间脉明显，基盘具稠密长绵毛；第 1 外稃长 3 ~ 3.5 mm；内稃短于外稃，脊粗糙至具小纤毛；花药长 1.5 ~ 2 mm。颖果纺锤形，具 3 棱，长约 2 mm。花期 5 ~ 6 月，7 ~ 9 月结实。

| **生境分布** | 生于山坡、路边、草地或干燥沙地。分布于宁夏贺兰山（贺兰）、南华山（海原）及原州、西吉、盐池等，海原其他地区也有分布。

| **资源情况** | 野生资源丰富。

| **采收加工** | 夏、秋季采挖，除去须根及泥土，鲜用或晒干。

| **功能主治** | 降血糖。用于糖尿病。

| **用法用量** | 内服煎汤，10 ~ 15 g。

禾本科 Poaceae 早熟禾属 Poa

硬质早熟禾

Poa sphondylodes Trin.

硬质早熟禾

| 药 材 名 |

硬质早熟禾（药用部位：地上部分。别名：龙须草）。

| 形态特征 |

多年生密丛型草本。秆高 30 ～ 60 cm，具 3 ～ 4 节，顶节位于中部以下，上部常裸露，紧接花序以下和节下均多少糙涩。叶鞘基部带淡紫色，顶生者长 4 ～ 8 cm，长于叶片；叶舌长约 4 mm，先端尖；叶片长 3 ～ 7 cm，宽 1 mm，稍粗糙。圆锥花序紧缩而稠密，长 3 ～ 10 cm，宽约 1 cm；分枝长 1 ～ 2 cm，4 ～ 5 着生于主轴各节，粗糙；小穗柄短于小穗，侧枝基部着生小穗；小穗绿色，成熟后草黄色，长 5 ～ 7 mm，含 4 ～ 6 小花；颖具 3 脉，先端锐尖，硬纸质，稍粗糙，长 2.5 ～ 3 mm，第 1 颖稍短于第 2 颖；外稃坚纸质，具 5 脉，间脉不明显，先端极窄，膜质，带黄铜色，脊下部 2/3 和边脉下部 1/2 具长柔毛，基盘具中量绵毛，第 1 外稃长约 3 mm；内稃与外稃等长或稍长于外稃，脊粗糙，具微细纤毛，先端稍凹；花药长 1 ～ 1.5 mm。颖果长约 2 mm，腹面有凹槽。花果期 6 ～ 8 月。

| **生境分布** | 生于山坡、路边、草地或干燥沙地。分布于宁夏贺兰山（贺兰、西夏）、南华山（海原）及原州、西吉、盐池等，海原其他地区也有分布。 |

| **资源情况** | 野生资源丰富。 |

| **采收加工** | 秋季采割，洗净，晒干，切段。 |

| **功能主治** | 甘、淡，平。清热解毒，利尿通淋。用于小便淋涩，黄水疮。 |

| **用法用量** | 内服煎汤，6～9 g。 |

禾本科 Poaceae 狗尾草属 Setaria

金色狗尾草

Setaria pumila (Poiret) Roemer & Schultes

金色狗尾草

| 药 材 名 |

金色狗尾草（药用部位：全草。别名：金狗尾、狗尾巴）。

| 形态特征 |

一年生草本，单生或丛生。秆直立或基部倾斜膝曲，近地面的节可生根，高20～90 cm，光滑无毛，仅花序下面稍粗糙。叶鞘下部压扁，具脊，上部圆形，光滑无毛，边缘薄膜质，光滑无纤毛；叶舌具1圈长约1 mm的纤毛；叶片线状披针形或狭披针形，长5～40 cm，宽2～10 mm，先端长渐尖，基部钝圆，上面粗糙，下面光滑，近基部疏生长柔毛。圆锥花序紧密，呈圆柱状或狭圆锥状，长3～17 cm，宽4～8 mm（除刚毛外），直立，主轴具短细柔毛，刚毛金黄色或稍带褐色，粗糙，长4～8 mm，先端尖，通常每簇仅具一发育的小穗；第1颖宽卵形或卵形，长为小穗的1/3～1/2，先端尖，具3脉；第2颖宽卵形，长为小穗的1/2～2/3，先端稍钝，具5～7脉；第1小花雄性或中性，第1外稃与小穗等长或较小穗微短，具5脉，其内稃膜质，与第2小花等长且等宽，具2脉，通常含3雄蕊或无；第2小花两性，外稃革质，与第1外稃等长，先端尖，成熟时背部极隆起，具明显的横皱纹；鳞被楔形；花柱基部联合。花果期 6 ~ 10 月。

| **生境分布** | 生于山坡、路旁、林边、荒地、田边或田间。宁夏各地均有分布。

| **资源情况** | 野生资源丰富。

| **采收加工** | 夏、秋季采收，晒干。

| **功能主治** | 甘、淡，平。清热，明目，止痢。用于目赤肿痛，睑腺炎，赤白痢。

| **用法用量** | 内服煎汤，9 ~ 15 g。

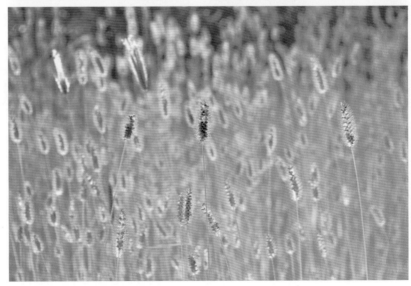

禾本科 Gramineae 狗尾草属 Setaria

狗尾草 *Setaria viridis* (L.) Beauv.

狗尾草

| 药 材 名 |

狗尾草（药用部位：地上部分。别名：谷莠子、莠、莠草子）、狗尾草子（药用部位：种子）。

| 形态特征 |

一年生草本，高 30 ~ 100 cm。秆直立或基部膝曲，通常较细弱，有时粗壮，基部直径达 4 mm。叶鞘较松弛，无毛或具柔毛；叶舌具长 1 ~ 2 mm 的纤毛；叶片扁平，先端渐尖，基部略成钝圆形或渐窄，长 5 ~ 30 cm，宽 2 ~ 15 mm，通常无毛。圆锥花序密成圆柱形，长 2 ~ 15（~ 20）cm，微弯垂或直立；刚毛长 4 ~ 12 mm，粗糙，绿色、黄色或变紫色；小穗椭圆形，先端钝，长 2 ~ 2.5 mm；第 1 颖卵形，长约为小穗的 1/3，具 3 脉；第 2 颖与小穗近等长，具 5（~ 7）脉；第 1 外稃与小穗等长，具 5 ~ 7 脉，具 1 狭窄内稃。谷粒长圆形，先端钝，具细点状皱纹。花期 6 ~ 8 月。

| 生境分布 |

生于田间、荒地、路旁及坡地。宁夏各地均有分布。

资源情况	野生资源丰富。

采收加工　狗尾草：夏、秋季割取，晒干或鲜用。

狗尾草子：秋季采收成熟果穗，搓下种子，除去杂质，晒干。

药材性状　狗尾草：本品茎呈圆柱形，直径 1.5 ～ 2.5 mm，具节，节处具黑色环；表面黄绿色，光滑，具纵沟纹；质韧，断面中空。叶片条形或披针形，折皱，表面及边缘粗糙；叶舌由 1 圈细毛组成；叶鞘长管状抱茎，表面具细条纹。花序呈圆柱状，刚毛长为小穗的 2 ～ 4 倍，绿色、黄色或带紫色。气微，味淡。以色黄绿、叶多、无根者为佳。

功能主治　狗尾草：淡，平。归心、肝经。祛风明目，清热利尿。用于风热感冒，目赤肿痛，黄疸，小便不利。

狗尾草子：解毒，止泻，截疟。用于缠腰火丹，泄泻，疟疾。

用法用量　狗尾草：内服煎汤，6 ～ 12 g，鲜品 30 ～ 60 g。外用适量，煎汤洗；或捣敷。

狗尾草子：内服煎汤，9 ～ 15 g；或研末冲服。外用适量，炒焦，研末调敷。

禾本科 Gramineae 高粱属 Sorghum

高粱
Sorghum bicolor (L.) Moench Meth.

| 药 材 名 | 高粱（药用部位：种仁。别名：木稷、藋粱）、高粱米糠（药用部位：种皮）、高粱根（药用部位：根。别名：蜀黍根、爪龙）。

| 形态特征 | 一年生栽培作物。秆高因栽培条件及品种不同而异，节上通常无白色髯毛。叶鞘无毛或被白粉；叶舌硬纸质，先端圆，边缘有纤毛；叶片狭长披针形，长达 50 cm，宽约 4 cm。圆锥花序有轮生、互生或对生的分枝；无柄小穗卵状椭圆形，长 5 ~ 6 mm，颖片成熟时下部硬革质，光滑无毛，上部及边缘具短柔毛，两性；有柄小穗雄性或中性，穗轴节间及小穗柄线形，边缘均具纤毛，但无纵沟；第 1 颖背部凸起或扁平，成熟时变硬而光亮，有狭窄、内卷的边缘，向先端渐内折；第 2 颖舟形，有脊；第 1 外稃透明，膜质，第 2 外稃长圆形或线形，先端 2 裂，从裂齿间伸出芒，或全缘而无芒。颖果

高粱

倒卵形，成熟后露出颖外。花果期秋季。

| **生境分布** | 栽培种。生于温暖润湿处。宁夏各地均有栽培。

| **资源情况** | 栽培资源较丰富。

| **采收加工** | 高粱：秋季种子成熟后采收，晒干。
高粱米糠：加工高粱时收集春下的种皮，晒干。
高粱根：秋季采挖，洗净，晒干。

| **药材性状** | 高粱：本品椭圆形而稍扁，长约 5 mm。外面具 1 层棕红色薄膜，基部色较浅，可见果柄痕。质硬，断面白色，富粉性。气微，味淡。

| **功能主治** | 高粱：甘、涩，温。健脾止泻，化痰安神。用于脾虚泄泻，霍乱，消化不良，痰湿咳嗽，失眠多梦。
高粱米糠：和胃消食。用于小儿消化不良。
高粱根：甘，平。平喘，利水，止血，通络。用于咳嗽喘满，小便不利，产后出血，血崩，足膝疼痛。

| **用法用量** | 高粱：内服煎汤，30 ~ 60 g；或研末。
高粱米糠：内服，炒香，每次 1.5 ~ 3 g，每日 3 ~ 4 次。
高粱根：内服煎汤，15 ~ 30 g；或烧存性，研末。

禾本科 Gramineae 小麦属 Triticum

小麦
Triticum aestivum L.

| 药 材 名 | 小麦（药用部位：种子）、浮小麦（药用部位：干瘪的颖果。别名：麦瘪子）。 |

| 形态特征 | 一年生或越年生（冬小麦）草本，高可超过 1 m。秆疏丛生，因土壤瘠肥和环境不同，其分蘖多少有所变化，通常具 6 ~ 7 节。叶鞘通常短于节间；叶舌短小，膜质；叶片线状披针形。穗状花序直立，长 5 ~ 10 cm（芒除外），通常宽约 1 cm，穗轴节间长 2 ~ 3 mm；小穗长 10 ~ 15 mm，具 3 ~ 9 花，上部花常不发育，小穗轴节间长约 1 mm；颖革质，背部具锐脊，具 5 ~ 9 脉，先端具短而凸出的尖头；外稃厚纸质，具 5 ~ 9 脉，先端通常具芒，芒长度变化极大，最长者可超过 15 cm，内稃与外稃等长，脊具窄翼，翼缘具微细纤毛。颖果矩圆形或卵形，长约 6 mm。 |

小麦

| **生境分布** | 栽培种。宁夏各地均有栽培。

| **资源情况** | 栽培资源丰富。

| **采收加工** | 小麦：果实成熟时采收，脱粒，晒干。

浮小麦：果实成熟时采收，取瘪瘦、轻浮、未脱净皮的麦粒，拣去杂质，筛去灰屑，洗净，晒干。

| **药材性状** | 小麦：本品呈长椭圆形，两端略尖，长 5 ~ 7 mm，直径 3 ~ 3.5 mm。外表面淡黄色或淡棕黄色，具细皱纹，饱满，腹面有 1 深凹纵沟，先端有黄白色柔毛，基部斜尖形。质坚，破碎面白色，富粉性。气微，味淡。

浮小麦：本品长圆形，两端略尖，长达 6 mm，直径 1.5 ~ 2.5 mm。表面浅棕黄色或黄色，稍皱缩，腹面中央有 1 纵沟，先端具黄白色柔毛。质硬，断面白色，粉性。气弱，味淡。以粒均匀、轻浮、无杂质者为佳。

| **功能主治** | 小麦：甘，凉。归心、脾、肾经。养心，益肾，除热，止渴。用于脏躁，烦热消渴，泻痢，痈肿，外伤出血，烫伤。

浮小麦：甘，凉。归心经。敛肺止汗，益气除热。用于自汗，盗汗，骨蒸劳热，脏躁，血淋。

| **用法用量** | 小麦：内服煎汤，50 ~ 100 g；或煮粥。外用适量，炒黑，研末调敷。

浮小麦：内服煎汤，15 ~ 30 g；或研末。

禾本科 Gramineae 玉蜀黍属 Zea

玉蜀黍 *Zea mays* L.

药 材 名	玉蜀黍（药用部位：种子。别名：玉高粱、番麦）、玉米须（药用部位：花柱、柱头。别名：包谷须、玉米胡子）、玉米花（药用部位：雄花穗。别名：玉蜀黍花）、玉米轴（药用部位：穗轴。别名：包谷心）、玉蜀黍苞片（药用部位：鞘状苞片）、玉蜀黍叶（药用部位：叶）、玉蜀黍根（药用部位：根。别名：抓地虎、玉米根）。
形态特征	一年生高大草本，高 1 ~ 4 m。秆直立，通常不分枝，基部各节具气生根，入土以成支柱。叶鞘具横脉；叶片宽大，线状披针形，边缘呈波状折皱，具强壮中脉。雄圆锥花序顶生；雄小穗孪生，长达 1 cm，含 2 小花；两颖几等长，膜质，背部隆起，具 9 ~ 10 脉；内、外稃均膜质，与颖近等长。雌小穗孪生，成 8 ~ 18（~ 30）行排列于粗壮的海绵状穗轴上；两颖相等，甚宽，无脉，具纤毛；第 1

玉蜀黍

小花不育；外稃膜质，似颖但较小而无纤毛，具内稃或无；第2外稃与第1外稃相似，具内稃。

| **生境分布** | 栽培种。宁夏各地均有栽培。

| **资源情况** | 栽培资源丰富。

| **采收加工** | 玉蜀黍：果实成熟时采收果实，脱下种子，晒干。
玉米须：夏、秋季果实近成熟或成熟时采收，阴干或晒干。
玉米花：夏、秋季采收，晒干。
玉米轴：秋季果实成熟时采收，脱去种子，晒干。
玉蜀黍苞片：秋季采收种子时收集，晒干。

玉蜀黍叶：夏、秋季采收，晒干。

玉蜀黍根：秋季采挖，洗净，鲜用或晒干。

| **药材性状** | 玉米须：本品呈线状或丝状，常集结成团。花柱长可达 20 cm，黄棕色或棕红色，有光泽；柱头短，2 裂。质柔软。气微，味微甘、淡。

| **功能主治** | 玉蜀黍：甘，平。归胃、大肠经。调中开胃，利尿消肿。用于食欲不振，小便不利，水肿，尿路结石。

玉米须：甘、淡，平。归肝、肾、小肠经。利水消肿，清肝利胆，降血压，降血糖，止血。用于水肿，石淋，急、慢性肾炎，急、慢性肝炎，胆结石，高血压，

糖尿病，慢性鼻窦炎，预防习惯性流产。

玉米花：甘，凉。疏肝利胆。用于肝炎，胆囊炎。

玉米轴：健脾利湿。用于消化不良，泻痢，小便不利，水肿，脚气，小儿夏季热，口舌糜烂。

玉蜀黍苞片：甘，平。清热利尿，和胃。用于尿路结石，水肿，胃痛吐酸。

玉蜀黍叶：微甘，凉。利尿通淋。用于石淋，小便涩痛。

玉蜀黍根：利尿通淋，祛瘀止血。用于小便不利，水肿，石淋，胃痛，吐血。

| **用法用量** | 玉蜀黍：内服煎汤，30 ～ 60 g；或煮食；或磨成细粉做饼。

玉米须：内服煎汤，15 ～ 30 g，大剂量可用60 ～ 90 g；或烧存性研末。外用适量，烧烟吸入。

玉米花：内服煎汤，9 ～ 15 g。

玉米轴：内服煎汤，9 ～ 12 g；或煅存性研末。外用适量，烧灰调敷。

玉蜀黍苞片：内服煎汤，9 ～ 15 g。

玉蜀黍叶：内服煎汤，9 ～ 15 g。

玉蜀黍根：内服煎汤，30 ～ 60 g。

水菖蒲 *Acorus calamus* L.

| **药 材 名** | 水菖蒲（药用部位：根茎）。

| **形态特征** | 多年生草本。根茎粗壮，横走，直径 10 ~ 15 mm。叶基生，剑形，排列成 2 行，长 30 ~ 70 cm，宽 10 ~ 15 mm，先端渐尖，下部对折，边缘宽膜质，中肋明显隆起。花序梗三棱形，长 30 ~ 50 cm；佛焰苞叶状，剑形，长 25 ~ 40 cm，宽 5 ~ 10 mm；肉穗花序锥状圆柱形，长 3.5 ~ 5 cm，直径 5 ~ 10 mm，斜上伸或近直立；花两性，黄绿色，密生于整个花序上；花被片 6，倒披针形，长约 2.5 mm，宽约 1 mm；雄蕊 6，花丝扁平，长约 2.5 mm，宽约 1 mm，花药淡黄色，卵形；子房长椭圆形，长约 3 mm，直径约 1.5 mm，花柱短，柱头小。浆果长圆形，红色。花果期 6 ~ 8 月。

| **生境分布** | 生于田边、沟旁或沼泽湿地上。分布于宁夏贺兰、沙坡头、中宁、海

水菖蒲

原、惠农、平罗、西夏、永宁、兴庆、灵武、金凤等引黄灌区。

| **资源情况** | 野生资源丰富。

| **采收加工** | 秋季采挖，除去茎叶及须根，洗净，晒干。

| **药材性状** | 本品呈扁圆柱形，稍弯曲，少有分枝，直径 1 ~ 1.5 cm。表面黄白色或淡棕红色，节长 0.2 ~ 1.5 cm，上侧有较大的叶痕，下侧有凹陷的圆点状根痕。质硬，折断面类白色或淡棕色，横切面内皮层环明显，可见多数维管束小点。气浓而特异，味辛。以根茎粗长、色黄、除净鳞叶及须根者为佳。

| **功能主治** | 苦、辛，温。归心、肝、脾经。开窍化痰，健脾利湿，辟秽杀虫。用于癫痫，惊悸，健忘，神昏，痰涎壅塞，食欲不振，湿滞痞胀，泄泻，痢疾，风湿痹痛，痈肿，疥癣。

| **用法用量** | 内服煎汤，3 ~ 9 g。外用适量，研末调敷。

天南星科 Araceae 天南星属 Arisaema

东北天南星
Arisaema amurense Maxim.

东北天南星

药 材 名

天南星（药用部位：块茎）。

形态特征

多年生草本，高 35 ~ 60 cm。块茎近球状或扁球状，直径约 2.5 cm，上方须根放射状分布。叶 1，鸟趾状全裂，裂片 5（一年生者裂片 3），倒卵形或广倒卵形，长 11 ~ 15 cm，宽 6 ~ 8 cm，基部楔形，全缘或有不规则牙齿。花序梗长 20 ~ 40 cm，较叶低；佛焰苞长 11 ~ 14 cm，下部筒状，边缘平截，绿色或带紫色；花序轴先端附属物棍棒状。浆果红色。花期 7 ~ 8 月，果期 9 月。

生境分布

生于海拔 1 200 ~ 2 500 m 的林下、林缘及沟旁等。分布于宁夏泾源、隆德、彭阳、原州等。

资源情况

野生资源较少。

采收加工

秋、冬季茎叶枯萎时采挖，除去须根及外皮，干燥。

| **药材性状** | 本品呈扁球形，高 1 ~ 2 cm，直径 1.5 ~ 6.5 cm。表面类白色或淡棕色，较光滑，先端有凹陷的茎痕，周围有麻点状根痕，有的块茎周边有小扁球状侧芽。质坚硬，不易破碎，断面不平坦，白色，粉性。气微辛，味麻辣。

| **功能主治** | 苦、辛，温；有毒。归肺、肝、脾经。散结消肿。外用于痈肿，蛇虫咬伤。

| **用法用量** | 外用适量，生品研末，以醋或酒调敷。

天南星科 Araceae 天南星属 Arisaema

象南星
Arisaema elephas Buchet

| 药 材 名 | 象南星（药用部位：块茎）。

| 形态特征 | 多年生草本，高 15 ~ 30 cm。块茎近球形，直径 3 ~ 5 cm，密生长达 10 cm 的纤维状须根。鳞叶锐尖，长 9 ~ 15 cm，基部展开宽可达 5 cm，绿色或紫色。叶 1，黄绿色；叶柄纤细，长 20 ~ 30 cm，无鞘，光滑或多少具疣状突起；叶片 3 全裂，稀 3 深裂，裂片具长 0.5 ~ 1 cm 的柄或无柄，稀基部联合，中肋背面明显隆起。花序梗短于叶柄，长 9 ~ 25 cm，直径 3 ~ 5 mm，绿色或淡紫色，具细疣状突起或否；佛焰苞青紫色，基部黄绿色，管部具白色条纹，向上隐失，上部全为深紫色，管部圆柱形，长 2 ~ 7 cm，喉部边缘斜截形，两侧下缘相交成直角，檐部长圆状披针形，由基部稍内弯，先端骤狭渐尖。肉穗花序单性；雄花序长 1.5 ~ 3 cm，花序轴直径可

象南星

达 8 mm，连花直径 1.5 cm，花疏，附属器基部略细成柄状，或几无柄，中部以上渐细，最后成线形，从佛焰苞喉部附近下弯，然后呈"之"字形上升或弯转 360° 后上升或蜿蜒下垂；雌花序长 1 ~ 2.5 cm，下部直径 1.2 cm，附属器基部骤然扩大至 5 ~ 7 mm，具长 5 ~ 10 mm 的柄，其余同雄花序附属器。雄花具长柄，柄长 2.2 ~ 2.5 mm，花药 2 ~ 5，药室顶部融合，马蹄形开裂；雌花子房长卵圆形，先端渐狭为短花柱，柱头盘状，密被短绒毛，1 室，胚珠多数（6 ~ 10）。浆果砖红色，椭圆状，长约 1 cm；种子 5 ~ 8，卵形，淡褐色，具喙；果序轴海绵质，圆锥状。花期 5 ~ 6 月，果期 8 月。

| **生境分布** | 生于林下或林缘草地。分布于宁夏六盘山（泾源、隆德、原州）等。

| **资源情况** | 野生资源较少。

| **采收加工** | 夏、秋季采挖，洗净，除去外皮及须根，晒干。

| **功能主治** | 辛，温；有剧毒。归肺经。镇静安神，消肿止痛，止咳，止吐。用于劳伤咳嗽，疥癣，痈疽。

| **用法用量** | 内服煎汤，2.5 ~ 4.5 g，炮制后用。外用适量，捣敷。

| **附　注** | 本种的块茎为黑南星药材的基原。

天南星科 Araceae 天南星属 Arisaema

一把伞南星
Arisaema erubescens (Wall.) Schott

| **药 材 名** | 天南星（药用部位：块茎。别名：独角莲）。 |

| **形态特征** | 多年生草本。块茎扁球形，直径达 2 ~ 6 cm，表皮黄色。鳞叶绿白色，有紫褐色斑纹，下部管状，上部披针形。叶 1，稀 2；叶柄长40 ~ 80 cm，中部以下具鞘，鞘部粉绿色，上部绿色，有时具褐色斑块；叶片放射状分裂，裂片 7 ~ 15，无柄，披针形，长 7 ~ 20 cm，宽 2 ~ 4 cm，先端长渐尖或呈尾状，基部狭窄，上面深绿色。花单性，雌雄异株，无花被；肉穗花序由叶柄鞘抽出，花序梗短于叶柄，稍肉质，具褐色斑纹；佛焰苞绿色、绿紫色或深紫色，背面有白色条纹，基部圆筒状，长 4 ~ 8 cm，至喉部稍膨大，展开部分外卷，檐部三角状卵形至长圆卵形，长 4 ~ 7 cm，宽 2 ~ 6 cm，先端渐窄，形成线形尾尖；肉穗花序轴先端有棒状附属器，长 3 ~ 4 cm；雄花序长 |

一把伞南星

2 ~ 2.5 cm，花密，雄蕊 2 ~ 4，花丝合成短柄，花药近球形，顶孔开裂；雌花序长约 2 cm，子房圆形，无花柱，柱头小。浆果红色，多数组成长圆柱形果序；种子 1 ~ 2，球形，淡褐色。花期 5 ~ 7 月，果期 8 ~ 9 月。

| **生境分布** | 生于林下或林缘草地。分布于宁夏泾源、隆德、彭阳、原州等。

| **资源情况** | 野生资源较少。

| **采收加工** | 秋季采挖，除去茎苗和须根，刮去外皮，晒干。

| **药材性状** | 本品呈扁球形，高 1 ~ 2 cm，直径 2 ~ 5 cm。表面类白色至淡棕色，先端较平，中心茎痕凹陷，具叶痕形成的环纹，周围有麻点状根痕。质坚硬，不易破碎，断面不平坦，白色，粉性。气微，味麻舌刺喉。

| **功能主治** | 苦、辛，温；有毒。归肺、肝、脾经。燥湿化痰，祛风止痉，散结消肿。用于顽痰咳嗽，风痰眩晕，中风痰壅，口眼㖞斜，半身不遂，癫痫，惊风，破伤风；外用于痈肿，蛇虫咬伤。

| **用法用量** | 内服，3 ~ 9 g，一般炮制后用。外用适量，生品研末，醋或酒调敷。

天南星科 Araceae 半夏属 Pinellia

半夏
Pinellia ternata (Thunb.) Breit.

| 药 材 名 | 半夏（药用部位：块茎。别名：麻草豆、地雷公、狗芋头）。

| 形态特征 | 多年生草本。块茎圆球形，直径 1 ~ 2 cm，具须根。叶 2 ~ 5，有时 1；叶柄长 15 ~ 20 cm，基部具鞘，鞘内、鞘部以上或叶片基部（叶柄顶头）有直径 3 ~ 5 mm 的珠芽，珠芽在母株上萌发或落地后萌发；幼苗叶片卵状心形至戟形，全缘，单叶，长 2 ~ 3 cm，宽 2 ~ 2.5 cm；老株叶片 3 全裂，裂片绿色，背面色淡，长圆状椭圆形或披针形，两头锐尖，中裂片长 3 ~ 10 cm，宽 1 ~ 3 cm，侧裂片稍短，全缘或具不明显的浅波状圆齿，侧脉 8 ~ 10 对，细弱，细脉网状，密集，集合脉 2 圈。花序梗长 25 ~ 30（~ 35）cm，长于叶柄；佛焰苞绿色或绿白色，管部狭圆柱形，长 1.5 ~ 2 cm，檐部长圆形，绿色，有时边缘青紫色，长 4 ~ 5 cm，宽 1.5 cm，钝或锐尖；肉穗花

半夏

序；雌花序长 2 cm，雄花序长 5 ~ 7 mm，间隔 3 mm；附属器绿色变青紫色，长 6 ~ 10 cm，直立，有时呈"S"形弯曲。浆果卵圆形，黄绿色，先端渐狭为明显的花柱。花期 5 ~ 7 月，果实 8 月成熟。

| **生境分布** | 生于山坡草丛、荒地、田边及田间。分布于宁夏泾源、隆德、彭阳、金凤等。

| **资源情况** | 野生、栽培资源均较少。

| **采收加工** | 夏、秋季采挖，洗净，除去外皮和须根，晒干。

| **药材性状** | 本品呈类球形，有的稍偏斜，直径 0.7 ~ 1.6 cm。表面白色或浅黄色，先端有凹陷的茎痕，周围密布麻点状根痕；下面钝圆，较光滑。质坚实，断面洁白，富粉性。气微，味辛辣、麻舌而刺喉。

| **功能主治** | 辛、温；有毒。归脾、胃、肺经。燥湿化痰，降逆止呕，消痞散结。用于湿痰寒痰，咳喘痰多，痰饮眩悸，风痰眩晕，痰厥头痛，呕吐反胃，胸脘痞闷，梅核气；外用于痈肿痰核。

| **用法用量** | 内服煎汤，3 ~ 9 g，炮制后用。外用适量，磨汁涂；或研末，酒调敷。

浮萍科 Lemnaceae 浮萍属 Lemna

浮萍
Lemna minor L.

药 材 名	浮萍（药用部位：全草。别名：紫萍、水萍、萍子草）。
形态特征	漂浮植物。叶状体对称，表面绿色，背面浅黄色或绿白色或紫色，近圆形、倒卵形或倒卵状椭圆形，全缘，长 1.5 ~ 5 mm，宽 2 ~ 3 mm，上面稍凸起或沿中线隆起，脉 3，不明显，背面垂生 1 丝状根，根白色，长 3 ~ 4 cm，根冠钝头，根鞘无翅；叶状体背面一侧具囊，新叶状体于囊内形成浮出，以极短的细柄与母体相连，随后脱落。雌花具 1 弯生胚珠。果实无翅，近陀螺状；种子具凸出的胚乳并具 12 ~ 15 纵肋。
生境分布	生于池沼、稻田及排水沟中。分布于宁夏贺兰、惠农、平罗、西夏、永宁、兴庆、灵武、金凤等引黄灌区。
资源情况	野生资源丰富。

浮萍

| 采收加工 | 6～9月采收，洗净，除去杂质，晒干。 |

| 药材性状 | 本品为扁平的叶状体，呈卵形或卵圆形，长径2～5 mm。上表面淡绿色至灰绿色，偏侧有1小凹陷，边缘整齐或微卷曲；下表面紫绿色至紫棕色，着生数条须根。体轻，手捻易碎。气微，味淡。 |

| 功能主治 | 辛，寒。归肺经。宣散风热，透疹，利尿。用于麻疹不透，风疹瘙痒，水肿尿少。 |

| 用法用量 | 内服煎汤，3～9 g。外用适量，煎汤洗。 |

长苞香蒲 *Typha domingensis* Persoon

长苞香蒲

| 药 材 名 |

蒲黄（药用部位：花粉。别名：香蒲、水蜡烛、蒲草）。

| 形态特征 |

多年生水生或沼生草本。根茎粗壮，乳黄色，先端白色。地上茎直立，高 0.7 ~ 2.5 m，粗壮。叶片长 40 ~ 150 cm，宽 0.3 ~ 0.8 cm，上部扁平，中部以下背面逐渐隆起，下部横切面呈半圆形，细胞间隙大，海绵状；叶鞘很长，抱茎。雌雄花序远离；雄花序长 7 ~ 30 cm，花序轴具弯曲柔毛，先端齿裂或否，叶状苞片 1 ~ 2，长约 32 cm，宽约 8 mm，与雄花先后脱落；雌花序位于下部，长 4.7 ~ 23 cm，叶状苞片比叶宽，花后脱落；雄花通常由 3 雄蕊组成，稀 2，花药长 1.2 ~ 1.5 mm，矩圆形，花粉粒单体，球形、卵形或钝三角形，花丝细弱，下部合生成短柄；雌花具小苞片，孕性雌花柱头长 0.8 ~ 1.5 mm，宽条形至披针形，比花柱宽，花柱长 0.5 ~ 1.5 mm，子房披针形，长约 1 mm，子房柄细弱，长 3 ~ 6 mm，不孕雌花子房长 1 ~ 1.5 mm，近倒圆锥形，具褐色斑点，先端呈凹形，不发育柱头陷于凹处；白色丝状毛极多数，生于子房柄基部，或向上延伸，短于柱头。小坚果纺锤形，长约 1.2 mm，纵裂，果皮具褐色斑点；种子黄褐色，长约 1 mm。花果期 6 ~ 8 月。

| 生境分布 | 生于池沼、水边。分布于宁夏隆德、中宁、兴庆等。

| 资源情况 | 野生资源丰富。

| 采收加工 | 夏季采收蒲棒上部的黄色雄花序，晒干后碾轧，筛取花粉。

| 功能主治 | 甘，平。归肝、心包经。止血，化瘀，通淋。用于吐血，咯血，崩漏，外伤出血，经闭痛经，脘腹刺痛，跌扑肿痛，血淋涩痛。

| 用法用量 | 内服煎汤，5 ~ 9 g，包煎。外用适量，敷患处。

香蒲科 Typhaceae 香蒲属 Typha

水烛香蒲 *Typha angustifolia* L.

| 药 材 名 | 蒲黄（药用部位：花粉。别名：香蒲、水蜡烛、蒲草）。

| 形态特征 | 多年生水生或沼生草本。根茎乳黄色、灰黄色，先端白色。地上茎直立，粗壮，高1.5～2.5（～3）m。叶片长54～120 cm，宽0.4～0.9 cm，上部扁平，中部以下腹面微凹，背面向下逐渐隆起成凸形，下部横切面呈半圆形，细胞间隙大，呈海绵状；叶鞘抱茎。雌雄花序相距2.5～6.9 cm；雄花序轴具褐色扁柔毛，单出或分叉，叶状苞片1～3，花后脱落；雌花序长15～30 cm，基部具1叶状苞片，通常比叶片宽，花后脱落；雄花由3雄蕊合生，有时2或4，花药长约2 mm，长矩圆形，花粉粒单体，近球形、卵形或三角形，纹饰网状，花丝短，细弱，下部合生成柄，长（1.5～）2～3 mm，向下渐宽；雌花具小苞片，孕性雌花柱头窄条形或披针形，长

水烛香蒲

1.3 ~ 1.8 mm，花柱长 1 ~ 1.5 mm，子房纺锤形，长约 1 mm，具褐色斑点，子房柄纤细，长约 5 mm，不孕雌花子房倒圆锥形，长 1 ~ 1.2 mm，具褐色斑点，先端黄褐色，不育柱头短尖；白色丝状毛着生于子房柄基部，并向上延伸，与小苞片近等长，均短于柱头。小坚果长椭圆形，长约 1.5 mm，具褐色斑点，纵裂；种子深褐色，长 1 ~ 1.2 mm。花果期 6 ~ 9 月。

| 生境分布 | 生于池沼边缘或沟渠边。分布于宁夏泾源、原州、灵武、兴庆等。

| 资源情况 | 野生资源丰富。

| 采收加工 | 夏季采收蒲棒上部的黄色雄花序，晒干后碾轧，筛取花粉。

| 药材性状 | 本品为黄色粉末。体轻，置于水中则漂浮水面，手捻有滑腻感，易附着于手指上。气微，味淡。

| 功能主治 | 甘，平。归肝、心包经。止血，化瘀，通淋。用于吐血，咯血，崩漏，外伤出血，经闭痛经，脘腹刺痛，跌扑肿痛，血淋涩痛。

| 用法用量 | 内服煎汤，5 ~ 10 g，包煎。外用适量，敷患处。

| 附　注 | 《宁夏中药志》记载的狭叶香蒲 *Typha angustifolia* L. 与《中华人民共和国药典》规定的水烛香蒲 *Typha angustifolia* L. 的拉丁学名相同，两者为同一植物。本种条目写为水烛香蒲 *Typha angustifolia* L.。

香蒲科 Typhaceae 香蒲属 Typha

达香蒲
Typha davidiana (Kronf.) Hand.-Mazz.

| 药 材 名 | 蒲黄（药用部位：花粉）。

| 形态特征 | 多年生草本，高 60 ~ 100 cm。根茎横走。茎直立，柱形，基部具干枯残存叶鞘。叶线形，长 30 ~ 60 cm，宽 2 ~ 3 mm，基部扩展成鞘状，开裂，两侧重叠抱茎，鞘口膜质。雌雄花序相离，相距 2 ~ 4 cm；雄花序长 10 cm 或更长；雌花序椭圆形或椭圆状圆柱形，长 1.5 ~ 5 cm，直径 1.5 ~ 2 cm；雌花无小苞片，子房椭圆形，长约 1 mm，花柱长约 2 mm，柱状匙形，基部白色柔毛稍短于柱头，长约 5 mm。花期 6 ~ 7 月，果期 8 ~ 9 月。

| 生境分布 | 生于池塘、水泊、湿沙地或浅水中。分布于宁夏原州、平罗、惠农、沙坡头、青铜峡、灵武、金凤等引黄灌区。

达香蒲

| **资源情况** | 野生资源较少。 |

| **采收加工** | 夏季采收蒲棒上部的黄色雄花序，晒干后碾轧，筛取花粉。 |

| **功能主治** | 止血，化瘀，通淋。用于吐血，衄血，咯血，崩漏，外伤出血，经闭痛经，胸腹刺痛，跌扑肿痛，血淋涩痛。 |

| **用法用量** | 内服煎汤，5 ~ 10 g，包煎。外用适量，敷患处。 |

香蒲科 Typhaceae 香蒲属 Typha

小香蒲 *Typha minima* Funk.

小香蒲

| 药 材 名 |

蒲黄（药用部位：花粉）、香蒲（药用部位：全草）。

| 形态特征 |

多年生草本，高 50 ~ 70 cm。根茎细长。茎直立，细瘦，直径 1 ~ 1.5 mm，基部具数枚叶鞘。叶鞘长短不等，长 9 ~ 25 cm，披针状渐尖，边缘膜质，无叶片或叶片不发育；茎生叶具叶片，叶片狭线形，长 25 ~ 70 cm，宽 1.5 ~ 2.5 mm。雌雄花序相离，相距 0.5 ~ 3 cm；雄花序长 5 ~ 12 cm；雌花序椭圆形，长 1.5 ~ 4 cm；雌花具小苞片，小苞片与基部白色柔毛近等长，长 6 ~ 6.5 mm；子房长约 1 mm，子房柄长约 4 mm，花柱长约 2 mm，稍长于基部白色柔毛。花期 6 ~ 7 月，果期 8 ~ 9 月。

| 生境分布 |

生于沟渠旁、湖沼。分布于宁夏原州、平罗、惠农、沙坡头、青铜峡、灵武、金凤等。

| 资源情况 |

野生资源较少。

| **采收加工** | 蒲黄：夏季采收蒲棒上部的黄色雄花序，晒干后碾轧，筛取花粉。 |

| **功能主治** | 蒲黄：甘，平。止血，化瘀，通淋。用于吐血，咯血，崩漏，外伤出血，经闭痛经，脘腹刺痛，血淋涩痛；外用于口舌生疮，疖肿。
香蒲：用于小便不利，乳痈。 |

| **用法用量** | 蒲黄：内服煎汤，5 ～ 10 g，包煎。外用适量，敷患处。 |

香蒲科 Typhaceae 香蒲属 Typha

香蒲 *Typha orientalis* Presl.

香蒲

| 药 材 名 |

蒲黄（药用部位：花粉）。

| 形态特征 |

多年生水生或沼生草本。根茎乳白色。地上茎粗壮，向上渐细，高 1.3 ~ 2 m。叶片条形，长 40 ~ 70 cm，宽 0.4 ~ 0.9 cm，光滑无毛，上部扁平，下部腹面微凹，背面逐渐隆起成凸形，横切面呈半圆形，细胞间隙大，海绵状；叶鞘抱茎。雌雄花序紧密连接；雄花序长 2.7 ~ 9.2 cm，花序轴具白色弯曲柔毛，自基部向上具 1 ~ 3 叶状苞片，花后脱落；雌花序长 4.5 ~ 15.2 cm，基部具 1 叶状苞片，花后脱落；雄花通常由 3 雄蕊组成，有时 2，或 4 雄蕊合生，花药长约 3 mm，2室，条形，花粉粒单体，花丝很短，基部合生成短柄；雌花无小苞片，孕性雌花柱头匙形，外弯，长 0.5 ~ 0.8 mm，花柱长 1.2 ~ 2 mm，子房纺锤形至披针形，子房柄细弱，长约 2.5 mm，不孕雌花子房长约 1.2 mm，近圆锥形，先端呈圆形，不发育柱头宿存，白色丝状毛通常单生，有时几枚基部合生，稍长于花柱，短于柱头。小坚果椭圆形至长椭圆形；果皮具长形褐色斑点；种子褐色，微弯。花果期 5 ~ 8 月。

生境分布	生于河谷、水旁或沼泽中。分布于宁夏永宁、西夏等。
资源情况	野生资源较少。
采收加工	夏季采收蒲棒上部的黄色雄花序，晒干后碾轧，筛取花粉。
药材性状	本品为黄色粉末。体轻，置于水中则漂浮水面。手捻有滑腻感，易附着于手指上。气微，味淡。
功能主治	甘，平。归肝、心包经。止血，化瘀，通淋。用于吐血，咯血，崩漏，外伤出血，经闭痛经，脘腹刺痛，跌扑肿痛，血淋涩痛。
用法用量	内服煎汤，5 ~ 10 g，包煎。外用适量，敷患处。
附 注	《中华人民共和国药典》记载的东方香蒲 *Typha orientalis* Presl. 与《中国植物志》记载的香蒲 *Typha orientalis* Presl. 的拉丁学名相同，两者为同一植物。

花蔺科 Butomaceae 花蔺属 Butomus

花蔺
Butomus umbellatus L.

花蔺

| 药 材 名 |

花蔺（药用部位：茎叶）。

| 形态特征 |

多年生水生草本，通常成丛生长。根茎横走或斜向生长，节生多数须根。叶基生，长30 ~ 120 cm，宽 3 ~ 10 mm，无柄，先端渐尖，基部扩大成鞘状，鞘缘膜质。花葶圆柱形，长约 70 cm；花序基部的 3 苞片卵形，先端渐尖；花梗长 4 ~ 10 cm；外轮花被片较小，萼片状，绿色而稍带红色，内轮花被片较大，花瓣状，粉红色；雄蕊花丝扁平，基部较宽；雌蕊柱头纵折状向外弯曲。蓇葖果成熟时沿腹缝线开裂，先端具长喙；种子多数，细小。花期 7 ~ 8 月，果期 9 ~ 10 月。

| 生境分布 |

生于湖泊、水塘、沟渠、沼泽或沿河湿沙地。分布于宁夏贺兰、沙坡头、中宁、海原、惠农、平罗、西夏、永宁、兴庆、灵武、金凤等引黄灌区。

| 资源情况 |

野生资源较少。

| 采收加工 | 夏、秋季采收，洗净，晒干。

| 功能主治 | 归肺经。清热解毒，止咳平喘。用于中风，高血压等。

| 用法用量 | 内服煎汤，3～9 g。

莎草科 Cyperaceae 莎草属 Cyperus

头状穗莎草 *Cyperus glomeratus* L.

| **药 材 名** | 头状穗莎草（药用部位：全草）。

| **形态特征** | 一年生草本，具须根。秆散生，粗壮，高 50 ~ 95 cm，钝三棱形，平滑，基部稍膨大，具少数叶。叶短于秆，宽 4 ~ 8 mm，边缘不粗糙；叶鞘长，红棕色。叶状苞片 3 ~ 4，较花序长，边缘粗糙；复出长侧枝聚伞花序具 3 ~ 8 辐射枝，辐射枝长短不等，最长达12 cm；穗状花序无总花梗，近圆形、椭圆形或长圆形，长 1 ~ 3 cm，宽 6 ~ 17 mm，具极多数小穗；小穗多列，排列极密，线状披针形或线形，稍扁平，长 5 ~ 10 mm，宽 1.5 ~ 2 mm，具 8 ~ 16 花；小穗轴具白色透明的翅；鳞片排列疏松，膜质，近长圆形，先端钝，长约 2 mm，棕红色，背面无龙骨状突起，脉极不明显，边缘内卷；雄蕊 3，花药短，长圆形，暗血红色，药隔突出花药先端；花柱长，

头状穗莎草

柱头 3，较短。小坚果长圆形、三棱形，长为鳞片的 1/2，灰色，具明显的网纹。花果期 6 ~ 10 月。

| **生境分布** | 生于稻田、河岸、沼泽地、水边湿地或路旁阴湿的草丛中。分布于宁夏贺兰、沙坡头、中宁、海原、惠农、平罗、西夏、永宁、兴庆、灵武、金凤等引黄灌区。

| **资源情况** | 野生资源较少。

| **采收加工** | 夏、秋季采收，洗净，晒干。

| **功能主治** | 止咳化痰。用于咳嗽痰喘。

莎草科 Cyperaceae 莎草属 Cyperus

水莎草

Cyperus serotinus Rottb.

水莎草

药材名

水莎草（药用部位：块茎）。

形态特征

多年生草本，散生。根茎长。秆高 35 ~ 100 cm，粗壮，扁三棱形，平滑。叶片少，短于秆或有时长于秆，宽 3 ~ 10 mm，平滑，基部折合，上面平张，背面中肋呈龙骨状凸起。苞片常 3，少 4，叶状，较花序长 1 倍多，最宽可达 8 mm；复出长侧枝聚伞花序具 4 ~ 7 第 1 次辐射枝；辐射枝向外展开，长短不等，最长达 16 cm，每辐射枝上具 1 ~ 3 穗状花序，每穗状花序具 5 ~ 17 小穗；花序轴被疏短硬毛；小穗排列稍松，近平展，披针形或线状披针形，长 8 ~ 20 mm，宽约 3 mm，具 10 ~ 34 花；小穗轴具白色透明的翅；鳞片初期排列紧密，后较松，纸质，宽卵形，先端钝或圆，有时微缺，长 2.5 mm，背面中肋绿色，两侧红褐色或暗红褐色，边缘黄白色，透明，具 5 ~ 7 脉；雄蕊 3，花药线形，药隔暗红色；花柱很短，柱头 2，细长，具暗红色斑纹。小坚果椭圆形或倒卵形，平凸状，长约为鳞片的 4/5，棕色，稍有光泽，具凸起的细点。花果期 7 ~ 10 月。

| **生境分布** | 生于浅水中、水边沙地或潮湿田中。分布于宁夏贺兰、沙坡头、中宁、海原、惠农、平罗、西夏、永宁、兴庆、灵武、金凤等引黄灌区。 |

| **资源情况** | 野生资源较少。 |

| **采收加工** | 秋季采挖，除去须根，洗净，晒干。 |

| **功能主治** | 止咳，破血，通经，行气，消积，止痛。用于咳嗽痰喘，产后瘀血，癥瘕积聚，腹痛，消化不良，经闭，胸腹胁痛等。 |

莎草科 Cyperaceae 蔗草属 Scirpus

扁秆蔗草
Scirpus planiculmis Fr. Schmidt

| **药 材 名** | 三棱草（药用部位：块茎。别名：水莎草）。

| **形态特征** | 多年生草本，高 25 ~ 80 cm，具细长的匍匐根茎及球茎。秆直立，单生，三棱形，较细弱，平滑，具秆生叶。叶鞘较长，叶片扁平，较秆短或长，宽 3 ~ 5 mm，先端渐尖。叶状苞片 1 ~ 3，通常长于花序，边缘及背面中脉上粗糙；长侧枝聚伞花序缩短成头状，有时具 2 ~ 3 长辐射枝；辐射枝长可达 4.5 cm，具 1 ~ 9 小穗；小穗卵形、卵状长圆形或线状披针形，长 1 ~ 3 cm，直径 7 ~ 10 mm，具多数花；鳞片褐色或深褐色，膜质，长椭圆形或倒卵状长椭圆形，长 7 ~ 8 mm，宽 4 ~ 5 mm，背面被稀疏短柔毛，背面中央具一稍宽的中肋，先端呈撕裂状，具芒；下位刚毛 4 ~ 6，具倒生刺毛，较小坚果稍短或与小坚果等长；雄蕊 3，花药线形，长约 3 mm，先端

扁秆蔗草

药隔突出；花柱细长，柱头 2。小坚果宽倒卵形或三角状宽倒卵形，长 2.5 ～ 3 mm，扁平。花果期 7 ～ 9 月。

| **生境分布** | 生于稻田、沟渠边、低洼湿地。分布于宁夏贺兰、惠农、平罗、西夏、永宁、兴庆、灵武、金凤等。

| **资源情况** | 野生资源丰富。

| **采收加工** | 秋季采挖，除去须根，洗净，晒干。

| **功能主治** | 苦，平。归肺、脾、肝经。止咳，破血，通经，行气，消积，止痛。用于久咳气喘，消化不良，癥瘕积聚，产后瘀血腹痛，闭经，气血瘀滞所致的胸腹胁痛。

| **用法用量** | 内服煎汤，3 ～ 9 g。

| 莎草科 | Cyperaceae | 水葱属 | Schoenoplectus

水葱
Schoenoplectus tabernaemontani (C. C. Gmelin) Palla

| **药 材 名** | 水葱（药用部位：地上部分。别名：蔗草）。

| **形态特征** | 多年生草木。匍匐根茎粗壮，具许多须根。秆高大，圆柱状，高 1 ~ 2 m，平滑，基部具 3 ~ 4 叶鞘。叶鞘长可达 38 cm，管状，膜质，最上面 1 叶鞘具叶片；叶片线形，长 1.5 ~ 11 cm。苞片 1，为秆的延长，直立，钻状，常短于花序，极少数稍长于花序；长侧枝聚伞花序简单或复出，假侧生，具 4 ~ 13 或更多辐射枝；辐射枝长可达 5 cm，一面凸，另一面凹，边缘有锯齿；小穗单生或 2 ~ 3 簇生辐射枝先端，卵形或长圆形，先端急尖或钝圆，长 5 ~ 10 mm，宽 2 ~ 3.5 mm，具多数花；鳞片椭圆形或宽卵形，先端稍凹，具短尖，膜质，长约 3 mm，棕色或紫褐色，有时基部色淡，背面有铁锈色凸起的小点，脉 1，边缘具缘毛；下位刚毛 6，与小坚果等长，红棕色，

水葱

有倒刺；雄蕊 3，花药线形，药隔突出；花柱中等长，柱头 2，罕 3，长于花柱。小坚果倒卵形或椭圆形，双凸状，稀三棱形，长约 2 mm。花果期 6 ~ 9 月。

| **生境分布** | 生于浅水沟及池塘。分布于宁夏永宁、兴庆、灵武、金凤等。

| **资源情况** | 野生资源较少。

| **采收加工** | 夏、秋季采收，洗净，切段，晒干。

| **药材性状** | 本品茎呈扁圆柱形或扁平长条形，长 60 ~ 100 cm，直径 4 ~ 9 mm，或更粗；表面淡黄棕色或枯绿色，有光泽，具纵沟纹，节少，稍隆起，可见膜质叶鞘；质轻而韧，不易折断，切断面类白色，有许多细孔，似海绵状。有的可见淡黄色花序。气微，味淡。

| **功能主治** | 甘、淡，平。归膀胱经。利水消肿。用于水肿胀满，小便不利。

| **用法用量** | 内服煎汤，5 ~ 10 g。

兰科 Orchidaceae 凹舌兰属 Coeloglossum

凹舌兰
Coeloglossum viride (L.) Hartm.

凹舌兰

药材名

手掌参（药用部位：块茎。别名：手参、掌参）。

形态特征

多年生草本，高 15 ~ 40 cm。块茎肥厚，掌状分裂，对生或单生。茎直立，无毛，基部具 2 ~ 3 叶鞘。叶 2 ~ 4，椭圆形、椭圆状披针形或披针形，长 4 ~ 15 cm，宽 2 ~ 5 cm，先端钝、急尖或渐尖，基部渐成抱茎的叶鞘，无毛。总状花序长达 12 cm，具多花；苞片条形或条状披针形，长 3 ~ 5 cm，长于花；花绿色或黄绿色；萼片基部合生，中萼片卵形，侧萼片斜卵形，近等大；花瓣条状披针形，长 2 ~ 7 mm，宽 0.3 ~ 1.2 mm；唇瓣下垂，肉质，倒披针形，长 4 ~ 13 mm，先端 3 齿裂，裂片三角形，中裂片较小，基部有囊状距，近基部中央有 1 短褶片；雌蕊柱长 1.5 ~ 3 mm，直立，子房扭转，长 5 ~ 10 mm，无毛。果实直立，椭圆形，无毛。花期 6 ~ 7 月，果期 7 ~ 8 月。

生境分布

生于海拔 1 800 ~ 2 700 m 的阴湿山坡灌丛或林下、林缘。分布于宁夏六盘山（泾源、隆德、原州）、南华山（海原）、罗山（同心、红寺堡）及西吉等。

| 资源情况 | 野生资源较少。

| 采收加工 | 秋季采挖，除去须根及泥土，晒干或置沸水中烫后晒干。

| 药材性状 | 本品稍扁，下部指状分枝，形如手掌，长 1 ~ 4 cm，宽 1 ~ 3 cm。表面浅黄色至暗棕色，先端有残茎基或残痕，周围偶有须根痕。质坚硬，不易折断，断面黄白色，角质样。无臭，味淡，嚼之发黏。

| 功能主治 | 甘，平。归肺、脾、肾经。补气益血，安神镇惊，生津止渴。用于肺虚咳喘，病后体虚，虚劳羸瘦，阳痿，久泻，失血，带下，乳少，淋证。

| 用法用量 | 内服煎汤，3 ~ 9 g。

兰科 Orchidaceae 杓兰属 Cypripedium

黄花杓兰 *Cypripedium flavum* P. F. Hunt et Summerh.

| **药 材 名** | 黄花杓兰（药用部位：根及根茎）。

| **形态特征** | 陆生草本，高 30 ~ 50 cm。根茎粗壮，横走，密生多数须根。茎直立，密被短柔毛。叶 3 ~ 5，互生，椭圆形、宽椭圆形、卵状宽椭圆形或椭圆状披针形，长 13 ~ 18 cm，宽 5.5 ~ 9 cm，先端急尖或渐尖，基部圆形抱茎，上面几无毛，下面沿脉被短柔毛，边缘具细缘毛。苞片叶状，卵形或卵状披针形，长 7 ~ 8.5 cm，宽 3 ~ 3.5 cm，先端渐尖，上面几无毛，背面被短柔毛，边缘具短缘毛；花单生，黄色，具紫色条纹与斑点；中萼片椭圆形或宽椭圆形，长 3 ~ 3.5 cm，宽 2 ~ 2.5 cm，先端圆钝，合萼片与中萼片相似，略小，先端几不裂；花瓣斜状卵状披针形，长 2.5 ~ 3 cm，宽约 1 cm；唇瓣与中萼片等长，内折侧裂片半圆形，囊前内弯边缘宽 3 ~ 4 mm，囊内底部具

黄花杓兰

长柔毛；退化雄蕊近圆形或卵圆形，基部具耳。蒴果棱形，长 4.5 ～ 5 cm，直径约 8 mm，具纵棱。花期 6 月，果期 7 ～ 8 月。

| 生境分布 | 生于林缘、草甸。分布于宁夏六盘山（泾源、隆德、原州）等。

| 资源情况 | 野生资源较少。

| 采收加工 | 夏、秋季采挖，洗净，晒干。

| 功能主治 | 辛，温。归心、肝经。强心利尿，活血调经。用于心力衰竭，月经不调。

| 用法用量 | 内服煎汤，3 ～ 9 g；或浸酒。

| 附   注 | （1）本种也作藏药使用。
（2）本种为国家一级保护植物。

兰科 Orchidaceae 杓兰属 Cypripedium

紫点杓兰

Cypripedium guttatum Sw.

紫点杓兰

药材名

斑花杓兰（药用部位：根茎、花。别名：紫花杓兰）。

形态特征

陆生草本，高20～25 cm。根茎细长，横走，节上生数条须根。茎直立，被短柔毛，中部以下具2叶销。叶片2，着生于茎的中部或稍上，互生或近对生，椭圆形、长椭圆形或卵状长椭圆形，长8～11 cm，宽3.5～4.5 cm，先端急尖或渐尖，基部圆楔形，抱茎，上面无毛，背面疏被短柔毛，边缘疏被短缘毛，干后变为黑色。苞片1，叶状，卵状披针形，长2～3 cm，宽1～1.5 cm，先端渐尖，基部抱茎，两面疏被短柔毛，边缘具短缘毛；花单生，白色，具紫色条纹及斑点；中萼片卵形或卵状椭圆形，长1.5～2.2 cm，合萼片狭长椭圆形，长1.2～1.8 cm，先端2裂，背面疏被短柔毛，边缘具短缘毛；花瓣斜卵状披针形、半卵形或近提琴形，与合萼片几等长，里面基部具毛；唇瓣近球形，与中萼片近等大，内折的侧裂片很小，囊几乎无前面内弯的边缘；蕊柱长4～6 mm，退化雄蕊椭圆形，先端截形或微凹，柱头近菱形，长2～3 mm，子房纺锤形，密被短柔毛。

花期 6 月，果期 7 ~ 8 月。

| 生境分布 | 生于海拔 2 100 ~ 2 300 m 的高山林下。分布于宁夏六盘山（泾源、隆德、原州）等。

| 资源情况 | 野生资源较少。

| 采收加工 | 春、夏季采收，洗净，晾干。

| 功能主治 | 苦、辛，温。归心、肺、胃经。镇静止痛，发汗解热。用于神经衰弱，癫痫，小儿高热惊厥，头痛，胃痛。

| 用法用量 | 内服煎汤，3 ~ 9 g；或浸酒。

| 附　　注 | （1）本种也作蒙药使用。
（2）本种为国家一级保护植物。
（3）《中国植物志》记载的紫点杓兰 *Cypripedium guttatum* Sw. 与《宁夏中药志》记载的斑花杓兰 *Cypripedium guttatum* Sw. 的拉丁学名相同，两者为同一植物。

兰科 Orchidaceae 杓兰属 *Cypripedium*

大花杓兰
Cypripedium macranthum Sw.

大花杓兰

药材名

杓兰(药用部位:根及根茎。别名:蜈蚣七)。

形态特征

多年生草本,高 20 ~ 50 cm。根茎横走,节较密,生多数须根。茎直立,基部有 1 ~ 3 鞘状叶,有短毛。单叶互生,叶片长椭圆形或狭椭圆形,长达 15 cm,宽达 7 cm,先端急尖或渐尖,基部有短鞘抱茎,边缘具细缘毛,弧形脉多数,有纵折皱。花单生茎顶,通常 1,紫红色;苞片叶状,长达 8 cm;中萼片宽卵形,先端渐尖,紫红色,长 4 ~ 5 cm,宽约 3 cm,两侧萼片较小,常愈合成 1 片;花瓣狭卵形或卵状披针形,急尖,长约 5.5 cm,宽约 1.8 cm,紫红色,基部有长柔毛;唇瓣囊状,与花瓣近等长。花期 6 ~ 7 月,果期 7 ~ 8 月。

生境分布

生于林缘及林间草地。分布于宁夏六盘山(泾源、隆德、原州)等。

资源情况

野生资源较少。

| **采收加工** | 秋季采挖，除去泥土、残茎等杂质，晒干。

| **药材性状** | 本品根茎呈结节状，长 3 ~ 8 cm，直径 0.4 ~ 0.8 cm；表面黑褐色，上面具黑褐色凹洞状的茎残基，下面生多数细根。根直径约 1 mm；表面黄褐色或深褐色；质脆，易折断，断面类白色。气微，味稍甜，具刺舌感。以根茎粗壮、细根黄褐色者为佳。

| **功能主治** | 苦、辛，温；有小毒。归脾、肝、肾、膀胱经。利水消肿，活血散瘀，祛风镇痛。用于浮肿，小便不利，淋证，风湿痹痛，带下，跌扑损伤。

| **用法用量** | 内服煎汤，6 ~ 9 g。

兰科 Orchidaceae 火烧兰属 *Epipactis*

小花火烧兰 *Epipactis helleborine* (L.) Crantz.

| **药 材 名** | 膀胱七（药用部位：根及根茎）。

| **形态特征** | 陆生草本，高可达 40 cm。根茎短粗，生多数须根。茎直立，单一，基部具鞘，中部以上被短柔毛。叶 2 ~ 3，卵形、椭圆形或宽椭圆形，长 6 ~ 9 cm，宽 3 ~ 5 cm，先端短渐尖，基部抱茎，脉上被微毛，边缘具细缘毛。花序总状，具 6 ~ 13 花，疏生；苞片叶状，披针形，下部的稍长于花，向上渐短小；中萼片卵形或狭卵形，先端短渐尖，无毛，侧萼片斜卵状披针形，与中萼片近等长；花瓣卵形，先端近渐尖，稍短于萼片，无毛；唇瓣较花瓣短，下唇半球形，上唇近菱形，基部通常具 2 胼胝体；合蕊柱粗厚；子房近狭椭圆形，密被短绒毛。花期 7 月。

| **生境分布** | 生于山坡灌丛或林缘及路边草地。分布于宁夏六盘山（泾源、隆德、

小花火烧兰

原州）等。

| **资源情况** | 野生资源较少。

| **采收加工** | 秋季采挖，除去地上部分，洗净，晒干。

| **功能主治** | 甘、淡，平。归肝、肾、心经。清肺止咳，活血，解毒。用于肺热咳嗽，咽喉肿痛，牙痛，目赤肿痛，胸胁满闷，腹泻，腰痛，跌打损伤，毒蛇咬伤。

| **用法用量** | 内服煎汤，6 ~ 9 g。

兰科 Orchidaceae 火烧兰属 Epipactis

大叶火烧兰

Epipactis mairei Schltr.

大叶火烧兰

|药 材 名|

小紫含笑（药用部位：根及根茎）。

|形态特征|

地生草本，高 30 ~ 70 cm。根茎粗短，有时不明显，具多条细长的根；根多少呈 "之" 字形曲折，幼时密被黄褐色柔毛，后毛脱落。茎直立，上部和花序轴被锈色柔毛，下部无毛，基部具 2 ~ 3 鳞片状鞘。叶 5 ~ 8，互生，中部叶较大；叶片卵圆形、卵形至椭圆形，长 7 ~ 16 cm，宽 3 ~ 8 cm，先端短渐尖至渐尖，基部延伸成鞘状，抱茎，茎上部叶多为卵状披针形，向上逐渐过渡为花苞片。总状花序长 10 ~ 20 cm，具 10 ~ 20 花，有时花更多；花苞片椭圆状披针形，下部者与花等长或稍长于花，向上逐渐变为短于花；子房和花梗长 1.2 ~ 1.5 cm，被黄褐色或锈色柔毛；花黄绿色带紫色、紫褐色或黄褐色，下垂；中萼片椭圆形或倒卵状椭圆形、舟形，长 13 ~ 17 mm，宽 4 ~ 7.5 mm，先端渐尖，背面疏被短柔毛或无毛，侧萼片斜卵状披针形或斜卵形，长 14 ~ 20 mm，宽 5 ~ 9 mm，先端渐尖并具小尖头；花瓣长椭圆形或椭圆形，长 11 ~ 17 mm，宽 5 ~ 9 mm，先端渐尖；唇瓣

中部稍缢缩而成上下唇，下唇长 6 ~ 9 mm，两侧裂片近斜三角形，近直立，高 5 ~ 6 mm，先端钝圆，中央具 2 ~ 3 鸡冠状褶片，褶片基部稍分开且较低，向上靠合且逐渐增高，上唇肥厚，卵状椭圆形、长椭圆形或椭圆形，长 5 ~ 9 mm，宽 3 ~ 6 mm，先端急尖；蕊柱连花药长 7 ~ 8 mm，花药长 3 ~ 4 mm。蒴果椭圆状，长约 2.5 cm，无毛。花期 6 ~ 7 月，果期 9 月。

| 生境分布 | 生于海拔 1 900 ~ 2 500 m 的山坡林缘或草地。分布于宁夏六盘山（泾源、隆德、原州）等。

| 资源情况 | 野生资源较少。

| 采收加工 | 秋季采挖，除去地上部分，洗净，晒干。

| 功能主治 | 苦、微涩，平；有小毒。祛瘀，舒筋，活络。用于跌打损伤。

| 用法用量 | 内服煎汤，6 ~ 9 g。

小斑叶兰 *Goodyera repens* R. Br.

小斑叶兰

| 药 材 名 |

小斑叶兰（药用部位：全草）。

| 形态特征 |

陆生草本，高 10 ~ 25 cm。根茎伸长，茎状，匍匐，具节。茎直立，绿色，具 5 ~ 6叶。叶片卵形或卵状椭圆形，长 1 ~ 2 cm，宽 5 ~ 15 mm，上面深绿色，具白色斑纹，背面淡绿色，先端急尖，基部钝或宽楔形，具柄，叶柄长 5 ~ 10 mm，基部扩大成抱茎的鞘。花茎直立或近直立，被白色腺状柔毛，具 3 ~ 5 鞘状苞片；总状花序具几朵至 10 余朵密生、多少偏向一侧的花，长4 ~ 15 cm；花苞片披针形，长 5 mm，先端渐尖；子房圆柱状纺锤形，连花梗长 4 mm，被疏腺状柔毛；花小，白色或带绿色或带粉红色，半张开；萼片背面被或多或少的腺状柔毛，具 1 脉，中萼片卵形或卵状长圆形，长 3 ~ 4 mm，宽 1.2 ~ 1.5 mm，先端钝，与花瓣黏合成兜状，侧萼片斜卵形、卵状椭圆形，长 3 ~ 4 mm，宽 1.5 ~ 2.5 mm，先端钝；花瓣斜匙形，无毛，长 3 ~ 4 mm，宽 1 ~ 1.5 mm，先端钝，具 1 脉；唇瓣卵形，长 3 ~ 3.5 mm，基部凹陷成囊状，宽2 ~ 2.5 mm，内面无毛，前部短舌状，略外

弯；蕊柱短，长 1 ~ 1.5 mm，蕊喙直立，长 1.5 mm，叉状 2 裂，柱头 1，较大，位于蕊喙之下。花期 7 ~ 8 月。

| 生境分布 | 生于山坡、沟谷林下。分布于宁夏罗山（同心）等。

| 资源情况 | 野生资源较少。

| 采收加工 | 夏、秋季采挖，洗净，鲜用或晒干。

| 功能主治 | 甘、辛，温。归心、肝、肺、肾经。止咳化痰，清热解毒，软坚散结。用于跌打损伤，毒蛇咬伤，痈肿疮疖，咳嗽，瘰疬，维生素 C 缺乏症。

| 用法用量 | 内服煎汤，鲜品 30 ~ 60 g。外用适量，捣敷。

| 附　　注 | （1）本种也作蒙药使用。
（2）本种为国家二级保护植物。

兰科 Orchidaceae 角盘兰属 Herminium

角盘兰 Herminium monorchis (L.) R. Br.

角盘兰

药 材 名

角盘兰（药用部位：带根的全草。别名：人头七、人参果）。

形态特征

多年生草本，高 10 ~ 40 cm。块根近球形，颈部生数条细长根。茎直立，无毛，基部具棕色叶鞘，下部有 2 ~ 3 叶，上部具 1 ~ 2 苞叶状小叶。叶片窄椭圆状披针形，长 3 ~ 10 cm，宽 5 ~ 20 mm，先端急尖或渐尖，基部渐狭成鞘，抱茎。总状花序圆柱形，长 2 ~ 14 cm，具多花；苞片条状披针形，先端尾状，与子房近等长；花小，黄绿色，钩手状；中萼片卵形，侧萼片披针形；花瓣条状披针形，向先端渐窄，先端钝，较萼片稍长；唇瓣无距，肉质增厚，基部凹陷，呈浅囊状，先端 3 裂，中裂片较长，条形，侧裂片短，三角形；子房无毛，长 3 ~ 5 mm，扭转。蒴果长圆形，长约 5 mm。花期 7 ~ 8 月，果期 8 ~ 9 月。

生境分布

生于林缘草甸潮湿处或林下。分布于宁夏六盘山（泾源、隆德、原州）、罗山（同心、红寺堡）、南华山（海原）等。

| 资源情况 | 野生资源较少。 |

| 采收加工 | 秋季采挖，除去杂质，洗净，晒干。 |

| 药材性状 | 本品块根呈卵形或球形，直径 0.6 ~ 1 cm；表面黄棕色，具皱纹；质坚实，断面黄白色，味微甜。茎圆柱形，直径 1 ~ 2 mm，黄棕色，光滑，中空，基部具棕色叶鞘，中下部具 2 ~ 3 叶。上部叶小，苞叶状，皱缩或破碎，呈黄棕色。总状花序圆柱形；花小，呈黄绿色，唇瓣肉质增厚成囊状；子房长圆形，扭曲，长 3 ~ 4 mm。气微，味淡。 |

| 功能主治 | 甘，温。归肾、胃经。滋阴补肾，养胃，调经。用于头晕失眠，烦躁口渴，食欲不振，须发早白，月经不调，神经衰弱。 |

| 用法用量 | 内服煎汤，9 ~ 12 g。 |

兰科 Orchidaceae 沼兰属 Malaxis

沼兰
Malaxis monophyllos (L.) Sw.

沼兰

药材名

沼兰（药用部位：全草）。

形态特征

地生草本。假鳞茎卵形，较小，通常长6～8 mm，直径4～5 mm，外被白色薄膜质鞘。叶通常1，较少2，斜立，卵形、长圆形或近椭圆形，长2.5～7.5（～12）cm，宽1～3（～6.5）cm，先端钝或近急尖，基部收狭成柄；叶柄多少鞘状，长3～6.5（～8）cm，抱茎或上部离生。花葶直立，长（9～）15～40 cm，除花序轴外近无翅；总状花序长4～12（～20）cm，具数十朵或更多花；花苞片披针形，长2～2.5 mm；花梗和子房长2.5～4（～6）mm；花小，较密集，淡黄绿色至淡绿色；中萼片披针形或狭卵状披针形，长2～4 mm，宽0.8～1.2 mm，先端长渐尖，具1脉，侧萼片线状披针形，略狭于中萼片，亦具1脉；花瓣近丝状或极狭披针形，长1.5～3.5 mm，宽约0.3 mm；唇瓣长3～4 mm，先端骤然收狭而成线状披针形的尾（中裂片）；唇盘近圆形、宽卵形或扁圆形，中央略凹陷，两侧边缘变肥厚，并具疣状突起，基部两侧有1对钝圆的短耳；蕊柱粗短，长约0.5 mm。

蒴果倒卵形或倒卵状椭圆形，长 6 ~ 7 mm，宽约 4 mm；果柄长 2.5 ~ 3 mm。
花果期 7 ~ 8 月。

| **生境分布** | 生于林下或林缘草地。分布于宁夏六盘山（泾源、隆德、原州）等。

| **资源情况** | 野生资源较少。

| **采收加工** | 夏、秋季采收，洗净，晒干。

| **功能主治** | 甘，平。清热解毒，调经活血，利尿消肿。用于肾虚，虚劳咳嗽，崩漏，带下，
产后腹痛。

兰科 Orchidaceae 舌唇兰属 Platanthera

二叶舌唇兰
Platanthera chlorantha Cust. ex Rchb.

二叶舌唇兰

| 药 材 名 |

二叶舌唇兰（药用部位：块根）。

| 形 态 特 征 |

陆生草本，高 20 ～ 50 cm，具 1 ～ 2 卵形块茎。块茎先端伸长。茎直立，无毛，基部具 1 ～ 2 膜质叶鞘，中部具数枚苞片状叶。叶 2 近基生，倒卵状椭圆形、椭圆形或倒卵状披针形，长 7 ～ 20 cm，宽 2 ～ 6 cm，先端急尖或钝，基部渐狭成鞘状柄；苞片状叶披针形。总状花序顶生，长 5 ～ 15 cm；苞片披针形，与子房近等长；花白色，中萼片宽卵状三角形，长 4 ～ 5 mm，宽 5 ～ 7 mm，先端圆形，侧萼片斜卵形，长约 8 mm，宽 4 ～ 5 mm，先端急尖；花瓣线状披针形，偏斜，基部较宽大，长 5 ～ 6 mm；唇瓣线形，肉质，长 0.8 ～ 1.3 cm，宽 1.5 ～ 2.5 mm，先端钝；距圆筒状，长 15 ～ 20 mm，弧曲，先端钝；蕊柱长约 4 mm；药室略叉开，花粉块长约 4 mm，花粉块柄长约 2 mm，黏盘圆形；子房线形，长 13 ～ 15 mm，无毛。花期 7 月。

| **生境分布** | 生于较阴湿的山坡林下及林缘草甸。分布于宁夏六盘山（泾源、隆德、原州）、罗山（同心）等，同心其他地区也有分布。 |

| **资源情况** | 野生资源较少。 |

| **采收加工** | 秋季采挖，洗净，晒干。 |

| **功能主治** | 苦，平。归肺、脾经。补肺生肌，化瘀止血。用于肺痨咯血，吐血，衄血，创伤出血，痈肿，烫火伤。 |

| **用法用量** | 内服煎汤，3～9g。外用适量，捣敷。 |

兰科 Orchidaceae 绶草属 Spiranthes

绶草

Spiranthes sinensis (Pers.) Ames

绶草

| 药 材 名 |

绶草（药用部位：全草或根。别名：盘龙参）。

| 形态特征 |

陆生草本，高 13 ~ 30 cm。根数条，指状，肉质，簇生于茎基部。茎较短，近基部生 2 ~ 5 叶。叶片宽线形或宽线状披针形，极罕狭长圆形，直立伸展，长 3 ~ 10 cm，通常宽 5 ~ 10 mm，先端急尖或渐尖，基部收狭，具柄状抱茎的鞘。花茎直立，长 10 ~ 25 cm，上部被腺状柔毛至无毛；总状花序具多数密生的花，长 4 ~ 10 cm，呈螺旋状扭转；花苞片卵状披针形，先端长渐尖，下部者长于子房；子房纺锤形，扭转，被腺状柔毛，连花梗长 4 ~ 5 mm；花小，紫红色、粉红色或白色，在花序轴上螺旋状排列；萼片下部靠合，中萼片狭长圆形，舟状，长 4 mm，宽 1.5 mm，先端稍尖，与花瓣靠合成兜状，侧萼片偏斜，披针形，长 5 mm，宽约 2 mm，先端稍尖；花瓣斜菱状长圆形，先端钝，与中萼片等长但较薄；唇瓣宽长圆形，凹陷，长 4 mm，宽 2.5 mm，先端极钝，前半部上面具长硬毛且边缘具强烈皱波状啮齿，唇瓣基部凹陷成浅囊状，囊内具 2 胼胝体。花期 7 ~ 8 月。

| **生境分布** | 生于较阴湿的山坡林下及林缘草甸。分布于宁夏六盘山（泾源、隆德）、贺兰山（平罗）及西吉、海原等，泾源、隆德其他地区也有分布。 |

| **资源情况** | 野生资源较少。 |

| **采收加工** | 夏季采收全草，洗净，晒干；秋季采挖根，除去茎叶，洗净泥土，晒干或鲜用。 |

| **药材性状** | 本品根茎短粗，簇生多数根。根长 1.5 ~ 4 cm，直径约 2 mm；表面棕黄色，具环纹及纵皱纹；质脆，易折断，断面类白色。茎圆柱形，直径 1.5 ~ 2 mm；表面黄绿色或黄棕色，无毛；草质，中空。叶无柄；叶片皱缩或破碎，完整者展平后基生叶呈椭圆状披针形，全缘，基部渐狭，抱茎，茎生叶小，鞘状。总状花序顶生，密生多数小花，呈螺旋状扭转；花冠紫红色或棕色。气微，味淡。以根粗壮、茎叶色黄绿者为佳。 |

| **功能主治** | 甘、苦，平。归心、肺、肾经。益阴清热，润肺止咳。用于病后虚弱，阴虚内热，肺痨咯血，咽喉肿痛，消渴，小儿夏季热，遗精，淋浊，带下，带状疱疹，烫火伤，毒蛇咬伤。 |

| **用法用量** | 内服煎汤，6 ~ 15 g。外用适量，研末撒；或鲜品捣敷。 |

| **附　　注** | 本种为国家二级保护野生植物。 |

附 篇

宁夏回族自治区
动物药、矿物药资源

钳蝎科 Buthidae 正钳蝎属 Buthus

东亚钳蝎
Buthus martensii Karsch

药 材 名	全蝎（药用部位：全体。别名：虿尾虫、茯背虫、蝎子）。
形态特征	体长约 6 cm，躯干（头胸部及前腹部）绿褐色，尾（后腹部）土黄色。头胸部背甲 7 节，呈梯形，有 3 隆脊线，前端两侧各有 1 单眼，头胸甲背部中央尚有 1 对大形复眼。胸板三角形，螯肢的钳状上肢有 2 齿。触肢钳状，上、下肢内侧有 12 行颗粒斜列。步足 4 对，第 3、4 对步足胫节有距，各步足跗节末端有 2 爪和 1 距。第 1 节腹板有 1 生殖厣，第 2 节有 1 栉状器，具 16 ~ 25 齿，第 3 ~ 6 节各具 1 对气孔。后腹部狭长，具 6 节，末端有钩状毒刺。
生境分布	营穴居生活，栖息于石下、石缝及砂砾滩地等阴暗潮湿处。分布于宁夏固原及贺兰、中卫、同心等。宁夏海原有养殖。

东亚钳蝎

| **资源情况** | 野生资源较少。宁夏现有 6 家东亚钳蝎养殖户，存栏数 10 余万只。

| **采收加工** | 春末至秋初捕捉，除去泥沙，置沸水或沸盐水中煮至全体僵硬，捞出，置通风处，阴干。

| **药材性状** | 本品头胸部与前腹部呈扁平长椭圆形，后腹部呈尾状，皱缩弯曲，完整者体长约 6 cm。头胸部呈绿褐色，前面有 1 对短小的螯肢和 1 对较长大的钳状脚须，形似蟹螯，背面覆有梯形背甲，腹面有 4 对足，足均为 7 节，末端各具 2 爪钩；前腹部 7 节，第 7 节色深，背甲上有 5 隆脊线，背面绿褐色；后腹部棕黄色，6 节，节上均有纵沟，末节有锐钩状毒刺，毒刺下方无距。气微腥，味咸。

| **功能主治** | 辛，平；有毒。归肝经。息风镇痉，通络止痛，攻毒散结。用于肝风内动，痉挛抽搐，小儿惊风，中风口㖞，半身不遂，破伤风，风湿顽痹，偏正头痛，疮疡，瘰疬。

| **用法用量** | 内服煎汤，3 ~ 6 g；或研末，入丸、散剂，每次 0.5 ~ 1 g；蝎尾用量为全蝎的 1/3。

蜜蜂科 Apidae 蜜蜂属 Apis

东方蜜蜂中华亚种 Apis (Sigmatapis) cerana cerana Fabricius

| 药 材 名 | 蜂蜜（药材来源：蜜蜂酿的蜜。别名：石蜜、石饴、食蜜）、蜂蜡（药材来源：蜜蜂分泌的蜡。别名：蜜蜡、蜡、蜜跖）、蜂王浆（药材来源：工蜂咽腺及咽后腺分泌的乳白色胶状物。别名：王浆、王乳、蜂乳）、蜂胶（药材来源：工蜂采集的树脂与其上额腺、蜡腺等的分泌物混合形成的具有黏性的固体胶状物）、蜂毒（药材来源：工蜂尾部螫刺腺体中排出的毒汁）。

| 形态特征 | 工蜂体长 10 ~ 13 mm，前翅长 7.5 ~ 9 mm，喙长 4.5 ~ 5.6 mm；头部呈三角形，前端窄小；唇基中央稍隆起，中央具三角形黄斑；上唇长方形，具黄斑；上颚顶端有 1 黄斑；触角柄节黄色；小盾片黄色或棕黑色；体黑色；足及腹部第 3 ~ 4 节背板红黄色，第 5 ~ 6 节背板色稍暗，各节背板端缘均具黑色环带；后足胫节扁平，呈三

东方蜜蜂中华亚种

角形，外侧光滑，有弯曲的长毛（花粉篮），顶端表面稍凹，胫节端缘具栉齿；后足基跗节宽而扁平，基部端缘具夹钳，内表面具整齐排列的毛刷；后翅中脉分叉；体毛浅黄色；单眼周围及颅顶被灰黄色毛。蜂王体长 14 ~ 19 mm，前翅长 9.5 ~ 10 mm；体黑色或棕红色；体被黑色及深黄色混杂的绒毛。雄蜂体长 11 ~ 14 mm，前翅长 10 ~ 12 mm；体黑色或棕黑色；复眼大，在头顶处靠近；足无采粉结构。

| **生境分布** | 宁夏各地均有养殖。

| **资源情况** | 养殖资源丰富。

| **采收加工** | 蜂蜜：春至秋季采收，过滤。

蜂蜡：将蜂巢置水中加热，过滤，冷凝取蜡或再精制而成。

蜂王浆：春至秋季采收。

蜂胶：夏、秋季自蜂箱中收集，除去杂质。

蜂毒：一般采用电刺激法收集，将取蜂毒器置于蜂箱口，当工蜂触及电网时就螫刺与电网平行的蜡纸，并将蜂毒排在蜡纸上，干燥成胶状物，取下蜡纸，将蜂毒用水洗下。

| **药材性状** | 蜂蜜：本品为半透明、带光泽、浓稠的液体，白色至淡黄色或橘黄色至黄褐色，放久或遇冷渐有白色颗粒状结晶析出。气芳香，味极甜。

蜂蜡：本品为不规则团块，大小不一，呈黄色、淡黄棕色或黄白色，不透明或微透明，表面光滑。体较轻，蜡质，断面砂粒状，用手搓捏能软化。有蜂蜜样香气，味微甘。

蜂王浆：本品为乳白色至淡黄色半流体，呈浆状朵块形或乳浆状，微黏稠。气微，味酸、涩而辛辣，回味略甜。

蜂胶：本品呈团块状或为不规则碎块，呈青绿色、棕黄色、棕红色、棕褐色或深褐色，表面或断面有光泽。20 ℃以下逐渐变硬、脆，20 ~ 40 ℃逐渐变软，有黏性和可塑性。气芳香，味微苦、略涩，有微麻感和辛辣感。

蜂毒：本品为微黄而透明的液体，有刺激性。气清香，味微苦。

| **功能主治** | 蜂蜜：甘，平。归肺、脾、大肠经。补中，润燥，止痛，解毒；外用生肌敛疮。用于脘腹虚痛，肺燥干咳，肠燥便秘，乌头类药中毒；外用于疮疡不敛，烫火伤。

蜂蜡：甘，微温。归脾经。解毒敛疮，生肌止痛。外用于溃疡不敛，臁疮糜烂，外伤破溃，烫火伤。

蜂王浆：辛、酸，微温。滋补强壮，益肝健脾。用于年老体衰，病后虚弱，营养不良，神经官能症，高血压，心血管功能不全，溃疡，糖尿病，风湿性关节炎。

蜂胶：苦、辛，寒。归脾、胃经。补虚弱，化浊脂，止消渴；外用解毒消肿，收敛生肌。用于体虚早衰，高脂血症，消渴；外用于皮肤皲裂，烫火伤。

蜂毒：辛、苦，平；有毒。归肺、心经。祛风除湿，镇痛，平喘。用于风湿性关节炎，类风湿关节炎，周围神经炎，神经痛，肌痛，早期高血压，结节性红斑，荨麻疹，甲状腺肿，支气管哮喘。

| **用法用量** | 蜂蜜：内服冲调，15 ~ 30 g；或入丸、膏剂。外用适量，涂敷。

蜂蜡：外用适量，熔化敷，常作成药赋形剂及油膏基质。

蜂王浆：内服，温水冲，0.15 ~ 0.3 g。

蜂胶：内服入丸、散剂，0.2 ~ 0.6 g；或用适量蜂蜜调服。外用适量。

蜂毒：皮内或皮下注射，亦有用活蜂螯刺者。由每日 1 ~ 3 个蜂单位（1 只蜜蜂所含蜂毒为 1 个蜂单位），渐增至每日 10 ~ 15 个蜂单位，再渐减至每日 3 ~ 5 个蜂单位，维持 1 ~ 2 个月，总剂量为 200 ~ 300 个蜂单位。

| **附　注** | （1）《中华人民共和国药典》（2020 年版　一部）规定，蜂胶的基原为本种同属动物西方蜜蜂的意大利亚种 *Apis mellifera ligustica*，该亚种是世界养蜂业重要的蜂种。除蜂胶外，《中华人民共和国药典》（2020 年版　一部）中蜂蜜、蜂蜡等药材的基原都包含该亚种。

（2）西方蜜蜂 *Apis mellifera* Linnaeus 在宁夏有养殖，与本种的工蜂的主要区别在于：西方蜜蜂唇基黑色，不具黄色或黄褐色斑；体较大，长 12 ~ 14 mm；体色变化大，深灰褐色至黄色或黄褐色；后翅中脉不分叉。

蟾蜍科 Bufonidae **蟾蜍属** *Bufo*

中华蟾蜍
Bufo gargarizans Cantor

药 材 名	蟾酥（药材来源：分泌物。别名：蟾蜍眉脂、蟾蜍眉酥、癞蛤蟆浆）、干蟾皮（药用部位：除去内脏的全体。别名：干蟾）。
形态特征	雄性体长约 6 cm，雌性较大，体长达 8 cm。头宽大于长，吻端圆，吻棱隆肿成 1 长疣，与上眼睑内侧大疣相连；鼓膜小而显著；舌长椭圆形，后端无缺刻。前肢及手长约为体之半；指末端钝尖，微具缘膜，第 1、2 指近等长，且略短于第 4 指；关节下瘤成对，内掌突小于外掌突。后肢粗短，前伸贴体时胫跗关节达肩部，左、右跟部不相遇；趾略扁，趾端略圆，趾侧缘膜显著，第 4 趾具半蹼；关节下瘤多成对；内蹠突很高，刃状，外蹠突略小而圆。皮肤粗糙；头顶有大疣，背面瘰粒稀疏；耳后腺大，长椭圆形；胫部有 1 显著的大瘰粒；有跗褶或跗褶不甚明显。体侧及整个腹面满布小疣粒。体

中华蟾蜍

背面色变异颇大，一般为棕黑色、棕褐色、黄褐色或灰褐色，有的个体有不规则褐色斑点或斑点连缀成断续纵纹；有的个体从耳后腺至体侧有 1 浅色纵带，其下另有 1 黑色或黑褐色纵带；四肢有少数黑色斑点；腹面乳黄色或浅黄棕色，腹后面有深棕色大斑；多数个体腹后面有 1 深色大斑；指、趾端棕色。

| **生境分布** | 栖息于草丛、石下或土穴内，黄昏后外出活动、觅食。宁夏大部分地区有分布。

| **资源情况** | 野生资源丰富。尚少开发利用，只是民间自采自用。

| **采收加工** | 蟾酥：夏、秋季捕捉蟾蜍，洗净，挤取耳后腺和皮肤腺的白色浆液，加工，干燥。

干蟾皮：夏、秋季捕捉蟾蜍，先采去蟾酥，然后除去内脏，将体腔撑开，晒干。

| **药材性状** | 蟾酥：本品呈扁圆形团块状或片状。棕褐色或红棕色。团块状者质坚，不易折断，断面棕褐色，角质状，微有光泽；片状者质脆，易碎，断面红棕色，半透明。气微腥，味初甜而后有持久的麻辣感，粉末嗅之作嚏。

干蟾皮：本品呈扁平板片状，有的皱缩不平。完整者头部略呈钝三角形，较平滑，耳后腺明显，呈长卵圆形，"八"字形排列，四肢屈曲向外伸出。外表面粗糙，背部灰绿褐色或黄褐色，有大小不等的疣状突起，色较深，腹部黄白色，疣点较细小；内表面灰白色，与外表面疣状突起相对应处有大小相同的红棕色至黑色浅凹点。四肢展平后，前肢指间无蹼；后肢长而粗壮，趾间有蹼。质韧，不易折断。气微腥，味微麻。

| **功能主治** | 蟾酥：辛，温；有毒。归心经。解毒，止痛，开窍醒神。用于痈疽疔疮，咽喉肿痛，中暑神昏，痧证腹痛吐泻。

干蟾皮：辛，凉；有毒。归肝、脾、肺经。清热解毒，利水消肿。用于小儿疳积，咽喉肿痛，肿瘤；外用于痈肿疔疮。

| **用法用量** | 蟾酥：内服入丸、散剂，0.015 ~ 0.03 g。外用适量。

干蟾皮：内服煎汤，1.5 ~ 3 g；或研末，0.5 ~ 1.5 g。外用适量，研末调敷。

| **附　注** | 据《中国动物志》记载，中华蟾蜍有 3 个亚种，即中华蟾蜍华西亚种 *Bufo gargarizans andrewsi* Schmidt、中华蟾蜍指名亚种 *Bufo gargarizans gargarizans* Cantor 和中华蟾蜍岷山亚种 *Bufo gargarizans minshanicus* Stejneger。中华蟾蜍岷山亚种在宁夏有分布。

▌鹿科▌ Cervidae ▌鹿属▌ *Cervus*

梅花鹿
Cervus nippon Temminck

| 药 材 名 | 鹿茸（药用部位：雄鹿未骨化的密生茸毛的幼角。别名：斑龙珠）、鹿角（药用部位：已骨化的角或锯茸后翌年春季脱落的角基）、鹿鞭（药用部位：阴茎及睾丸。别名：鹿肾、鹿茎筋、鹿冲）。

| 形态特征 | 体长约 1.5 m，重约 100 kg。眶下腺明显，耳大，直立，颈细长。四肢细长，后肢外侧踝关节下有褐色跖腺，主蹄狭长，侧蹄小。臀部有明显的白色臀斑，有深棕色边缘；尾短，背面黑色。雄鹿有分叉的角，长全时共 4 ~ 5 叉，眉叉斜向前伸，第 2 叉与眉叉较远，主干末端再分 2 小叉。鼻面及颊部毛短，毛尖沙黄色。从头顶沿脊椎至尾部有 1 深棕色脊线。腹毛淡棕色，鼠蹊部白色。四肢外侧同体色，内侧色稍淡。冬毛栗棕色，白色斑点不显；夏毛红棕色，白色斑点显著，在脊背两旁及体侧下缘排列成纵行，有黑色背中线。

梅花鹿

| 生境分布 | 宁夏银川及平罗、青铜峡、同心、盐池、西吉、泾源、隆德、沙坡头、中宁、海原等地有养殖。

| 资源情况 | 养殖资源丰富。

| 采收加工 | 鹿茸：夏、秋季锯取，经加工后，阴干或烘干。
鹿角：春季拾取，除去泥沙，风干。
鹿鞭：宰杀雄鹿时，将其阴茎及睾丸割下，除去残肉及油脂，拉直，固定于木板上，风干或低温烘干。

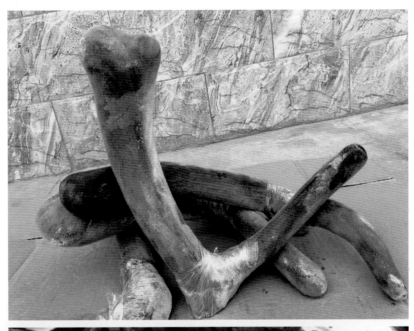

| **药材性状** | 鹿茸：本品呈圆柱状分枝。具 1 个分枝者习称"二杠"，主枝习称"大挺"，长 17～20 cm，锯口直径 4～5 cm，离锯口约 1 cm 处分出侧枝，侧枝习称"门庄"，长 9～15 cm，直径较大挺略小；外皮红棕色或棕色，多光润，表面密生红黄色或棕黄色细茸毛，上端毛较密，下端毛较疏；分叉间具 1 灰黑色筋脉，皮茸紧贴；锯口黄白色，外围无骨质，中部密布细孔。具 2 个分枝者习称"三岔"，大挺长 23～33 cm，直径较二杠小，略呈弓形，微扁，枝端略尖，下部多有纵棱筋及凸起的疙瘩；外皮红黄色，茸毛较稀而粗；体轻；气微腥，味微咸。二茬茸与头茬茸相似，但大挺长而不圆或下粗上细，下部有纵棱筋；外皮灰黄色，茸毛较粗糙，锯口外围多已骨化；体较重；无腥气。

鹿角：本品通常分成 3 ~ 4 枝，全长 30 ~ 60 cm，直径 2.5 ~ 5 cm。侧枝多向两旁伸展，第 1 枝与珍珠盘相距较近，第 2 枝与第 1 枝相距较远，主枝末端分成 2 小枝。表面黄棕色或灰棕色，枝端灰白色。枝端以下具明显的骨钉，纵向排成"苦瓜棱"，顶部灰白色或灰黄色，有光泽。

鹿鞭：本品阴茎呈长圆柱形或略扁，有纵行沟纹，长 26 ~ 37 cm，直径 1 ~ 2 cm。龟头呈短圆锥形，长 3 ~ 5 cm，先端多皱缩，向内凹陷或加工时拉长，顶部渐尖，并有 1 孔洞，包皮多卷缩在龟头基部，呈环状隆起或包裹龟头，先端多残留带毛表皮，阴茎两侧连着 1 对睾丸。睾丸呈扁长椭圆形，长约 8.5 cm，直径约 3 cm，表面棕红色。气腥，味咸。

| **功能主治** | 鹿茸：甘、咸，温。归肾、肝经。壮肾阳，益精血，强筋骨，调冲任，托疮毒。用于肾阳不足，精血亏虚，阳痿滑精，宫冷不孕，羸瘦，神疲，畏寒，眩晕，耳鸣，耳聋，腰脊冷痛，筋骨痿软，崩漏带下，阴疽不敛。

鹿角：咸，温。归肾、肝经。温肾阳，强筋骨，行血消肿。用于肾阳不足，阳痿遗精，腰脊冷痛，阴疽疮疡，乳痈初起，瘀血肿痛。

鹿鞭：甘、咸，温。归肝、肾、膀胱经。补肾精，壮肾阳，强腰膝。用于肾虚劳损，腰膝酸痛，耳聋耳鸣，阳痿滑精，宫寒不孕。

| **用法用量** | 鹿茸：内服研末，1 ~ 2 g；或入丸剂；或浸酒。

鹿角：内服煎汤，6 ~ 15 g；或研末，每次 1 ~ 3 g；或入丸、散剂。外用适量，磨汁涂；或研末撒或调敷。

鹿鞭：内服煎汤，6 ~ 15 g；或煮食；或熬膏；或入丸、散剂。

| **附　注** | （1）《中华人民共和国药典》（2020 年版）规定，同属动物马鹿 *Cervus elaphus* Linnaeus 也是鹿茸和鹿角的基原。

（2）《中华人民共和国药典》（2020 年版）记载鹿角经水煎煮、浓缩制成的固体胶为鹿角胶。鹿角胶甘、咸，温；归肾、肝经；温补肝肾，益精养血；用于肝肾不足所致腰膝酸冷，阳痿遗精，虚劳羸瘦，崩漏下血，便血尿血，阴疽肿痛。将骨化的鹿角熬去胶质，取出角块，干燥，即得鹿角霜。鹿角霜咸、涩，温；归肝、肾经；温肾助阳，收敛止血；用于脾肾阳虚，白带过多，遗尿尿频，崩漏下血，疮疡不敛。

麝科 Moschidae 麝属 *Moschus*

林麝
Moschus berezovskii Flerov

| 药 材 名 | 麝香（药材来源：成熟雄体香囊中的分泌物。别名：遗香、脐香、心结香）。

| 形态特征 | 体形似鹿而小，长约 75 cm，重约 10 kg。头长，鼻面部钝圆，鼻端裸露无毛；耳长，直立，长椭圆形。雄性上犬齿发达，露出唇外，向后弯曲成獠牙；雌性上犬齿小，不露出唇外。四肢细长，后肢长于前肢。主蹄狭长，侧蹄长能及地面。尾短，隐于臀毛内。雄性脐部与阴囊之间有 1 香腺，呈囊状，囊内分泌麝香；香囊外部略隆起，被稀疏短毛，其上具 2 小口，前者为香囊口，后者为尿道口。体毛棕黄褐色至黑褐色；耳背多为褐色至黑褐色，耳缘、耳端色更深，耳内白色；四肢前面色同体色而浅，后面多为黑褐色或黑色；毛色随季节变化，春、冬季毛色较浅，秋季毛色变深。

林麝

| **生境分布** | 栖息于海拔 2 300 m 以上的高山林下，常生活在较固定的地方。分布于宁夏六盘山、贺兰山等。

| **资源情况** | 野生资源稀少。

| **采收加工** | 冬季至翌年春季猎取野麝，割取香囊，直接阴干者习称"毛壳麝香"，剖开香囊、除去囊壳者习称"麝香仁"；或直接从家麝香囊中取出麝香仁，阴干或用干燥器密闭干燥。

| **药材性状** | 本品毛壳麝香为扁圆形或类椭圆形的囊状体，直径 3 ~ 7 cm，厚 2 ~ 4 cm。开口面的皮革质，棕褐色，略平，密生白色或灰棕色短毛，从两侧围绕中心排列，中间有 1 小囊孔。另一面为棕褐色略带紫色的皮膜，微皱缩，偶显肌肉纤维，略有弹性，剖开后可见中层皮膜，中层皮膜呈棕褐色或灰褐色，半透明，内层皮膜呈棕色，内含颗粒状、粉末状的麝香仁和少量细毛及脱落的内层皮膜（习称"银皮"）。麝香仁野生品质软，油润，疏松。其中不规则圆球形或颗粒状者习称"当门子"，表面多呈紫黑色，油润光亮，微有麻纹，断面深棕色或黄棕色；粉末状者多呈棕褐色或黄棕色，并有少量脱落的内层皮膜和细毛。养殖品为颗粒状、短条形或不规则的团块；表面不平，紫黑色或深棕色，显油性，微有光泽，并有少量毛和脱落的内层皮膜。气香浓烈而特异，味微辣、微苦带咸。

| **功能主治** | 辛，温。归心、脾经。开窍醒神，活血通经，消肿止痛。用于热病神昏，中风痰厥，气郁暴厥，中恶昏迷，经闭，癥瘕，难产死胎，胸痹心痛，心腹暴痛，跌扑伤痛，痹痛麻木，痈肿瘰疬，咽喉肿痛。

| **用法用量** | 内服多入丸、散剂，0.03 ~ 0.1 g。外用适量。

牛科 Bovinae 牛属 Bos

牛

Bos taurus domesticus Gmelin

药 材 名	牛黄（药用部位：胆结石。别名：西黄、犀黄、丑宝）、牛胆汁（药材来源：胆汁。别名：牛苦胆、牛胆）、牛肾（药用部位：干燥阴茎。别名：牛鞭）、牛角鰓（药用部位：骨质角髓。别名：牛角胎、牛角笋）。
形态特征	体长 1.5 ~ 2 m，重约 280 kg。体格强壮结实，头大，额广，鼻阔，口大。上唇上部有 2 大鼻孔，其间皮肤硬而光滑，无毛，称为鼻镜；眼、耳均较大。耳后有 1 对角，左右分开，角的长短、大小因品种不同而异，弯曲，无分枝，中空，内有骨质角髓。四肢匀称，4 趾，均有蹄甲，后方 2 趾不着地，称为悬蹄。尾较长，尾端具丛毛，毛色大部分为黄色，也有黑色、红棕色、白色、杂色等。

牛

| **生境分布** | 宁夏各地均有养殖。

| **资源情况** | 养殖资源丰富。

| **采收加工** | 牛黄：宰牛时，如发现有胆结石，即滤去胆汁，将胆结石取出，除去外部薄膜，阴干。

牛胆汁：宰牛时，取出胆，将胆汁倒入容器中，封口，冷藏或冷冻贮藏。

牛肾：宰牛时，割取阴茎，除去残肉及油脂，洗净，整形后悬挂于通风处，干燥。

牛角鳃：宰牛时，锯取角内骨心，用清水浸泡数天，刮去残肉，洗净，晒干。

| **药材性状** | 牛黄：本品呈卵形、类球形、三角形或四方形，大小不一，直径 0.6 ~ 3（~ 4.5）cm，少数呈管状或碎片状。表面黄红色至棕黄色，有的表面挂有 1 层黑色光亮的薄膜，习称"乌金衣"，有的粗糙，具疣状突起，有的具龟裂纹。体轻，质酥脆，易分层剥落，断面金黄色，可见细密的同心层纹，有的夹有白心。气清香，味苦而后甘，有清凉感，嚼之易碎，不粘牙。

牛胆汁：本品鲜时或冷藏解冻后为微透明、具有一定黏稠度的绿褐色或暗褐色液体。气腥臭，味极苦。

牛肾：本品呈类扁圆柱形，长 50 ~ 90 cm，直径 1.8 ~ 3 cm。表面棕黄色至棕褐色，半透明，一侧具纵向凹槽，对应一侧多隆起，两侧面光滑，可见斜肋纹。龟头近圆锥形，先端渐尖，包皮呈环状隆起。横切面呈类圆形，海绵体黄白色，纤维性。质坚韧，不易折断。气腥，味咸。

牛角鰓：本品呈圆锥形，微弯，长 15 ~ 26 cm，灰白色至灰黄色，基部直径约

5 cm，具无数细孔与少数浅纵沟。质坚硬，横切面中空。气微腥，味淡。

| 功能主治 | 牛黄：甘，凉。归心、肝经。清心，豁痰开窍，凉肝息风，解毒。用于热病神昏，中风痰迷，惊痫抽搐，癫痫发狂，咽喉肿痛，口舌生疮，痈肿疔疮。

牛胆汁：苦，寒。归肝、胆、肺经。清肝明目，利胆通肠，解毒消肿。用于风热目疾，热渴，黄疸，咳嗽，痰多，小儿惊风，便秘，痈肿，痔疮。

牛肾：咸，温。归肾经。补肾阳，益精，散寒止痛。用于肾虚阳痿，遗精，宫寒不孕，遗尿，耳鸣，腰膝酸软，疝气。

牛角䚡：苦，温。归肝、肾经。化瘀止血，收涩止痢。用于瘀血疼痛，吐血，衄血，肠风便血，崩漏，带下，痢下赤白，水泻，水肿。

| 用法用量 | 牛黄：内服入丸、散剂，0.15 ~ 0.35 g。外用适量，研末敷。

牛胆汁：内服煎汤，0.3 ~ 0.9 g；或入丸剂。外用适量，取汁调涂。

牛肾：内服炖煮，15 ~ 30 g；或入丸、散剂；或浸酒。

牛角䚡：内服煎汤，6 ~ 15 g；或入丸、散剂。外用适量，烧灰调敷。

| 附　注 | （1）牛黄是牛的干燥胆结石，习称天然牛黄，是我国传统名贵中药材。牛黄始载于《神农本草经》，被列为上品，距今已有两千多年药用历史。因具有确切的临床疗效，至今仍享有盛名。

（2）由于牛黄自然生成率很低，我国天然牛黄难以满足临床用药需求状况。为了保障生物安全性，国家药品监督管理局于 2002 年起禁止使用进口牛源性材料制备中成药，天然牛黄资源更加紧缺。

（3）我国科研工作者根据牛黄的形成过程，通过生物仿生原理，成功获得了培殖牛黄。1990 年 3 月，原国家卫生部颁发了培殖牛黄新药证书及新药生产申请批件，培殖牛黄的生产获得了批准。尚药局（宁夏）制药有限公司依托当地大型牧场，利用宁夏丰富的牛资源，规模化生产培殖牛黄。

（4）培殖牛黄在宰杀牛时采集，带核取出，除去胆汁和黏液，干燥，去核，即得。培殖牛黄呈不规则块状或粉末状，表面棕黄色或黄褐色，间有少量灰白色疏松状物和乌黑硬块。气微腥，味微苦而后甘，有清凉感，嚼之易碎，不粘牙。培殖牛黄收载于《中华人民共和国药典：一九九七年增补本》，其功能主治和用法用量与天然牛黄的一致。

（5）《宁夏中药材标准》（2018 年版）记载，牛的胃内毛草结块，名为牛草结。淡，微温；归胃经。可镇静，降逆止呕。用于噎膈反胃，晕车、晕船呕吐等。

洞角科 Bovidae 岩羊属 *Pseudois*

岩羊

Pseudois nayaur Hodgson

药 材 名	岩羊角（药用部位：角）、岩羊肉（药用部位：肉）、岩羊血（药用部位：血）。
形态特征	体型中等，体似绵羊，头狭长，耳小，颌下无须。眶下腺退化，蹄腺和鼠蹊腺不发达。尾短。乳头 1 对，位于鼠蹊部。雌、雄性均有角；雄性角粗大，由头顶生出，稍向上升即向两侧岔开略向后弯，角尖微偏向上方，角基部较光滑，仅内侧有弱横棱，但不形成环棱，角端光滑；雌性角细短，角基偏向上渐尖细，且微向后弯。上体毛青灰褐色、褐黄灰色、褐灰色。一般四肢前面及腹侧有黑色纹。雄性重 50 ~ 74.5 kg，雌性重 35 ~ 50 kg。
生境分布	生于海拔 2 000 m 以上的高原地区的山谷草地。分布于宁夏贺兰山等。
资源情况	野生资源较丰富。贺兰山全山均有分布，很常见，种群数量约 15 000 只。
采收加工	岩羊角：捕捉后锯取，干燥。
药材性状	岩羊角：本品呈圆锥形，角尖稍弯曲，粗大，最大者长达 60 cm。表面光滑，灰褐色，角基部有横向环形沟纹，角端部内侧有极微的小棱，但不形成环棱。质坚硬。气微，味淡。
功能主治	岩羊角：苦，凉。清热解毒。用于发热，肠胃脓肿，胃肠炎。 岩羊肉：甘，温。补肾健脾，祛寒湿。用于虚劳羸弱，饮食不下，风寒湿痹，跌打损伤。 岩羊血：甘、咸，温。活血化瘀，消滞止痢，解酒毒。用于腹内血瘀，跌打损伤，筋骨疼痛，痢疾，便血，痈肿，酒癖。
用法用量	岩羊角：内服，烧灰，研末煎汤，9 ~ 15 g。

岩羊肉：内服煮食，适量。

岩羊血：内服鲜品 6 ~ 15 g；或拌面晒干研末。

| **附　注** | （1）我国分布有 2 个岩羊亚种，即西藏亚种 *Pseudois nayaur nayaur* Hodgson 和四川亚种 *Pseudois nayaur szechuanensis* Rothschild，后者分布于贺兰山地区。
（2）岩羊为国家 II 级重点保护野生动物。

石膏 Gypsum Fibrosum

药 材 名	石膏（药材来源：硫酸盐类矿物石膏族石膏。别名：细石、细理石、软石膏）。
分布区域	分布于宁夏利通、同心、盐池、青铜峡、沙坡头、海原、隆德等。
资源情况	资源丰富。
采收加工	全年均可采挖，除去泥沙及杂石。
药材性状	本品为纤维状集合体，呈长块状、板块状或不规则块状。白色、灰白色或淡黄色，有的半透明。体重，质软，纵断面具绢丝样光泽。气微，味淡。
功能主治	甘、辛，大寒。归肺、胃经。清热泻火，除烦止渴。用于外感热病，高热烦渴，肺热喘咳，胃火亢盛，头痛，牙痛。
用法用量	内服煎汤，10～30 g，打碎先煎；或入丸、散剂。外用适量，多煅用，研末敷或调敷。
附 注	（1）石膏晶体结构属单斜晶系。完好晶体呈板块状、柱状，并常呈燕尾状双晶；集合体呈块状、片状、纤维状或粉末状。无色透明、白色半透明，或因含杂质而呈灰白色、浅红色、浅黄色等。具玻璃样光泽，解理面具珍珠样光泽，纤维状集合体具绢丝样光泽。硬度为 1.5～2，用指甲划，显划痕。相对密度为 2.3～2.37。解理薄片具挠性。 （2）为纤维状集合体的石膏称"纤维石膏"，此种石膏多药用；为无色透明的晶体的石膏习称"透明石膏"；为雪白色细晶粒状块体的石膏习称"雪花石膏"。

玄精石 Selenitum

药 材 名	玄精石（药材来源：硫酸盐类矿物石膏族玄精石。别名：元精石、阴精石）。
分布区域	分布于宁夏盐池等。
资源情况	资源较少。
药材性状	本品呈不规则块状或薄片状，薄片多边缘薄中间厚。青白色、灰白色或浅灰棕色，有的中间显黑色斑点，半透明。质硬而脆，易砸碎成不整齐的长菱形小块，断面具玻璃样光泽。微带土腥气，味微咸。
功能主治	咸，寒。归肾、肺、脾、大肠、胃经。清热滋阴，软坚消痰。用于壮热烦渴，头风脑痛，目赤翳障，重舌，木舌，咽喉生疮，烫火伤。
用法用量	内服煎汤，9 ~ 15 g；或入丸、散剂。外用适量，研末撒或调敷。

芒硝 <small>Natrii Sulfas</small>

| **药 材 名** | 芒硝（药材来源：硫酸盐类矿物芒硝族芒硝经加工精制而成的结晶体。别名：盐硝、皮硝、朴硝）。

| **分布区域** | 分布于宁夏沙坡头、盐池、灵武、海原等。

| **资源情况** | 资源丰富。

| **采收加工** | 全年均可采收天然芒硝，加水溶解，放置，使杂质沉淀，过滤，溶液加热浓缩，放冷即析出结晶，取出晾干。如结晶不纯，可重复处理至得洁净的芒硝结晶即可。

| **药材性状** | 本品呈棱柱状、长方形或不规则块状及粒状。无色透明或类白色半透明。质脆，易碎，断面具玻璃样光泽。气微，味咸。

| **功能主治** | 咸、苦，寒。归胃、大肠经。泻下通便，润燥软坚，清火消肿。用于实热积滞，腹满胀痛，大便燥结，肠痈肿痛；外用于乳痈，痔疮肿痛。

| **用法用量** | 内服，6 ~ 12 g，一般不入煎剂，待煎得后，溶入汤液中服用。外用适量。

龙骨 Os Draconis

| **药 材 名** | 龙骨（药材来源：古代大型哺乳动物象类、犀类、鹿类、三趾马、牛类、鹿类等的骨骼化石。别名：五花龙骨、花龙骨、土龙骨）。 |

| **分布区域** | 分布于宁夏中宁、同心、海原等。 |

| **资源情况** | 资源较丰富。 |

| **采收加工** | 全年均可采挖，刷去泥土。 |

| **药材性状** | 本品呈骨骼状或已破碎成不规则的块状，大小不一。表面白色、灰白色、黄白色、浅蓝色或浅棕色，多较平滑，有的具纹理与裂隙或棕色条纹与斑点。质硬，断面不平坦，关节处有多数蜂窝状小孔。 |

龙骨

吸湿性强。无臭，无味。

| **功能主治** | 甘、涩，平。归心、肝、肾、大肠经。镇静安神，平肝潜阳，敛汗固精，涩肠止血；外用生肌敛疮。用于惊厥癫狂，怔忡健忘，失眠多梦，自汗盗汗，遗精，崩漏带下，泻痢脱肛，衄血，便血；外用于溃疡久不收口，阴囊湿痒。

| **用法用量** | 内服煎汤，10～30 g，打碎先煎；或入丸、散剂。外用适量，研末敷；或调敷。

龙齿 Dens Draconis

| **药 材 名** | 龙齿（药材来源：古代大型哺乳动物象类、犀类、鹿类、牛类、三趾马等的牙齿化石）。 |

| **分布区域** | 分布于宁夏中宁、同心、海原等。 |

| **资源情况** | 资源较丰富。 |

| **采收加工** | 全年均可采挖，刷去泥土。 |

| **药材性状** | 本品呈齿状或破碎成不规则的块状，可分为犬齿及臼齿。完整者犬齿呈圆锥形，先端较细或略弯曲，直径 0.8 ~ 3.5 cm，近尖端处断面常中空；臼齿呈圆柱形或方柱形，略弯曲，一端较细，长 2 ~ 20 cm，直径 1 ~ 9 cm，多有深浅不同的沟棱。表面呈浅蓝灰色或 |

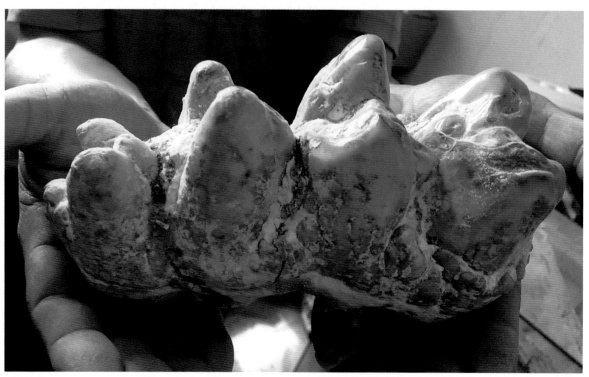

龙齿

暗棕色者习称"青龙齿"，呈黄白色者习称"白龙齿"。有的表面可见具光泽的釉质层（珐琅质）。质坚硬，断面粗糙，凹凸不平，或有不规则凸起的棱线，有吸湿性。无臭，无味。

| **功能主治** | 甘、涩，凉。归心、肝经。安神镇惊。用于心悸易惊，心烦，失眠多梦。

| **用法用量** | 内服煎汤，10～15 g，打碎先煎；或入丸、散剂。外用适量，研末敷；或调敷。

钟乳石 Stalactitum

| **药 材 名** | 钟乳石（药材来源：碳酸盐类矿物方解石族方解石。别名：钟乳、石钟乳）。

| **分布区域** | 分布于宁夏贺兰山。

| **资源情况** | 资源较少。

| **采收加工** | 从岩洞中敲下，除去杂石。

| **药材性状** | 本品为钟乳状集合体，略呈圆锥形或圆柱形。表面白色、灰白色或棕黄色，粗糙，凹凸不平。体重，质硬，断面较平整，白色至浅灰白色，对光观察具闪星状亮光，近中心常有1圆孔，圆孔周围有多数浅橙黄色同心环层。气微，味微咸。

| **功能主治** | 甘，温。归肺、肾、胃经。温肺，助阳，平喘，制酸，通乳。用于寒痰咳喘，阳虚冷喘，腰膝冷痛，胃痛泛酸，乳汁不通。

| **用法用量** | 内服煎汤，3~9g，先煎。

石灰 Limestone

| 药 材 名 | 石灰（药材来源：石灰岩经加热煅烧而成的生石灰及其水化产物熟石灰或两者的混合物。别名：石垩、垩灰）。

| 分布区域 | 分布于宁夏利通、中宁、同心、原州等。

| 资源情况 | 资源丰富。

| 采收加工 | 全年均可采挖石灰石，将采得的石灰石放在窑中，密封，留出气眼，大火煅烧，取出，即得生石灰。生石灰（CaO）遇水，放出热量，即成为熟石灰 [Ca（OH）$_2$]，又称水化或者熟化。

| 药材性状 | 本品生石灰主要为不规则块状，大小不一；表面有微细裂缝及多孔，白色或灰色；条痕白色；不透明，具土状光泽；体较轻，质硬，易砸碎，断面粉状。以块状、色白、无杂石及其他杂质者为佳。熟石灰呈粉末状或为疏松块体，白色或淡灰白色，具土状光泽。以粉细、色白、无硬块者为佳。

| 功能主治 | 辛、苦、涩，温；有毒。归肝、脾经。解毒蚀腐，敛疮止血，杀虫止痒。用于痈疽疔疮，丹毒，瘰疬痰核，赘疣，外伤出血，烫火伤，下肢溃疡，久痢脱肛，疥癣，湿疹，痱子。

| 用法用量 | 内服入丸、散剂，1～3 g；或加水溶解，取澄清液服。外用，研末调敷；或取水溶液涂搽。

中文拼音索引

《中国中药资源大典·宁夏卷》1～4 册共用同一索引，为方便读者检索，
该索引在每个药用植物名后均标注了其所在册数（如"[1]"）及页码。

拉丁学名索引

《中国中药资源大典·宁夏卷》1～4册共用同一索引，为方便读者检索，该索引在每个药用植物名后均标注了其所在册数（如"[1]"）及页码。

附录 I　宁夏回族自治区动物药资源名录

本名录中所列动物药资源在《中国中药资源大典·宁夏卷》第 4 册附篇中未收载

一、环节动物门 Annelida

寡毛纲 Oligochaeta　后孔寡毛目 Oligochaeta opisthopora　正蚓科 Lumbricidae

背暗流蚓 *Aporrectodea caliginosa* (Savigny)

【别　　名】地龙、附蚓、寒蚓、地龙子、胸朒、土地龙。

【药用部位】干燥全体或除去内脏的干燥全体。

【生境分布】生于潮湿疏松的泥土中。宁夏各地均有分布。

【功能主治】咸，寒。归肝、脾、膀胱经。清热定惊，通络，平喘，利尿。用于高热神昏，惊痫抽搐，关节痹痛，肢体麻木，半身不遂，肺热喘咳，水肿尿少。

蛭纲 Hirudinea　颚蛭目 Gnathobdellida　黄蛭科 Haemopidae

光润金线蛭 *Whitmania laevis* (Buird)

【别　　名】水蛭、蚂蟥、皮条虫。

【药用部位】干燥全体。

【生境分布】生于水田、沟渠、湖沼中。分布于宁夏中宁、青铜峡、永宁、灵武、兴庆、贺兰、平罗、惠农等引黄灌区。

【功能主治】咸、苦，平；有小毒。归肝经。破血通经，逐瘀消癥。用于血瘀经闭，癥瘕痞块，中风偏瘫，跌扑损伤。

二、软体动物门 Mollusca

腹足纲 Gastropoda　中腹足目 Mesogastropode　田螺科 Viviparidae

中国圆田螺 *Cipangopaludina chinensis* (Gray)

【别　　名】田螺、田中螺、黄螺。

【药用部位】全体或壳、厣。

【生境分布】生于水田、沟渠、湖塘等处。分布于宁夏中宁、青铜峡、永宁、灵武、兴庆、贺兰、平罗、惠农等引黄灌区。

【功能主治】全体：甘、咸，寒。归肝、脾、膀胱、小肠、胃经。清热，利水，止渴。用于小便赤涩，浮肿，黄疸，脚气，消渴，痔疮，便血，目赤肿痛，痈肿疔疮，肝炎，痢疾，中耳炎。

壳：甘，平。归肺、胃、大肠经。收敛，制酸，止血，止泻，化痰。用于反胃呕吐，胃痛，泄泻，便血，小儿惊风，湿疹，疱疹。

厣：苦、辛，寒。归肝经。疏风清热。用于目翳。

腹足纲 Gastropoda　柄眼目 Stylommatopbora　巴蜗牛科 Bradybaenidae

同型巴蜗牛 _Bradybaena similaris_ (Ferussae)

【别　　名】蜗牛、山蜗、瓜牛、蠡牛、土牛儿、天螺、天螺蛳。

【药用部位】全体或贝壳。

【生境分布】生于阴湿坡地、草丛、果园、菜园或灌丛中。宁夏各地均有分布。

【功能主治】咸，寒。归肝、膀胱、胃、大肠经。清热，利水消肿，解毒。用于风热惊痫，消渴，小便不利，喉痹，痄腮，鼻衄，瘰疬，痈肿疔毒，痔疮，脱肛，毒虫咬伤。

双壳纲 Bivalvia　帘蛤目 Veneroida　蚬科 Corbiculidae

河蚬 _Corbicula fluminea_ (Muller)

【别　　名】蛤蜊。

【药用部位】贝壳或肉。

【生境分布】生于河流、沟渠、湖塘等水域。分布于宁夏中宁、青铜峡、永宁、灵武、兴庆、贺兰、平罗、惠农等引黄灌区。

【功能主治】贝壳：咸，温。归肺、胃经。化痰，祛湿。用于反胃呕吐，胃痛吞酸，痰喘咳嗽，湿疮，溃疡不敛。

肉：甘、咸，寒。归脾、肾经。清热解毒，利湿退黄。用于疔疮肿毒，湿热黄疸，消渴，小便不利。

三、节肢动物门 Arthyopoda

软甲纲 Malacostraca　等足目 Isopoda　卷甲虫科 Armadillidiidae

普通卷甲虫 _Armadillidium vulgare_ Latreille

【别　　名】鼠妇、潮虫、西瓜虫。

【药用部位】干燥虫体。

【生境分布】栖息于朽木、腐叶、石块下面，或室内、院内阴暗潮湿处。宁夏各地均有分布。

【功能主治】酸，凉。归肝经。破血利水，解毒止痛。用于经闭，小便不利，惊风撮口，久疟疟母，口齿疼痛，鹅口诸疮，赘疣。

软甲纲 Malacostraca　等足目 Isopoda　鼠妇科 Porcellionidae

光滑鼠妇 *Porcellio laevis* Latreille

【别　　名】 鼠妇、潮虫。

【药用部位】 干燥虫体。

【生境分布】 栖息于朽木、腐叶、石块下面，或室内、院内阴暗潮湿处。宁夏各地均有分布。

【功能主治】 同"普通卷甲虫"。

甲壳纲 Crustacaa　十足目 Decapoda　长臂虾科 Palaemonidae

日本沼虾 *Macrobrachium nipponense* (De Haan)

【别　　名】 青虾、虾。

【药用部位】 全体。

【生境分布】 分布于宁夏中宁、青铜峡、永宁、灵武、兴庆、贺兰、平罗、惠农等引黄灌区。

【功能主治】 补肾壮阳，通乳解毒。用于阳痿，乳汁不下，丹毒，痈疽等。

甲壳纲 Crustacaa　十足目 Decapoda　方蟹科 Grapsidae

中华绒螯蟹 *Eriocheir sinensis* H. Milne-Edwards

【别　　名】 河蟹。

【药用部位】 干燥全体。

【生境分布】 生于黄河支、干流等环境中。分布于宁夏黄灌区。

【功能主治】 破血通经，消积堕胎。用于跌打损伤，产后血瘀，经闭等。

【附　　注】 根据文献资料，弓蟹科动物中华绒螯蟹的拉丁学名 *Eriocheir sinensis* H. Milne-Edwards 已被修订为 *Eriocheir sinensis* A. Y. Dai。

蛛形纲 Arachnida　蜘蛛目 Araneid　拟壁钱科 Oecobiidae

北国壁钱 *Uroctea lesserti* Schenkel

【别　　名】 壁钱。

【药用部位】 全体。

【生境分布】 栖息于墙壁、屋角、门背等处。分布于宁夏银川、青铜峡等。

【功能主治】 解毒，止血。用于扁桃体炎，口舌糜烂，衄血，金疮出血，小儿疳积等。

蛛形纲 Arachnida　蜘蛛目 Araneid　园蛛科 Araneidae

大腹园蛛 *Aranea ventricosus* (L. Koch)

【别　　名】蜘蛛。

【药用部位】全体。

【生境分布】栖息于屋檐、墙角等处。宁夏各地均有分布。

【功能主治】解毒。用于淋巴结结核，疔疮，蜂、蝎螫伤，毒蛇咬伤等。

【附　　注】根据 2021 年版"中国生物物种名录"，圆蛛科动物大腹圆蛛 *Aranea ventricosus* (L. Koch) 的中文名已被修订为园蛛科大腹园蛛。

蛛形纲 Arachnida　蜘蛛目 Araneid　漏斗蛛科 Agelenidae

迷宫漏斗蛛 *Agelena labyrinthica* Clerck

【别　　名】草蜘蛛。

【药用部位】全体。

【生境分布】分布于宁夏原州等。

【功能主治】解毒。用于疔肿恶疮。

【附　　注】根据 2021 年版"中国生物物种名录"，漏斗蛛科动物迷路草蛛 *Agelena labyrinthica* Clerck 的中文名已被修订为迷宫漏斗蛛。

昆虫纲 Insecta　缨尾目 Thysanura　衣鱼科 Lepismatidae

毛衣鱼 *Ctenolepisma villosa* Fabricius

【别　　名】蛀衣虫。

【药用部位】干燥全体。

【生境分布】宁夏各地均有分布。

【功能主治】祛风散结，明目利尿。用于小儿惊痫，小便不利，目中浮翳。

昆虫纲 Insecta　衣鱼目 Zygentoma　衣鱼科 Lepismatidae

衣鱼 *Lepisma saccharina* Linnaeus

【别　　名】蛀衣虫。

【药用部位】干燥全体。

【生境分布】宁夏各地均有分布。

【功能主治】同"毛衣鱼"。

昆虫纲 Insecta　蜻蜓目 Odonata　蜓科 Aeschnidae

大蜻蜓 *Anax parthenope* Selys

【别　　名】蜻蜓。

【药用部位】干燥全体。

【生境分布】栖息于湖塘、沟渠或稻田中水生植物繁茂的潮湿环境中。宁夏各地均有分布。

【功能主治】补肾益精，清热解毒，止咳定喘。用于阳痿遗精，咽喉肿痛，百日咳等。

昆虫纲 Insecta　蜚蠊目 Blattaria　地鳖科 Polyphagidae

中华真地鳖 *Eupolyphaga sinensis* Walker

【别　　名】土鳖虫、地鳖、地鳖虫、土鳖、土虫、土元。

【药用部位】雌虫的干燥全体。

【生境分布】喜栖于阴湿树根、落叶层或石块下，亦见于墙角地下或砂砾间。分布于宁夏贺兰、
　　　　　　平罗、西夏等。

【功能主治】咸，寒；有小毒。归肝经。破瘀血，续筋骨。用于筋骨折伤，瘀血经闭，癥瘕痞块。

昆虫纲 Insecta　螳螂目 Mantodea　螳螂科 Mantidae

薄翅螳螂 *Mantis religiosa* Linnaeus

【别　　名】桑螵蛸。

【药用部位】干燥卵鞘。

【生境分布】栖息于山林灌丛或荒野草地中。分布于宁夏贺兰山（平罗、贺兰、西夏、永宁、青
　　　　　　铜峡）、六盘山（隆德、泾源）等。

【功能主治】甘、咸，平。归肝、肾经。益肾固精，缩尿，止浊。用于遗精滑精，遗尿尿频，小
　　　　　　便白浊。

昆虫纲 Insecta　直翅目 Orthoptera　剑角蝗科 Acrididae

中华剑角蝗 *Acrida cinerea* （Thunberg）

【别　　名】蚂蚱、麦蟑。

【药用部位】成虫的全体。

【生境分布】分布于宁夏引黄灌区等。

【功能主治】止咳平喘，滋补强壮，止痉，解毒，透疹。用于百日咳，支气管哮喘，小儿
　　　　　　惊风等。

昆虫纲 Insecta　直翅目 Orthoptera　斑翅蝗科 Oedipodidae

东亚飞蝗 *Locusta migratoria manilensis* Meyen

【别　　名】 蝗虫。

【药用部位】 成虫的全体。

【生境分布】 宁夏各地均有分布。

【功能主治】 同"中华剑角蝗"。

【附　　注】 根据《中国动物志》，飞蝗 *Locusta migratoria manilensis* Linnaeus 已被修订为东亚飞蝗 *Locusta migratoria manilensis* Meyen。

昆虫纲 Insecta　直翅目 Orthoptera　斑腿蝗科 Catantopidae

中华稻蝗 *Oxya chinensis* Thunb.

【药用部位】 成虫的全体。

【生境分布】 宁夏各地均有分布。

【功能主治】 同"中华剑角蝗"。

昆虫纲 Insecta　直翅目 Orthoptera　蟋蟀科 Gryllidae

银川油葫芦 *Teleogryllus infernalis* Saussure

【别　　名】 蛐蛐。

【药用部位】 成虫的全体。

【生境分布】 分布于宁夏平罗、兴庆、西夏、海原等。

【功能主治】 利尿消肿，清热解毒。

昆虫纲 Insecta　直翅目 Orthoptera　蝼蛄科 Gryllotalpidae

华北蝼蛄 *Gryllotalpa unispina* Saussure

【别　　名】 蝼蛄、蝲蝲蛄、蒲狗狗（中卫）。

【药用部位】 干燥成虫。

【生境分布】 栖息于农田、菜地、沟渠等较潮湿的环境中，喜聚居于土壤有机质丰富的地方。宁夏各地均有分布。

【功能主治】 咸，寒；有小毒。归胃、膀胱经。利水消肿，解毒。用于水肿，小便不利，石淋，跌打损伤，疮疡肿毒，竹木入肉。

昆虫纲 Insecta　直翅目 Orthoptera　蝼蛄科 Gryllotalpidae

非洲蝼蛄 *Gryllotalpa africana* Palisot de Beaurois

【别　　名】蝲蝲蛄、蒲狗狗。

【药用部位】干燥成虫。

【生境分布】栖息于农田、菜地、沟渠等较潮湿的环境中，喜聚居于土壤有机质丰富的地方。宁夏各地均有分布。

【功能主治】同"华北蝼蛄"。

【附　　注】根据 2013 年版《中国药用动物志》和《中国药用动物原色图谱》，蝼蛄科动物蝼蛄 *Gryllotalpa africana* Palisot de Beaurois 的中文名已被修订为非洲蝼蛄。

昆虫纲 Insecta　鳞翅目 Lepidoptera　粉蝶科 Pieridae

菜粉蝶 *Pieris rapae* (Linnaeus)

【药用部位】干燥成虫。

【生境分布】宁夏各地均有分布。

【功能主治】消肿止痛。用于跌打损伤。

【附　　注】根据 2021 年版"中国生物物种名录"，粉蝶科动物白粉蝶 *Pieris rapae* (Linnaeus) 的中文名已被修订为菜粉蝶。

昆虫纲 Insecta　鳞翅目 Lepidoptera　凤蝶科 Papillionidae

金凤蝶 *Papilio machaon* Linnaeus

【别　　名】茴香虫。

【药用部位】干燥幼虫。

【生境分布】多寄生于茴香等伞形科植物上。分布于宁夏银南、银北地区等。

【功能主治】止痛，理气，止呃。用于胃痛，疝气，噎膈等。

【附　　注】根据 2021 年版"中国生物物种名录"，凤蝶科动物黄凤蝶 *Papilio machaon* Linnaeus 的中文名已被修订为金凤蝶。

昆虫纲 Insecta　鳞翅目 Lepidoptera　凤蝶科 Papillionidae

柑橘凤蝶 *Papilio xuthus* Linnaeus

【药用部位】幼虫。

【生境分布】分布于宁夏六盘山（隆德）等。

【功能主治】同"金凤蝶"。

【附　　注】根据 2021 年版"中国生物物种名录"，凤蝶科动物凤蝶 *Papilio xuthus* Linnaeus 的中文名已被修订为柑橘凤蝶。

昆虫纲 Insecta 鳞翅目 Lepidoptera 蚕蛾科 Bombycidae

家蚕蛾 *Bombyx mori* Linnaeus

【药用部位】 蚕壳、蚕蛹、干燥粪便及感染白僵菌而死的幼虫。

【生境分布】 分布于宁夏吴忠等。

【功能主治】 蚕壳（蚕茧）：甘，凉。归胃、大肠经。清热，凉血止血。用于便血，尿血，血崩，消渴，反胃，疳疮，痈肿。

干燥粪便（蚕砂）：甘、辛，温。归肝、脾、胃经。祛风除湿，活血定痛，清热明目。用于风湿痹痛，腰膝疼痛，吐泻转筋，头风头痛，皮肤不仁，风疹瘙痒，妇人闭经，风热目痛，烂弦风眼。

感染白僵菌而死的幼虫（白僵蚕）：辛、咸，平。归肝、肺、胃经。祛风止痉，化痰散结，解毒利咽。用于惊痫抽搐，中风口眼㖞斜，偏正头痛，咽喉肿痛，瘰疬，痄腮，风疹，疮毒。

昆虫纲 Insecta 双翅目 Diptera 丽蝇科 Calliphoridae

大头金蝇 *Chrysomya megacephala* (Fabricius)

【别　　名】 五谷虫、蛆、水仙子、谷虫。

【药用部位】 干燥幼虫。

【生境分布】 分布于宁夏银川等。

【功能主治】 咸，寒。归脾、胃经。清热解毒，消积导滞。用于热病神昏谵语，小儿疳积，唇疗，鼻炎，预防感冒及肝病，还用作癌症患者恢复期的辅助用药。

昆虫纲 Insecta 双翅目 Diptera 虻科 Tabanidae

中华虻 *Tabanus mandarinus* Schiner

【别　　名】 虻虫。

【药用部位】 干燥雌虫。

【生境分布】 栖息于山地、沟渠的杂草丛中，喜强烈光照。宁夏各地均有分布，以隆德、泾源居多。

【功能主治】 苦，微寒；有小毒。归肝经。破血逐瘀，通经消癥。用于血瘀经闭，癥瘕积聚，跌打瘀肿疼痛，小腹蓄血。

昆虫纲 Insecta 鞘翅目 Coleoptera 芫菁科 Meloidae

中华豆芫菁 *Epicauta chinensis* Laporte

【药用部位】 干燥成虫。

【生境分布】 分布于宁夏银川等。

【功能主治】 辛，热；有大毒。归肝、胃、肾经。破血消癥，攻毒蚀疮，引赤发泡。用于癥瘕肿
块，积年顽癣，瘰疬，赘疣，痈疽不溃，恶疮死肌。

昆虫纲 Insecta　鞘翅目 Coleoptera　芫菁科 Meloidae

黑芫菁 *Epicauta megalocephala* Gebler

【药用部位】 干燥成虫。

【生境分布】 宁夏各地均有分布。

【功能主治】 同"中华豆芫菁"。

【附　　注】 根据《中国药用动物志》，芫菁科动物小黑芫菁 *Epicauta megalocephala* Gebler 的
中文名被修订为黑芫菁。

昆虫纲 Insecta　鞘翅目 Coleoptera　芫菁科 Meloidae

绿芫菁 *Lytta caragana* Pallas

【别　　名】 青娘子、青虫、芫菁。

【药用部位】 干燥成虫。

【生境分布】 分布于宁夏兴庆、永宁、盐池、隆德等。

【功能主治】 辛，温；有大毒。归肺、肾经。散瘀，通经，解毒，利尿。用于淋病，癃闭，经闭，
狂犬病，疥癣恶疮，瘰疬痰核，恶性肿瘤。

昆虫纲 Insecta　鞘翅目 Coleoptera　芫菁科 Meloidae

绿边芫菁 *Lytta suturella* Motschulsky

【药用部位】 干燥成虫。

【生境分布】 分布于宁夏原州、隆德等。

【功能主治】 同"绿芫菁"。

【附　　注】 根据《中国中药资源志要》，芫菁科动物缝纹绿芫菁 *Lytta suturella* Motschulsky 的
中文名已被修订为绿边芫菁。

昆虫纲 Insecta　鞘翅目 Coleoptera　芫菁科 Meloidae

丽斑芫菁 *Mylabris speciosa* Pallas

【别　　名】 斑蝥、斑毛。

【药用部位】 干燥成虫。

【生境分布】 喜群集。分布于宁夏贺贺兰山（平罗、西夏、永宁）等。

【功能主治】 同"中华豆芫菁"。

【附　　注】 根据《中国药用动物原色图谱》，芫菁科动物红斑芫菁 _Mylabris speciosa_ Pallas 的中
文名已被修订为丽斑芫菁。

昆虫纲 Insecta　鞘翅目 Coleoptera　金龟子科 Scarabaeidae
神农蜣螂 _Catharsius molossus_ Linnaeus
【别　　名】 蜣螂、屎壳郎、推粪虫。
【药用部位】 干燥成虫。
【生境分布】 栖息于草原、饲养场或农舍旁牛、马、驴的粪堆下，掘土而居，以粪为食。宁夏各
地均有分布。
【功能主治】 咸，寒；有毒。归大肠、胃、肝经。定惊，破瘀，攻毒，通便。用于惊痫癫狂，瘕
证，噎膈反胃，淋证，疳积，小儿惊风，大便秘结，小便不利，痔瘘，疔疮肿毒。
【附　　注】 根据中国动物主题数据库（http://www.zoology.csdb.cn/），金龟子科动物蜣螂虫
Catharsius molossus Linnaeus 的中文名已被修订为神农蜣螂。

昆虫纲 Insecta　鞘翅目 Coleoptera　鳃金龟科 Melolonthidae
华北大黑鳃金龟 _Holotrichia oblita_ Faldermann
【别　　名】 蛴螬、地老虎、胖头虫。
【药用部位】 干燥幼虫。
【生境分布】 宁夏大部分地区均有分布。
【功能主治】 咸，微温；有小毒。归肝经。破血逐瘀，明目退翳。用于经闭，癥瘕积聚，破伤风，
喉痹，丹毒，痈疽，痔瘘，目翳，跌打损伤，瘀血疼痛。

昆虫纲 Insecta　鞘翅目 Coleoptera　丽金龟科 Rutelidae
黄褐丽金龟 _Anomala exoleta_ Faldermann
【别　　名】 地老虎。
【药用部位】 干燥幼虫。
【生境分布】 分布于宁夏原州等。
【功能主治】 同"华北大黑鳃金龟"。

昆虫纲 Insecta　鞘翅目 Coleoptera　花金龟科 Cetoniidae
白星花金龟 _Liocola brevitarsis_ Lewis
【别　　名】 地老虎。
【药用部位】 干燥幼虫。

【生境分布】 宁夏各地均有分布。

【功能主治】 同"华北大黑鳃金龟"。

昆虫纲 Insecta　膜翅目 Hymenoptera　胡蜂科 Vespidae

柑胡蜂 *Polistes mandarinus* Saussure

【药用部位】 蜂巢。

【生境分布】 宁夏各地均有养殖。

【功能主治】 甘，平。归胃经。祛风攻毒，杀虫止痛。用于龋齿，疮疡肿毒，乳痈，瘰疬，皮肤顽癣，鹅掌风。

【附　　注】 根据中国动物主题数据库（http://www.zoology.csdb.cn/），黄星长脚黄蜂 *Polistes mandarinus* Saussure 的中文名已被修订为柑胡蜂。

昆虫纲 Insecta　膜翅目 Hymenoptera　胡蜂科 Vespidae

斑胡蜂 *Vespa mandarinia* Smith

【药用部位】 蜂巢。

【生境分布】 宁夏各地均有分布。

【功能主治】 同"柑胡蜂"。

昆虫纲 Insecta　膜翅目 Hymenoptera　蜜蜂科 Apidae

西方蜜蜂意大利亚种 *Apini mellifera* ligustica

【药用部位】 所酿的蜜（蜂蜜）、分泌的蜡（蜂蜡）、工蜂咽腺及咽后腺分泌的乳白色胶状物（蜂王浆）、工蜂采集的植物树脂与其上额腺和蜡腺等分泌物混合形成的具有黏性的固体胶状物（蜂胶）。

【功能主治】 蜂蜜：甘，平。归肺、脾、大肠经。补中，润燥，止痛，解毒；外用生肌敛疮。用于脘腹虚痛，肺燥干咳，肠燥便秘，解乌头类药毒；外用于疮疡不敛，烫火伤。

　　　　　　蜂蜡：甘，微温。归脾经。解毒，敛疮，生肌，止痛。外用于溃疡不敛，腺疮糜烂，外伤破溃，烫火伤。

　　　　　　蜂王浆：辛，酸，微温。滋补强壮，益肝健脾。用于年老体衰，病后虚弱，营养不良，神经症，高血压，心血管功能不全，溃疡，糖尿病，风湿性关节炎等。

　　　　　　蜂胶：苦、辛，寒。归脾、胃经。补虚弱，化浊脂，止消渴；外用解毒消肿，收敛生肌。用于体虚早衰，高脂血症，消渴；外用于皮肤皲裂，烫火伤。

昆虫纲 Insecta　膜翅目 Hymenoptera　蚁科 Formicidae

丝光林蚁 *Formica fusca* Linnaeus

【别　　名】 蚂蚁。

【药用部位】 干燥全体。

【生境分布】 宁夏各地均有分布。

【功能主治】 清热解毒。用于疔毒肿痛，毒蛇咬伤等。

【附　　注】 根据中国动物主题数据库（http://www.zoology.csdb.cn/），蚁科动物黑蚁 *Formica fusca* Linnaeus 的中文名已被修订为丝光林蚁。

四、脊索动物门 Chordata

硬骨鱼纲 Osteichthyes　鲤形目 Cypriniformes　鲤科 Cyprinidae

青鱼 *Mylopharyngodon piceus* Richardson

【药用部位】 胆。

【生境分布】 宁夏中宁、青铜峡、永宁、灵武、兴庆、贺兰、平罗、惠农等引黄灌区有养殖。

【功能主治】 清热解毒，退翳明目。用于目赤肿痛，热疮等。

【附　　注】 根据 2021 年版"中国生物物种名录"，脊椎动物门 Vertebrata 已被修订为脊索动物门 Chordata，硬骨鱼纲 Osteichthyes 已被修订为辐鳍鱼纲 Actinopterygii。

硬骨鱼纲 Osteichthyes　鲤形目 Cypriniformes　鲤科 Cyprinidae

草鱼 *Ctenopharyngodon idellus*（Cuvier et Valenciennes）

【药用部位】 肉、胆。

【生境分布】 宁夏各地均有养殖。

【功能主治】 肉：暖中和胃。用于消化不良，食后胀饱，呕吐，泄泻等。
　　　　　　　胆：有毒。用于暴聋。

硬骨鱼纲 Osteichthyes　鲤形目 Cypriniformes　鲤科 Cyprinidae

赤眼鳟 *Squaliobarbus curriculus* (Richardson)

【药用部位】 肉。

【生境分布】 分布于宁夏中宁、青铜峡、永宁、灵武、兴庆、贺兰、平罗、惠农等引黄灌区等。

【功能主治】 暖中和胃。用于反胃吐食，脾胃虚寒，泄泻等。

辐鳍鱼纲 Actinopterygii　鲤形目 Cypriniformes　鲤科 Cyprinidae

团头鲂 *Megalobrama amblycephala* Yih

【药用部位】　肉。

【生境分布】　分布于宁夏贺兰、平罗、兴庆、西夏、中卫等。

【功能主治】　调脾健胃。用于消化不良，胸腹胀满等。

硬骨鱼纲 Osteichthyes　鲤形目 Cypriniformes　鲤科 Cyprinidae

花斑裸鲤 *Gymnocypris eckloni* (Herzenstein)

【药用部位】　肉、胆。

【生境分布】　宁夏隆德有养殖。

【功能主治】　肉：祛瘀，排脓，消炎。

　　　　　　　胆：清热，消障翳。

硬骨鱼纲 Osteichthyes　鲤形目 Cypriniformes　鲤科 Cyprinidae

鳙 *Aristichthys nobilis* (Richardson)

【药用部位】　肉。

【生境分布】　宁夏各地均有分布。

【功能主治】　暖脾胃，壮筋骨。

硬骨鱼纲 Osteichthyes　鲤形目 Cypriniformes　鲤科 Cyprinidae

鲢鱼 *Hypophthalmichthys molitrix* (Cuvier et Valencinnes)

【药用部位】　肉。

【生境分布】　宁夏各地均有养殖。

【功能主治】　温中益气，利水。用于久病体虚，水肿等。

硬骨鱼纲 Osteichthyes　鲤形目 Cypriniformes　鲤科 Cyprinidae

鲤鱼 *Cyprinus carpio* Linnaeus

【药用部位】　除去鳞及内脏的全体。

【生境分布】　栖息于河流、湖塘、水库的松软底层或水草丛生处。分布于宁夏黄河流域以及中宁、
　　　　　　　青铜峡、永宁、灵武、兴庆、贺兰、平罗、惠农等引黄灌区，宁夏各地均有养殖。

【功能主治】　甘，平。归脾、肾经。开胃健脾，利水消肿，止咳平喘，下乳安胎。用于脾胃虚弱，
　　　　　　　反胃吐食，久咳气喘，水肿胀满，小便不利，脚气，黄疸，乳汁不通。

硬骨鱼纲 Osteichthyes　鲤形目 Cypriniformes　鲤科 Cyprinidae

鲫 *Carassius auratus* (Linnaeus)

【别　　名】　鲫鱼。

【药用部位】　肉、胆。

【生境分布】　生于河渠、湖塘等处，多见养殖。宁夏各地均有分布。

【功能主治】　肉：温中和胃，利水消肿。用于脾胃虚弱。

　　　　　　　胆：用于迎风流泪。

硬骨鱼纲 Osteichthyes　鲤形目 Cypriniformes　鲤科 Cyprinidae

北方铜鱼 *Coreius septentrionalis* Nichols

【别　　名】　鸽子鱼。

【药用部位】　全体。

【生境分布】　栖息于黄河中下游水流平缓处。分布于宁夏沙坡头等黄河流域地区。

【功能主治】　清热解毒，醒酒，开胃。

【附　　注】　根据《中国动物志》，鲤科动物北方铜鱼的拉丁学名 *Coreius ceptopsis* 已被修订为北方铜鱼 *Coreius septentrionalis* Nichols。

硬骨鱼纲 Osteichthyes　鲤形目 Cypriniformes　花鳅科 Cobitidae

泥鳅 *Misgurnus angullicaudatus* (Cantor)

【药用部位】　全体。

【生境分布】　栖息于湖塘、河沟或水田中。分布于宁夏中宁、青铜峡、永宁、灵武、兴庆、贺兰、平罗、惠农等引黄灌区等。

【功能主治】　补中益气，解渴，醒酒。用于水肿，黄疸，疥疮等。

硬骨鱼纲 Osteichthyes　鲇形目 Siluriformes　鲇科 Siluridae

鲇 *Parasilurus asotus* (Linnaeus)

【药用部位】　全体。

【生境分布】　生于河渠流域，喜栖息于岸边树下、草丛下。分布于宁夏中宁、青铜峡、永宁、灵武、兴庆、贺兰、平罗、惠农等引黄灌区等。

【功能主治】　滋阴补虚，健脾开胃，通经下乳，利尿消肿。

两栖纲 Amphibia　无尾目 Anura　蟾蜍科 Bufonidae

中华蟾蜍 *Bufo gargarizans* Cantor

【药用部位】 分泌物、除去内脏的全体。

【生境分布】 栖息于草丛、石下或土穴内，黄昏后外出活动、觅食。分布于宁夏大部分地区。

【功能主治】 分泌物：辛，温；有毒。归心经。解毒，止痛，开窍醒神。用于痈疽疔疮，咽喉肿痛，中暑神昏，痧证腹痛吐泻。

　　　　　　除去内脏的全体：辛，凉；有毒。归肝、脾、肺经。清热解毒，利水消肿。用于小儿疳积，咽喉肿痛，肿瘤；外用于痈肿疔疮。

两栖纲 Amphibia　无尾目 Anura　蛙科 Ranidae

黑斑侧褶蛙 *Pelophylax nigromaculatus* (Hallo-well)

【别　　名】 田鸡、癞呱呱。

【药用部位】 全体或胆。

【生境分布】 分布于宁夏中宁、青铜峡、永宁、灵武、兴庆、贺兰、平罗、惠农等引黄灌区及泾源等。

【功能主治】 全体：利水消肿，清热解毒，补虚止咳。

　　　　　　胆：清热解毒。用于肺炎，麻疹，咽炎。

【附　　注】 根据 2021 年版"中国生物物种名录"，青蛙 *Rana nigromaculata* Hallowell 已被修订为黑斑侧褶蛙 *Pelophylax nigromaculatus* (Hallo-well)。

两栖纲 Amphibia　无尾目 Anura　蛙科 Ranidae

中国林蛙 *Rana chensinensis* David

【别　　名】 田鸡、青蛙。

【药用部位】 干燥输卵管（蛤蟆油）。

【生境分布】 4～9 月营陆栖生活，栖息于阴湿山坡、树丛、农田。9 月至翌年 3 月营水栖生活。分布于宁夏贺兰、兴庆、西夏、中宁、泾源等。

【功能主治】 甘、咸，平。归肺、肾经。补虚退热，强肾益精。用于病后、产后虚弱，肺痨咯血，产后无乳。

两栖纲 Amphibia　无尾目 Anura　蟾蜍科 Bufonidae

花背蟾蜍 *Strauchbufo raddei* (Strauch)

【药用部位】 干燥全体或除去内脏的干燥全体．

【生境分布】 栖息于草丛、石下或土穴内，黄昏后外出活动、觅食。分布于宁夏大部分地区。

【功能主治】 解毒，散肿。用于痈肿恶疮，腹胀，水肿，疳积，咳喘痰多，肿瘤。

爬行纲 Reptilia　龟鳖目 Testudines　鳖科 Trionychidae

中华鳖 *Pelodiscus sinensis* Wiegmann

【别　　名】鳖、甲鱼。

【药用部位】背甲、头。

【生境分布】生于河流或池塘中。分布于宁夏中宁、青铜峡、永宁、灵武、兴庆、贺兰、平罗、惠农等引黄灌区等。

【功能主治】背甲：咸，微寒。归肝、肾经。滋阴潜阳，镇静，软坚散结。

头：补气助阳。

【附　　注】根据 2021 年版"中国生物物种名录"，鳖科动物中华鳖的拉丁学名 *Trionyx sinensis* Wiegmann 已被修订为 *Pelodiscus sinensis* Wiegmann。

爬行纲 Reptilia　有鳞目 Squamata　壁虎科 Gekkonidae

无蹼壁虎 *Gekko swinhonis* Günther

【别　　名】爬墙虎。

【药用部位】全体。

【生境分布】栖息于房屋墙隙、石缝、树洞中。分布于宁夏原州等。

【功能主治】咸，寒；有小毒。归心经。补肺肾，益精血，止咳定喘，祛风活络，散结解毒。

爬行纲 Reptilia　有鳞目 Squamata　蜥蜴科 Lacertidae

丽斑麻蜥 *Eremias argus* Peters

【别　　名】麻蛇子。

【药用部位】全体。

【生境分布】栖息于浅沙地带或流沙边缘的田野、渠岸等处。宁夏各地均有分布。

【功能主治】咸，寒。归肾经。活血祛瘀，消瘿散结，解毒，镇静。用于骨折，淋巴结结核，气管炎，癫痫。

爬行纲 Reptilia　有鳞目 Squamata　蜥蜴科 Lacertidae

密点麻蜥 *Eremias multiocellata* (Günther)

【别　　名】麻蛇子。

【药用部位】全体。

【生境分布】分布于宁夏银川、石嘴山、中卫及盐池等。

【功能主治】同"丽斑麻蜥"。

爬行纲 Reptilia　有鳞目 Squamata　游蛇科 Colubridae

黄脊游蛇 *Coluber spinalis* (Peters)

【药用部位】　全体。

【生境分布】　分布于宁夏贺兰山（平罗、永宁、青铜峡）及海原、原州等。

【功能主治】　祛风湿，止痛。用于风湿关节痛，肌肤麻木等。

爬行纲 Reptilia　有鳞目 Squamata　游蛇科 Colubridae

白条锦蛇 *Elaphe dione* Pallas

【药用部位】　干燥皮膜。

【生境分布】　栖息于田野、庭院、草原、坟地及半荒漠区。分布于宁夏贺兰山（平罗、西夏、永宁、青铜峡）等。

【功能主治】　咸、甘，平。归肝经。祛风定惊，退翳，消肿，杀虫。

爬行纲 Reptilia　有鳞目 Squamata　游蛇科 Colubridae

双斑锦蛇 *Elaphe bimaculata* Schmidt

【药用部位】　干燥皮膜。

【生境分布】　分布于宁夏泾源等。

【功能主治】　同"白条锦蛇"。

爬行纲 Reptilia　有鳞目 Squamata　游蛇科 Colubridae

虎斑颈槽蛇 *Rhabdophis tigrinus* (Boie)

【别　　名】　野鸡脖子。

【药用部位】　全体。

【生境分布】　分布于宁夏银川、海原及六盘山（隆德）等。

【功能主治】　解毒，祛风湿，止痛。用于骨结核，骨质增生，风湿性关节炎。

【附　　注】　根据 2021 年版"中国生物物种名录"，游蛇科动物虎斑游蛇 *Natrix tigrina lateralis* (Berthold) 已被修订为虎斑颈槽蛇 *Rhabdophis tigrinus* (Boie)。

爬行纲 Reptilia　有鳞目 Squamata　蝰科 Viperidae

中介蝮 *Gloydius intermedius* Strauch

【药用部位】　全体或胆、蛇毒。

【生境分布】　栖息于草原、丘陵、山麓等杂草丛中或乱石堆旁。分布于宁夏兴庆、西夏、永宁及贺兰山山区等。

【功能主治】 全体：祛风，镇痛，解毒，下乳，补益。

胆：清热解毒，明目。

蛇毒：用于胃癌早期。

爬行纲 Reptilia　有鳞目 Squamata　蝰科 Viperidae

六盘山蝮 *Gloydius liupanensis* Liu, Song & Luo

【药用部位】 全体或胆、蛇毒。

【生境分布】 栖息于草原、丘陵、山麓等杂草丛中或乱石堆旁。分布于宁夏海原及六盘山（隆德）等。

【功能主治】 全体：祛风，镇痛，解毒，下乳，补益。

胆：清热解毒，明目。

蛇毒：用于胃癌早期。

【附　　注】 《中国动物志》认为中药蝮蛇的基原应为尖吻蝮 *Deinagkistrodon acutus* (Günther)，但是该物种大致分布在东经 104° 以东、北纬 25° 至北纬 31° 的长江中下游地区及台湾省，而未分布于我国西北地区。根据《贺兰山脊椎动物》、2021 年版"中国生物物种名录"、《中国动物志》中记录的物种分布情况，我们认为可能在宁夏分布有以上两种蝮蛇（六盘山蝮、尖吻蝮），同作蝮蛇药用。

鸟纲 Aves　䴙䴘目 Podicipediformes　䴙䴘科 Podicipedidae

小䴙䴘 *Tachybaptus ruficollis* (Pallas)

【别　　名】 王八鸭子。

【药用部位】 肉。

【生境分布】 分布于宁夏兴庆、西夏、金凤、永宁等。

【功能主治】 补中益气，收敛止痢。

鸟纲 Aves　鹈形目 Pelecaniformes　鹭科 Ardeidae

大白鹭 *Ardea alba* Linnaeus

【别　　名】 冬庄。

【药用部位】 肉。

【生境分布】 分布于宁夏兴庆、西夏、金凤、永宁、吴忠等。

【功能主治】 解毒。用于痔疮，痈肿。

【附　　注】 根据 2021 年版"中国生物物种名录"，鹭科动物大白鹭的拉丁学名 *Egretta alba* (Linnaeus) 已被修订为 *Ardea alba* Linnaeus。

鸟纲 Aves　鹈形目 Pelecaniformes　鹭科 Ardeidae

白鹭 *Egretta garzetta* Linnaeus

【药用部位】 肉。

【生境分布】 分布于宁夏兴庆、西夏、金凤、永宁等。

【功能主治】 补气益脾，解毒。用于脾虚泄泻，消化不良，食欲不振，脱肛。

鸟纲 Aves　雁形目 Anseriformes　鸭科 Anatidae

鸿雁 *Anser cygnoid* Linnaeus

【别　　名】 大雁。

【药用部位】 脂肪、肉、毛。

【生境分布】 分布于宁夏平罗、永宁等。

【功能主治】 脂肪：舒筋活血，益气解毒。

　　　　　　　肉：祛风湿，壮筋骨。

　　　　　　　毛：用于小儿惊痫。

鸟纲 Aves　雁形目 Anseriformes　鸭科 Anatidae

豆雁 *Anser fabalis* Latham

【药用部位】 脂肪、肉、毛。

【生境分布】 分布于宁夏平罗、永宁等。

【功能主治】 同"鸿雁"。

鸟纲 Aves　雁形目 Anseriformes　鸭科 Anatidae

家鹅 *Anser cygnoides domesticus* Brisson

【别　　名】 鹅。

【药用部位】 脂肪、肉、沙囊内壁。

【生境分布】 宁夏各地均有分布。

【功能主治】 脂肪：消肿解毒，润泽肌肤。

　　　　　　　肉：益气补虚，和胃止渴。

　　　　　　　沙囊内壁：健脾止痢，助消化。

鸟纲 Aves　雁形目 Anseriformes　鸭科 Anatidae

大天鹅 *Cygnus cygnus* Linnaeus

【药用部位】 羽毛、肉、脂肪。

【生境分布】 分布于宁夏平罗等。

【功能主治】 羽毛：止血。

肉：利五脏，益气力。

脂肪：外用于痈肿。

鸟纲 Aves　雁形目 Anseriformes　鸭科 Anatidae

赤麻鸭 *Tadorna ferruginea* Pallas

【别　　名】 黄鸭。

【药用部位】 肉。

【生境分布】 分布于宁夏平罗、彭阳等。

【功能主治】 补肾壮阳，消疮肿，祛风湿。用于肾虚阳痿，遗精，诸疮肿痛。

鸟纲 Aves　雁形目 Anseriformes　鸭科 Anatidae

绿翅鸭 *Anas crecca* Linnaeus

【别　　名】 小水鸭。

【药用部位】 肉。

【生境分布】 分布于宁夏平罗、兴庆、西夏、金凤、永宁、泾源等。

【功能主治】 同"绿头鸭"。

鸟纲 Aves　雁形目 Anseriformes　鸭科 Anatidae

绿头鸭 *Anas platyrhynchos* Linnaeus

【别　　名】 水鸭子。

【药用部位】 羽毛、肉。

【生境分布】 栖息于湖泊、河流及滩地芦苇荡或草丛中。分布于宁夏平罗、兴庆、金凤、西夏、
永宁等。

【功能主治】 羽毛：收敛，解毒。

肉：补中益气，消食健胃。

鸟纲 Aves　雁形目 Anseriformes　鸭科 Anatidae

斑嘴鸭 *Anas zonorhyncha* Swinhoe

【别　　名】 黄嘴尖鸭。

【药用部位】 肉。

【生境分布】 分布于宁夏平罗、兴庆、金凤、西夏、永宁等。

【功能主治】补中益气。用于脾胃虚弱，脱肛，子宫脱垂。

【附　　注】根据 2021 年版"中国生物物种名录"，鸭科动物斑嘴鸭的拉丁学名 *Anas poecilorhyncha* (Forster) 已被修订为 *Anas zonorhyncha* Swinhoe。

鸟纲 Aves　雁形目 Anseriformes　鸭科 Anatidae

家鸭 *Anas domestica* Linnaeus

【别　　名】鸭子。

【药用部位】血、肉、沙囊内壁。

【生境分布】宁夏各地均有分布。

【功能主治】血：清热止痉，解毒，补血。

　　　　　　沙囊内壁：用于消化不良，诸骨鲠喉。

鸟纲 Aves　雁形目 Anseriformes　鸭科 Anatidae

普通秋沙鸭 *Mergus merganser* Linnaeus

【别　　名】鱼鸭子。

【药用部位】肉、骨。

【生境分布】分布于宁夏平罗、兴庆、西夏、金凤、永宁等。

【功能主治】肉：清热解毒，解痉。

　　　　　　骨：解毒，利水。

鸟纲 Aves　鹰形目 Accipitriformes　鹰科 Accipitridae

黑鸢 *Milvus migrans* (Boddaet)

【别　　名】老鹰。

【药用部位】脑髓、胆、肉。

【生境分布】栖息于山谷树丛、悬崖绝壁等处。宁夏各地均有分布。

【功能主治】脑髓：解毒，止痛。用于痔疮，头痛等。

　　　　　　胆：用于心胃气痛。

　　　　　　肉：用于哮喘。

【附　　注】根据 2021 年版"中国生物物种名录"，鹰科鸢属在我国仅有 1 种 2 亚种，入药者应为黑鸢。

鸟纲 Aves　鹰形目 Accipitriformes　鹰科 Accipitridae

苍鹰 *Accipiter gentilis* Linnaeus

【别　　名】鹰。

【药用部位】头、骨骼。

【生境分布】分布于宁夏银川等。

【功能主治】头：祛风解毒。用于头目眩晕，痔瘘等。

骨骼：祛风湿，续筋骨。用于筋骨疼痛，损伤骨折等。

鸟纲 Aves　鹰形目 Accipitriformes　鹰科 Accipitridae

大鵟 *Buteo hemilasius* Temminck & Schlegel

【别　　名】老鹰。

【药用部位】肉、羽毛。

【生境分布】栖息于山谷树丛、悬崖绝壁等处。分布于宁夏中卫、吴忠、银川、平罗及六盘山等。

【功能主治】肉：滋补，消肿。用于久病体虚等。

羽毛：止血消肿。用于外伤出血。

鸟纲 Aves　鹰形目 Accipitriformes　鹰科 Accipitridae

玉带海雕 *Haliaeetus leucoryphus* Pallas

【别　　名】黑鹰。

【药用部位】肉。

【生境分布】分布于宁夏平罗、惠农、大武口等。

【功能主治】镇静安神。用于惊痫，失眠，精神病等。

鸟纲 Aves　鹰形目 Accipitriformes　鹰科 Accipitridae

秃鹫 *Aegypius monachus* Linnaeus

【别　　名】坐山雕。

【药用部位】肉、骨。

【生境分布】分布于宁夏中宁、青铜峡、平罗、贺兰、隆德等。

【功能主治】肉：滋补养阴。用于肺结核。

骨：软坚散结。用于甲状腺肿。

鸟纲 Aves　鹰形目 Accipitriformes　鹰科 Accipitridae

胡兀鹫 *Gypaetus barbatus* Linnaeus

【药用部位】肉、胃。

【生境分布】分布于宁夏贺兰、灵武、吴忠等。

【功能主治】 肉：镇静，消炎，化积。

　　　　　　胃：散结，健胃。用于胃癌，胃炎等。

鸟纲 Aves　鹰形目 Accipitriformes　鹰科 Accipitridae

金雕 *Aquila chrysaetos* Linnaeus

【药用部位】 骨。

【生境分布】 分布于宁夏隆德等。

【功能主治】 活血止痛。用于跌打骨折等。

鸟纲 Aves　鹰形目 Accipitriformes　鹗科 Pandionidae

鹗 *Pandion haliaetus* Linnaeus

【别　　名】 鱼鹰。

【药用部位】 骨。

【生境分布】 分布于宁夏西夏、永宁等。

【功能主治】 续筋接骨，消肿止痛。

鸟纲 Aves　鸡形目 Galliformes　雉科 Phasianidae

西鹌鹑 *Coturnix coturnix* Linnaeus

【别　　名】 鹌鹑。

【药用部位】 肉、蛋或除去羽毛和内脏的全体。

【生境分布】 宁夏各地零星养殖。

【功能主治】 肉：补中益气，壮筋骨，止泻，止痢，止咳。

　　　　　　蛋：用于心脏病，胃病，肺病等。

鸟纲 Aves　鸡形目 Galliformes　雉科 Phasianidae

家鸡 *Gallus gallus domesticus* Brisson

【药用部位】 肉、干燥的沙囊内壁、鸡蛋壳内层的干燥卵膜。

【生境分布】 宁夏各地均有养殖。

【功能主治】 肉：温中益气，填精补髓。

　　　　　　干燥的沙囊内壁：甘，平。归脾、胃、小肠、膀胱经。消食化积，涩精缩尿。

　　　　　　鸡蛋壳内层的干燥卵膜：淡，平。归肺经。养阴清肺，敛疮，消翳，接骨。

鸟纲 Aves　鸡形目 Galliformes　雉科 Phasianidae

乌骨鸡 *Gallus gallus domesticus* Brisson

【别　　名】乌鸡。

【药用部位】除去羽毛和内脏的全体。

【生境分布】宁夏各地零星养殖。

【功能主治】甘，平。归肝、肾经。补肝肾，益气血，清虚热。用于遗精，滑精，久泻久痢，消渴，赤白带下等。

鸟纲 Aves　鸡形目 Galliformes　雉科 Phasianidae

环颈雉 *Phasianus colchicus* (Linnaeus)

【别　　名】野鸡、呱啦鸡。

【药用部位】肉、脑、尾。

【生境分布】分布于宁夏贺兰山（西夏、贺兰、平罗）、六盘山（隆德）等。

【功能主治】肉：补中益气。

脑：外用于冻疮。

尾：用于丹毒。

鸟纲 Aves　鸡形目 Galliformes　雉科 Phasianidae

红腹锦鸡 *Chrysolophus pictus* Linnaeus

【别　　名】金鸡、锦鸡。

【药用部位】全体。

【生境分布】分布于宁夏泾源等。

【功能主治】养肝补血，温中益气。用于气血不足，体弱无力等。

鸟纲 Aves　鹤形目 Gruiformes　秧鸡科 Rallidae

黑水鸡 *Gallinula chloropus* (Linnaeus)

【别　　名】红骨顶。

【药用部位】肉。

【生境分布】分布于宁夏平罗、西夏、兴庆、永宁、中宁等。

【功能主治】滋补强壮，开胃。用于脾胃虚弱，食欲不振，消化不良。

鸟纲 Aves　鸨形目 Otidiformes　鸨科 Otididae

大鸨 *Otis tarda* (Linnaeus)

【药用部位】 脂肪。

【生境分布】 分布于宁夏平罗、惠农、大武口等。

【功能主治】 补肾壮阳，解毒益气，润泽皮肤。

鸟纲 Aves　鸻形目 Charadriiformes　鹬科 Scolopacidae

白腰草鹬 *Tringa ochropus* Linnaeus

【药用部位】 肉。

【生境分布】 分布于宁夏泾源等。

【功能主治】 清热解毒。用于麻疹。

【附　　注】 根据 2021 年"中国生物物种名录"，鹬科动物草鹬 *Tringa ochropus* Linnaeus 的中文名已被修订为白腰草鹬。

鸟纲 Aves　鸻形目 Charadriiformes　鸥科 Laridae

红嘴鸥 *Chroicocephalus ridibundus* (Linnaeus)

【别　　名】 水鸽子。

【药用部位】 肉。

【生境分布】 分布于宁夏兴庆、西夏、永宁等。

【功能主治】 滋阴润燥。用于狂躁烦渴。

鸟纲 Aves　鸽形目 Columbiformes　沙鸡科 Pteroclidae

毛腿沙鸡 *Syrrhaptes paradoxus* (Pallas)

【别　　名】 沙鸡、半鸡子、沙半鸡。

【药用部位】 肉。

【生境分布】 生于山地林缘、草甸、农田一带。宁夏各地均有分布。

【功能主治】 补中益气，暖胃健脾。用于脾虚泄泻，胃寒呃逆，脱肛，崩漏。

鸟纲 Aves　鸽形目 Columbiformes　鸠鸽科 Columbidae

家鸽 *Columba livia domestica* Linnaeus

【别　　名】 鸽子。

【药用部位】 肉。

【生境分布】 宁夏各地均有养殖。

【功能主治】 益气解毒，祛风和血，调经止痛。用于麻疹，猩红热，恶疮，疥癣，久病体虚等。

鸟纲 Aves　鸽形目 Columbiformes　鸠鸽科 Columbidae

岩鸽 *Columba rupestris* Pallas

【别　　名】 野鸽子。

【药用部位】 肉。

【生境分布】 宁夏各地均有分布。

【功能主治】 滋肾益气，祛风解毒。用于久病虚损等。

鸟纲 Aves　鸽形目 Columbiformes　鸠鸽科 Columbidae

山斑鸠 *Streptopelia orientalis* Latham

【别　　名】 山鸽子。

【药用部位】 肉。

【生境分布】 分布于宁夏兴庆、西夏、金凤、永宁、隆德、泾源等。

【功能主治】 益气明目，强筋壮骨。用于久病气虚，体弱无力，目暗昏花等。

鸟纲 Aves　鸽形目 Columbiformes　鸠鸽科 Columbidae

珠颈斑鸠 *Streptopelia chinensis* Scopoli

【别　　名】 花斑鸠。

【药用部位】 肉。

【生境分布】 分布于宁夏隆德、泾源等。

【功能主治】 补肾，明目，益气。用于久病虚损，呃逆，气虚等。

鸟纲 Aves　鹃形目 Cuculiformes　杜鹃科 Cuculidae

大杜鹃 *Cuculus canorus* Linnaeus

【别　　名】 布谷鸟。

【药用部位】 全体。

【生境分布】 分布于宁夏平罗、西夏、永宁、隆德、泾源等。

【功能主治】 清瘰，通便，镇咳。用于淋巴结结核，肠燥便秘，百日咳等。

鸟纲 Aves　鸮形目 Strigiformes　鸱鸮科 Strigidae

长耳鸮 *Asio otus* (Linnaeus)

【别　　名】 长耳猫头鹰。

【药用部位】 全体。

【生境分布】 分布于宁夏泾源等。

【功能主治】 解毒，定惊。用于胃癌，食管癌。

鸟纲 Aves　鸮形目 Strigiformes　鸱鸮科 Strigidae

雕鸮 *Bubo bubo* (Linnaeus)

【别　　名】 猫头鹰。

【药用部位】 全体。

【生境分布】 生于山地、林间、树洞、岩缝或土穴中。分布于宁夏中卫、银川及贺兰山、六盘山等。

【功能主治】 同"长耳鸮"。

鸟纲 Aves　夜鹰目 Capimulgiformes　夜鹰科 Caprimulgidae

普通夜鹰 *Caprimulgus indicus* Latham

【别　　名】 夜燕。

【药用部位】 脂肪。

【生境分布】 分布于宁夏银川、青铜峡、中卫、泾源等。

【功能主治】 滋补益阴。用于体力不支，妇女不孕症等。

鸟纲 Aves　佛法僧目 Coraciiformes　翠鸟科 Alcedinidae

普通翠鸟 *Alcedo atthis* Linnaeus

【别　　名】 翠鸟。

【药用部位】 肉。

【生境分布】 分布于宁夏泾源等。

【功能主治】 解毒，通淋。用于痔疮，淋证，鱼骨鲠咽等。

鸟纲 Aves　犀鸟目 Bucerotiformes　戴胜科 Upupidae

戴胜 *Upupa epops* (Linnaeus)

【别　　名】 臭姑姑。

【药用部位】 全体。

【生境分布】 宁夏各地均有分布。

【功能主治】 平肝息风，安神镇静。用于癫痫，精神病等。

鸟纲 Aves　䴕形目 Piciformes　啄木鸟科 Picidae

蚁䴕 *Jynx torquilla* (Linnaeus)

【别　　名】 蛇皮鸟。

【药用部位】 肉。

【生境分布】 宁夏各地均有分布。

【功能主治】 滋阴补虚。用于虚劳，小儿疳积等。

鸟纲 Aves　䴕形目 Piciformes　啄木鸟科 Picidae

大斑啄木鸟 *Dendrocopos major* (Linnaeus)

【别　　名】 啄木鸟。

【药用部位】 全体。

【生境分布】 分布于宁夏贺兰、西夏、永宁、隆德等。

【功能主治】 滋阴补虚，消肿止痛。

鸟纲 Aves　䴕形目 Piciformes　啄木鸟科 Picidae

灰头绿啄木鸟 *Picus canus* (Gmelin)

【别　　名】 啄木鸟。

【药用部位】 全体。

【生境分布】 分布于宁夏贺兰、西夏、永宁、隆德、泾源等。

【功能主治】 滋补强壮。用于久病虚弱，小儿疳积，痔疮等。

鸟纲 Aves　雀形目 Passeriformes　百灵科 Alaudidae

云雀 *Alauda arvensis* (Linnaeus)

【药用部位】 肉。

【生境分布】 宁夏各地均有分布。

【功能主治】 解毒，缩尿。用于胎毒，赤痢，遗尿。

鸟纲 Aves　雀形目 Passeriformes　百灵科 Alaudidae

小云雀 *Alauda gulgula* (Franklin)

【药用部位】 肉。

【生境分布】 分布于宁夏隆德等。

【功能主治】 解毒，缩尿。用于胎毒，赤痢，遗尿，肺结核等。

鸟纲 Aves　雀形目 Passeriformes　燕科 Hirundinidae

金腰燕 *Cecropis daurica* Laxmann

【别　　名】 燕子、燕叽叽。

【药用部位】 巢泥。

【生境分布】 栖息于屋檐梁椽间或村落附近的田野。宁夏各地均有分布。

【功能主治】 同"家燕"。

【附　　注】 根据 2021 年版"中国生物物种名录"，燕科动物金腰燕 *Hirundo daurica* Linnaeus 的拉丁学名已被修订为 *Cecropis daurica* Laxmann。

鸟纲 Aves　雀形目 Passeriformes　燕科 Hirundinidae

家燕 *Hirudo rustica* Linnaeus

【别　　名】 燕子、燕叽叽。

【药用部位】 巢泥。

【生境分布】 栖息于屋檐梁椽间或村落附近的田野。宁夏各地均有分布。

【功能主治】 巢泥（燕窝泥）：清热解毒。用于湿疹，恶疮，丹毒等。

鸟纲 Aves　雀形目 Passeriformes　燕科 Hirundinidae

崖沙燕 *Riparia riparia* (Linnaeus)

【别　　名】 土燕。

【药用部位】 全体或巢泥。

【生境分布】 栖息于屋檐梁椽间或村落附近的田野。分布于宁夏中卫、吴忠、银川及平罗等。

【功能主治】 全体：清热解毒，活血消肿。

　　　　　　　巢泥：清热解毒。

【附　　注】 根据 2021 年版"中国生物物种名录"，燕科动物灰沙燕的中文名被修订为崖沙燕。

鸟纲 Aves　雀形目 Passeriformes　黄鹂科 Oriolidae

黑枕黄鹂 *Oriolus chinensis* Linnaeus

【别　　名】 黄莺。

【药用部位】 肉。

【生境分布】 分布于宁夏隆德、泾源等。

【功能主治】 补气壮阳，温脾。用于肢体倦怠，脾胃虚寒，泄泻等。

鸟纲 Aves　雀形目 Passeriformes　鸦科 Corvidae

喜鹊 *Pica pica* (Linnaeus)

【药用部位】 肉。

【生境分布】 宁夏各地均有分布。

【功能主治】 清热，散结，补虚，通淋，止渴。

鸟纲 Aves 雀形目 Passeriformes 鸦科 Corvidae

秃鼻乌鸦 *Corvus frugilegus* (Linnaeus)

【别　　名】 黑老鸹。

【药用部位】 肉。

【生境分布】 分布于宁夏银川等。

【功能主治】 祛风定痫，滋养补虚，止血。

鸟纲 Aves 雀形目 Passeriformes 鸦科 Corvidae

渡鸦 *Corvus corax* (Linnaeus)

【别　　名】 老鸹。

【药用部位】 肉。

【生境分布】 分布于宁夏贺兰等。

【功能主治】 同"秃鼻乌鸦"。

鸟纲 Aves 雀形目 Passeriformes 鸦科 Corvidae

小嘴乌鸦 *Corvus corone* (Linnaeus)

【别　　名】 黑老鸹。

【药用部位】 肉。

【生境分布】 分布于宁夏贺兰、兴庆、西夏、金凤、永宁等。

【功能主治】 同"秃鼻乌鸦"。

鸟纲 Aves 雀形目 Passeriformes 鸦科 Corvidae

大嘴乌鸦 *Corvus macrorhynchos* (Wagler)

【别　　名】 老鸦。

【药用部位】 肉。

【生境分布】 分布于宁夏贺兰山（西夏、永宁、平罗）及隆德等。

【功能主治】 同"秃鼻乌鸦"。

鸟纲 Aves 雀形目 Passeriformes 鸦科 Corvidae

寒鸦 *Corvus monedula* (Linnaeus)

【药用部位】 肉。

【生境分布】 宁夏各地均有分布。

【功能主治】 同"秃鼻乌鸦"。

鸟纲 Aves　雀形目 Passeriformes　鸦科 Corvidae

红嘴山鸦 *Pyrrhocorax pyrrhocorax* (Linnaeus)

【别　　名】 山老鸹。

【药用部位】 肉。

【生境分布】 宁夏各地均有分布。

【功能主治】 同"秃鼻乌鸦"。

鸟纲 Aves　雀形目 Passeriformes　鹀科 Emberizidae

灰头鹀 *Emberiza spodocephala* Pallas

【别　　名】 青头雀。

【药用部位】 肉。

【生境分布】 分布于宁夏银川、隆德、泾源等。

【功能主治】 补益，解毒。用于毒蕈中毒，阳痿等。

鸟纲 Aves　雀形目 Passeriformes　河乌科 Cinclidae

褐河乌 *Cinclus pallasii* (Temminck)

【别　　名】 水老鸹。

【药用部位】 肉。

【生境分布】 分布于宁夏隆德等。

【功能主治】 清热解毒，消肿散结。用于淋巴结结核。

鸟纲 Aves　雀形目 Passeriformes　鹪鹩科 Troglodytidae

鹪鹩 *Troglodytes troglodytes* (Linnaeus)

【药用部位】 全体。

【生境分布】 分布于宁夏贺兰山（平罗、大武口、贺兰）等。

【功能主治】 补脾，益肺，滋肾。用于咳嗽喘息等。

鸟纲 Aves　雀形目 Passeriformes　雀科 Passeridea

麻雀 *Passer montanus* (Linnaeus)

【别　　名】 家雀。

【药用部位】 全体或粪便、脑。

【生境分布】 栖息于房檐、墙缝、草垛、树洞等处。宁夏各地均有分布。

【功能主治】 全体：补肾壮阳，固涩益精。

粪便：苦，温。归肝、肾经。清积，明目，解毒。

脑：外用于冻疮。

鸟纲 Aves　雀形目 Passeriformes　鹀科 Emberizidae

哺乳纲 Mammlia　猬目 Erinaceomorpha　猬科 Erinaceidae

达乌尔猬 *Mesechinus dauricus* Sundevall

【别　　名】 刺猬。

【药用部位】 干燥皮刺、胆。

【生境分布】 栖息于干旱地区的农田、草原、沙地、丘陵等处。分布于宁夏中卫、吴忠、原州及贺兰山等。

【功能主治】 干燥皮刺：苦，平。归大肠、胃经。凉血止血，降气止痛，解毒，固精。

胆：清热明目，解毒。

【附　　注】 根据 2021 年版"中国生物物种名录"，猬科动物达呼尔猬 *Hemiechinus dauricus* Sundevall 已被修订为达乌尔猬 *Mesechinus dauricus* Sundevall。

哺乳纲 Mammlia　猬目 Erinaceomorpha　猬科 Erinaceidae

大耳猬 *Hemiechinus auratus* (Gmelis)

【别　　名】 刺猬。

【药用部位】 外皮、胆。

【生境分布】 栖息于干旱地区的农田、草原、沙地、丘陵等处。宁夏各地均有分布，但数量较少。

【功能主治】 同"达乌尔猬"。

哺乳纲 Mammlia　鼩鼱目 Soricomorpha　鼹科 Talpidae

麝鼹 *Scaptochirus moschatus* Milne-Edwards

【别　　名】 鼹鼠、哈哈、地爬子。

【药用部位】 全体。

【生境分布】 栖息于荒山、丘陵、草甸。分布于宁夏盐池、灵武、海原、泾源等。

【功能主治】 解毒，理气，杀虫。用于疔疮肿毒，胃癌，淋巴瘤，喘息，蛔虫病。

哺乳纲 Mammlia　翼手目 Chiroptera　蝙蝠科 Vespertilionidae

普通长耳蝠 *Plecotus auritus* (Linnaeus)

【别　　名】蝙蝠、盐老鼠。

【药用部位】粪便。

【生境分布】栖息于屋檐、墙洞、树洞及岩洞等处。宁夏各地均有分布。

【功能主治】辛，寒。归肝经。消积，活血，明目。用于小儿疳积，夜盲症，角膜薄翳等。

【附　　注】根据 2021 年版"中国生物物种名录"，蝙蝠科动物大耳蝠 *Plecotus auritus* (Linnaeus) 的中文名已被修订为普通长耳蝠。

哺乳纲 Mammlia　翼手目 Chiroptera　蝙蝠科 Vespertilionidae

大棕蝠 *Eptesicus serotinus* (Schreber)

【别　　名】蝙蝠、盐老鼠。

【药用部位】粪便。

【生境分布】分布于宁夏银川等。

【功能主治】同"普通长耳蝠"。

哺乳纲 Mammlia　翼手目 Chiroptera　蝙蝠科 Vespertilionidae

北棕蝠 *Eptesicus nilssonii* (Keyserling et Blasius)

【别　　名】盐老鼠。

【药用部位】除去内脏及毛的全体或粪便。

【生境分布】分布于宁夏兴庆、西夏、金凤、永宁、吴忠、泾源等。

【功能主治】除去内脏及毛的全体：滋补，平喘，止咳。

　　　　　　　粪便：同"普通长耳蝠"。

哺乳纲 Mammlia　兔形目 Lagomorpha　鼠兔科 Ochotonidae

达乌尔鼠兔 *Ochotona dauurica* (Pallas)

【别　　名】蒿兔子。

【药用部位】干燥粪便。

【生境分布】分布于宁夏原州、西吉、隆德等。

【功能主治】祛瘀。用于痛经。

哺乳纲 Mammlia　兔形目 Lagomorpha　兔科 Leporidae

草兔 *Lepus capensis* Linnaeus

【别　　名】野兔。

【药用部位】 干燥粪便。

【生境分布】 栖息于高山草甸和荒漠、半荒漠地区的草原、灌丛及农田等处。宁夏各地均有分布。

【功能主治】 辛，寒。归肝经。解毒，杀虫，明目。用于目翳，痔疮，疳疾。

哺乳纲 Mammlia 啮齿目 Rodentia 松鼠科 Sciuridae

岩松鼠 *Sciurotamias davidianus* (Milne-Edwards)

【别　　名】 扫毛子。

【药用部位】 骨骼。

【生境分布】 分布于宁夏隆德等。

【功能主治】 活血祛瘀。用于跌打损伤。

哺乳纲 Mammlia 啮齿目 Rodentia 松鼠科 Sciuridae

花鼠 *Tamias sibiricus* (Laxmann)

【别　　名】 花丽棒。

【药用部位】 全体或脑。

【生境分布】 栖息于林缘或丘陵灌丛等处。分布于宁夏沙坡头、海原、西吉等。

【功能主治】 全体：调经理气。

脑：用于高血压。

哺乳纲 Mammlia 啮齿目 Rodentia 鼠科 Muridae

褐家鼠 *Rattus norvegicus* (Berkenhout)

【别　　名】 大家鼠。

【药用部位】 幼鼠。

【生境分布】 生于住宅、耕地、菜园等处。宁夏各地均有分布。

【功能主治】 解毒止血。用于烫火伤，外伤出血。

哺乳纲 Mammlia 食肉目 Carnivora 犬科 Canidae

狗 *Canis familiaris* Linnaeus

【药用部位】 胃结石、骨骼、雄性狗的阴茎及睾丸。

【生境分布】 宁夏各地均有分布。

【功能主治】 胃结石：甘、咸、微苦，平。归心、肺、胃、肝经。降逆气，开郁结，解疮毒。

骨骼：辛、咸，温。归肝、肾、脾经。活血，祛风，止痛，生肌。

雄性狗的阴茎及睾丸：咸，温。归肝、肾经。暖肾壮阳，益精填髓。

哺乳纲 Mammlia　食肉目 Carnivora　犬科 Canidae

狼 *Canis lupus* Linnaeus

【药用部位】 脂肪。

【生境分布】 栖息于山地、草原、荒漠等处。分布于宁夏六盘山（隆德）等。

【功能主治】 脂肪（狼油）：补益，厚肠。用于肺结核，久咳等。

哺乳纲 Mammlia　食肉目 Carnivora　犬科 Canidae

豺 *Cuon alpinus* (Pallas)

【别　　名】 红狼。

【药用部位】 肉、胃。

【生境分布】 分布于宁夏原州、隆德等。

【功能主治】 肉：滋补行气。用于寒气引起的肌肉肿胀。

　　　　　　 胃：消食化积。用于积食。

哺乳纲 Mammlia　食肉目 Carnivora　犬科 Canidae

赤狐 *Vulpes vulpes* (Linnaeus)

【别　　名】 狐狸、狐子、野狐子、臊狐子。

【药用部位】 心、肺。

【生境分布】 栖息于丘陵、荒野、坟地、土穴等处。宁夏各地均有分布。

【功能主治】 心：镇静，利尿。

　　　　　　 肺：化痰定喘，补肺。

【附　　注】 根据 2021 年版"中国生物物种名录"，犬科动物狐狸 *Vulpes vulpes* (Linnaeus) 的中文名已被修订为赤狐。

哺乳纲 Mammlia　食肉目 Carnivora　鼬科 Mustelidae

黄鼬 *Mustela sibirica* Pallas

【别　　名】 黄鼠狼。

【药用部位】 除去内脏的全体。

【生境分布】 栖息于岩洞、树洞、土穴及灌丛等处。分布于宁夏隆德、泾源等。

【功能主治】 用于遗尿，淋病等。

哺乳纲 Mammlia　食肉目 Carnivora　鼬科 Mustelidae

艾鼬 *Mustela eversmanii* Lesson

【别　　名】艾虎、臭狗子。

【药用部位】肉、脑。

【生境分布】分布于宁夏盐池等。

【功能主治】肉：镇静。用于癫痫。

　　　　　　脑：解毒。用于食物、药物中毒。

【附　　注】根据 2021 年版"中国生物物种名录"，鼬科动物艾虎 *Mustela eversmanii* Lesson 的中文名已被修订为艾鼬。

哺乳纲 Mammlia　食肉目 Carnivora　鼬科 Mustelidae

香鼬 *Mustela altaica* Pallas

【别　　名】香鼠子。

【药用部位】肉。

【生境分布】分布于宁夏西吉、隆德、泾源等。

【功能主治】解毒。用于唇疮，食物、药物中毒。

哺乳纲 Mammlia　食肉目 Carnivora　鼬科 Mustelidae

狗獾 *Meles meles* (Linnaeus)

【别　　名】獾、獾猪。

【药用部位】脂肪。

【生境分布】栖息于山麓、草原、谷地、湖边及农田区，掘洞而居。宁夏各地均有分布。

【功能主治】甘、酸，平。归脾、肺经。清热解毒，消肿止痛，润肠。

哺乳纲 Mammlia　食肉目 Carnivora　鼬科 Mustelidae

猪獾 *Arctonyx collaris* F. G. Cuvier

【别　　名】獾、貒。

【药用部位】脂肪、四肢骨。

【生境分布】栖息于山麓、草原、谷地、湖边及农田区，掘洞而居。分布于宁夏大武口、盐池、灵武、隆德、泾源等。

【功能主治】脂肪：甘、酸，平。归脾、肺经。清热解毒，消肿止痛，润肠。

　　　　　　四肢骨：辛、酸，温。归肝、肺经。祛风湿，止痛。

哺乳纲 Mammlia　食肉目 Carnivora　鼬科 Mustelidae

水獭 *Lutra lutra* (Linnaeus)

【别　　名】水老鼠。

【药用部位】肝脏。

【生境分布】分布于宁夏中宁、青铜峡、永宁、灵武、兴庆、贺兰、平罗、惠农等引黄灌区。

【功能主治】补肺止咳。用于虚劳，盗汗，咳嗽，夜盲症等。

哺乳纲 Mammlia　食肉目 Carnivora　猫科 Felidae

猞猁 *Lynx lynx* (Linnaeus)

【药用部位】肠。

【生境分布】分布于宁夏贺兰山（平罗、贺兰）等。

【功能主治】消炎。用于肠炎。

哺乳纲 Mammlia　食肉目 Carnivora　猫科 Felidae

野猫 *Felis silvestris* Schreber

【药用部位】肉、骨、脂肪。

【生境分布】宁夏各地均有养殖。

【功能主治】肉：滋补，祛风，解毒。

　　　　　　骨：解毒消肿，杀虫。

　　　　　　脂肪：用于烫伤。

哺乳纲 Mammlia　食肉目 Carnivora　猫科 Felidae

豹猫 *Prionailurus bengalensis* (Kerr)

【别　　名】狸子。

【药用部位】骨。

【生境分布】栖息于高山丛林、丘陵灌丛地带，无固定巢穴。分布于宁夏隆德、泾源等。

【功能主治】辛，温。归肝、肾经。安神，祛风湿。

哺乳纲 Mammlia　食肉目 Carnivora　猫科 Felidae

豹 *Panthera pardus* (Linnaeus)

【别　　名】豹子。

【药用部位】骨。

【生境分布】栖息于高山丛林及丘陵地带。分布于宁夏六盘山（隆德）、贺兰山（青铜峡、平罗）、

　　　　　　香山（沙坡头）等。

【功能主治】辛、甘，温。归肝、肾经。定痛镇惊，健骨强筋。用于慢性风湿性关节炎，四肢拘

挛、麻木，惊痫等。

哺乳纲 Mammlia　奇蹄目 Perissodactyla　马科 Equidae

马 *Equus caballus* Linnaeus

【药用部位】胃肠道结石。

【生境分布】宁夏各地均有养殖。

【功能主治】甘、咸，凉。归心、肝经。镇惊，祛痰，解毒。

哺乳纲 Mammlia　奇蹄目 Perissodactyla　马科 Equidae

驴 *Equus asinus* Linnaeus

【别　　名】毛驴。

【药用部位】阴茎及睾丸、皮。

【生境分布】宁夏各地均有养殖。

【功能主治】阴茎及睾丸：甘、咸，温。归肝、肾经。补肾壮阳，滋阴补虚，强筋壮骨。

　　　　　　皮：甘，平。归肺、肝、肾经。滋阴润燥，止血安胎，补肺。

哺乳纲 Mammlia　奇蹄目 Perissodactyla　马科 Equidae

骡 *Equus asinus* Linnaeus × *Equus caballus* Linnaeus

【别　　名】骡子。

【药用部位】胃结石、蹄甲。

【生境分布】宁夏各地均有养殖。

【功能主治】胃结石：镇惊，化痰，清热解毒。

　　　　　　蹄甲：祛风，通经络。

哺乳纲 Mammlia　偶蹄目 Artiodactyla　猪科 Suidae

野猪 *Sus scrofa* Linnaeus

【药用部位】胆囊、粪便。

【生境分布】栖息于山地阔叶林或针阔叶混交林中。分布于宁夏六盘山（隆德）等。

【功能主治】胆囊：苦，寒。归肝、肺经。清热解毒。

　　　　　　粪便：苦、辛，温。归脾、胃经。消食，散瘀，利湿。

哺乳纲 Mammlia　偶蹄目 Artiodactyla　猪科 Suidae

猪 *Sus scrofa domestica* Brisson

【药用部位】 胆汁、膀胱结石。

【生境分布】 宁夏各地均有养殖。

【功能主治】 胆汁：苦，寒。归肝、胆、肺、大肠经。清热解毒，健胃，利胆。

膀胱结石：淡，平。归肾、膀胱经。利尿通淋。

哺乳纲 Mammlia　偶蹄目 Artiodactyla　骆驼科 Camelidae

双峰驼 *Camelus bactrianus* Linnaeus

【药用部位】 奶、脂肪、毛。

【生境分布】 分布于宁夏青铜峡、平罗、大武口，多见养殖。

【功能主治】 奶：补中益气，强壮筋骨。用于久病虚损，筋骨痿弱。

脂肪（峰子油）：补虚润燥，祛风活血，消肿解毒。用于体虚劳乏，肌肤不仁，瘙痒，肌肉痉挛，疮疡肿毒，痔漏。

毛：镇惊，收涩，解毒。用于惊痫癫狂，赤白带下，崩漏，痔疮，疳疮。

哺乳纲 Mammlia　偶蹄目 Artiodactyla　鹿科 Cervidae

马鹿 *Cervus elaphus* Linnaeus

【药用部位】 雄鹿未骨化密生茸毛的幼角（鹿茸）、已骨化的角或锯茸后翌年春季脱落的角基（鹿角）、阴茎及睾丸（鹿鞭）。

【生境分布】 栖息于海波 1 300～5 000 m 的高山草甸、草原、针阔叶混交林、林间草地、稀疏灌丛或溪谷沿岸。主要分布于贺兰山中段，隆德等地有少量养殖。

【功能主治】 鹿茸：甘、咸，温。归肾、肝经。壮肾阳，益精血，强筋骨，调冲任，托疮毒。用于肾阳不足，精血亏虚，阳痿滑精，宫冷不孕，羸瘦，神疲，畏寒，眩晕，耳鸣，耳聋，腰脊冷痛，筋骨痿软，崩漏带下，阴疽不敛。

鹿角：咸，温。归肾、肝经。温肾阳，强筋骨，行血消肿。用于肾阳不足，阳痿遗精，腰脊冷痛，阴疽疮疡，乳痈初起，瘀血肿痛。

鹿鞭：甘、咸，温。归肝、肾、膀胱经。补肾精，壮肾阳，强腰膝。用于肾虚劳损，腰膝酸痛，耳聋耳鸣，阳痿滑精，宫寒不孕。

哺乳纲 Mammlia　偶蹄目 Artiodactyla　鹿科 Cervidae

马麝 *Moschus chrysogaster*（Hodgson）

【药用部位】 成熟雄体香囊中的干燥分泌物。

【功能主治】 辛，温。归心、脾经。开窍醒神，活血通经，消肿止痛。用于热病神昏，中风痰厥，气郁暴厥，中恶昏迷，经闭，癥瘕，难产死胎，胸痹心痛，心腹暴痛，跌扑伤痛，痹痛麻木，痈肿瘰疬，咽喉肿痛。

【附　　注】 依据 2021 年版"中国生物物种名录"，马麝 Moschus chrysogaster (Hodgson) 已由鹿科 Cervidae 修改为麝科 Moschidae。

哺乳纲 Mammlia　偶蹄目 Artiodactyla　鹿科 Cervidae

狍 *Capreolus capreolus* (Linnaeus)

【别　　名】 狍子。

【药用部位】 雄性未骨化的幼角、肉、血、肺。

【生境分布】 栖息丁高山、疏林、灌丛及草甸。分布于宁夏六盘山（隆德）等。

【功能主治】 雄性未骨化的幼角：甘、咸，温。归肝、肾经。生精补髓，强筋健骨，温肾壮阳。

肉、血、肺：滋阴补血，补肺，强壮身体。

哺乳纲 Mammlia　偶蹄目 Artiodactyla　牛科 Bovidae

山羊 *Capra hircus* Linnaeus

【药用部位】 血、胃结石、胆、肝、胃内草结。

【生境分布】 宁夏各地均有养殖。

【功能主治】 血：止血化瘀。

胃结石（羊衰）：降胃气，解毒。

胆：明目退翳。

肝：补血，养肝，明目。用于血虚萎黄，雀目，青盲，翳障。

胃内草结：镇静，降逆，止呕。

哺乳纲 Mammlia　偶蹄目 Artiodactyla　牛科 Bovidae

黄羊 *Procapra gutturosa* (Pallas)

【药用部位】 角。

【生境分布】 栖息于草原、丘陵和半荒漠地区，偶至高山或峡谷低地。分布于宁夏贺兰山（西夏）及同心等。

【功能主治】 咸，寒。归心、肝经。清热解毒，平肝熄风。用于高血压，感冒发热，上呼吸道感染，扁桃体炎等。

哺乳纲 Mammlia　偶蹄目 Artiodactyla　牛科 Bovidae

斑羚 *Naemorhedus goral* (Hardwicke)

【别　　名】 青羊。

【药用部位】 角、血。

【生境分布】 栖息于高山森林或山崖岩顶上。分布于宁夏贺兰山（西夏、青铜峡）及同心。

【功能主治】 角：镇静退热，明目，止血。

　　　　　　　血：活血散瘀。

哺乳纲 Mammlia　偶蹄目 Artiodactyla　牛科 Bovidae

绵羊 *Ovia aries* Linnaeus

【药用部位】 肝、羊毛脂。

【生境分布】 宁夏各地均有养殖。

【功能主治】 肝：明目，补益。

　　　　　　　羊毛脂：可做软膏基质。

哺乳纲 Mammlia　偶蹄目 Artiodactyla　牛科 Bovidae

盘羊 *Ovis ammon* (Linnaeus)

【别　　名】 大头羊。

【药用部位】 角、肺、睾丸、血。

【生境分布】 栖息于高山岩顶、山麓等处。分布于宁夏贺兰山（青铜峡、西夏、大武口）等。

【功能主治】 角：清热解毒。

　　　　　　　肺：调经止痛。

　　　　　　　睾丸：滋补壮阳。

　　　　　　　血：止血活血。

哺乳纲 Mammlia　灵长目 Primates　人科 Hominidea

人 *Homo sapiens* Linnaeus

【药用部位】 头发。

【功能主治】 苦，平。归肝、胃经。止血，化瘀。

附录II　下篇主要参考文献名录

[1]　中国科学院中国植物志编辑委员会. 中国植物志：第三卷：第一分册 [M]. 北京：科学出版社，1990.

[2]　中国科学院中国植物志编辑委员会. 中国植物志：第三卷：第二分册 [M]. 北京：科学出版社，1999.

[3]　中国科学院中国植物志编辑委员会. 中国植物志：第四卷：第二分册 [M]. 北京：科学出版社，1999.

[4]　中国科学院中国植物志编辑委员会. 中国植物志：第五卷：第一分册 [M]. 北京：科学出版社，2000.

[5]　中国科学院中国植物志编辑委员会. 中国植物志：第六卷：第二分册 [M]. 北京：科学出版社，2000.

[6]　中国科学院中国植物志编辑委员会. 中国植物志：第六卷：第三分册 [M]. 北京：科学出版社，2004.

[7]　中国科学院中国植物志编辑委员会. 中国植物志：第七卷 [M]. 北京：科学出版社，1978.

[8]　中国科学院中国植物志编辑委员会. 中国植物志：第八卷 [M]. 北京：科学出版社，1992.

[9]　中国科学院中国植物志编辑委员会. 中国植物志：第九卷：第二分册 [M]. 北京：科学出版社，2002.

[10]　中国科学院中国植物志编辑委员会. 中国植物志：第九卷：第三分册 [M]. 北京：科学出版社，1987.

[11]　中国科学院中国植物志编辑委员会. 中国植物志：第十卷：第一分册 [M]. 北京：科学出版社，1990.

[12]　中国科学院中国植物志编辑委员会. 中国植物志：第十卷：第二分册 [M]. 北京：科学出版社，1997.

[13]　中国科学院中国植物志编辑委员会. 中国植物志：第十一卷 [M]. 北京：科学出版社，1961.

[14]　中国科学院中国植物志编辑委员会. 中国植物志：第十三卷：第二分册 [M]. 北京：科学出版社，1979.

[15]　中国科学院中国植物志编辑委员会. 中国植物志：第十三卷：第三分册 [M]. 北京：科学出版社，1997.

[16]　中国科学院中国植物志编辑委员会. 中国植物志：第十四卷 [M]. 北京：科学出版社，1980.

[17] 中国科学院中国植物志编辑委员会. 中国植物志：第十五卷 [M]. 北京：科学出版社，1978.

[18] 中国科学院中国植物志编辑委员会. 中国植物志：第十六卷：第一分册 [M]. 北京：科学出版社，1985.

[19] 中国科学院中国植物志编辑委员会. 中国植物志：第十七卷 [M]. 北京：科学出版社，1999.

[20] 中国科学院中国植物志编辑委员会. 中国植物志：第十八卷 [M]. 北京：科学出版社，1999.

[21] 中国科学院中国植物志编辑委员会. 中国植物志：第二十卷：第二分册 [M]. 北京：科学出版社，1984.

[22] 中国科学院中国植物志编辑委员会. 中国植物志：第二十一卷 [M]. 北京：科学出版社，1979.

[23] 中国科学院中国植物志编辑委员会. 中国植物志：第二十二卷 [M]. 北京：科学出版社，1998.

[24] 中国科学院中国植物志编辑委员会. 中国植物志：第二十三卷：第一分册 [M]. 北京：科学出版社，1998.

[25] 中国科学院中国植物志编辑委员会. 中国植物志：第二十三卷：第二分册 [M]. 北京：科学出版社，1995.

[26] 中国科学院中国植物志编辑委员会. 中国植物志：第二十四卷 [M]. 北京：科学出版社，1988.

[27] 中国科学院中国植物志编辑委员会. 中国植物志：第二十五卷：第一分册 [M]. 北京：科学出版社，1998.

[28] 中国科学院中国植物志编辑委员会. 中国植物志：第二十五卷：第二分册 [M]. 北京：科学出版社，1979.

[29] 中国科学院中国植物志编辑委员会. 中国植物志：第二十六卷 [M]. 北京：科学出版社，1996.

[30] 中国科学院中国植物志编辑委员会. 中国植物志：第二十七卷 [M]. 北京：科学出版社，1979.

[31] 中国科学院中国植物志编辑委员会. 中国植物志：第二十八卷 [M]. 北京：科学出版社，1980.

[32] 中国科学院中国植物志编辑委员会. 中国植物志：第二十九卷 [M]. 北京：科学出版社，2001.

[33] 中国科学院中国植物志编辑委员会. 中国植物志：第三十卷：第一分册 [M]. 北京：科学出版社，1996.

[34] 中科院中国植物志编辑委员会. 中国植物志：第三十三卷 [M]. 北京：科学出版社，

1987.

[35] 中国科学院中国植物志编辑委员会. 中国植物志：第三十四卷：第一分册 [M]. 北京：科学出版社，1984.

[36] 中国科学院中国植物志编辑委员会. 中国植物志：第三十四卷：第二分册 [M]. 北京：科学出版社，1992.

[37] 中国科学院中国植物志编辑委员会. 中国植物志：第三十五卷：第一分册 [M]. 北京：科学出版社，1995.

[38] 中国科学院中国植物志编辑委员会. 中国植物志：第三十五卷：第二分册 [M]. 北京：科学出版社，1979.

[39] 中国科学院中国植物志编辑委员会. 中国植物志：第三十六卷 [M]. 北京：科学出版社，1974.

[40] 中国科学院中国植物志编辑委员会. 中国植物志：第三十七卷 [M]. 北京：科学出版社，1985.

[41] 中国科学院中国植物志编辑委员会. 中国植物志：第三十八卷 [M]. 北京：科学出版社，1986.

[42] 中国科学院中国植物志编辑委员会. 中国植物志：第三十九卷 [M]. 北京：科学出版社，1988.

[43] 中国科学院中国植物志编辑委员会. 中国植物志：第四十卷 [M]. 北京：科学出版社，1994.

[44] 中国科学院中国植物志编辑委员会. 中国植物志：第四十一卷 [M]. 北京：科学出版社，1995.

[45] 中国科学院中国植物志编辑委员会. 中国植物志：第四十二卷：第一分册 [M]. 北京：科学出版社，1993.

[46] 中国科学院中国植物志编辑委员会. 中国植物志：第四十二卷：第二分册 [M]. 北京：科学出版社，1998.

[47] 中国科学院中国植物志编辑委员会. 中国植物志：第四十三卷：第一分册 [M]. 北京：科学出版社，1998.

[48] 中国科学院中国植物志编辑委员会. 中国植物志：第四十三卷：第二分册 [M]. 北京：科学出版社，1997.

[49] 中国科学院中国植物志编辑委员会. 中国植物志：第四十四卷：第二分册 [M]. 北京：科学出版社，1996.

[50] 中国科学院中国植物志编辑委员会. 中国植物志：第四十四卷：第三分册 [M]. 北京：科学出版社，1997.

[51] 中国科学院中国植物志编辑委员会. 中国植物志：第四十五卷：第一分册 [M]. 北京：科学出版社，1980.

[52] 中国科学院中国植物志编辑委员会. 中国植物志：第四十五卷：第三分册 [M]. 北京：科学出版社，1999.

[53] 中国科学院中国植物志编辑委员会. 中国植物志：第四十六卷 [M]. 北京：科学出版社，1981.

[54] 中国科学院中国植物志编辑委员会. 中国植物志：第四十七卷：第一分册 [M]. 北京：科学出版社，1985.

[55] 中国科学院中国植物志编辑委员会. 中国植物志：第四十七卷：第二分册 [M]. 北京：科学出版社，2002.

[56] 中国科学院中国植物志编辑委员会. 中国植物志：第四十八卷：第一分册 [M]. 北京：科学出版社，1982.

[57] 中国科学院中国植物志编辑委员会. 中国植物志：第四十八卷：第二分册 [M]. 北京：科学出版社，1998.

[58] 中国科学院中国植物志编辑委员会. 中国植物志：第四十九卷：第一分册 [M]. 北京：科学出版社，1989.

[59] 中国科学院中国植物志编辑委员会. 中国植物志：第四十九卷：第二分册 [M]. 北京：科学出版社，1984.

[60] 中国科学院中国植物志编辑委员会. 中国植物志：第五十卷：第二分册 [M]. 北京：科学出版社，1990.

[61] 中国科学院中国植物志编辑委员会. 中国植物志：第五十一卷 [M]. 北京：科学出版社，1991.

[62] 中国科学院中国植物志编辑委员会. 中国植物志：第五十二卷：第一分册 [M]. 北京：科学出版社，1999.

[63] 中国科学院中国植物志编辑委员会. 中国植物志：第五十二卷：第二分册 [M]. 北京：科学出版社，1983.

[64] 中国科学院中国植物志编辑委员会. 中国植物志：第五十三卷：第二分册 [M]. 北京：科学出版社，2000.

[65] 中国科学院中国植物志编辑委员会. 中国植物志：第五十四卷 [M]. 北京：科学出版社，1978.

[66] 中国科学院中国植物志编辑委员会. 中国植物志：第五十五卷：第一分册 [M]. 北京：科学出版社，1979.

[67] 中国科学院中国植物志编辑委员会. 中国植物志：第五十五卷：第二分册 [M]. 北京：科学出版社，2004.

[68] 中国科学院中国植物志编辑委员会. 中国植物志：第五十五卷：第三分册 [M]. 北京：科学出版社，1992.

[69] 中国科学院中国植物志编辑委员会. 中国植物志：第五十六卷 [M]. 北京：科学出版社，1990.

[70] 中国科学院中国植物志编辑委员会. 中国植物志：第五十九卷：第一分册 [M]. 北京：科学出版社，1989.

[71] 中国科学院中国植物志编辑委员会. 中国植物志：第六十卷：第一分册 [M]. 北京：科学出版社，1987.

[72] 中国科学院中国植物志编辑委员会. 中国植物志：第六十一卷 [M]. 北京：科学出版社，1992.

[73] 中国科学院中国植物志编辑委员会. 中国植物志：第六十二卷 [M]. 北京：科学出版社，1988.

[74] 中国科学院中国植物志编辑委员会. 中国植物志：第六十三卷 [M]. 北京：科学出版社，1977.

[75] 中国科学院中国植物志编辑委员会. 中国植物志：第六十四卷：第一分册 [M]. 北京：科学出版社，1979.

[76] 中国科学院中国植物志编辑委员会. 中国植物志：第六十四卷：第二分册 [M]. 北京：科学出版社，1989.

[77] 中国科学院中国植物志编辑委员会. 中国植物志：第六十五卷：第一分册 [M]. 北京：科学出版社，1982.

[78] 中国科学院中国植物志编辑委员会. 中国植物志：第六十五卷：第二分册 [M]. 北京：科学出版社，1977.

[79] 中国科学院中国植物志编辑委员会. 中国植物志：第六十六卷 [M]. 北京：科学出版社，1977.

[80] 中国科学院中国植物志编辑委员会. 中国植物志：第六十七卷：第一分册 [M]. 北京：科学出版社，1978.

[81] 中国科学院中国植物志编辑委员会. 中国植物志：第六十七卷：第二分册 [M]. 北京：科学出版社，1979.

[82] 中国科学院中国植物志编辑委员会. 中国植物志：第六十九卷 [M]. 北京：科学出版社，1990.

[83] 中国科学院中国植物志编辑委员会. 中国植物志：第七十卷 [M]. 北京：科学出版社，2002.

[84] 中国科学院中国植物志编辑委员会. 中国植物志：第七十一卷：第二分册 [M]. 北京：科学出版社，1999.

[85] 中国科学院中国植物志编辑委员会. 中国植物志：第七十二卷 [M]. 北京：科学出版社，1988.

[86] 中国科学院中国植物志编辑委员会. 中国植物志：第七十三卷：第一分册 [M]. 北京：科学出版社，1986.

[87] 中国科学院中国植物志编辑委员会. 中国植物志：第七十三卷：第二分册 [M]. 北京：科学出版社，1983.

[88] 中国科学院中国植物志编辑委员会. 中国植物志：第七十四卷 [M]. 北京：科学出版社，1985.

[89] 中国科学院中国植物志编辑委员会. 中国植物志：第七十五卷 [M]. 北京：科学出版社，1979.

[90] 中国科学院中国植物志编辑委员会. 中国植物志：第七十六卷：第一分册 [M]. 北京：科学出版社，1983.

[91] 中国科学院中国植物志编辑委员会. 中国植物志：第七十六卷：第二分册 [M]. 北京：科学出版社，1991.

[92] 中国科学院中国植物志编辑委员会. 中国植物志：第七十七卷：第一分册 [M]. 北京：科学出版社，1999.

[93] 中国科学院中国植物志编辑委员会. 中国植物志：第七十七卷：第二分册 [M]. 北京：科学出版社，1989.

[94] 中国科学院中国植物志编辑委员会. 中国植物志：第七十八卷：第一分册 [M]. 北京：科学出版社，1987.

[95] 中国科学院中国植物志编辑委员会. 中国植物志：第七十八卷：第二分册 [M]. 北京：科学出版社，1999.

[96] 中国科学院中国植物志编辑委员会. 中国植物志：第七十九卷 [M]. 北京：科学出版社，1996.

[97] 中国科学院中国植物志编辑委员会. 中国植物志：第八十卷：第一分册 [M]. 北京：科学出版社，1997.

[98] 中国科学院中国植物志编辑委员会. 中国植物志：第八十卷：第二分册 [M]. 北京：科学出版社，1999.

[99] 中国科学院中国孢子植物志编辑委员会. 中国真菌志：第二十三卷 [M]. 北京：科学出版社，2005.

[100] 李玉，李泰辉，杨祝良，等. 中国大型菌物资源图鉴 [M]. 郑州：中原农民出版社，2015.

[101] 王立松，钱子刚. 中国药用地衣图鉴 [M]. 昆明：云南科技出版社，2013.

[102] 戴玉成，杨祝良. 中国药用真菌名录及部分名称的修订 [J]. 菌物学报，2008，27（6）：801-824.

[103] 国家药典委员会. 中华人民共和国药典 [M]. 2020 年版. 北京：中国医药科技出版社，2020.

[104] 国家中医药管理局《中华本草》编委会. 中华本草 [M]. 上海：上海科学技术出版社，1999.

[105] 中国药材公司. 中国中药资源志要 [M]. 北京：科学出版社，1994.

[106] 江苏新医学院. 中药大辞典 [M]. 上海：上海科学技术出版社，1977.

[107] 南京中医药大学. 中药大辞典 [M]. 2 版. 上海：上海科学技术出版社，2006.

[108] 中国医学科学院药物研究所. 中药志：第一分册 [M]. 北京：人民卫生出版社，1979.

[109] 中国医学科学院药物研究所. 中药志：第二分册 [M]. 北京：人民卫生出版社，1982.

[110] 中国医学科学院药物研究所. 中药志：第三分册 [M]. 北京：人民卫生出版社，1984.

[111] 肖培根. 新编中药志：第一卷 [M]. 北京：化学工业出版社，2002.

[112] 肖培根. 新编中药志：第二卷 [M]. 北京：化学工业出版社，2002.

[113] 肖培根. 新编中药志：第三卷 [M]. 北京：化学工业出版社，2002.

[114] 《全国中草药汇编》编写组. 全国中草药汇编 [M]. 北京：人民卫生出版社，1975.

[115] 《全国中草药汇编》编写组. 全国中草药汇编：上册 [M]. 2 版. 北京：人民卫生出版社，1996.

[116] 王国强. 全国中草药汇编：卷一 [M]. 3 版. 北京：人民卫生出版社，2014.

[117] 王国强. 全国中草药汇编：卷二 [M]. 3 版. 北京：人民卫生出版社，2014.

[118] 王国强. 全国中草药汇编：卷三 [M]. 3 版. 北京：人民卫生出版社，2014.

[119] 谢宗万，余友芩. 全国中草药名鉴：上册 [M]. 北京：人民卫生出版社，1996.

[120] 陈士林，林余霖. 中草药大典：下册 [M]. 北京：军事医学科学出版社，2006.

[121] 《中药辞海》编写组. 中药辞海：第一卷 [M]. 北京：中国医药科技出版社，1993.

[122] 《中药辞海》编写组. 中药辞海：第三卷 [M]. 北京：中国医药科技出版社，1997.

[123] 江苏省植物研究所，中国医学科学院药物研究所，中国科学院昆明植物研究所，等. 新华本草纲要：第一册 [M]. 上海：上海科学技术出版社，1988.

[124] 南京药学院《中草药学》编写组. 中草药学：下册 [M]. 南京：江苏科学技术出版社，1980.

[125] 中华人民共和国卫生部药政管理局，中国药品生物制品检定所. 现代实用本草：上册 [M]. 北京：人民卫生出版社，1997.

[126] 中华人民共和国卫生部药政管理局，中国药品生物制品检定所. 现代实用本草：中册 [M]. 北京：人民卫生出版社，2000.

[127] 冉先德. 中华药海 [M]. 哈尔滨：哈尔滨出版社，1993.

[128] 陈瑞华，叶显纯，王爱芳. 实用中药手册 [M]. 上海：上海科学技术出版社，1991.

[129] 江纪武. 世界药用植物速查辞典 [M]. 北京：中国医药科技出版社，2015.

[130] 郭国华. 临床中药辞典 [M]. 2 版. 长沙：湖南科学技术出版社，2007.

[131] 陈庆全，张俊荣，林传文，等. 实用临床草药 [M]. 广州：暨南大学出版社，1991.

[132] 邢世瑞. 宁夏中药志 [M]. 2 版. 银川：宁夏人民出版社，2006.

[133] 《宁夏中草药手册》编写组. 宁夏中草药手册 [M]. 银川：宁夏人民出版社，1971.

[134] 沈阳部队后勤部卫生部. 东北常用中草药手册 [M]. 沈阳：辽宁省新华书店，1970.

[135] 高松. 辽宁中药志：植物类 [M]. 沈阳：辽宁科学技术出版社，2010.

[136] 福建省医药研究所. 福建药物志 [M]. 福州：福建人民出版社，1979.

[137] 蔡光先. 湖南药物志：第一卷 [M]. 长沙：湖南科学技术出版社，2004.

[138] 中国科学院植物研究所. 中国高等植物图鉴：第二册 [M]. 北京：科学出版社，1972.

[139] 艾铁民. 中国药用植物志：第四卷 [M]. 北京：北京大学医学出版社，2014.

[140] 艾铁民. 中国药用植物志：第五卷 [M]. 北京：北京大学医学出版社，2016.

[141] 艾铁民. 中国药用植物志：第九卷 [M]. 北京：北京大学医学出版社，2017.

[142] 艾铁民. 中国药用植物志：第十卷 [M]. 北京：北京大学医学出版社，2014.

[143] 艾铁民. 中国药用植物志：第十二卷 [M]. 北京：北京大学医学出版社，2013.

[144] 中国科学院甘肃省冰川冻土沙漠研究所沙漠研究室. 中国沙漠地区药用植物 [M]. 兰州：甘肃人民出版社，1973.

[145] 中国科学院兰州沙漠研究所. 中国沙漠植物志：第二卷 [M]. 北京：科学出版社，1987.

[146] 中国药品生物制品检定所，广东省药品检验所. 中国中药材真伪鉴别图典：4 常用花叶、全草、动矿物及其它药材分册 [M]. 广州：广东科技出版社，2011.

[147] 马德滋，刘惠兰，胡福秀. 宁夏植物志 [M]. 2 版. 银川：宁夏人民出版社，2007.

[148] 黄璐琦，李小伟. 贺兰山植物资源图鉴 [M]. 福建：福建科学技术出版社，2017.

[149] 赵一之，马文红，赵利清. 贺兰山维管植物检索表 [M]. 呼和浩特：内蒙古大学出版社，2016.

[150] 王俊. 六盘山药用植物原色图谱：上册 [M]. 银川：宁夏人民出版社，2007.

[151] 阿拉嘎. 阿拉善药用植物彩色图谱 [M]. 呼和浩特：内蒙古人民出版社，2016.

[152] 朱亚民. 内蒙古植物药志：第一卷 [M]. 呼和浩特：内蒙古人民出版社，2000.

[153] 朱亚民. 内蒙古植物药志：第二卷 [M]. 呼和浩特：内蒙古人民出版社，1989.

[154] 《内蒙古植物志》编写组. 内蒙古植物志：第三卷 [M]. 呼和浩特：内蒙古人民出版社，1977.

[155] 中国科学院西北高原生物研究所，青海植物志编辑委员会. 青海植物志 [M]. 西宁：青海人民出版社，1997.

[156] 青海省生物研究所，同仁县隆务诊疗所. 青藏高原药物图鉴：第一册 [M]. 西宁：青海人民出版社，1972.

[157] 杜品. 青藏高原甘南藏药植物志 [M]. 兰州：甘肃科学技术出版社，2006.

[158] 贺士元，邢其华，尹祖棠，等. 北京植物志 [M]. 1984 年修订版. 北京：北京出版社，1984.

[159] 李建秀，周凤琴，张照荣. 山东药用植物志 [M]. 西安：西安交通大学出版社，2013.

[160] 辽宁省林业土壤研究所. 东北草本植物志：第五卷 [M]. 北京：科学出版社，1976.

[161] 中国科学院沈阳应用生态研究所. 东北草本植物志：第八卷 [M]. 北京：科学出版社，2005.

[162] 吉林省中医中药研究所，长白山自然保护区管理局，东北师范大学生物系. 长白山植物药志 [M]. 长春：吉林人民出版社，1982.

[163] 《浙江药用植物志》编写组. 浙江药用植物志 [M]. 杭州：浙江科学技术出版社，1980.

[164] 浙江省卫生厅. 浙江天目山药用植物志 [M]. 杭州：浙江人民出版社，1965.

[165] 国家药典委员会. 中华人民共和国药典 [M]. 2010 年版. 北京：中国医药科技出版社，2010.

[166] 中华人民共和国卫生部药典委员会. 中华人民共和国药典 [M]. 1977 年版. 北京：人民卫生出版社，1978.

[167] 中华人民共和国卫生部药典委员会. 中华人民共和国药典 [M]. 1963 年版. 北京：人民卫生出版社，1964.

[168] 中华人民共和国卫生部药典委员会. 中华人民共和国卫生部药品标准：中药成方制剂：第十四册 [M]. [出版地不详]：[出版者不详]，1997.

[169] 中华人民共和国卫生部药典委员会. 中华人民共和国卫生部药品标准：中药材：第一册 [M]. [出版地不详]：[出版者不详]，1992.

[170] 宁夏食品药品监督管理局. 宁夏中药材标准 [M]. 2018 年版. 银川：阳光出版社，2018.

[171] 宁夏回族自治区卫生厅. 宁夏中药材标准 [M]. 1993 年版. 银川：宁夏人民出版社，1993.

[172] 甘肃省药品监督管理局. 甘肃省中药材标准 [M]. 2020 年版. 兰州：兰州大学出版社，2021.

[173] 甘肃省食品药品监督管理局. 甘肃省中药材标准 [M]. 2009 年版. 兰州：甘肃文化出版社，2009.

[174] 陕西省食品药品监督管理局. 陕西省药材标准 [M]. 2015 年版. 西安：陕西科学技术出版社，2016.

[175] 西藏卫生局，青海卫生局，四川卫生局，等. 藏药标准 [M]. 西宁：青海人民出版社，1978.

[176] 内蒙古自治区卫生厅. 内蒙古蒙药材标准 [M]. 呼和浩特：内蒙古科学技术出版社，1987.

[177] 北京市卫生局. 北京市中药材标准 [M]. 1998 年版. 北京：首都师范大学出版社，1998.

[178] 山西省食品药品监督管理局. 山西省中药材中药饮片标准 [M]. 北京：科学出版社，2017.

[179] 山西省卫生厅. 山西省中药材标准 [M]. 1987 年版. [出版地不详]：[出版者不详]，1988.

[180] 山东省食品药品监督管理局. 山东省中药材标准 [M]. 2012 年版. 济南：山东科学技术出版社，2012.

[181] 山东省药品监督管理局. 山东省中药材标准 [M]. 2002 年版. 济南：山东友谊出版社，2003.

[182] 辽宁省药品监督管理局. 辽宁省中药材标准：第二册 [M]. 2019 年版. 沈阳：辽宁科学技术出版社，2019.

[183] 辽宁省食品药品监督管理局. 辽宁省中药材标准：第一册 [M]. 2009 年版. 沈阳：辽宁科学技术出版社，2009.

[184] 天津市市场和质量监督管理委员会. 天津市中药饮片炮制规范 [M]. 2018 年版. [出版地不详]：[出版者不详]，2018.

[185] 吉林省药品监督管理局. 吉林省中药材标准：第一册 [M]. 长春：吉林科学技术出版社，2020.

[186] 吉林省药品监督管理局. 吉林省中药材标准：第二册 [M]. 长春：吉林科学技术出版社，2020.

[187] 河南省卫生厅. 河南省中药材标准 [M]. 1993 年版. 郑州：中原农民出版社，1993.

[188] 上海市药品监督管理局. 上海市中药饮片炮制规范 [M]. 2018 年版. 上海：上海科学技术出版社，2019.

[189] 上海市食品药品监督管理局. 上海市中药饮片炮制规范 [M]. 2008 年版. 上海：上海科学技术出版社，2008.

[190] 上海市卫生局. 上海市中药材标准 [M]. 1994 年版. [出版地不详]：[出版者不详]，1993.

[191] 四川省食品药品监督管理局. 四川省中药材标准 [M]. 2010 年版. 成都：四川科学技术出版社，2011.

[192] 江苏省食品药品监督管理局. 江苏省中药材标准 [M]. 2016 年版. 南京：江苏凤凰科学技术出版社，2016.

[193] 湖北省药品监督管理局. 湖北省中药材质量标准 [M]. 2018 年版. 北京：中国医药科技出版社，2018.

[194] 湖北省食品药品监督管理局. 湖北省中药材质量标准 [M]. 2009 年版. 武汉：湖北科学技术出版社，2009.

[195] 安徽省药品监督管理局. 安徽省中药饮片炮制规范 [M]. 2019 年版. 合肥：安徽科学技术出版社，2019.

[196] 湖南省食品药品监督管理局. 湖南省中药材标准 [M]. 2009 年版. 长沙：湖南科学技术出版社，2010.

[197] 广西壮族自治区卫生厅. 广西中药材标准 [M]. 1990 年版. 南宁：广西科学技术出版社，1992.

[198] 贵州省药品监督管理局. 贵州省中药材、民族药材质量标准 [M]. 2003 年版. 贵阳：贵州科技出版社，2003.

[199] 广东省药品监督管理局. 广东省中药材标准：第三册 [M]. 广州：广东科技出版社，2019.

[200] 中华人民共和国香港特别行政区卫生署. 香港中药材标准：第三册 [M]. [出版地不详]：[出版者不详]，2010.

[201] 中华人民共和国香港特别行政区卫生署. 香港中药材标准：第八册 [M]. [出版地不详]：[出版者不详]，2017.

[202] 新疆维吾尔自治区药品监督管理局. 新疆维吾尔自治区中药维吾尔药饮片炮制规范 [M]. 2020 年版. 北京：中国医药科技出版社，2021.

[203] 赵中振，肖培根. 当代药用植物典 [M]. 上海：世界图书出版公司，2007.

[204] 周荣汉，段金廒. 植物化学分类学 [M]. 上海：上海科学技术出版社，2005.

[205] 云南省食品药品监督管理局. 云南省中药材标准：第三册 傣族药 [M]. 2005 年版. 昆明：云南科技出版社，2007.

[206] 广西壮族自治区食品药品监督管理局. 广西壮族自治区壮药质量标准：第二卷 [M]. 2011 年版. 南宁：广西科学技术出版社，2011.

[207] 彭成. 中华道地药材 [M]. 北京：中国中医药出版社，2011.

[208] 国家中医药管理局《中华本草》编委会. 中华本草：蒙药卷 [M]. 上海：上海科学技术出版社，2004.

[209] 国家中医药管理局《中华本草》编委会. 中华本草：维吾尔药卷 [M]. 上海：上海科学技术出版社，2005.

[210] 国家中医药管理局《中华本草》编委会. 中华本草：藏药卷 [M]. 上海：上海科学技术出版社，2002.

[211] 国家中医药管理局《中华本草》编委会. 中华本草：苗药卷 [M]. 贵阳：贵州科技出版社，2005.

[212] 中华人民共和国卫生部药典委员会. 中华人民共和国卫生部药品标准：藏药 第一册 [M]. 北京：人民卫生出版社，1995.

[213] 中华人民共和国卫生部药典委员会. 中华人民共和国卫生部药品标准：维吾尔药分册 [M]. 乌鲁木齐：新疆科技卫生出版社，1999.

[214] 中华人民共和国卫生部药典委员会. 中华人民共和国卫生部药品标准：蒙药分册 [M]. 北京：人民卫生出版社，1998.

[215] 贾敏如，李星炜. 中国民族药志要 [M]. 北京：中国医药科技出版社，2005.

[216] 鲍布日额. 科尔沁蒙古族传统药物 [M]. 赤峰：内蒙古科学技术出版社，2017.

[217] 青海省药品检验所，青海省藏医药研究所. 中国藏药：第一卷 [M]. 上海：上海科学技术出版社，1996.

[218] 青海省药品检验所，青海省藏医药研究所. 中国藏药：第三卷 [M]. 上海：上海科学技术出版社，1996.

[219] 罗达尚. 中华藏本草 [M]. 北京：民族出版社，1997.

[220] 桑旦. 新编藏医学 [M]. 拉萨：西藏人民出版社，2007.

[221] 杨永昌. 藏药志 [M]. 西宁：青海人民出版社，1991.

[222] 倪志诚. 西藏经济植物 [M]. 北京：北京科学技术出版社，1990.

[223] 罗达尚. 新修晶珠本草 [M]. 成都：四川科学技术出版社，2004.

[224] 方志先，赵晖，赵敬华. 土家族药物志 [M]. 北京：中国医药科技出版社，2007.

[225] 陆科闵，王福荣. 苗族医学 [M]. 贵阳：贵州科技出版社，2006.

[226] 兰茂. 滇南本草 [M]. 于乃义，于兰馥整理. 昆明：云南科技出版社，2004.

[227] 王志本. 发菜名称考辨 [J]. 内蒙古教育学院学报，1994（1）：65-68.

[228] 王志本，梁家骥. 发菜生态和形态的近年研究 [J]. 内蒙古大学学报（自然科学版），1989，20（2）：250-259.

[229] 刘家琼，邱明新，马廷科. 发菜的分布与生态环境条件 [M]// 中国科学院兰州沙漠研究所沙坡头沙漠试验研究站. 沙漠生态系统研究. 兰州：甘肃科学技术出版社，1995：175-180.

[230] 杨晓东，刘兴文，李福兵，等. 从本草考证论桑寄生和槲寄生 [J]. 中药与临床，2019，10（1）：39-42.

[231] 程伟，刘琳，朱丹丹. 中药萹蓄本草考证及现代药理研究 [J]. 辽宁中医药大学学报，2020，22（1）：4-7.

[232] 陈随清，杨国营. 支柱蓼的生药鉴定 [J]. 中药材，1998，21（4）：174-177.

[233] 肖雪峰，黄海波，张稳，等. 药用植物大黄的资源分布概况 [J]. 吉林农业，2018（11）：80-81.

[234] 桑旭峰，林海伦. 白花蛇舌草伪品拟漆姑的生药鉴别 [J]. 中国医院药学杂志，2007，27（2）：278-279.

[235] 刁俊芝，朱芸，成玉怀，等. 西伯利亚乌头的生药学研究 [J].石河子大学学报（自然科学版），2006，24（6）：713-715.

[236] 杨静，张洁，才让草. 西伯利亚乌头生药学鉴别 [J]. 西北药学杂志，1999，14（5）：200-202.

[237] 陈四宝. 耧斗菜属药用植物化学成分研究及耧斗菜族化学系统学探讨 [D]. 北京：中国协和医科大学，1999.

[238] 吴征镒，庄璇. 中国紫堇属糙果紫堇组的研究 [J].云南植物研究，1983，5（3）：239-260.

[239] 吴维春. 齿瓣延胡索的栽培 [J]. 中药材科技，1979（2）：22-24.

[240] 郝近大，谢宗万. 延胡索古今用药品种的延续与变迁 [J].中国中药杂志，1993，18（1）：7-9，61.

[241] 任常胜，乔俊缠，崔建平. 蒙药野罂粟的形态组织鉴定 [J].中国民族医药杂志，2002，8（4）：45-57.

[242] 胡慧娟. 罂粟与虞美人的鉴别 [J]. 中成药，1997，19（10）：43-44.

[243] 姜传理，孙红祥，叶纪沟. 生药丽春花的本草考证 [J].现代应用药学，1995，12（1）：23-24.

[244] 刘毅，黄晓华. 丽春花果实的生药鉴别 [J].重庆邮电学院学报（自然科学版），2004，16（4）：105-106.

[245] 薛金龙，张洁. 九节菖蒲伪品白花碎米荠的生药鉴定 [J]. 中药材，1998，21（5）：228-229.

[246] 冯文，梁保河. 覆盆子本草考证 [J]. 时珍国医国药，2000，11（10）：915.

[247] 陈小露，梅全喜. 茅莓的本草流源与考证 [J]. 中药材，2015，38（11）：2425-2428.

[248] 角巴加，利毛才让，热增才旦. 藏药甘扎嘎日本草考证及生药学研究 [J]. 安徽农业科学，2014，42（20）：6605-6607.

[249] 张婷婷，柯创，秦路平，等. 沙苑子本草考证 [J]. 中草药，2020，51（16）：4348-4354.

[250] 朱芸，李鹏. 红车轴草和白车轴草的生药学研究 [J]. 石河子大学学报（自然科学版），2010，28（4）：487-491.

[251] 王文炳，李峰，刘杨，等. 红车轴草与白车轴草的中药鉴别研究 [J]. 辽宁中医药大学学报，2010，12（3）：176-177.

[252] 王勇，刘义飞，刘松柏，等. 中国水柏枝属植物的地理分布、濒危状况及其保育策略 [J].武汉植物学研究，2006，24（5）：455-463.

[253] 程夏倩，赵维良，黄琴伟，等. 五加科法定药用植物基原考证 [J]. 中国现代应用药学，2021，38（12）：1461-1468.

[254] 王艺涵，赵佳琛，翁倩倩，等. 经典名方中白芷的本草考证 [J]. 中国现代中药，2020，22（8）：1320-1330.

[255] 王梦月，贾敏如. 白芷本草考证 [J]. 中药材，2004，27（5）：382-385.

[256] 王年鹤，黄璐琦，杨滨，等. 中药白芷的基原植物研究Ⅳ. 白芷的基原植物、栽培历史以及其近缘野生植物演化的讨论 [J]. 中国中药杂志，2001，26（11）：11-14.

[257] 刘方舟，李园白，王静，等. 当归药材道地性系统评价与分析 [J]. 世界科学技术——中医药现代化，2018，20（9）：1531-1539.

[258] 刘晓龙，尚志钧. 银州柴胡的原植物再讨论 [J]. 中药材，1994，17（9）：40-42.

[259] 薛琴，刘微英，张历元，等. 广藿香和土藿香入药史研究 [J]. 吉林中医药，2018，38（2）：206-209.

[260] 吴秀红，岳显可，张云，等. 中药筋骨草的基原考辨及现代研究关联性分析 [J]. 亚太传统医药，2020，16（1）：87-90.

[261] 徐国兵，徐新建. 堇菜属几种药用植物的本草考证 [J]. 中药材，1997，20（7）：371-373.

[262] 石铸. 关于苍术植物的学名问题 [J]. 中国科学院大学学报，1981，19（3）：318-322.

[263] 胡世林. 苍术的本草考证 [J]. 中国医药学报，2001，16（1）：11-13.

[264] 方海田，张光弟，俞晓艳，等. 中国红葱种质资源分布的调查研究 [J]. 农产品加工，2018（8）：65-68.

[265] 陈坚. 药用大蒜近代研究进展 [C]// 中国药学大会暨中国药师周. 中国药学大会暨中国药师周论文集. [出版地不详]：[出版者不详]，2013.

[266] 蔡雅琴，王建寰，曹喆，等. 回药寄马桩药材基原鉴定研究 [J]. 亚太传统医药，2015，11（6）：21-24.

[267] 温晶媛，李颖. 中国百合科天门冬属九种药用植物的药理作用筛选 [J]. 上海医科大学学报，1993，20（2）：107-111.

[268] 杨永康，吴家坤. 国产贝母属的新分类群 [J]. 西北植物学报，1985，5（1）：19-47.

[269] 罗毅波，陈心启. 中国横断山区及其邻近地区贝母属的研究（一）——川贝母及其近缘种的初步研究 [J]. 植物分类学报，1996，34（3）：304-312.

[270] 李萍，徐国钧，徐珞珊，等. 中药贝母类的研究：ⅩⅦ. 贝母鳞叶上表皮显微观测 [J]. 药学学报，1991，26（6）：463-470.

[271] 肖培根，姜艳，李萍，等. 中药贝母的基原植物和药用亲缘学的研究 [J]. 植物分类学报，2007，45（4）：473-487.

[272] 陈心启，夏光成. 中药贝母名实考订 [J]. 植物分类学报，1977，15（2）：31-46.

[273] 谢果珍，刘浩，王智，等. 黄精属药食两用中药玉竹与黄精的比较 [J]. 中国现代中药，

2020，22（9）：1447-1452.

[274] 杨贵元，丁永辉. 甘肃省威灵仙药用植物及商品调查 [J]. 中药材，2001，24（1）：20-21.

[275] 温子帅，范忠星，齐兰婷，等. 射干性味的本草考证 [J]. 中国中医基础医学杂志，2020，26（8）：1163-1166.

[276] 孙璐. 菲类成分在六种灯心草属药用植物中的分布及其抗焦虑作用研究 [D]. 北京：北京中医药大学，2016.

[277] MILES C O，LANE G A，MENNA M E. High levels of ergonovine and lysergic acid amide in toxic *Achnatherum inebrians* accompany infection by an *Acremonium*-like endophytic fungus[J]. Journal of Agriculture and Food Chemistry，1996，44（5）：1285-1290.

[278] LIANG Y，WANG H C，LI C J，et al. Effects of feeding drunken horse grass infected with *Epichloë gansuensis* endophyte on animal performance，clinical symptoms and physiological parameters in sheep[J]. BMC Veterinary Research，2017，13（1）：223.

[279] 武欣，李勇，徐美虹. 燕麦 β - 葡聚糖与疾病关系的研究进展 [J]. 中国食物与营养，2019，25（2）：68-72.

[280] 国家药典委员会. 中华人民共和国药典 [M]. 1995 年版. 北京：中国医药科技出版社，1995.

[281] 刘振生. 贺兰山脊椎动物 [M]. 银川：宁夏人民出版社，2009.

[282] 谢宇，周重建. 中国中草药彩色图鉴大全集：上册 [M]. 长沙：湖南科学技术出版社，2018.